BIBLIOTHÈQUE DES TEXTES PHILOSOPHIQUES

Directeur : Henri GOUHIER

Textes et Commentaires

RENÉ DESCARTES

DISCOURS DE LA MÉTHODE

TEXTE ET COMMENTAIRE

PAR

ÉTIENNE GILSON

DE L'ACADÉMIE FRANÇAISE

LIBRAIRIE PHILOSOPHIQUE J. VRIN

Given

by the

Lincoln Christian College

Alumni Association

As Part

of a

$100,000 Gift,

1968-1971

DISCOURS
DE LA MÉTHODE.

BIBLIOTHÈQUE DES TEXTES PHILOSOPHIQUES
Directeur : Henri GOUHIER
Textes et Commentaires

RENÉ DESCARTES

DISCOURS DE LA MÉTHODE

TEXTE ET COMMENTAIRE

PAR

ÉTIENNE GILSON

DE L'ACADÉMIE FRANÇAISE

Quatrième édition

PARIS
LIBRAIRIE PHILOSOPHIQUE J. VRIN
6, Place de la Sorbonne, Vᵉ
—
1967

Le portrait qui orne la couverture de ce livre est l'œuvre de Frans van Schooten le fils, professeur de mathématiques, auteur des gravures de la *Dioptrique* et des *Météores* (1637) et des *Principia philosophiae* (1644). Il dessina le portrait d'après nature en 1644. Descartes refusa de le laisser imprimer avec les *Principia,* mais il le vit en 1649 et remercia l'auteur en ces termes : « je le trouve fort bien fait, mais la barbe et les habits ne ressemblent aucunement ». La plaque fut finie et la gravure tirée, en 1650, à cent exemplaires.

Sur la ressemblance au modèle, les avis des contemporains diffèrent. Huygens n'en était pas satisfait, mais un cartésien, Erasmus Bartholinus (1625-1698) en envoya un exemplaire à son professeur Olaus Wormius, de Copenhague. L'envoi était accompagné d'une lettre datée de Leyde, 2 juin 1650, qui disait : « J'envoie un portrait du Dr Descartes, qui le représente très exactement au vif, autant du moins que nous en pouvons juger, moi-même et d'autres qui l'ont vu... il a été gravé ici deux autres fois, d'une manière magnifique et avec un art insigne, mais comme ces gravures ne rendent absolument pas le visage de Descartes, il ne m'a pas semblé qu'il valût la peine de les envoyer. » Le célèbre portrait de Descartes par Franz Hals, qui est au Louvre, ne représente pas certainement Descartes et n'est pas certainement de Franz Hals. La gravure de Schooten est en tout cas le seul portrait de Descartes fait d'après nature (*ad vivum*). Ajoutons que l'inscription qui l'entoure est le seul document connu attestant que Descartes naquit le 31 mars 1596. Sur ce portrait, voir J. Nordström, *Lychnos,* 17 (1957-58) 194-250.

2e édition 1926
3e édition 1962
4e édition 1966

A L'UNIVERSITÉ DE Sᵀ ANDREWS

EN HOMMAGE RECONNAISSANT.

Étienne Gilson, LL. D.

INTRODUCTION

Vers le commencement de l'année 1636, Descartes prend conscience de sa solitude et s'en inquiète. C'est cependant la part de son héritage, qu'il a choisie et jalousement conservée. En Allemagne, dans le village dont un siècle trop fécond pour se soucier d'histoire n'a pas daigné lui demander le nom ; en Hollande, dans ces petites villes qui n'offrent d'autre conversation que celle de deux curieux et d'un principal de Collège, fuis dès que leur familiarité se fait importune, Descartes a nourri son rêve d'une science qui serait Sagesse, n'étant que le mouvement de l'esprit même qui la crée. Mais il a voulu, et vécu, des dépaysements plus complets encore. Vivre avec sa pensée, entre quelques étrangers muets qui ne semblent là que pour en permettre l'exercice, c'est assurément être seul ; mais laisser glisser son rêve au long des rues étroites et populeuses d'une grande ville, céder au flot d'une foule inconsciente qui, se ruant vers tout ce que l'on nie, entraîne sans le savoir la pensée qui va la dominer, c'est sans doute la solitude de toutes la plus délaissée, celle où l'individu conquiert, au contact de cette indifférence universelle, le sentiment aigu de sa singularité. Et c'est cependant cette vie secrète qui va mettre brusquement l'univers entier dans sa confidence, avec le *Discours de la Méthode*, confession non moins unique, dans l'ordre de la pensée spéculative, que celle de saint Augustin dans l'ordre du sentiment religieux. Tout fait pressentir qu'une telle œuvre est le dénouement d'une crise intérieure ; pour la comprendre, c'est le sens de la crise qu'elle dénoue qu'il importe avant tout de retrouver.

Expression d'une pensée trop pure de tout alliage pour avoir quoi que ce soit à dissimuler, le *Discours* nous dit exactement quel homme

fut Descartes : une intelligence avant tout soucieuse de connaître et
de se cultiver. Cette sorte de passion intellectuelle solitaire, satisfaite
de la jouissance de soi-même, est moins rare qu'on ne pense ; mais
comme les biographes sont d'un type exactement opposé, puisqu'ils
entretiennent le public de la vie des autres au lieu de cultiver la leur,
ils tiennent volontiers une telle passion pour invraisemblable et, lorsqu'ils la rencontrent, s'efforcent d'imaginer autre chose pour rendre
compte de ce qu'elle seule peut expliquer. Telle est cependant l'hypothèse que Descartes lui-même nous propose, et qui s'accorde plus
simplement que toutes avec ce que nous savons de son existence : il
n'a d'abord vécu que pour la joie de connaître, et son inclination personnelle eût été de méditer en silence, sans rien publier.

De fait, ses découvertes mathématiques, sa méthode, sa métaphysique demeurèrent inédites jusqu'à la publication du *Discours;* il y
avait véritablement en lui, sous certains rapports, quelque chose de
ce qu'allait être Spinoza. Et cependant cet homme, qui ne se souciait
ni de gloire scientifique, ni de réforme intellectuelle, politique ou religieuse, fut engagé dans les luttes inséparables de toute vie intellectuelle publique par l'un des traits les plus profonds, quoique le moins
remarqué peut-être, de son caractère : il se crut appelé au rôle de bien-
faiteur du genre humain. Entendons par là, non qu'il devait lui apporter la vérité, car chacun n'est en cela chargé que de soi-même ; ni qu'il
se croyait appelé à prêcher aux hommes la vertu, car il ne se sentait ni
le zèle d'un prophète pour les y exhorter, ni l'autorité d'un prince pour
les y contraindre. Simplement, il avait compris que la vraie science
devait un jour transformer les conditions matérielles de notre existence ; il avait vu les hommes, en proie aux mille incommodités de
la vie journalière, secourus par des inventions mécaniques de toutes
sortes, leurs maladies guéries, leurs mœurs améliorées comme d'elles-
mêmes grâce à la connaissance vraie des états du corps dont elles
dépendent, la vie humaine, enfin, prolongée selon des proportions im-
prévisibles, grâce à la simple publication de sa physique, dont ces
découvertes devaient être les applications immédiates. Si différent de
Francis Bacon par tant de traits de son esprit et de son caractère, Descartes était tourné comme lui vers l'âge des machines, de l'industrie et

de la médecine scientifique ; son âme nourrissait plus d'espérances que trois siècles de science n'ont été capables d'en réaliser.

Mais, pour ouvrir cet âge d'or, il fallait nécessairement mettre à la disposition des hommes la vérité bienfaisante, c'est-à-dire la publier. Ainsi, de philosophe, Descartes allait devenir auteur, pour obéir à « la loi qui nous oblige à procurer, autant qu'il est en nous, le bien général de tous les hommes[1] ». Formule trompeuse par le ton de tranquillité abstraite, qui voile un sentiment durable et violent au point d'animer la vie publique de Descartes tout entière. Certes, une fois engagé dans la lutte, l'amour-propre de l'auteur et l'orgueil de l'homme ne seront pas sans venir s'y mêler ; c'est du moins par devoir qu'il s'imposa d'abord l'importune tâche de rédiger le *Monde*, et l'on sait assez que cette œuvre était sur le point de révéler la vraie physique, mère de la vraie médecine, lorsque la condamnation de Galilée vint en arrêter la publication. Telle est l'origine de la crise intérieure que la publication du *Discours* aura précisément pour objet de dénouer. A partir du moment où la divulgation de sa physique lui apparaît comme dangereuse, sinon comme impossible, Descartes est une philanthrope devant une humanité dont il veut le bonheur, et qui refuse de le recevoir de ses mains. Par un singulier renversement de l'ordre, il se voit obligé d'offrir aux hommes, avec mille précautions, et presque en s'en excusant, ce qu'ils devraient implorer de lui comme le plus grand des bienfaits. Mais, par une contradiction plus singulière encore, ce fier génie, pour qui nul ne peut rien, se voit obligé d'implorer des hommes la grâce de le laisser travailler tranquille à leur bonheur. De là, cette extraordinaire *Sixième Partie*, dont tout commentaire purement verbal ne pourrait qu'affaiblir la portée, parce que jamais la solitude où se sent enfermé le penseur ne s'est plus complètement exprimée que dans ces pages d'une pudeur si hautaine. Avec une pensée capable d'user plusieurs existences successives à découvrir des vérités insoupçonnables des autres hommes, Descartes voit la seule vie dont il dispose à demi consumée, et l'heure s'approcher où il sera décidément trop tard pour espérer de jamais aboutir. Avec un génie capable de s'asservir simultanément plusieurs existences et de les associer au grand œuvre de la

---

1. *Discours*, p. 61, l. 26.

science, Descartes voit qu'il n'en trouvera jamais une seule pour se dévouer aussi intégralement que lui-même à sa propre vérité. Que peuvent donc faire pour lui les hommes? Le laisser publier en paix sa physique, dont ils recueilleront plus tard une médecine, et le solliciter même, dans leur intérêt bien entendu, de la publier. Le *Discours de la Méthode* ne met donc en scène la vie et la personne de Descartes, que parce que c'est bien une vie qui se trouve alors en question : un obstacle imprévu compromet le succès d'une œuvre qui ne vise qu'au bonheur des hommes ; comment les convaincre de la faute qu'ils commettent, sans placer sous leurs yeux l'œuvre qui s'élabore, la méthode qui la rend possible, les preuves irrécusables, enfin, de sa fécondité? Descartes n'a donc d'autre ressource que de se raconter soi-même, afin que, sachant ce qu'il est et ce qu'il fait, le public lui garantisse du moins la paix nécessaire pour que son œuvre puisse librement se réaliser.

Descartes avait primitivement l'intention de publier le *Discours* et les *Essais* sans leur faire porter son nom[1]. En laissant son ouvrage anonyme, il espérait, sans engager dans l'affaire un repos et une liberté qu'elle avait pour fin d'assurer, signaler l'existence d'une méthode et en manifester l'excellence aux fruits extraordinaires qu'elle produisait. Pour en donner quelque idée, le philosophe avait conçu le plan d'un édifice composite, dont chaque partie mettrait en évidence l'un des aspects de son œuvre. Toutefois, il est clair que Descartes lui-même ne prévoyait pas d'abord l'ensemble du *Discours de la Méthode* et des *Essais* tel qu'il devait le publier ; on le voit se constituer progressivement, au cours d'une évolution que sa *Correspondance* permet de retracer.

Le fragment le plus ancien de cet ensemble est le Discours X de la *Dioptrique*, qui porte le titre : *De la façon de tailler les verres*, et dont l'idée première paraît remonter à la correspondance échangée entre Descartes et Ferrier, en 1629[2]. Le reste de la *Dioptrique* n'est rien d'autre qu'une partie du grand traité : *Le Monde*, que Descartes travaillait sans hâte à rédiger vers la fin de 1630[3]. Il convient néanmoins

---

1. *Œuvres complètes*, édit. Adam-Tannery, t. I, p. 340, l. 14-16.
2. Cf. *Œuvres complètes*, édit. Adam-Tannery, t. I, p. 32 et suiv., p. 53 et suiv. ; t. VI, p. 228, note ; t. XII, p. 183, note 6.
3. *A Mersenne*, 25 novembre 1630, t. I, p. 179, l. 26-p. 180, l. 3.

de remarquer que, dès ce moment, Descartes attribue à cette partie de
son œuvre un caractère particulier. En raison sans doute de la méthode
strictement géométrique exigée par la matière, il en fait comme un
critérium de son aptitude à persuader les autres de ce que lui-même
considère comme vrai : s'il réussit à convaincre ses lecteurs sur ce point,
il s'enhardira peut-être jusqu'à publier son *Traité de métaphysique* et à
proposer publiquement ses preuves de l'existence de Dieu et de l'immortalité de l'âme[1]. C'est aussi pourquoi cette partie du *Monde* manifeste
dès ce moment comme une aptitude spontanée à se séparer du reste :
en janvier 1632, Descartes en envoie les deux premiers chapitres à
Golius, c'est-à-dire la partie où il a expliqué la réfraction « sans toucher
au reste de la Philosophie[2] ». On s'explique donc aisément qu'après
avoir « quasi résolu de brûler tous ses papiers » sous le coup de la condamnation de Galilée[3], la *Dioptrique* ait été le premier fragment de son
œuvre que Descartes ait songé à utiliser lorsqu'il entreprit de sauver
quelque chose du désastre. En 1635, nous le voyons lire une partie de
ce traité devant Huygens, à Amsterdam[4], et avec un tel succès qu'il
écrit, vers l'automne de la même année : « Pour les lunettes, je vous
dirai que, depuis la condamnation de Galilée, j'ai revu et entièrement
achevé le Traité que j'en avais autrefois commencé ; et, l'ayant entièrement séparé de mon Monde, je me propose de le faire imprimer seul
dans peu de temps[5]. » Tel est le premier projet de la *Dioptrique* dont
Descartes fera un *Essai* de la méthode préconisée par le *Discours*.

Dès le 1er novembre 1635, Descartes annonce à Huygens son intention : « d'ajouter les Météores à la Dioptrique[6] ». C'est encore un fragment du *Monde* qu'il songe à utiliser, et même c'en est comme la cellule
primitive, puisque le *Monde* est né du projet d'expliquer le phénomène des parhélies, puis d' « examiner par ordre tous les Météores[7] »
et enfin d'expliquer à ce propos « tous les phénomènes de la nature,

1. T. I, p. 182, l. 13-22.
2. Janvier 1632, t. I, p. 234, l. 29-p. 235, l. 11.
3. *A Mersenne*, novembre 1633, t. I, p. 270, l. 17-p. 271, l. 2.
4. *A Golius*, 16 avril 1635, t. I, p. 315, l. 5-14.
5. *A X****, automne 1635, t. I, p. 322, l. 14-24.
6. T. I, p. 329, l. 28-p. 330, l. 11.
7. *A Mersenne*, 8 octobre 1629, t. I, p. 22, l. 9-p. 23, l. 12. *Au même*, 4 mars 1630,
t. I, p. 127, l. 6-19.

c'est-à-dire toute la Physique [1] ». Après la condamnation de Galilée, nous retrouvons une première mention des *Météores* en mai 1635 [2]. C'est, en effet, à cette date que se rapporte ce qu'écrira plus tard Descartes : « J'ai dessein d'ajouter les Météores à la Dioptrique, et j'y ai travaillé assez diligemment les deux ou trois premiers mois de cet été, à cause que j'y trouvais plusieurs difficultés que je n'avais encore jamais examinées, et que je démêlais avec plaisir [3] ; » mais, après y avoir travaillé de nouveau pendant deux ou trois mois, Descartes perd courage, comme il lui arrivait souvent, lorsqu'ayant épuisé la joie de l'invention, il ne lui restait plus que la peine de rédiger ses découvertes.

C'est dans cette même lettre à Huygens, du 1er novembre 1635, qu'apparaît aussi la première mention du *Discours*. Il est déjà ce qu'il restera toujours : une simple « préface » que Descartes veut joindre à la *Dioptrique* et aux *Météores* [4]. Le philosophe estime d'abord vraisemblable que deux ou trois mois lui seront nécessaires pour achever la rédaction de cette préface et de son traité ; mais, pendant le temps même où l'on imprime ses *Météores*, il invente une partie de ce que contiendra son traité de *Géométrie* et le rédige en entier [5]. A partir de ce moment, le plan de l'ouvrage est définitivement arrêté et Descartes l'expose clairement à son ami Mersenne, en lui confiant le titre singulièrement expressif qu'il projetait alors de donner au *Discours* : « Et afin que vous sachiez ce que j'ai envie de faire imprimer, il y aura quatre Traités tous français, et le titre en général sera : *Le projet d'une Science universelle qui puisse élever notre nature à son plus haut degré de perfection. Plus la Dioptrique, les Météores et la Géométrie ; où les plus curieuses Matières que l'Auteur ait pu choisir, pour rendre preuve de la*

1. *A Mersenne*, 13 novembre 1629, t. I, p. 70, l. 6-11.
2. *A Golius*, 19 mai 1635, t. I, p. 320, l. 5.
3. *A Huygens*, 1er novembre 1635, t. I, p. 329, l. 28-p. 330, l. 4.
4. *Loc. cit.*, t. I, p. 330, l. 8-9.
5. « C'est un traité que je n'ai quasi composé que pendant qu'on imprimait mes Météores, et même j'en ai inventé une partie pendant ce temps-là ; mais je n'ai pas laissé de m'y satisfaire, autant ou plus que je ne me satisfais d'ordinaire de ce que j'écris » (*à ****, octobre 1637, t. I, p. 458, l. 5-10). Dans le même sens, *à Mersenne*, fin décembre 1637 (?), t. I, p. 478, l. 2-11. Descartes devait d'ailleurs faire faire un tirage à part de sa Géométrie, dont certains exemplaires furent distribués par Mersenne, et d'autres par lui-même (*à Pollot*, 12 février 1638, t. I, p. 518, l. 19-21 ; ci. p. 519, note).

Science universelle qu'il propose, sont expliquées en telle sorte que ceux mêmes qui n'ont point étudié les peuvent entendre. En ce projet, je découvre une partie de ma Méthode, je tâche à démontrer l'existence de Dieu et de l'âme séparée du corps, et j'y ajoute plusieurs autres choses qui ne seront pas, je crois, désagréables au lecteur. En la *Dioptrique*, outre la matière des réfractions et l'invention des lunettes, j'y parle aussi fort particulièrement de l'Œil, de la Lumière, de la Vision, et de tout ce qui appartient à la Catoptrique et à l'Optique. Aux *Météores*, je m'arrête principalement sur la nature du Sel, les causes des Vents et du Tonnerre, les figures de la Neige, les couleurs de l'Arc-en-Ciel, où je tâche aussi à démontrer généralement quelle est la nature de chaque Couleur, et les Couronnes, ou Halones, et les Soleils, ou Parhelia, semblables à ceux qui parurent à Rome il y a six ou sept ans. Enfin, en la *Géométrie*, je tâche à donner une façon générale pour soudre tous les Problèmes qui ne l'ont jamais été. Et tout ceci ne fera pas, je crois, un volume plus grand que de cinquante ou soixante feuilles [1]. » Quant au but que visait Descartes en publiant le *Discours*, il nous l'a lui-même défini dans la *Sixième Partie*, en des termes que le témoignage de la *Correspondance* confirme entièrement. Et quant à l'histoire de la publication du *Discours*, avec les controverses qu'il souleva, elle reste encore à écrire ; il n'y faudrait pas moins d'un important ouvrage, mais on peut être assuré qu'elle jetterait les lumières les plus vives sur le développement de la pensée française et européenne au XVIIᵉ siècle.

Le présent travail se propose un objet tout différent. Depuis la première édition du *Discours de la Méthode*, chez Jean Maire, à Leyde, en 1637, de très nombreuses éditions se sont succédé, dont on trouvera une imposante liste dans le *Catalogue des imprimés de la Bibliothèque nationale*, article *Descartes*. De ces éditions, les unes ne contiennent que le texte, les autres s'accompagnent de notes ou d'un commentaire plus ou moins étendu, aucune ne s'est proposé d'élucider les difficultés de toutes sortes que le texte soulève, ni même de les signaler à l'attention des interprètes, dans l'espoir qu'elles finiront par être élucidées. Tel est proprement le but que vise la présente édition du *Discours*, avec le commentaire qui l'accompagne ; nous voudrions indiquer briè-

---

1. *A Mersenne*, mars 1636, t. I, p. 339, l. 16-p. 340, l. 14.

vement ce que nous avons essayé d'y mettre, et aussi ce que l'on perdrait son temps à y chercher.

Notre travail reproduit d'abord le texte même de la première édition du *Discours de la Méthode*, tel qu'il est publié dans le tome VI des *Œuvres complètes*, édition Adam-Tannery. La pagination et le numérotage des lignes de cette édition ont été conservés ; les quelques errata indiqués par M. Ch. Adam dans son *Avertissement* ont été rétablis dans le texte ; par contre, sauf quelques initiales auxquelles Descartes nous a paru tenir, nous avons transcrit le texte selon les règles de l'orthographe moderne. Il nous a semblé plus nuisible qu'utile de vieillir l'aspect de sa prose et d'en rendre l'abord plus difficile par des formes désuètes, qui ne reproduisent même pas son usage, mais celui de son imprimeur. Surtout, nous nous sommes souvenu qu'en matière d'orthographe Descartes ne désirait rien tant que de suivre l'usage ; nous l'avons donc suivi pour lui.

Après le texte, le Commentaire. Chaque article contient d'abord le renvoi au passage commenté ; par exemple :

P. **24**, l. **10** : « ... *pour mon particulier* ... »

signifie : page 24, ligne 10 du texte, aux mots : *pour mon particulier*.

Lorsqu'une référence du Commentaire renvoie au texte même du *Discours*, elle est ainsi libellée : voir p. 24, l. 10. Lorsqu'elle renvoie au Commentaire du texte, elle est ainsi libellée : voir à p. 24, l. 10.

Quant au contenu du Commentaire, on y trouvera essentiellement :

1º La comparaison entre le texte français du *Discours* et sa traduction latine par Étienne de Courcelles, chaque fois qu'une nuance, ou une précision de sens quelconque, peut se trouver suggérée par cette comparaison. Le caractère littéral de la traduction latine en fait un instrument souvent précieux pour l'interprétation du texte français.

2º L'explication du sens littéral des expressions françaises aujourd'hui vieillies dont use Descartes, et aussi de celles qui sont restées en usage, mais avec un sens différent.

3º L'indication des renseignements historiques dont nous disposons, chaque fois qu'il s'agit d'un événement de la vie de Descartes auquel le *Discours* fait allusion : restitution des faits, dates, noms propres, etc.

4º Concernant les problèmes proprement philosophiques :

a) La définition des termes techniques employés par Descartes, pris au sens que lui-même leur donnait.

b) Le commentaire que lui-même a laissé de chaque passage du *Discours de la Méthode*, dans les cas fort nombreux où l'un de ses correspondants l'a consulté pour en éclaircir le sens ; ou, à défaut d'un pareil commentaire, les textes parallèles qui peuvent contribuer à l'éclaircir.

c) L'indication des prolongements doctrinaux que comporte la pensée complète de Descartes, et auxquels la rédaction constamment elliptique du *Discours* ne contient le plus souvent qu'une allusion rapide.

d) Les interprétations de certains commentateurs anciens ou modernes, dans les cas où elles nous ont semblé rendre de manière particulièrement heureuse la pensée authentique de Descartes lui-même.

D'une manière générale, notre idéal eût été de permettre une explication du texte du *Discours* aussi précise que l'état de nos connaissances historiques nous permet de l'atteindre actuellement. Nous nous excusons d'un appareil d'érudition que nous eussions voulu moins encombrant et moins pédantesque. On voudra bien noter, du moins, que ce Commentaire ne se donne aucunement pour une intelligence toute faite du *Discours de la Méthode ;* mais, pensant que cette intelligence présuppose un travail préparatoire long, minutieux, difficile, et que l'on peut avoir besoin d'interpréter la pensée de Descartes sans avoir le temps de refaire ce travail pour son propre compte, nous avons espéré que notre livre amènerait pour ainsi dire à pied d'œuvre la réflexion personnelle, et qu'il en faciliterait l'exercice, bien loin de s'y substituer. Nos humanistes français ont toujours été les esprits les plus érudits en même temps que les plus libres ; ils eussent été fort surpris d'apprendre qu'une intelligence qui s'informe perd quelque chose de sa liberté.

Nous avons dû mettre à contribution la bonne volonté de tant d'amis, pour conduire notre travail au point de moindre imperfection où il se trouve, qu'il nous serait difficile de les remercier individuellement. Qu'il nous soit permis, du moins, de rappeler la dette que nous avons depuis longtemps contractée à l'égard de M. L. Lévy-Bruhl, et dont nous apercevons mieux l'étendue à mesure que le temps nous éloigne d'un enseignement si fécond ; de remercier M. L. Brunschvicg, à la suggestion de qui nous avons entrepris ce travail, et dont le nom devrait s'y rencontrer plus souvent encore qu'il n'y figure ; M. A. Lalande, qui a bien voulu prendre la peine d'en lire en manuscrit une grande partie et nous suggérer de très utiles modifications ; M. H. Gouhier, qui s'est bénévolement chargé de la lourde tâche de composer les tables analytiques, sans lesquelles un livre de ce genre perdrait beaucoup de sa valeur utile. Nous sommes heureux, enfin, de pouvoir inscrire au début de cet ouvrage le nom de l'Université de Saint-Andrews, et d'en faire hommage à ce foyer d'humanisme, auquel nous unissent les liens de la reconnaissance et de l'amitié.

Melun, 29 mars 1925.

NOTE POUR LA DEUXIÈME ÉDITION

Cette édition ne diffère de la première que par des corrections de détail. Les erreurs qui s'étaient pu glisser dans le texte même du *Discours* ont été corrigées. Les quelques initiales, que nous avions cru devoir maintenir, nous ont semblé, après nouvel examen, arbitraires, et ont en conséquence été supprimées. Un certain nombre d'erreurs typographiques ont également disparu du commentaire. Nous espérons avoir rendu par là ce travail moins indigne du favorable accueil qu'il a rencontré.

Melun, 1er mars 1926.

DISCOURS

DE LA MÉTHODE

POUR BIEN CONDUIRE SA RAISON ET CHERCHER
LA VÉRITÉ DANS LES SCIENCES

*Si ce discours semble trop long pour être tout lu
en une fois, on le pourra distinguer en six parties. Et,
en la première, on trouvera diverses considérations touchant les sciences. En la seconde, les principales règles*
5 *de la méthode que l'auteur a cherchée. En la 3,
quelques-unes de celles de la morale qu'il a tirée de cette
méthode. En la 4, les raisons par lesquelles il prouve
l'existence de Dieu et de l'âme humaine, qui sont les
fondements de sa métaphysique. En la 5, l'ordre des*
10 *questions de physique qu'il a cherchées, et particulièrement l'explication du mouvement du cœur et de quelques
autres difficultés qui appartiennent à la médecine, puis
aussi la différence qui est entre notre âme et celle des
bêtes. Et en la dernière, quelles choses il croit être*
15 *requises pour aller plus avant en la recherche de la nature qu'il n'a été, et quelles raisons l'ont fait écrire.*

Le bon sens est la chose du monde la mieux partagée : car chacun pense en être si bien pourvu, que PREMIÈRE
PARTIE.

I

ceux même qui sont les plus difficiles à contenter en
toute autre chose, n'ont point coutume d'en désirer
plus qu'ils en ont. En quoi il n'est pas vraisemblable
que tous se trompent ; mais plutôt cela témoigne que
la puissance de bien juger, et distinguer le vrai d'avec   5
le faux, qui est proprement ce qu'on nomme le bon
sens ou la raison, est naturellement égale en tous les
hommes ; et ainsi que la diversité de nos opinions ne
vient pas de ce que les uns sont plus raisonnables que
les autres, mais seulement de ce que nous condui-   10
sons nos pensées par diverses voies, et ne considérons
pas les mêmes choses. Car ce n'est pas assez d'avoir
l'esprit bon, mais le principal est de l'appliquer bien.
Les plus grandes âmes sont capables des plus grands
vices, aussi bien que des plus grandes vertus ; et ceux   15
qui ne marchent que fort lentement, peuvent avancer
beaucoup davantage, s'ils suivent toujours le droit
chemin, que ne font ceux qui courent, et qui s'en
éloignent.

Pour moi, je n'ai jamais présumé que mon esprit   20
fût en rien plus parfait que ceux du commun ; même
j'ai souvent souhaité d'avoir la pensée aussi prompte,
ou l'imagination aussi nette et distincte, ou la mémoire aussi ample, ou aussi présente, que quelques
autres. Et je ne sache point de qualités que celles-   25
ci, qui servent à la perfection de l'esprit : car pour la
raison, ou le sens, d'autant qu'elle est la seule chose
qui nous rend hommes, et nous distingue des bêtes,
je veux croire qu'elle est tout entière en un chacun,
et suivre en ceci l'opinion commune des philosophes,   30
qui disent qu'il n'y a du plus et du moins qu'entre les

accidents, et non point entre les *formes*, ou natures, des *individus* d'une même *espèce*.

　　Mais je ne craindrai pas de dire que je pense avoir eu beaucoup d'heur, de m'être rencontré dès ma jeu-

5　nesse en certains chemins, qui m'ont conduit à des considérations et des maximes, dont j'ai formé une méthode, par laquelle il me semble que j'ai moyen d'augmenter par degrés ma connaissance, et de l'éle-ver peu à peu au plus haut point, auquel la médiocrité

10　de mon esprit et la courte durée de ma vie lui pour-ront permettre d'atteindre. Car j'en ai déjà recueilli de tels fruits, qu'encore qu'aux jugements que je fais de moi-même, je tâche toujours de pencher vers le côté de la défiance, plutôt que vers celui de la pré-

15　somption ; et que, regardant d'un œil de philosophe les diverses actions et entreprises de tous les hommes, il n'y en ait quasi aucune qui ne me semble vaine et inu-tile ; je ne laisse pas de recevoir une extrême satisfac-tion du progrès que je pense avoir déjà fait en la

20　recherche de la vérité, et de concevoir de telles espé-rances pour l'avenir, que si, entre les occupations des hommes purement hommes, il y en a quelqu'une qui soit solidement bonne et importante, j'ose croire que c'est celle que j'ai choisie.

25　　Toutefois il se peut faire que je me trompe, et ce n'est peut-être qu'un peu de cuivre et de verre que je prends pour de l'or et des diamants. Je sais combien nous sommes sujets à nous méprendre en ce qui nous touche, et combien aussi les jugements de nos amis

30　nous doivent être suspects, lorsqu'ils sont en notre faveur. Mais je serai bien aise de faire voir, en ce dis-

cours, quels sont les chemins que j'ai suivis, et d'y
représenter ma vie comme en un tableau, afin que
chacun en puisse juger, et qu'apprenant du bruit
commun les opinions qu'on en aura, ce soit un nouveau moyen de m'instruire, que j'ajouterai à ceux   5
dont j'ai coutume de me servir.

Ainsi mon dessein n'est pas d'enseigner ici la méthode que chacun doit suivre pour bien conduire sa
raison, mais seulement de faire voir en quelle sorte
j'ai tâché de conduire la mienne. Ceux qui se mêlent   10
de donner des préceptes, se doivent estimer plus
habiles que ceux auxquels ils les donnent; et s'ils
manquent en la moindre chose, ils en sont blâmables.
Mais, ne proposant cet écrit que comme une histoire,
ou, si vous l'aimez mieux, que comme une fable, en   15
laquelle, parmi quelques exemples qu'on peut imiter,
on en trouvera peut-être aussi plusieurs autres qu'on
aura raison de ne pas suivre, j'espère qu'il sera utile
à quelques-uns, sans être nuisible à personne, et que
tous me sauront gré de ma franchise.   20

J'ai été nourri aux lettres dès mon enfance, et
pource qu'on me persuadait que, par leur moyen, on
pouvait acquérir une connaissance claire et assurée de
tout ce qui est utile à la vie, j'avais un extrême désir
de les apprendre. Mais, sitôt que j'eus achevé tout ce   25
cours d'études, au bout duquel on a coutume d'être
reçu au rang des doctes, je changeai entièrement
d'opinion. Car je me trouvais embarrassé de tant de
doutes et d'erreurs, qu'il me semblait n'avoir fait autre
profit, en tâchant de m'instruire, sinon que j'avais dé-   30
couvert de plus en plus mon ignorance. Et néanmoins

j'étais en l'une des plus célèbres écoles de l'Europe, où je pensais qu'il devait y avoir de savants hommes, s'il y en avait en aucun endroit de la terre. J'y avais appris tout ce que les autres y apprenaient ; et même,

5 ne m'étant pas contenté des sciences qu'on nous enseignait, j'avais parcouru tous les livres, traitant de celles qu'on estime les plus curieuses et les plus rares, qui avaient pu tomber entre mes mains. Avec cela, je savais les jugements que les autres faisaient de moi ;

10 et je ne voyais point qu'on m'estimât inférieur à mes condisciples, bien qu'il y en eût déjà entre eux quelques-uns, qu'on destinait à remplir les places de nos maîtres. Et enfin notre siècle me semblait aussi fleurissant, et aussi fertile en bons esprits, qu'ait été

15 aucun des précédents. Ce qui me faisait prendre la liberté de juger par moi de tous les autres, et de penser qu'il n'y avait aucune doctrine dans le monde qui fût telle qu'on m'avait auparavant fait espérer.

Je ne laissais pas toutefois d'estimer les exercices,

20 auxquels on s'occupe dans les écoles. Je savais que les langues, qu'on y apprend, sont nécessaires pour l'intelligence des livres anciens ; que la gentillesse des fables réveille l'esprit ; que les actions mémorables des histoires le relèvent, et qu'étant lues avec dis-

25 crétion, elles aident à former le jugement ; que la lecture de tous les bons livres est comme une conversation avec les plus honnêtes gens des siècles passés, qui en ont été les auteurs, et même une conversation étudiée, en laquelle ils ne nous découvrent que les meil-

30 leures de leurs pensées ; que l'éloquence a des forces et des beautés incomparables ; que la poésie a des

délicatesses et des douceurs très ravissantes ; que les
mathématiques ont des inventions très subtiles, et qui
peuvent beaucoup servir, tant à contenter les curieux
qu'à faciliter tous les arts, et diminuer le travail des
hommes ; que les écrits qui traitent des mœurs con- 5
tiennent plusieurs enseignements et plusieurs exhortations à la vertu qui sont fort utiles ; que la théologie
enseigne à gagner le ciel ; que la philosophie donne
moyen de parler vraisemblablement de toutes choses,
et se faire admirer des moins savants ; que la juris- 10
prudence, la médecine et les autres sciences apportent des honneurs et des richesses à ceux qui les
cultivent ; et enfin, qu'il est bon de les avoir toutes
examinées, même les plus superstitieuses et les plus
fausses, afin de connaître leur juste valeur et se 15
garder d'en être trompé.

Mais je croyais avoir déjà donné assez de temps aux
langues, et même aussi à la lecture des livres anciens,
et à leurs histoires, et à leurs fables. Car c'est quasi le
même de converser avec ceux des autres siècles, que 20
de voyager. Il est bon de savoir quelque chose des
mœurs de divers peuples, afin de juger des nôtres
plus sainement, et que nous ne pensions pas que tout
ce qui est contre nos modes soit ridicule, et contre
raison, ainsi qu'ont coutume de faire ceux qui n'ont 25
rien vu. Mais lorsqu'on emploie trop de temps à
voyager, on devient enfin étranger en son pays ;
et lorsqu'on est trop curieux des choses qui se prati-
quaient aux siècles passés, on demeure ordinairement
fort ignorant de celles qui se pratiquent en celui-ci. 30
Outre que les fables font imaginer plusieurs événe-

ments comme possibles qui ne le sont point ; et que même les histoires les plus fidèles, si elles ne changent ni n'augmentent la valeur des choses, pour les rendre plus dignes d'être lues, au moins en omettent-elles

5 presque toujours les plus basses et moins illustres circonstances : d'où vient que le reste ne paraît pas tel qu'il est, et que ceux qui règlent leurs mœurs par les exemples qu'ils en tirent, sont sujets à tomber dans les extravagances des paladins de nos romans, et à

10 concevoir des desseins qui passent leurs forces.

J'estimais fort l'éloquence, et j'étais amoureux de la poésie ; mais je pensais que l'une et l'autre étaient des dons de l'esprit, plutôt que des fruits de l'étude. Ceux qui ont le raisonnement le plus fort, et qui di-

15 gèrent le mieux leurs pensées, afin de les rendre claires et intelligibles, peuvent toujours le mieux persuader ce qu'ils proposent, encore qu'ils ne parlassent que bas breton, et qu'ils n'eussent jamais appris de rhétorique. Et ceux qui ont les inventions les plus

20 agréables, et qui les savent exprimer avec le plus d'ornement et de douceur, ne laisseraient pas d'être les meilleurs poètes, encore que l'art poétique leur fût inconnu.

Je me plaisais surtout aux mathématiques, à cause

25 de la certitude et de l'évidence de leurs raisons ; mais je ne remarquais point encore leur vrai usage, et, pensant qu'elles ne servaient qu'aux arts mécaniques, je m'étonnais de ce que, leurs fondements étant si fermes et si solides, on n'avait rien bâti dessus de plus

30 relevé. Comme, au contraire, je comparais les écrits des anciens païens, qui traitent des mœurs, à des palais

fort superbes et fort magnifiques, qui n'étaient bâtis
que sur du sable et sur de la boue. Ils élèvent fort
haut les vertus, et les font paraître estimables par-
dessus toutes les choses qui sont au monde ; mais ils
n'enseignent pas assez à les connaître, et souvent ce   5
qu'ils appellent d'un si beau nom, n'est qu'une insensibilité, ou un orgueil, ou un désespoir, ou un parricide.

Je révérais notre théologie, et prétendais, autant
qu'aucun autre, à gagner le ciel ; mais ayant appris,
comme chose très assurée, que le chemin n'en est pas   10
moins ouvert aux plus ignorants qu'aux plus doctes,
et que les vérités révélées, qui y conduisent, sont au-
dessus de notre intelligence, je n'eusse osé les soumettre à la faiblesse de mes raisonnements, et je pensais que, pour entreprendre de les examiner et y   15
réussir, il était besoin d'avoir quelque extraordinaire
assistance du ciel, et d'être plus qu'homme.

Je ne dirai rien de la philosophie, sinon que, voyant
qu'elle a été cultivée par les plus excellents esprits qui
aient vécu depuis plusieurs siècles, et que néanmoins   20
il ne s'y trouve encore aucune chose dont on ne dispute, et par conséquent qui ne soit douteuse, je n'avais
point assez de présomption pour espérer d'y rencontrer mieux que les autres ; et que, considérant combien
il peut y avoir de diverses opinions, touchant une   25
même matière, qui soient soutenues par des gens
doctes, sans qu'il y en puisse avoir jamais plus d'une
seule qui soit vraie, je réputais presque pour faux
tout ce qui n'était que vraisemblable.

Puis, pour les autres sciences, d'autant qu'elles em-   30
pruntent leurs principes de la philosophie, je jugeais

qu'on ne pouvait avoir rien bâti, qui fût solide, sur
des fondements si peu fermes. Et ni l'honneur, ni le
gain qu'elles promettent, n'étaient suffisants pour me
convier à les apprendre ; car je ne me sentais point,
5   grâces à Dieu, de condition qui m'obligeât à faire
un métier de la science, pour le soulagement de ma
fortune ; et quoique je ne fisse pas profession de mépriser la gloire en cynique, je faisais néanmoins fort
peu d'état de celle que je n'espérais point pouvoir
10 acquérir qu'à faux titres. Et enfin, pour les mauvaises
doctrines, je pensais déjà connaître assez ce qu'elles
valaient, pour n'être plus sujet à être trompé, ni par
les promesses d'un alchimiste, ni par les prédictions
d'un astrologue, ni par les impostures d'un magicien,
15 ni par les artifices ou la vanterie d'aucun de ceux qui
font profession de savoir plus qu'ils ne savent.

C'est pourquoi, sitôt que l'âge me permit de sortir
de la sujétion de mes précepteurs, je quittai entièrement l'étude des lettres. Et me résolvant de ne cher-
20 cher plus d'autre science, que celle qui se pourrait
trouver en moi-même, ou bien dans le grand livre du
monde, j'employai le reste de ma jeunesse à voyager,
à voir des cours et des armées, à fréquenter des gens
de diverses humeurs et conditions, à recueillir di-
25 verses expériences, à m'éprouver moi-même dans
les rencontres que la.fortune me proposait, et partout
à faire telle réflexion sur les choses qui se présen-
taient, que j'en pusse tirer quelque profit. Car il me
semblait que je pourrais rencontrer beaucoup plus de
30 vérité, dans les raisonnements que chacun fait touchant
les affaires qui lui importent, et dont l'événement

le doit punir bientôt après, s'il a mal jugé, que dans
ceux que fait un homme de lettres dans son cabinet,
touchant des spéculations qui ne produisent aucun
effet, et qui ne lui sont d'autre conséquence, sinon
que peut-être il en tirera d'autant plus de vanité   5
qu'elles seront plus éloignées du sens commun, à
cause qu'il aura dû employer d'autant plus d'esprit
et d'artifice à tâcher de les rendre vraisemblables.
Et j'avais toujours un extrême désir d'apprendre à
distinguer le vrai d'avec le faux, pour voir clair en   10
mes actions, et marcher avec assurance en cette vie.

Il est vrai que, pendant que je ne faisais que considérer les mœurs des autres hommes, je n'y trouvais
guère de quoi m'assurer, et que j'y remarquais quasi
autant de diversité que j'avais fait auparavant entre   15
les opinions des philosophes. En sorte que le plus
grand profit que j'en retirais, était que, voyant plusieurs choses qui, bien qu'elles nous semblent fort
extravagantes et ridicules, ne laissent pas d'être communément reçues et approuvées par d'autres grands   20
peuples, j'apprenais à ne rien croire trop fermement
de ce qui ne m'avait été persuadé que par l'exemple
et par la coutume ; et ainsi je me délivrais peu à peu
de beaucoup d'erreurs, qui peuvent offusquer notre
lumière naturelle, et nous rendre moins capables d'en-   25
tendre raison. Mais après que j'eus employé quelques
années à étudier ainsi dans le livre du monde et à
tâcher d'acquérir quelque expérience, je pris un jour
résolution d'étudier aussi en moi-même, et d'employer
toutes les forces de mon esprit à choisir les chemins   30
que je devais suivre. Ce qui me réussit beaucoup

mieux, ce me semble, que si je ne me fusse jamais éloigné, ni de mon pays, ni de mes livres.

J'étais alors en Allemagne, où l'occasion des guerres
qui n'y sont pas encore finies m'avait appelé; et
5   comme je retournais du couronnement de l'empereur
vers l'armée, le commencement de l'hiver m'arrêta en
un quartier où, ne trouvant aucune conversation qui
me divertît, et n'ayant d'ailleurs, par bonheur, aucuns
10   soins ni passions qui me troublassent, je demeurais
tout le jour enfermé seul dans un poêle, où j'avais
tout loisir de m'entretenir de mes pensées. Entre
lesquelles, l'une des premières fut que je m'avisai de
considérer, que souvent il n'y a pas tant de perfection
15   dans les ouvrages composés de plusieurs pièces, et
faits de la main de divers maîtres, qu'en ceux auxquels un seul a travaillé. Ainsi voit-on que les bâtiments qu'un seul architecte a entrepris et achevés,
ont coutume d'être plus beaux et mieux ordonnés,
20   que ceux que plusieurs ont tâché de raccommoder, en
faisant servir de vieilles murailles qui avaient été
bâties à d'autres fins. Ainsi ces anciennes cités, qui,
n'ayant été au commencement que des bourgades,
sont devenues, par succession de temps, de grandes
25   villes, sont ordinairement si mal compassées, au prix de
ces places régulières qu'un ingénieur trace à sa fantaisie dans une plaine, qu'encore que, considérant leurs
édifices chacun à part, on y trouve souvent autant
ou plus d'art qu'en ceux des autres; toutefois, à voir
comme ils sont arrangés, ici un grand, là un petit, et
30   comme ils rendent les rues courbées et inégales, on

dirait que c'est plutôt la fortune, que la volonté de
quelques hommes usant de raison, qui les a ainsi disposés. Et si on considère qu'il y a eu néanmoins de
tout temps quelques officiers, qui ont eu charge de
prendre garde aux bâtiments des particuliers, pour   5
les faire servir à l'ornement du public, on connaîtra
bien qu'il est malaisé, en ne travaillant que sur les
ouvrages d'autrui, de faire des choses fort accomplies. Ainsi je m'imaginai que les peuples qui, ayant
été autrefois demi-sauvages, et ne s'étant civilisés   10
que peu à peu, n'ont fait leurs lois qu'à mesure que
l'incommodité des crimes et des querelles les y a contraints, ne sauraient être si bien policés que ceux
qui, dès le commencement qu'ils se sont assemblés,
ont observé les constitutions de quelque prudent lé-   15
gislateur. Comme il est bien certain que l'état de la
vraie religion, dont Dieu seul a fait les ordonnances,
doit être incomparablement mieux réglé que tous les
autres. Et pour parler des choses humaines, je crois
que, si Sparte a été autrefois très florissante, ce n'a 20
pas été à cause de la bonté de chacune de ses lois en
particulier, vu que plusieurs étaient fort étranges, et
même contraires aux bonnes mœurs, mais à cause
que, n'ayant été inventées que par un seul, elles ten-
daient toutes à même fin. Et ainsi je pensai que les   25
sciences des livres, au moins celles dont les raisons
ne sont que probables, et qui n'ont aucunes démonstrations, s'étant composées et grossies peu à peu des
opinions de plusieurs diverses personnes, ne sont
point si approchantes de la vérité que les simples   30
raisonnements que peut faire naturellement un homme

de bon sens touchant les choses qui se présentent. Et
ainsi encore je pensai que, pource que nous avons
tous été enfants avant que d'être hommes, et qu'il
nous a fallu longtemps être gouvernés par nos appétits
5 et nos précepteurs, qui étaient souvent contraires les
uns aux autres, et qui, ni les uns ni les autres, ne
nous conseillaient peut-être pas toujours le meilleur, il est presque impossible que nos jugements soient
si purs, ni si solides qu'ils auraient été, si nous avions
10 eu l'usage entier de notre raison dès le point de notre
naissance, et que nous n'eussions jamais été conduits
que par elle.

Il est vrai que nous ne voyons point qu'on jette
par terre toutes les maisons d'une ville, pour le seul
15 dessein de les refaire d'autre façon, et d'en rendre les
rues plus belles; mais on voit bien que plusieurs font
abattre les leurs pour les rebâtir, et que même quelquefois ils y sont contraints, quand elles sont en
danger de tomber d'elles-mêmes, et que les fon-
20 dements n'en sont pas bien fermes. A l'exemple de
quoi je me persuadai, qu'il n'y aurait véritablement
point d'apparence qu'un particulier fît dessein de réformer un État, en y changeant tout dès les fondements, et en le renversant pour le redresser; ni
25 même aussi de réformer le corps des sciences, ou
l'ordre établi dans les écoles pour les enseigner;
mais que, pour toutes les opinions que j'avais reçues
jusques alors en ma créance, je ne pouvais mieux
faire que d'entreprendre, une bonne fois, de les en
30 ôter, afin d'y en remettre par après, ou d'autres
meilleures, ou bien les mêmes, lorsque je les aurais

ajustées au niveau de la raison. Et je crus fermement
que, par ce moyen, je réussirais à conduire ma vie
beaucoup mieux que si je ne bâtissais que sur de vieux
fondements, et que je ne m'appuyasse que sur les principes que je m'étais laissé persuader en ma jeunesse,   5
sans avoir jamais examiné s'ils étaient vrais. Car,
bien que je remarquasse en ceci diverses difficultés,
elles n'étaient point toutefois sans remède, ni com-
parables à celles qui se trouvent en la réformation des
moindres choses qui touchent le public. Ces grands   10
corps sont trop malaisés à relever, étant abattus, ou
même à retenir, étant ébranlés, et leurs chutes ne
peuvent être que très rudes. Puis, pour leurs imper-
fections, s'ils en ont, comme la seule diversité qui est
entre eux suffit pour assurer que plusieurs en ont,   15
l'usage les a sans doute fort adoucies ; et même il en
a évité ou corrigé insensiblement quantité, auxquelles
on ne pourrait si bien pourvoir par prudence. Et enfin,
elles sont quasi toujours plus supportables que ne
serait leur changement : en même façon que les grands   20
chemins, qui tournoient entre des montagnes, deviennent peu à peu si unis et si commodes, à force
d'être fréquentés, qu'il est beaucoup meilleur de les
suivre que d'entreprendre d'aller plus droit, en grim-
pant au-dessus des rochers, et descendant jusques au   25
bas des précipices.

C'est pourquoi je ne saurais aucunement approuver. ces humeurs brouillonnes et inquiètes, qui, n'é-
tant appelées, ni par leur naissance, ni par leur fortune, au maniement des affaires publiques, ne laissent   30
pas d'y faire toujours, en idée, quelque nouvelle réfor-

mation. Et si je pensais qu'il y eût la moindre chose en cet écrit, par laquelle on me pût soupçonner de cette folie, je serais très marri de souffrir qu'il fût publié. Jamais mon dessein ne s'est étendu plus avant

5 que de tâcher à réformer mes propres pensées, et de bâtir dans un fonds qui est tout à moi. Que si, mon ouvrage m'ayant assez plu, je vous en fais voir ici le modèle, ce n'est pas, pour cela, que je veuille conseiller à personne de l'imiter. Ceux que Dieu a mieux

10 partagés de ses grâces, auront peut-être des desseins plus relevés ; mais je crains bien que celui-ci ne soit déjà que trop hardi pour plusieurs. La seule résolution de se défaire de toutes les opinions qu'on a reçues auparavant en sa créance, n'est pas un exemple

15 que chacun doive suivre ; et le monde n'est quasi composé que de deux sortes d'esprits auxquels il ne convient aucunement. A savoir, de ceux qui, se croyant plus habiles qu'ils ne sont, ne se peuvent empêcher de précipiter leurs jugements, ni avoir assez de pa-

20 tience pour conduire par ordre toutes leurs pensées : d'où vient que, s'ils avaient une fois pris la liberté de douter des principes qu'ils ont reçus, et de s'écarter du chemin commun, jamais ils ne pourraient tenir le sentier qu'il faut prendre pour aller plus droit, et de-

25 meureraient égarés toute leur vie. Puis, de ceux qui, ayant assez de raison, ou de modestie, pour juger qu'ils sont moins capables de distinguer le vrai d'avec le faux, que quelques autres par lesquels ils peuvent être instruits, doivent bien plutôt se contenter de suivre

30 les opinions de ces autres, qu'en chercher eux-mêmes de meilleures.

Et pour moi, j'aurais été sans doute du nombre de
ces derniers, si je n'avais jamais eu qu'un seul maître,
ou que je n'eusse point su les différences qui ont
été de tout temps entre les opinions des plus doctes.
Mais ayant appris, dès le collège, qu'on ne saurait   5
rien imaginer de si étrange et si peu croyable, qu'il
n'ait été dit par quelqu'un des philosophes ; et depuis,
en voyageant, ayant reconnu que tous ceux qui ont
des sentiments fort contraires aux nôtres, ne sont pas,
pour cela, barbares ni sauvages, mais que plusieurs   10
usent, autant ou plus que nous, de raison ; et ayant
considéré combien un même homme, avec son même
esprit, étant nourri dès son enfance entre des Français
ou des Allemands, devient différent de ce qu'il serait,
s'il avait toujours vécu entre des Chinois ou des   15
Cannibales ; et comment, jusques aux modes de nos
habits, la même chose qui nous a plu il y a dix ans, et
qui nous plaira peut-être encore avant dix ans, nous
semble maintenant extravagante et ridicule : en sorte
que c'est bien plus la coutume et l'exemple qui nous   20
persuadent, qu'aucune connaissance certaine, et que
néanmoins la pluralité des voix n'est pas une preuve
qui vaille rien pour les vérités un peu malaisées à
découvrir, à cause qu'il est bien plus vraisemblable
qu'un homme seul les ait rencontrées que tout un   25
peuple : je ne pouvais choisir personne dont les opinions me semblassent devoir être préférées à celles
des autres, et je me trouvai comme contraint d'entreprendre moi-même de me conduire.

Mais, comme un homme qui marche seul et dans   30
les ténèbres, je me résolus d'aller si lentement, et d'user

de tant de circonspection en toutes choses, que, si je
n'avançais que fort peu, je me garderais bien, au
moins, de tomber. Même je ne voulus point commencer à rejeter tout à fait aucune des opinions,
5   qui s'étaient pu glisser autrefois en ma créance sans
y avoir été introduites par la raison, que je n'eusse
auparavant employé assez de temps à faire le projet de
l'ouvrage que j'entreprenais, et à chercher la vraie
méthode pour parvenir à la connaissance de toutes
10   les choses dont mon esprit serait capable.

J'avais un peu étudié, étant plus jeune, entre les
parties de la philosophie, à la logique, et entre les
mathématiques, à l'analyse des géomètres et à l'algèbre, trois arts ou sciences qui semblaient devoir
15   contribuer quelque chose à mon dessein. Mais, en les
examinant, je pris garde que, pour la logique, ses
syllogismes et la plupart de ses autres instructions
servent plutôt à expliquer à autrui les choses qu'on
sait, ou même, comme l'art de Lulle, à parler, sans
20   jugement, de celles qu'on ignore, qu'à les apprendre.
Et bien qu'elle contienne, en effet, beaucoup de préceptes très vrais et très bons, il y en a toutefois tant
d'autres, mêlés parmi, qui sont ou nuisibles ou superflus, qu'il est presque aussi malaisé de les en sé-
25   parer, que de tirer une Diane ou une Minerve hors
d'un bloc de marbre qui n'est point encore ébauché.
Puis, pour l'analyse des anciens et l'algèbre des
modernes, outre qu'elles ne s'étendent qu'à des matières fort abstraites, et qui ne semblent d'aucun usage,
30   la première est toujours si astreinte à la considération des figures, qu'elle ne peut exercer l'entende-

ment sans fatiguer beaucoup l'imagination ; et on s'est
tellement assujetti, en la dernière, à certaines règles
et à certains chiffres, qu'on en a fait un art confus et
obscur, qui embarrasse l'esprit, au lieu d'une science
qui le cultive. Ce qui fut cause que je pensai qu'il fal-　5
lait chercher quelque autre méthode, qui, comprenant
les avantages de ces trois, fût exempte de leurs défauts. Et comme la multitude des lois fournit souvent
des excuses aux vices, en sorte qu'un État est bien
mieux réglé lorsque, n'en ayant que fort peu, elles y　10
sont fort étroitement observées ; ainsi, au lieu de ce
grand nombre de préceptes dont la logique est composée, je crus que j'aurais assez des quatre suivants,
pourvu que je prisse une ferme et constante résolution
de ne manquer pas une seule fois à les observer.　15

　Le premier était de ne recevoir jamais aucune
chose pour vraie, que je ne la connusse évidemment
être telle : c'est-à-dire, d'éviter soigneusement la
précipitation et la prévention ; et de ne comprendre
rien de plus en mes jugements, que ce qui se pré-　20
senterait si clairement et si distinctement à mon esprit, que je n'eusse aucune occasion de le mettre en
doute.

　Le second, de diviser chacune des difficultés que
j'examinerais, en autant de parcelles qu'il se pourrait,　25
et qu'il serait requis pour les mieux résoudre.

　Le troisième, de conduire par ordre mes pensées,
en commençant par les objets les plus simples et les
plus aisés à connaître, pour monter peu à peu,
comme par degrés, jusques à la connaissance des plus　30
composés ; et supposant même de l'ordre entre ceux

qui ne se précèdent point naturellement les uns les autres.

Et le dernier, de faire partout des dénombrements si entiers, et des revues si générales, que je fusse assuré
5 de ne rien omettre.

Ces longues chaînes de raisons, toutes simples et faciles, dont les géomètres ont coutume de se servir, pour parvenir à leurs plus difficiles démonstrations, m'avaient donné occasion de m'imaginer que toutes
10 les choses, qui peuvent tomber sous la connaissance des hommes, s'entre-suivent en même façon, et que, pourvu seulement qu'on s'abstienne d'en recevoir aucune pour vraie qui ne le soit, et qu'on garde toujours l'ordre qu'il faut pour les déduire les unes des
15 autres, il n'y en peut avoir de si éloignées auxquelles enfin on ne parvienne, ni de si cachées qu'on ne découvre. Et je ne fus pas beaucoup en peine de chercher par lesquelles il était besoin de commencer : car je savais déjà que c'était par les plus simples et
20 les plus aisées à connaître ; et considérant qu'entre tous ceux qui ont ci-devant recherché la vérité dans les sciences, il n'y a eu que les seuls mathématiciens qui ont pu trouver quelques démonstrations, c'est-à-dire quelques raisons certaines et évidentes, je ne
25 doutais point que ce ne fût par les mêmes qu'ils ont examinées ; bien que je n'en espérasse aucune autre utilité, sinon qu'elles accoutumeraient mon esprit à se repaître de vérités, et ne se contenter point de fausses raisons. Mais je n'eus pas dessein, pour cela, de
30 tâcher d'apprendre toutes ces sciences particulières, qu'on nomme communément mathématiques ; et

voyant qu'encore que leurs objets soient différents,
elles ne laissent pas de s'accorder toutes, en ce qu'elles
n'y considèrent autre chose que les divers rapports
ou proportions qui s'y trouvent, je pensai qu'il valait
mieux que j'examinasse seulement ces proportions en   5
général, et sans les supposer que dans les sujets qui
serviraient à m'en rendre la connaissance plus aisée ;
même aussi sans les y astreindre aucunement, afin de
les pouvoir d'autant mieux appliquer après à tous les
autres auxquels elles conviendraient. Puis, ayant pris   10
garde que, pour les connaître, j'aurais quelquefois
besoin de les considérer chacune en particulier, et
quelquefois seulement de les retenir, ou de les comprendre plusieurs ensemble, je pensai que, pour les
considérer mieux en particulier, je les devais supposer
en des lignes, à cause que je ne trouvais rien de plus   15
simple, ni que je pusse plus distinctement représenter
à mon imagination et à mes sens ; mais que, pour les
retenir, ou les comprendre plusieurs ensemble, il fallait que je les expliquasse par quelques chiffres, les
plus courts qu'il serait possible ; et que, par ce moyen,   20
j'emprunterais tout le meilleur de l'analyse géométrique et de l'algèbre, et corrigerais tous les défauts
de l'une par l'autre.

Comme, en effet, j'ose dire que l'exacte observa-   25
tion de ce peu de préceptes que j'avais choisis, me
donna telle facilité à démêler toutes les questions
auxquelles ces deux sciences s'étendent, qu'en deux
ou trois mois que j'employai à les examiner, ayant
commencé par les plus simples et plus générales, et   30
chaque vérité que je trouvais étant une règle qui me

servait après à en trouver d'autres, non seulement je
vins à bout de plusieurs que j'avais jugées autrefois
très difficiles, mais il me sembla aussi, vers la fin, que
je pouvais déterminer, en celles même que j'ignorais,
5   par quels moyens, et jusques où, il était possible de
les résoudre. En quoi je ne vous paraîtrai peut-être
pas être fort vain, si vous considérez que, n'y ayant
qu'une vérité de chaque chose, quiconque la trouve en
sait autant qu'on en peut savoir ; et que, par exem-
10 ple, un enfant instruit en l'arithmétique, ayant fait une
addition suivant ses règles, se peut assurer d'avoir
trouvé, touchant la somme qu'il examinait, tout ce
que l'esprit humain saurait trouver. Car enfin la
méthode qui enseigne à suivre le vrai ordre, et à dé-
15 nombrer exactement toutes les circonstances de ce
qu'on cherche, contient tout ce qui donne de la certitude aux règles d'arithmétique.

Mais ce qui me contentait le plus de cette méthode,
était que, par elle, j'étais assuré d'user en tout de
20 ma raison, sinon parfaitement, au moins le mieux qui
fût en mon pouvoir ; outre que je sentais, en la pratiquant, que mon esprit s'accoutumait peu à peu à
concevoir plus nettement et plus distinctement ses
objets, et que, ne l'ayant point assujettie à aucune
25 matière particulière, je me promettais de l'appliquer
aussi utilement aux difficultés des autres sciences, que
j'avais fait à celles de l'algèbre. Non que, pour cela,
j'osasse entreprendre d'abord d'examiner toutes celles
qui se présenteraient ; car cela même eût été con-
30 traire à l'ordre qu'elle prescrit. Mais, ayant pris garde
que leurs principes devaient tous être empruntés de

la philosophie, en laquelle je n'en trouvais point encore de certains, je pensai qu'il fallait, avant tout, que
je tâchasse d'y en établir; et que, cela étant la chose
du monde la plus importante, et où la précipitation
et la prévention étaient le plus à craindre, je ne de-   5
vais point entreprendre d'en venir à bout, que je
n'eusse atteint un âge bien plus mûr que celui de
vingt-trois ans, que j'avais alors; et que je n'eusse,
auparavant, employé beaucoup de temps à m'y préparer, tant en déracinant de mon esprit toutes les mau-   10
vaises opinions que j'y avais reçues avant ce temps-
là, qu'en faisant amas de plusieurs expériences, pour
être après la matière de mes raisonnements, et en
m'exerçant toujours en la méthode que je m'étais
prescrite, afin de m'y affermir de plus en plus.   15

TROISIÈME   Et enfin, comme ce n'est pas assez, avant de com-
PARTIE.   mencer à rebâtir le logis où on demeure, que de
l'abattre, et de faire provision de matériaux et d'architectes, ou s'exercer soi-même à l'architecture, et
outre cela d'en avoir soigneusement tracé le dessin;   20
mais qu'il faut aussi s'être pourvu de quelque autre,
où on puisse être logé commodément pendant le
temps qu'on y travaillera; ainsi, afin que je ne demeu-
rasse point irrésolu en mes actions, pendant que la
raison m'obligerait de l'être en mes jugements, et que   25
je ne laissasse pas de vivre dès lors le plus heureusement que je pourrais, je me formai une morale par
provision, qui ne consistait qu'en trois ou quatre
maximes, dont je veux bien vous faire part.

La première était d'obéir aux lois et aux coutu-   30

mes de mon pays, retenant constamment la religion
en laquelle Dieu m'a fait la grâce d'être instruit dès
mon enfance, et me gouvernant, en toute autre chose,
suivant les opinions les plus modérées, et les plus
5   éloignées de l'excès, qui fussent communément reçues en pratique par les mieux sensés de ceux avec
lesquels j'aurais à vivre. Car, commençant dès lors à
ne compter pour rien les miennes propres, à cause que
je les voulais remettre toutes à l'examen, j'étais as-
10 suré de ne pouvoir mieux que de suivre celles des
mieux sensés. Et encore qu'il y en ait peut-être d'aussi
bien sensés, parmi les Perses ou les Chinois, que parmi
nous, il me semblait que le plus utile était de me régler selon ceux avec lesquels j'aurais à vivre; et que,
15 pour savoir quelles étaient véritablement leurs opinions, je devais plutôt prendre garde à ce qu'ils pra-
tiquaient qu'à ce qu'ils disaient; non seulement à
cause qu'en la corruption de nos mœurs il y a peu
de gens qui veuillent dire tout ce qu'ils croient, mais
20 aussi à cause que plusieurs l'ignorent eux-mêmes;
car l'action de la pensée par laquelle on croit une
chose, étant différente de celle par laquelle on connaît qu'on la croit, elles sont souvent l'une sans
l'autre. Et entre plusieurs opinions également re-
25 çues, je ne choisissais que les plus modérées : tant à
cause que ce sont toujours les plus commodes pour
la pratique, et vraisemblablement les meilleures, tous
excès ayant coutume d'être mauvais; comme aussi
afin de me détourner moins du vrai chemin, en cas
30 que je faillisse, que si, ayant choisi l'un des extrêmes,
c'eût été l'autre qu'il eût fallu suivre. Et, particuliè-

rement, je mettais entre les excès toutes les promesses
par lesquelles on retranche quelque chose de sa liberté. Non que je désapprouvasse les lois qui, pour
remédier à l'inconstance des esprits faibles, permettent, lorsqu'on a quelque bon dessein, ou même, pour   5
la sûreté du commerce, quelque dessein qui n'est
qu'indifférent, qu'on fasse des vœux ou des contrats
qui obligent à y persévérer ; mais à cause que je ne
voyais au monde aucune chose qui demeurât toujours en même état, et que, pour mon particulier, je   10
me promettais de perfectionner de plus en plus mes
jugements, et non point de les rendre pires, j'eusse
pensé commettre une grande faute contre le bon sens,
si, pource que j'approuvais alors quelque chose, je me
fusse obligé de la prendre pour bonne encore après,   15
lorsqu'elle aurait peut-être cessé de l'être, ou que
j'aurais cessé de l'estimer telle.

Ma seconde maxime était d'être le plus ferme et
le plus résolu en mes actions que je pourrais, et de
ne suivre pas moins constamment les opinions les   20
plus douteuses, lorsque je m'y serais une fois déterminé, que si elles eussent été très assurées. Imitant en
ceci les voyageurs qui, se trouvant égarés en quelque
forêt, ne doivent pas errer en tournoyant, tantôt
d'un côté, tantôt d'un autre, ni encore moins s'arrêter   25
en une place, mais marcher toujours le plus droit
qu'ils peuvent vers un même côté, et ne le changer
point pour de faibles raisons, encore que ce n'ait
peut-être été au commencement que le hasard seul
qui les ait déterminés à le choisir : car, par ce moyen,   30
s'ils ne vont justement où ils désirent, ils arriveront

au moins à la fin quelque part, où vraisemblablement ils seront mieux que dans le milieu d'une forêt. Et ainsi, les actions de la vie ne souffrant souvent aucun délai, c'est une vérité très certaine que, lorsqu'il n'est
5 pas en notre pouvoir de discerner les plus vraies opinions, nous devons suivre les plus probables; et même, qu'encore que nous ne remarquions point davantage de probabilité aux unes qu'aux autres, nous devons néanmoins nous déterminer à quelques-
10 unes, et les considérer après, non plus comme douteuses, en tant qu'elles se rapportent à la pratique, mais comme très vraies et très certaines, à cause que la raison qui nous y a fait déterminer se trouve telle. Et ceci fut capable dès lors de me délivrer de tous
15 les repentirs et les remords, qui ont coutume d'agiter les consciences de ces esprits faibles et chancelants, qui se laissent aller inconstamment à pratiquer, comme bonnes, les choses qu'ils jugent après être mauvaises.

20 Ma troisième maxime était de tâcher toujours plutôt à me vaincre que la fortune, et à changer mes désirs que l'ordre du monde; et généralement, de m'accoutumer à croire qu'il n'y a rien qui soit entièrement en notre pouvoir, que nos pensées, en
25 sorte qu'après que nous avons fait notre mieux, touchant les choses qui nous sont extérieures, tout ce qui manque de nous réussir est, au regard de nous, absolument impossible. Et ceci seul me semblait être suffisant pour m'empêcher de rien désirer à l'avenir
30 que je n'acquisse, et ainsi pour me rendre content. Car notre volonté ne se portant naturellement à

désirer que les choses que notre entendement lui
représente en quelque façon comme possibles, il est
certain que, si nous considérons tous les biens qui
sont hors de nous comme également éloignés de
notre pouvoir, nous n'aurons pas plus de regrets de   5
manquer de ceux qui semblent être dus à notre
naissance, lorsque nous en serons privés sans notre
faute, que nous avons de ne posséder pas les royaumes
de la Chine ou du Mexique ; et que faisant, comme on
dit, de nécessité vertu, nous ne désirerons pas davan-   10
tage d'être sains, étant malades, ou d'être libres,
étant en prison, que nous faisons maintenant d'avoir
des corps d'une matière aussi peu corruptible que les
diamants, ou des ailes pour voler comme les oiseaux.
Mais j'avoue qu'il est besoin d'un long exercice, et   15
d'une méditation souvent réitérée, pour s'accoutumer à regarder de ce biais toutes les choses ; et
je crois que c'est principalement en ceci que consistait le secret de ces philosophes, qui ont pu autrefois se soustraire de l'empire de la fortune et, malgré   20
les douleurs et la pauvreté, disputer de la félicité
avec leurs dieux. Car, s'occupant sans cesse à considérer les bornes qui leur étaient prescrites par la
nature, ils se persuadaient si parfaitement que rien
n'était en leur pouvoir que leurs pensées, que cela   25
seul était suffisant pour les empêcher d'avoir aucune affection pour d'autres choses ; et ils disposaient
d'elles si absolument, qu'ils avaient en cela quelque
raison de s'estimer plus riches, et plus puissants, et
plus libres, et plus heureux, qu'aucun des autres   30
hommes qui, n'ayant point cette philosophie, tant favo-

risés de la nature et de la fortune qu'ils puissent être, ne disposent jamais ainsi de tout ce qu'ils veulent.

Enfin, pour conclusion de cette morale, je m'avisai de faire une revue sur les diverses occupations

5 qu'ont les hommes en cette vie, pour tâcher à faire choix de la meilleure ; et sans que je veuille rien dire de celles des autres, je pensai que je ne pouvais mieux que de continuer en celle-là même où je me trouvais, c'est-à-dire, que d'employer toute ma vie à

10 cultiver ma raison, et m'avancer, autant que je pourrais, en la connaissance de la vérité, suivant la méthode que je m'étais prescrite. J'avais éprouvé de si extrêmes contentements, depuis que j'avais commencé à me servir de cette méthode, que je ne croyais pas

15 qu'on en pût recevoir de plus doux, ni de plus innocents, en cette vie ; et découvrant tous les jours par son moyen quelques vérités, qui me semblaient assez importantes, et communément ignorées des autres hommes, la satisfaction que j'en avais rem-

20 plissait tellement mon esprit que tout le reste ne me touchait point. Outre que les trois maximes précédentes n'étaient fondées que sur le dessein que j'avais de continuer à m'instruire : car Dieu nous ayant donné à chacun quelque lumière pour dis-

25 cerner le vrai d'avec le faux, je n'eusse pas cru me devoir contenter des opinions d'autrui un seul moment, si je ne me fusse proposé d'employer mon propre jugement à les examiner, lorsqu'il serait temps ; et je n'eusse su m'exempter de scrupule, en les sui-

30 vant, si je n'eusse espéré de ne perdre pour cela aucune occasion d'en trouver de meilleures, en cas qu'il

y en eût. Et enfin je n'eusse su borner mes désirs, ni
être content, si je n'eusse suivi un chemin par lequel,
pensant être assuré de l'acquisition de toutes les connaissances dont je serais capable, je le pensais être,
par même moyen, de celle de tous les vrais biens qui   5
seraient jamais en mon pouvoir ; d'autant que, notre
volonté ne se portant à suivre ni à fuir aucune chose,
que selon que notre entendement lui représente
bonne ou mauvaise, il suffit de bien juger, pour bien
faire, et de juger le mieux qu'on puisse, pour faire   10
aussi tout son mieux, c'est-à-dire, pour acquérir toutes
les vertus, et ensemble tous les autres biens, qu'on
puisse acquérir ; et lorsqu'on est certain que cela est,
on ne saurait manquer d'être content.

Après m'être ainsi assuré de ces maximes, et les   15
avoir mises à part, avec les vérités de la foi, qui ont
toujours été les premières en ma créance, je jugeai
que, pour tout le reste de mes opinions, je pouvais
librement entreprendre de m'en défaire. Et d'autant
que j'espérais en pouvoir mieux venir à bout, en con-   20
versant avec les hommes, qu'en demeurant plus longtemps renfermé dans le poêle où j'avais eu toutes ces
pensées, l'hiver n'était pas encore bien achevé que
je me remis à voyager. Et en toutes les neuf années
suivantes, je ne fis autre chose que rouler çà et là dans   25
le monde, tâchant d'y être spectateur plutôt qu'ac-
teur en toutes les comédies qui s'y jouent ; et faisant
particulièrement réflexion, en chaque matière, sur ce
qui la pouvait rendre suspecte, et nous donner occasion de nous méprendre, je déracinais cependant   30
de mon esprit toutes les erreurs qui s'y étaient pu

glisser auparavant. Non que j'imitasse pour cela les
sceptiques, qui ne doutent que pour douter, et af-
fectent d'être toujours irrésolus : car, au contraire,
tout mon dessein ne tendait qu'à m'assurer, et à re-
5	jeter la terre mouvante et le sable, pour trouver le
roc ou l'argile. Ce qui me réussissait, ce me semble,
assez bien, d'autant que, tâchant à découvrir la fausseté ou l'incertitude des propositions que j'examinais,
non par de faibles conjectures, mais par des raison-
10	nements clairs et assurés, je n'en rencontrais point de
si douteuses, que je n'en tirasse toujours quelque conclusion assez certaine, quand ce n'eût été que cela
même qu'elle ne contenait rien de certain. Et comme
en abattant un vieux logis, on en réserve ordinai-
15	rement les démolitions pour servir à en bâtir un
nouveau, ainsi, en détruisant toutes celles de mes
opinions que je jugeais être mal fondées, je faisais
diverses observations et acquérais plusieurs expériences, qui m'ont servi depuis à en établir de plus
20	certaines. Et, de plus, je continuais à m'exercer en la
méthode que je m'étais prescrite ; car, outre que
j'avais soin de conduire généralement toutes mes
pensées selon ses règles, je me réservais de temps
en temps quelques heures, que j'employais particuliè-
25	rement à la pratiquer en des difficultés de mathé-
matique, ou même aussi en quelques autres que je
pouvais rendre quasi semblables à celles des mathématiques, en les détachant de tous les principes des
autres sciences, que je ne trouvais pas assez fermes,
30	comme vous verrez que j'ai fait en plusieurs qui sont
expliquées en ce volume. Et ainsi, sans vivre d'autre

façon, en apparence, que ceux qui, n'ayant aucun
emploi qu'à passer une vie douce et innocente, s'étudient à séparer les plaisirs des vices, et qui, pour jouir
de leur loisir sans s'ennuyer, usent de tous les divertissements qui sont honnêtes, je ne laissais pas de   5
poursuivre en mon dessein, et de profiter en la connaissance de la vérité, peut-être plus que si je n'eusse
fait que lire des livres, ou fréquenter des gens de
lettres.

Toutefois, ces neuf ans s'écoulèrent avant que   10
j'eusse encore pris aucun parti, touchant les difficultés
qui ont coutume d'être disputées entre les doctes,
ni commencé à chercher les fondements d'aucune
philosophie plus certaine que la vulgaire. Et l'exemple
de plusieurs excellents esprits, qui, en ayant eu ci-de-   15
vant le dessein, me semblaient n'y avoir pas réussi,
m'y faisait imaginer tant de difficulté, que je n'eusse
peut-être pas encore sitôt osé l'entreprendre, si je
n'eusse vu que quelques-uns faisaient déjà courre le
bruit que j'en étais venu à bout. Je ne saurais pas dire   20
sur quoi ils fondaient cette opinion ; et si j'y ai contribué quelque chose par mes discours, ce doit avoir
été en confessant plus ingénument ce que j'ignorais,
que n'ont coutume de faire ceux qui ont un peu
étudié, et peut-être aussi en faisant voir les raisons   25
que j'avais de douter de beaucoup de choses que les
autres estiment certaines, plutôt qu'en me vantant
d'aucune doctrine. Mais ayant le cœur assez bon
pour ne vouloir point qu'on me prît pour autre que
je n'étais, je pensai qu'il fallait que je tâchasse, par   30
tous moyens, à me rendre digne de la réputation

qu'on me donnait ; et il y a justement huit ans, que ce
désir me fit résoudre à m'éloigner de tous les lieux
où je pouvais avoir des connaissances, et à me re-
tirer ici, en un pays où la longue durée de la guerre
5 a fait établir de tels ordres, que les armées qu'on
y entretient ne semblent servir qu'à faire qu'on y
jouisse des fruits de la paix avec d'autant plus de
sûreté, et où parmi la foule d'un grand peuple fort
actif, et plus soigneux de ses propres affaires, que
10 curieux de celles d'autrui, sans manquer d'aucune
des commodités qui sont dans les villes les plus fréquentées, j'ai pu vivre aussi solitaire et retiré que
dans les déserts les plus écartés.

Je ne sais si je dois vous entretenir des premières   <small>QUATRIÈME</small>
15 méditations que j'y ai faites ; car elles sont si méta-   <small>PARTIE.</small>
physiques et si peu communes, qu'elles ne seront
peut-être pas au goût de tout le monde. Et toutefois,
afin qu'on puisse juger si les fondements que j'ai pris
sont assez fermes, je me trouve en quelque façon con-
20 traint d'en parler. J'avais dès longtemps remarqué
que, pour les mœurs, il est besoin quelquefois de suivre
des opinions qu'on sait être fort incertaines, tout
de même que si elles étaient indubitables, ainsi qu'il
a été dit ci-dessus ; mais, pource qu'alors je désirais
25 vaquer seulement à la recherche de la vérité, je
pensai qu'il fallait que je fisse tout le contraire, et que
je rejetasse, comme absolument faux, tout ce en quoi
je pourrais imaginer le moindre doute, afin de voir
s'il ne resterait point, après cela, quelque chose en
30 ma créance, qui fût entièrement indubitable. Ainsi, à

cause que nos sens nous trompent quelquefois, je
voulus supposer qu'il n'y avait aucune chose qui fût
telle qu'ils nous la font imaginer. Et pource qu'il y a
des hommes qui se méprennent en raisonnant, même
touchant les plus simples matières de géométrie, et y   5
font des paralogismes, jugeant que j'étais sujet à faillir, autant qu'aucun autre, je rejetai comme fausses
toutes les raisons que j'avais prises auparavant pour
démonstrations. Et enfin, considérant que toutes les
mêmes pensées, que nous avons étant éveillés, nous   10
peuvent aussi venir, quand nous dormons, sans qu'il y
en ait aucune, pour lors, qui soit vraie, je me résolus
de feindre que toutes les choses qui m'étaient jamais
entrées en l'esprit, n'étaient non plus vraies que les
illusions de mes songes. Mais, aussitôt après, je pris   15
garde que, pendant que je voulais ainsi penser que tout
était faux, il fallait nécessairement que moi, qui le
pensais, fusse quelque chose. Et remarquant que cette
vérité : *je pense, donc je suis*, était si ferme et si assurée,
que toutes les plus extravagantes suppositions des   20
sceptiques n'étaient pas capables de l'ébranler, je
jugeai que je pouvais la recevoir, sans scrupule, pour le
premier principe de la philosophie, que je cherchais.

Puis, examinant avec attention ce que j'étais, et
voyant que je pouvais feindre que je n'avais aucun   25
corps, et qu'il n'y avait aucun monde, ni aucun lieu où
je fusse ; mais que je ne pouvais pas feindre, pour
cela, que je n'étais point ; et qu'au contraire, de cela
même que je pensais à douter de la vérité des autres
choses, il suivait très évidemment et très certai-   30
nement que j'étais ; au lieu que, si j'eusse seulement

cessé de penser, encore que tout le reste de ce que
j'avais jamais imaginé eût été vrai, je n'avais aucune raison de croire que j'eusse été : je connus de là
que j'étais une substance dont toute l'essence ou la
5 nature n'est que de penser, et qui, pour être, n'a besoin d'aucun lieu, ni ne dépend d'aucune chose matérielle. En sorte que ce moi, c'est-à-dire l'âme par
laquelle je suis ce que je suis, est entièrement distincte
du corps, et même qu'elle est plus aisée à connaître
10 que lui, et qu'encore qu'il ne fût point, elle ne laisserait pas d'être tout ce qu'elle est.

Après cela, je considérai en général ce qui est
requis à une proposition pour être vraie et certaine ;
car, puisque je venais d'en trouver une que je savais
15 être telle, je pensai que je devais aussi savoir en
quoi consiste cette certitude. Et ayant remarqué qu'il
n'y a rien du tout en ceci : *je pense, donc je suis*, qui
m'assure que je dis la vérité, sinon que je vois très
clairement que, pour penser, il faut être : je jugeai
20 que je pouvais prendre pour règle générale, que les
choses que nous concevons fort clairement et fort
distinctement sont toutes vraies ; mais qu'il y a seulement quelque difficulté à bien remarquer quelles
sont celles que nous concevons distinctement.

25 En suite de quoi, faisant réflexion sur ce que je
doutais, et que, par conséquent, mon être n'était pas
tout parfait, car je voyais clairement que c'était
une plus grande perfection de connaître que de
douter, je m'avisai de chercher d'où j'avais appris
30 à penser à quelque chose de plus parfait que je
n'étais ; et je connus évidemment que ce devait être

3

de quelque nature qui fût en effet plus parfaite. Pour
ce qui est des pensées que j'avais de plusieurs autres
choses hors de moi, comme du ciel, de la terre, de la
lumière, de la chaleur, et de mille autres, je n'étais
point tant en peine de savoir d'où elles venaient, à   5
cause que, ne remarquant rien en elles qui me semblât les rendre supérieures à moi, je pouvais croire
que, si elles étaient vraies, c'étaient des dépendances de ma nature, en tant qu'elle avait quelque
perfection ; et si elles ne l'étaient pas, que je les   10
tenais du néant, c'est-à-dire qu'elles étaient en moi,
pource que j'avais du défaut. Mais ce ne pouvait être
le même de l'idée d'un être plus parfait que le mien :
car, de la tenir du néant, c'était chose manifestement
impossible ; et pource qu'il n'y a pas moins de répu-   15
gnance que le plus parfait soit une suite et une dépendance du moins parfait, qu'il y en a que de rien procède quelque chose, je ne la pouvais tenir non plus
de moi-même. De façon qu'il restait qu'elle eût
été mise en moi par une nature qui fût véritable-   20
ment plus parfaite que je n'étais, et même qui eût
en soi toutes les perfections dont je pouvais avoir
quelque idée, c'est-à-dire, pour m'expliquer en un
mot, qui fût Dieu. A quoi j'ajoutai que, puisque je
connaissais quelques perfections que je n'avais point,   25
je n'étais pas le seul être qui existât (j'userai, s'il
vous plaît, ici librement des mots de l'École), mais
qu'il fallait, de nécessité, qu'il y en eût quelque autre
plus parfait, duquel je dépendisse, et duquel j'eusse
acquis tout ce que j'avais. Car, si j'eusse été seul et   30
indépendant de tout autre, en sorte que j'eusse eu,

de moi-même, tout ce peu que je participais de
l'être parfait, j'eusse pu avoir de moi, par même
raison, tout le surplus que je connaissais me manquer,
et ainsi être moi-même infini, éternel, immuable, tout
5 connaissant, tout-puissant, et enfin avoir toutes les
perfections que je pouvais remarquer être en Dieu.
Car, suivant les raisonnements que je viens de faire,
pour connaître la nature de Dieu, autant que la
mienne en était capable, je n'avais qu'à considérer de
10 toutes les choses dont je trouvais en moi quelque idée,
si c'était perfection, ou non, de les posséder, et j'étais
assuré qu'aucune de celles qui marquaient quelque
imperfection n'était en lui, mais que toutes les
autres y étaient. Comme je voyais que le doute,
15 l'inconstance, la tristesse, et choses semblables, n'y
pouvaient être, vu que j'eusse été moi-même bien
aise d'en être exempt. Puis, outre cela, j'avais des
idées de plusieurs choses sensibles et corporelles :
car, quoique je supposasse que je rêvais, et que tout
20 ce que je voyais ou imaginais était faux, je ne pouvais nier toutefois que les idées n'en fussent véritablement en ma pensée ; mais pource que j'avais déjà
connu en moi très clairement que la nature intelli-
gente est distincte de la corporelle, considérant que
25 toute composition témoigne de la dépendance, et
que la dépendance est manifestement un défaut, je
jugeais de là, que ce ne pouvait être une perfection
en Dieu d'être composé de ces deux natures, et que,
par conséquent, il ne l'était pas ; mais que, s'il y avait
30 quelques corps dans le monde, ou bien quelques intelligences, ou autres natures, qui ne fussent point toutes

parfaites, leur être devait dépendre de sa puissance,
en telle sorte qu'elles ne pouvaient subsister sans lui
un seul moment.

Je voulus chercher, après cela, d'autres vérités, et
m'étant proposé l'objet des géomètres, que je con-   5
cevais comme un corps continu, ou un espace indéfiniment étendu en longueur, largeur et hauteur ou
profondeur, divisible en diverses parties, qui pouvaient avoir diverses figures et grandeurs, et être
mues ou transposées en toutes sortes, car les géo-   10
mètres supposent tout cela en leur objet, je parcourus
quelques-unes de leurs plus simples démonstrations.
Et ayant pris garde que cette grande certitude, que
tout le monde leur attribue, n'est fondée que sur ce
qu'on les conçoit évidemment, suivant la règle que   15
j'ai tantôt dite, je pris garde aussi qu'il n'y avait
rien du tout en elles qui m'assurât de l'existence de
leur objet. Car, par exemple, je voyais bien que, supposant un triangle, il fallait que ses trois angles fussent
égaux à deux droits ; mais je ne voyais rien pour   20
cela qui m'assurât qu'il y eût au monde aucun triangle. Au lieu que, revenant à examiner l'idée que
j'avais d'un Être parfait, je trouvais que l'existence y
était comprise, en même façon qu'il est compris en
celle d'un triangle que ses trois angles sont égaux à   25
deux droits, ou en celle d'une sphère que toutes ses
parties sont également distantes de son centre, ou
même encore plus évidemment ; et que, par conséquent, il est pour le moins aussi certain, que Dieu,
qui est cet Être parfait, est ou existe, qu'aucune dé-   30
monstration de géométrie le saurait être.

Mais ce qui fait qu'il y en a plusieurs qui se persuadent qu'il y a de la difficulté à le connaître, et
même aussi à connaître ce que c'est que leur âme,
c'est qu'ils n'élèvent jamais leur esprit au delà des
5   choses sensibles, et qu'ils sont tellement accoutumés
à ne rien considérer qu'en l'imaginant, qui est une
façon de penser particulière pour les choses matérielles, que tout ce qui n'est pas imaginable, leur
semble n'être pas intelligible. Ce qui est assez mani-
10   feste de ce que même les philosophes tiennent pour
maxime, dans les écoles, qu'il n'y a rien dans l'entendement qui n'ait premièrement été dans le sens,
où toutefois il est certain que les idées de Dieu et de
l'âme n'ont jamais été. Et il me semble que ceux qui
15   veulent user de leur imagination, pour les comprendre, font tout de même que si, pour ouïr les sons,
ou sentir les odeurs, ils se voulaient servir de leurs
yeux : sinon qu'il y a encore cette différence, que le
sens de la vue ne nous assure pas moins de la vérité
20   de ses objets, que font ceux de l'odorat ou de l'ouïe ;
au lieu que ni notre imagination ni nos sens ne
nous sauraient jamais assurer d'aucune chose, si
notre entendement n'y intervient.

Enfin, s'il y a encore des hommes qui ne soient pas
25   assez persuadés de l'existence de Dieu et de leur âme,
par les raisons que j'ai apportées, je veux bien qu'ils
sachent que toutes les autres choses, dont ils se pensent peut-être plus assurés, comme d'avoir un corps, et
qu'il y a des astres et une terre, et choses semblables,
30   sont moins certaines. Car, encore qu'on ait une assurance morale de ces choses, qui est telle, qu'il semble

qu'à moins que d'être extravagant, on n'en peut
douter, toutefois aussi, à moins que d'être déraisonnable, lorsqu'il est question d'une certitude métaphysique, on ne peut nier que ce ne soit assez de sujet,
pour n'en être pas entièrement assuré, que d'avoir   5
pris garde qu'on peut, en même façon, s'imaginer,
étant endormi, qu'on a un autre corps, et qu'on voit
d'autres astres, et une autre terre, sans qu'il en soit
rien. Car d'où sait-on que les pensées qui viennent
en songe sont plutôt fausses que les autres, vu que   10
souvent elles ne sont pas moins vives et expresses?
Et que les meilleurs esprits y étudient, tant qu'il
leur plaira, je ne crois pas qu'ils puissent donner
aucune raison qui soit suffisante pour ôter ce doute,
s'ils ne présupposent l'existence de Dieu. Car, premiè-   15
rement, cela même que j'ai tantôt pris pour une
règle, à savoir que les choses que nous concevons
très clairement et très distinctement sont toutes
vraies, n'est assuré qu'à cause que Dieu est ou existe,
et qu'il est un être parfait, et que tout ce qui est en   20
nous vient de lui. D'où il suit que nos idées ou
notions, étant des choses réelles, et qui viennent de
Dieu, en tout ce en quoi elles sont claires et distinctes, ne peuvent en cela être que vraies. En sorte
que, si nous en avons assez souvent qui contiennent de   25
la fausseté, ce ne peut être que de celles qui ont
quelque chose de confus et obscur, à cause qu'en cela
elles participent du néant, c'est-à-dire, qu'elles ne
sont en nous ainsi confuses, qu'à cause que nous ne
sommes pas tout parfaits. Et il est évident qu'il n'y a   30
pas moins de répugnance que la fausseté ou l'imper-

fection procède de Dieu, en tant que telle, qu'il y en
a, que la vérité ou la perfection procède du néant.
Mais si nous ne savions point que tout ce qui est
en nous de réel et de vrai, vient d'un être parfait
5 et infini, pour claires et distinctes que fussent nos
idées, nous n'aurions aucune raison qui nous assurât
qu'elles eussent la perfection d'être vraies.

Or, après que la connaissance de Dieu et de l'âme
nous a ainsi rendus certains de cette règle, il est bien
10 aisé à connaître que les rêveries que nous imaginons étant endormis, ne doivent aucunement nous
faire douter de la vérité des pensées que nous avons
étant éveillés. Car, s'il arrivait, même en dormant,
qu'on eût quelque idée fort distincte, comme, par
15 exemple, qu'un géomètre inventât quelque nouvelle
démonstration, son sommeil ne l'empêcherait pas
d'être vraie. Et pour l'erreur la plus ordinaire de
nos songes, qui consiste en ce qu'ils nous représentent divers objets en même façon que font nos sens
20 extérieurs, n'importe pas qu'elle nous donne occasion
de nous défier de la vérité de telles idées, à cause
qu'elles peuvent aussi nous tromper assez souvent,
sans que nous dormions : comme lorsque ceux qui
ont la jaunisse voient tout de couleur jaune, ou que
25 les astres ou autres corps fort éloignés nous paraissent
beaucoup plus petits qu'ils ne sont. Car enfin, soit
que nous veillions, soit que nous dormions, nous ne
nous devons jamais laisser persuader qu'à l'évidence
de notre raison. Et il est à remarquer que je dis, de
30 notre raison, et non point, de notre imagination ni
de nos sens. Comme, encore que nous voyions le so-

leil très clairement, nous ne devons pas juger pour
cela qu'il ne soit que de la grandeur que nous le
voyons ; et nous pouvons bien imaginer distinctement une tête de lion entée sur le corps d'une chèvre,
sans qu'il faille conclure, pour cela, qu'il y ait au   5
monde une chimère : car la raison ne nous dicte
point que ce que nous voyons ou imaginons ainsi soit
véritable. Mais elle nous dicte bien que toutes nos
idées ou notions doivent avoir quelque fondement
de vérité ; car il ne serait pas possible que Dieu, qui   10
est tout parfait et tout véritable, les eût mises en
nous sans cela. Et pource que nos raisonnements ne
sont jamais si évidents ni si entiers pendant le sommeil
que pendant la veille, bien que quelquefois nos imaginations soient alors autant ou plus vives et expresses,   15
elle nous dicte aussi que nos pensées ne pouvant
être toutes vraies, à cause que nous ne sommes pas
tout parfaits, ce qu'elles ont de vérité doit infailliblement se rencontrer en celles que nous avons étant
éveillés, plutôt qu'en nos songes.   20

CINQUIÈME
PARTIE.

Je serais bien aise de poursuivre, et de faire voir
ici toute la chaîne des autres vérités que j'ai déduites de ces premières. Mais, à cause que, pour cet
effet, il serait maintenant besoin que je parlasse de
plusieurs questions, qui sont en controverse entre les   25
doctes, avec lesquels je ne désire point me brouiller,
je crois qu'il sera mieux que je m'en abstienne, et que
je dise seulement en général quelles elles sont, afin
de laisser juger aux plus sages s'il serait utile que le
public en fût plus particulièrement informé. Je suis   30

toujours demeuré ferme en la résolution que j'avais
prise, de ne supposer aucun autre principe que celui
dont je viens de me servir pour démontrer l'existence
de Dieu et de l'âme, et de ne recevoir aucune chose
5 pour vraie, qui ne me semblât plus claire et plus certaine que n'avaient fait auparavant les démonstrations des géomètres. Et néanmoins, j'ose dire que,
non seulement j'ai trouvé moyen de me satisfaire en
peu de temps, touchant toutes les principales diffi-
10 cultés dont on a coutume de traiter en la philosophie, mais aussi que j'ai remarqué certaines lois,
que Dieu a tellement établies en la nature, et dont il
a imprimé de telles notions en nos âmes, qu'après y
avoir fait assez de réflexion, nous ne saurions douter
15 qu'elles ne soient exactement observées, en tout ce
qui est ou qui se fait dans le monde. Puis, en considérant la suite de ces lois, il me semble avoir découvert plusieurs vérités plus utiles et plus importantes
que tout ce que j'avais appris auparavant, ou même
20 espéré d'apprendre.

Mais pource que j'ai tâché d'en expliquer les principales dans un traité, que quelques considérations
m'empêchent de publier, je ne les saurais mieux
faire connaître, qu'en disant ici sommairement ce
25 qu'il contient. J'ai eu dessein d'y comprendre tout ce
que je pensais savoir, avant que de l'écrire, touchant
la nature des choses matérielles. Mais, tout de même
que les peintres, ne pouvant également bien représenter dans un tableau plat toutes les diverses faces
30 d'un corps solide, en choisissent une des principales
qu'ils mettent seule vers le jour, et ombrageant les

autres, ne les font paraître qu'en tant qu'on les peut
voir en la regardant : ainsi, craignant de ne pouvoir
mettre en mon discours tout ce que j'avais en la
pensée, j'entrepris seulement d'y exposer bien amplement ce que je concevais de la lumière ; puis, à son   5
occasion, d'y ajouter quelque chose du soleil et des
étoiles fixes, à cause qu'elle en procède presque
toute ; des cieux, à cause qu'ils la transmettent ; des
planètes, des comètes et de la terre, à cause qu'elles
la font réfléchir ; et en particulier de tous les corps   10
qui sont sur la terre à cause qu'ils sont ou colorés,
ou transparents, ou lumineux ; et enfin de l'homme, à
cause qu'il en est le spectateur. Même, pour ombrager
un peu toutes ces choses, et pouvoir dire plus librement ce que j'en jugeais, sans être obligé de suivre   15
ni de réfuter les opinions qui sont reçues entre les
doctes, je me résolus de laisser tout ce monde ici à
leurs disputes, et de parler seulement de ce qui arri-
verait dans un nouveau, si Dieu créait maintenant
quelque part, dans les espaces imaginaires, assez de   20
matière pour le composer, et qu'il agitât diversement
et sans ordre les diverses parties de cette matière, en
sorte qu'il en composât un chaos aussi confus que
les poètes en puissent feindre, et que, par'après, il ne
fît autre chose que prêter son concours ordinaire à   25
la nature, et la laisser agir suivant les lois qu'il a
établies. Ainsi, premièrement, je décrivis cette matière et tâchai de la représenter telle qu'il n'y a rien
au monde, ce me semble, de plus clair ni plus intelligible, excepté ce qui a tantôt été dit de Dieu et   30
de l'âme : car même je supposai, expressément, qu'il

n'y avait en elle aucune de ces formes ou qualités
dont on dispute dans les écoles, ni généralement
aucune chose, dont la connaissance ne fût si naturelle à nos âmes, qu'on ne pût pas même feindre
5 de l'ignorer. De plus, je fis voir quelles étaient les
lois de la nature ; et, sans appuyer mes raisons sur
aucun autre principe que sur les perfections infinies de Dieu, je tâchai à démontrer toutes celles
dont on eût pu avoir quelque doute, et à faire voir
10 qu'elles sont telles, qu'encore que Dieu aurait créé
plusieurs mondes, il n'y en saurait avoir aucun où
elles manquassent d'être observées. Après cela, je
montrai comment la plus grande part de la matière de ce chaos devait, en suite de ces lois, se dis-
15 poser et s'arranger d'une certaine façon qui la rendait semblable à nos cieux ; comment, cependant,
quelques-unes de ses parties devaient composer une
terre, et quelques-unes des planètes et des comètes,
et quelques autres un soleil et des étoiles fixes. Et
20 ici, m'étendant sur le sujet de la lumière, j'expliquai
bien au long quelle était celle qui se devait trouver
dans le soleil et les étoiles, et comment de là elle
traversait en un instant les immenses espaces des
cieux, et comment elle se réfléchissait des planètes
25 et des comètes vers la terre. J'y ajoutai aussi plusieurs choses, touchant la substance, la situation, les
mouvements et toutes les diverses qualités de ces
cieux et de ces astres ; en sorte que je pensais en dire
assez, pour faire connaître qu'il ne se remarque rien
30 en ceux de ce monde, qui ne dût, ou du moins qui
ne pût, paraître tout semblable en ceux du monde

que je décrivais. De là je vins à parler particulièrement de la terre : comment, encore que j'eusse expressément supposé que Dieu n'avait mis aucune
pesanteur en la matière dont elle était composée,
toutes ses parties ne laissaient pas de tendre exacte-   5
ment vers son centre ; comment, y ayant de l'eau et
de l'air sur sa superficie, la disposition des cieux et
des astres, principalement de la lune, y devait causer
un flux et reflux, qui fût semblable, en toutes ses circonstances, à celui qui se remarque dans nos mers ;   10
et outre cela un certain cours, tant de l'eau que de
l'air, du levant vers le couchant, tel qu'on le remarque
aussi entre les tropiques ; comment les montagnes,
les mers, les fontaines et les rivières pouvaient naturellement s'y former, et les métaux y venir dans   15
les mines, et les plantes y croître dans les campagnes, et généralement tous les corps qu'on nomme
mêlés ou composés s'y engendrer. Et entre autres
choses, à cause qu'après les astres je ne connais rien
au monde que le feu qui produise de la lumière, je   20
m'étudiai à faire entendre bien clairement tout ce
qui appartient à sa nature, comment il se fait, comment il se nourrit ; comment il n'a quelquefois que
de la chaleur sans lumière, et quelquefois que de la lumière sans chaleur ; comment il peut introduire di-   25
verses couleurs en divers corps, et diverses autres
qualités ; comment il en fond quelques-uns, et en durcit d'autres ; comment il les peut consumer presque
tous, ou convertir en cendres et en fumée ; et enfin,
comment de ces cendres, par la seule violence de son   30
action, il forme du verre : car cette transmutation de

cendres en verre me semblant être aussi admirable
qu'aucune autre qui se fasse en la nature, je pris particulièrement plaisir à la décrire.

Toutefois, je ne voulais pas inférer de toutes ces
5 choses, que ce monde ait été créé en la façon que je
proposais; car il est bien plus vraisemblable que,
dès le commencement, Dieu l'a rendu tel qu'il devait
être. Mais il est certain, et c'est une opinion communément reçue entre les théologiens, que l'action,
10 par laquelle maintenant il le conserve, est toute la
même que celle par laquelle il l'a créé; de façon
qu'encore qu'il ne lui aurait point donné, au commencement, d'autre forme que celle du chaos, pourvu
qu'ayant établi les lois de la nature, il lui prêtât
15 son concours, pour agir ainsi qu'elle a de coutume,
on peut croire, sans faire tort au miracle de la création, que par cela seul toutes les choses qui sont
purement matérielles auraient pu, avec le temps, s'y
rendre telles que nous les voyons à présent. Et leur
20 nature est bien plus aisée à concevoir, lorsqu'on les
voit naître peu à peu en cette sorte, que lorsqu'on ne
les considère que toutes faites.

De la description des corps inanimés et des plantes,
je passai à celle des animaux et particulièrement à
25 celle des hommes. Mais, pource que je n'en avais pas
encore assez de connaissance pour en parler du
même style que du reste, c'est-à-dire en démontrant
les effets par les causes, et faisant voir de quelles
semences, et en quelle façon, la nature les doit pro-
30 duire, je me contentai de supposer que Dieu for-
mât le corps d'un homme, entièrement semblable à

l'un des nôtres, tant en la figure extérieure de ses
membres qu'en la conformation intérieure de ses organes, sans le composer d'autre matière que de celle
que j'avais décrite, et sans mettre en lui, au commencement, aucune âme raisonnable, ni aucune autre   5
chose pour y servir d'âme végétante ou sensitive,
sinon qu'il excitât en son cœur un de ces feux sans
lumière, que j'avais déjà expliqués, et que je ne concevais point d'autre nature que celui qui échauffe le
foin, lorsqu'on l'a renfermé avant qu'il fût sec, ou   10
qui fait bouillir les vins nouveaux, lorsqu'on les
laisse cuver sur la râpe. Car, examinant les fonctions
qui pouvaient en suite de cela être en ce corps, j'y
trouvais exactement toutes celles qui peuvent être
en nous sans que nous y pensions, ni par conséquent   15
que notre âme, c'est-à-dire cette partie distincte du
corps dont il a été dit ci-dessus que la nature n'est que
de penser, y contribue, et qui sont toutes les mêmes
en quoi on peut dire que les animaux sans raison
nous ressemblent : sans que j'y en pusse pour cela   20
trouver aucune de celles qui, étant dépendantes de
la pensée, sont les seules qui nous appartiennent en tant
qu'hommes, au lieu que je les y trouvais toutes par après,
ayant supposé que Dieu créât une âme raisonnable,
et qu'il la joignît à ce corps en certaine façon que je   25
décrivais.

Mais, afin qu'on puisse voir en quelle sorte j'y
traitais cette matière, je veux mettre ici l'explication
du mouvement du cœur et des artères, qui étant le
premier et le plus général qu'on observe dans les   30
animaux, on jugera facilement de lui ce qu'on doit

penser de tous les autres. Et afin qu'on ait moins de
difficulté à entendre ce que j'en dirai, je voudrais que
ceux qui ne sont point versés dans l'anatomie prissent
la peine, avant que de lire ceci, de faire couper de-
5 vant eux le cœur de quelque grand animal qui ait
des poumons, car il est en tous assez semblable à
celui de l'homme, et qu'ils se fissent montrer les
deux chambres ou concavités qui y sont. Premièrement, celle qui est dans son côté droit, à laquelle
10 répondent deux tuyaux fort larges : à savoir la
veine cave, qui est le principal réceptacle du sang,
et comme le tronc de l'arbre dont toutes les autres
veines du corps sont les branches, et la veine artérieuse, qui a été ainsi mal nommée, pource que c'est
15 en effet une artère, laquelle, prenant son origine du
cœur, se divise, après en être sortie, en plusieurs
branches qui se vont répandre partout dans les poumons. Puis, celle qui est dans son côté gauche, à
laquelle répondent en même façon deux tuyaux,
20 qui sont autant ou plus larges que les précédents : à
savoir l'artère veineuse, qui a été aussi mal nommée,
à cause qu'elle n'est autre chose qu'une veine, laquelle
vient des poumons, où elle est divisée en plusieurs
branches, entrelacées avec celles de la veine arté-
25 rieuse, et celles de ce conduit qu'on nomme le sifflet,
par où entre l'air de la respiration ; et la grande artère, qui, sortant du cœur, envoie ses branches par
tout le corps. Je voudrais aussi qu'on leur montrât
soigneusement les onze petites peaux, qui, comme
30 autant de petites portes, ouvrent et ferment les quatre
ouvertures qui sont en ces deux concavités : à sa-

voir, trois à l'entrée de la veine cave, où elles sont
tellement disposées, qu'elles ne peuvent aucunement
empêcher que le sang qu'elle contient ne coule dans
la concavité droite du cœur, et toutefois empêchent
exactement qu'il n'en puisse sortir ; trois à l'entrée   5
de la veine artérieuse, qui, étant disposées tout au contraire, permettent bien au sang, qui est dans cette concavité, de passer dans les poumons, mais non pas à
celui qui est dans les poumons d'y retourner ; et ainsi
deux autres à l'entrée de l'artère veineuse, qui laissent   10
couler le sang des poumons vers la concavité gauche
du cœur, mais s'opposent à son retour ; et trois à
l'entrée de la grande artère, qui lui permettent de
sortir du cœur, mais l'empêchent d'y retourner. Et
il n'est point besoin de chercher d'autre raison du   15
nombre de ces peaux, sinon que l'ouverture de l'artère veineuse, étant en ovale à cause du lieu où elle
se rencontre, peut être commodément fermée avec
deux, au lieu que les autres, étant rondes, le peuvent
mieux être avec trois. De plus, je voudrais qu'on leur   20
fît considérer que la grande artère et la veine artérieuse sont d'une composition beaucoup plus dure et
plus ferme que ne sont l'artère veineuse et la veine
cave ; et que ces deux dernières s'élargissent avant
que d'entrer dans le cœur, et y font comme deux   25
bourses, nommées les oreilles du cœur, qui sont composées d'une chair semblable à la sienne ; et qu'il y a
toujours plus de chaleur dans le cœur qu'en aucun
autre endroit du corps ; et, enfin, que cette chaleur est
capable de faire que, s'il entre quelque goutte de   30
sang en ses concavités, elle s'enfle promptement et se

dilate, ainsi que font généralement toutes les liqueurs, lorsqu'on les laisse tomber goutte à goutte en quelque vaisseau qui est fort chaud.

Car, après cela, je n'ai besoin de dire autre chose
5   pour expliquer le mouvement du cœur, sinon que, lorsque ses concavités ne sont pas pleines de sang, il y en coule nécessairement de la veine cave dans la droite, et de l'artère veineuse dans la gauche ; d'autant que ces deux vaisseaux en sont toujours pleins,
10 et que leurs ouvertures, qui regardent vers le cœur, ne peuvent alors être bouchées ; mais que, sitôt qu'il est entré ainsi deux gouttes de sang, une en chacune de ses concavités, ces gouttes, qui ne peuvent être que fort grosses, à cause que les ouvertures par où elles en-
15 trent sont fort larges, et les vaisseaux d'où elles viennent fort pleins de sang, se raréfient et se dilatent, à cause de la chaleur qu'elles y trouvent, au moyen de quoi, faisant enfler tout le cœur, elles poussent et ferment les cinq petites portes qui sont aux entrées des deux
20 vaisseaux d'où elles viennent, empêchant ainsi qu'il ne descende davantage de sang dans le cœur ; et continuant à se raréfier de plus en plus, elles poussent et ouvrent les six autres petites portes, qui sont aux entrées des deux autres vaisseaux par où elles sortent,
25 faisant enfler par ce moyen toutes les branches de la veine artérieuse et de la grande artère, quasi au même instant que le cœur ; lequel, incontinent après, se désenfle, comme font aussi ces artères, à cause que le sang qui y est entré s'y refroidit, et leurs six petites
30 portes se referment, et les cinq de la veine cave et de l'artère veineuse se rouvrent, et donnent passage à

4

deux autres gouttes de sang, qui font derechef enfler
le cœur et les artères, tout de même que les précédentes. Et pource que le sang, qui entre ainsi dans le
cœur, passe par ces deux bourses qu'on nomme ses
oreilles, de là vient que leur mouvement est contraire   5
au sien, et qu'elles se désenflent, lorsqu'il s'enfle. Au
reste, afin que ceux qui ne connaissent pas la force
des démonstrations mathématiques, et ne sont pas
accoutumés à distinguer les vraies raisons des vraisemblables, ne se hasardent pas de nier ceci sans   10
l'examiner, je les veux avertir que ce mouvement,
que je viens d'expliquer, suit aussi nécessairement de
la seule disposition des organes qu'on peut voir à
l'œil dans le cœur, et de la chaleur qu'on y peut sentir
avec les doigts, et de la nature du sang qu'on peut   15
connaître par expérience, que fait celui d'un horologe, de la force, de la situation et de la figure de ses
contrepoids et de ses roues.

Mais si on demande comment le sang des veines ne
s'épuise point, en coulant ainsi continuellement dans   20
le cœur, et comment les artères n'en sont point trop
remplies, puisque tout celui qui passe par le cœur s'y
va rendre, je n'ai pas besoin d'y répondre autre
chose que ce qui a déjà été écrit par un médecin
d'Angleterre, auquel il faut donner la louange d'avoir   25
rompu la glace en cet endroit, et d'être le premier
qui a enseigné qu'il y a plusieurs petits passages aux
extrémités des artères, par où le sang qu'elles reçoivent du cœur entre dans les petites branches des
veines, d'où il se va rendre derechef vers le cœur, en   30
sorte que son cours n'est autre chose qu'une circula-

Hervæus, de motu cordis.

tion perpétuelle. Ce qu'il prouve fort bien, par l'expérience ordinaire des chirurgiens, qui ayant lié le
bras médiocrement fort, au-dessus de l'endroit où ils
ouvrent la veine, font que le sang en sort plus abon-
5   damment que s'ils ne l'avaient point lié. Et il arrive-
rait tout le contraire, s'ils le liaient au-dessous, entre
la main et l'ouverture, ou bien qu'ils le liassent très
fort au-dessus. Car il est manifeste que le lien médiocrement serré, pouvant empêcher que le sang qui est
10 déjà dans le bras ne retourne vers le cœur par les
veines, n'empêche pas pour cela qu'il n'y en vienne
toujours de nouveau par les artères, à cause qu'elles
sont situées au-dessous des veines, et que leurs peaux,
étant plus dures, sont moins aisées à presser, et aussi
15 que le sang qui vient du cœur tend avec plus de force
à passer par elles vers la main, qu'il ne fait à retourner
de là vers le cœur par les veines. Et, puisque ce sang
sort du bras par l'ouverture qui est en l'une des veines,
il doit nécessairement y avoir quelques passages au-
20 dessous du lien, c'est-à-dire vers les extrémités du bras,
par où il y puisse venir des artères. Il prouve aussi
fort bien ce qu'il dit du cours du sang, par certaines
petites peaux, qui sont tellement disposées en divers
lieux le long des veines, qu'elles ne lui permettent
25 point d'y passer du milieu du corps vers les extrémités,
mais seulement de retourner des extrémités vers le
cœur, et, de plus, par l'expérience qui montre que tout
celui qui est dans le corps en peut sortir en fort peu
de temps par une seule artère, lorsqu'elle est coupée,
30 encore même qu'elle fût étroitement liée fort proche
du cœur, et coupée entre lui et le lien, en sorte qu'on

n'eût aucun sujet d'imaginer que le sang qui en sor-
tirait vint d'ailleurs.

Mais il y a plusieurs autres choses qui témoignent
que la vraie cause de ce mouvement du sang est celle
que j'ai dite. Comme, premièrement, la différence   5
qu'on remarque entre celui qui sort des veines et celui
qui sort des artères, ne peut procéder que de ce
qu'étant raréfié, et comme distillé, en passant par le
cœur, il est plus subtil et plus vif et plus chaud incontinent après en être sorti, c'est-à-dire, étant dans   10
les artères, qu'il n'est un peu devant que d'y entrer,
c'est-à-dire, étant dans les veines. Et, si on y prend
garde, on trouvera que cette différence ne paraît bien
que vers le cœur, et non point tant aux lieux qui en
sont les plus éloignés. Puis la dureté des peaux, dont   15
la veine artérieuse et la grande artère sont composées,
montre assez que le sang bat contre elles avec plus de
force que contre les veines. Et pourquoi la concavité
gauche du cœur et la grande artère seraient-elles plus
amples et plus larges que la concavité droite et la   20
veine artérieuse? Si ce n'était que le sang de l'artère
veineuse, n'ayant été que dans les poumons depuis
qu'il a passé par le cœur, est plus subtil et se raréfie
plus fort et plus aisément que celui qui vient immédiatement de la veine cave. Et qu'est-ce que les méde-   25
cins peuvent deviner, en tâtant le pouls, s'ils ne
savent que, selon que le sang change de nature, il
peut être raréfié par la chaleur du cœur plus ou
moins fort, et plus ou moins vite qu'auparavant? Et si
on examine comment cette chaleur se communique   30
aux autres membres, ne faut-il pas avouer que c'est

par le moyen du sang qui, passant par le cœur, s'y ré-
chauffe, et se répand de là par tout le corps. D'où vient
que, si on ôte le sang de quelque partie, on en ôte
par même moyen la chaleur ; et encore que le cœur
5   fût aussi ardent qu'un fer embrasé, il ne suffirait pas
pour réchauffer les pieds et les mains tant qu'il fait,
s'il n'y envoyait continuellement de nouveau sang.
Puis aussi on connaît de là, que le vrai usage de la
respiration est d'apporter assez d'air frais dans le pou-
10   mon, pour faire que le sang, qui y vient de la concavité droite du cœur, où il a été raréfié et comme
changé en vapeurs, s'y épaississe et convertisse en
sang derechef, avant que de retomber dans la gauche,
sans quoi il ne pourrait être propre à servir de nour-
15   riture au feu qui y est. Ce qui se confirme, parce qu'on
voit que les animaux qui n'ont point de poumons
n'ont aussi qu'une seule concavité dans le cœur, et que les
enfants, qui n'en peuvent user pendant qu'ils sont ren-
fermés au ventre de leurs mères, ont une ouverture
20   par où il coule du sang de la veine cave en la concavité
gauche du cœur, et un conduit par où il en vient de
la veine artérieuse en la grande artère, sans passer par
le poumon. Puis la coction, comment se ferait-elle en
l'estomac, si le cœur n'y envoyait de la chaleur par les
25   artères, et avec cela quelques-unes des plus coulantes
parties du sang, qui aident à dissoudre les viandes
qu'on y a mises? Et l'action qui convertit le suc de
ces viandes en sang n'est-elle pas aisée à connaître,
si on considère qu'il se distille, en passant et repassant
30   par le cœur, peut-être par plus de cent ou deux cents
fois en chaque jour? Et qu'a-t-on besoin d'autre chose,

pour expliquer la nutrition, et la production des diverses humeurs qui sont dans le corps, sinon de dire
que la force, dont le sang en se raréfiant passe du
cœur vers les extrémités des artères, fait que quelques
unes de ses parties s'arrêtent entre celles des membres   5
où elles se trouvent et y prennent la place de quelques-
autres qu'elles en chassent ; et que, selon la situation,
ou la figure, ou la petitesse des pores qu'elles rencontrent, les unes se vont rendre en certains lieux
plutôt que les autres, en même façon que chacun   10
peut avoir vu divers cribles qui, étant diversement
percés, servent à séparer divers grains les uns des
autres? Et enfin ce qu'il y a de plus remarquable en
tout ceci, c'est la génération des esprits animaux, qui
sont comme un vent très subtil, ou plutôt comme   15
une flamme très pure et très vive qui, montant continuellement en grande abondance du cœur dans le
cerveau, se va rendre de là par les nerfs dans les
muscles, et donne le mouvement à tous les membres ;
sans qu'il faille imaginer d'autre cause, qui fasse que   20
les parties du sang qui, étant les plus agitées et les
plus pénétrantes, sont les plus propres à composer
ces esprits, se vont rendre plutôt vers le cerveau que
vers ailleurs ; sinon que les artères, qui les y portent,
sont celles qui viennent du cœur le plus en ligne droite   25
de toutes, et que, selon les règles des mécaniques,
qui sont les mêmes que celles de la nature, lorsque
plusieurs choses tendent ensemble à se mouvoir vers
un même côté, où il n'y a pas assez de place pour
toutes, ainsi que les parties du sang qui sortent de là   30
concavité gauche du cœur tendent vers le cerveau,

les plus faibles et moins agitées en doivent être dé-
tournées par les plus fortes, qui par ce moyen s'y
vont rendre seules.

    J'avais expliqué assez particulièrement toutes ces
5   choses dans le traité que j'avais eu ci-devant dessein
de publier. Et ensuite j'y avais montré quelle doit
être la fabrique des nerfs et des muscles du corps humain, pour faire que les esprits animaux, étant dedans, aient la force de mouvoir ses membres : ainsi
10 qu'on voit que les têtes, un peu après être coupées,
se remuent encore, et mordent la terre, nonobstant
qu'elles ne soient plus animées ; quels changements se
doivent faire dans le cerveau, pour causer la veille,
et le sommeil, et les songes ; comment la lumière, les
15 sons, les odeurs, les goûts, la chaleur, et toutes les
autres qualités des objets extérieurs y peuvent imprimer diverses idées par l'entremise des sens ; comment la faim, la soif, et les autres passions intérieures,
y peuvent aussi envoyer les leurs ; ce qui doit y
20 être pris pour le sens commun, où ces idées sont
reçues ; pour la mémoire, qui les conserve ; et pour la
fantaisie, qui les peut diversement changer et en composer de nouvelles, et par même moyen, distribuant
les esprits animaux dans les muscles, faire mouvoir
25 les membres de ce corps en autant de diverses façons,
et autant à propos des objets qui se présentent à ses
sens, et des passions intérieures qui sont en lui, que
les nôtres se puissent mouvoir, sans que la volonté
les conduise. Ce qui ne semblera nullement étrange à
30 ceux qui, sachant combien de divers *automates*, ou
machines mouvantes, l'industrie des hommes peut

faire, sans y employer que fort peu de pièces, à comparaison de la grande multitude des os, des muscles,
des nerfs, des artères, des veines, et de toutes les
autres parties qui sont dans le corps de chaque animal, considéreront ce corps comme une machine, qui,   5
ayant été faite des mains de Dieu, est incomparablement mieux ordonnée, et a en soi des mouvements
plus admirables, qu'aucune de celles qui peuvent
être inventées par les hommes.

Et je m'étais ici particulièrement arrêté à faire   10
voir que, s'il y avait de telles machines, qui eussent
les organes et la figure d'un singe, ou de quelque
autre animal sans raison, nous n'aurions aucun moyen
pour reconnaître qu'elles ne seraient pas en tout de
même nature que ces animaux ; au lieu que, s'il y en   15
avait qui eussent la ressemblance de nos corps et imitassent autant nos actions que moralement il serait
possible, nous aurions toujours deux moyens très
certains pour reconnaître qu'elles ne seraient point
pour cela de vrais hommes. Dont le premier est que   20
jamais elles ne pourraient user de paroles, ni d'autres
signes en les composant, comme nous faisons pour
déclarer aux autres nos pensées. Car, on peut bien
concevoir qu'une machine soit tellement faite qu'elle
profère des paroles, et même qu'elle en profère   25
quelques-unes à propos des actions corporelles qui
causeront quelque changement en ses organes :
comme, si on la touche en quelque endroit, qu'elle
demande ce qu'on lui veut dire ; si en un autre, qu'elle
crie qu'on lui fait mal, et choses semblables ; mais   30
non pas qu'elle les arrange diversement, pour ré-

pondre au sens de tout ce qui se dira en sa présence,
ainsi que les hommes les plus hébétés peuvent faire.
Et le second est que, bien qu'elles fissent plusieurs
choses aussi bien, ou peut-être mieux qu'aucun de
5   nous, elles manqueraient infailliblement en quelques
autres, par lesquelles on découvrirait qu'elles n'agi-
raient pas par connaissance, mais seulement par la
disposition de leurs organes. Car, au lieu que la raison est un instrument universel, qui peut servir en
10   toutes sortes de rencontres, ces organes ont besoin de
quelque particulière disposition pour chaque action
particulière; d'où vient qu'il est moralement impossible qu'il y en ait assez de divers en une machine
pour la faire agir en toutes les occurrences de la vie,
15   de même façon que notre raison nous fait agir.

Or, par ces deux mêmes moyens, on peut aussi
connaître la différence qui est entre les hommes et
les bêtes. Car c'est une chose bien remarquable, qu'il
n'y a point d'hommes si hébétés et si stupides, sans en
20   excepter même les insensés, qu'ils ne soient capables
d'arranger ensemble diverses paroles, et d'en composer
un discours par lequel ils fassent entendre leurs pensées; et qu'au contraire, il n'y a point d'autre animal,
tant parfait et tant heureusement né qu'il puisse être,
25   qui fasse le semblable. Ce qui n'arrive pas de ce qu'ils
ont faute d'organes, car on voit que les pies et les
perroquets peuvent proférer des paroles ainsi que
nous, et toutefois ne peuvent parler ainsi que nous
c'est-à-dire, en témoignant qu'ils pensent ce qu'ils
30   disent; au lieu que les hommes qui, étant nés sourds
et muets, sont privés des organes qui servent aux au-

tres pour parler, autant ou plus que les bêtes, ont
coutume d'inventer d'eux-mêmes quelques signes, par
lesquels ils se font entendre à ceux qui, étant ordinairement avec eux, ont loisir d'apprendre leur langue.
Et ceci ne témoigne pas seulement que les bêtes ont   5
moins de raison que les hommes, mais qu'elles n'en
ont point du tout. Car on voit qu'il n'en faut que fort
peu pour savoir parler ; et d'autant qu'on remarque
de l'inégalité entre les animaux d'une même espèce,
aussi bien qu'entre les hommes, et que les uns sont   10
plus aisés à dresser que les autres, il n'est pas croyable
qu'un singe ou un perroquet, qui serait des plus parfaits de son espèce, n'égalât en cela un enfant des plus
stupides, ou du moins un enfant qui aurait le cerveau
troublé, si leur âme n'était d'une nature du tout diffé-   15
rente de la nôtre. Et on ne doit pas confondre les
paroles avec les mouvements naturels, qui témoignent
les passions et peuvent être imités par des machines
aussi bien que par les animaux ; ni penser, comme
quelques anciens, que les bêtes parlent, bien que nous   20
n'entendions pas leur langage : car s'il était vrai,
puisqu'elles ont plusieurs organes qui se rapportent
aux nôtres, elles pourraient aussi bien se faire entendre à nous qu'à leurs semblables. C'est aussi une
chose fort remarquable que, bien qu'il y ait plusieurs   25
animaux qui témoignent plus d'industrie que nous en
quelques-unes de leurs actions, on voit toutefois que
les mêmes n'en témoignent point du tout en beaucoup d'autres : de façon que ce qu'ils font mieux que
nous ne prouve pas qu'ils ont de l'esprit ; car, à ce   30
compte, ils en auraient plus qu'aucun de nous et fe-

raient mieux en toute chose ; mais plutôt qu'ils n'en ont point, et que c'est la nature qui agit en eux, selon la disposition de leurs organes : ainsi qu'on voit qu'un horologe, qui n'est composé que de roues et de ressorts, peut compter les heures, et mesurer le temps, plus justement que nous avec toute notre prudence.

J'avais décrit, après cela, l'âme raisonnable, et fait voir qu'elle ne peut aucunement être tirée de la puissance de la matière, ainsi que les autres choses dont j'avais parlé, mais qu'elle doit expressément être créée ; et comment il ne suffit pas qu'elle soit logée dans le corps humain, ainsi qu'un pilote en son navire, sinon peut-être pour mouvoir ses membres, mais qu'il est besoin qu'elle soit jointe et unie plus étroitement avec lui pour avoir, outre cela, des sentiments et des appétits semblables aux nôtres, et ainsi composer un vrai homme. Au reste, je me suis ici un peu étendu sur le sujet de l'âme, à cause qu'il est des plus importants ; car, après l'erreur de ceux qui nient Dieu, laquelle je pense avoir ci-dessus assez réfutée, il n'y en a point qui éloigne plutôt les esprits faibles du droit chemin de la vertu, que d'imaginer que l'âme des bêtes soit de même nature que la nôtre, et que, par conséquent, nous n'avons rien à craindre, ni à espérer, après cette vie, non plus que les mouches et les fourmis ; au lieu que, lorsqu'on sait combien elles diffèrent, on comprend beaucoup mieux les raisons, qui prouvent que la nôtre est d'une nature entièrement indépendante du corps et, par conséquent, qu'elle n'est point sujette à mourir avec lui ; puis, d'autant qu'on ne voit point d'autres causes qui la détruisent, on est naturellement porté à juger de là qu'elle est immortelle.

Or, il y a maintenant trois ans que j'étais parvenu à la fin du traité qui contient toutes ces choses, et 5 que je commençais à le revoir, afin de le mettre entre les mains d'un imprimeur, lorsque j'appris que des personnes, à qui je défère et dont l'autorité ne peut guère moins sur mes actions que ma propre raison sur mes pensées, avaient désapprouvé une opi- 10 nion de physique, publiée un peu auparavant par quelque autre, de laquelle je ne veux pas dire que je fusse, mais bien que je n'y avais rien remarqué, avant leur censure, que je pusse imaginer être préjudiciable ni à la religion ni à l'État, ni, par conséquent, qui 15 m'eût empêché de l'écrire, si la raison me l'eût persuadée, et que cela me fit craindre qu'il ne s'en trouvât tout de même quelqu'une entre les miennes, en laquelle je me fusse mépris, nonobstant le grand soin que j'ai toujours eu de n'en point recevoir de nou- 20 velles en ma créance, dont je n'eusse des démonstrations très certaines, et de n'en point écrire qui pussent tourner au désavantage de personne. Ce qui a été suffisant pour m'obliger à changer la résolution que j'avais eue de les publier. Car, encore que les 25 raisons, pour lesquelles je l'avais prise auparavant, fussent très fortes, mon inclination, qui m'a toujours fait haïr le métier de faire des livres, m'en fit incontinent trouver assez d'autres pour m'en excuser. Et ces raisons de part et d'autre sont telles, que non 30

seulement j'ai ici quelque intérêt de les dire, mais
peut-être aussi que le public en a de les savoir.

   Je n'ai jamais fait beaucoup d'état des choses qui
venaient de mon esprit, et pendant que je n'ai re-
5 cueilli d'autres fruits de la méthode dont je me sers,
sinon que je me suis satisfait, touchant quelques difficultés qui appartiennent aux sciences spéculatives, ou
bien que j'ai tâché de régler mes mœurs par les
raisons qu'elle m'enseignait, je n'ai point cru être
10 obligé d'en rien écrire. Car, pour ce qui touche les
mœurs, chacun abonde si fort en son sens, qu'il se
pourrait trouver autant de réformateurs que de
têtes, s'il était permis à d'autres qu'à ceux que Dieu
a établis pour souverains sur ses peuples, où bien
15 auxquels il a donné assez de grâce et de zèle pour
être prophètes, d'entreprendre d'y rien changer ; et
bien que mes spéculations me plussent fort, j'ai cru
que les autres en avaient aussi qui leur plaisaient
peut-être davantage. Mais, sitôt que j'ai eu acquis
quelques notions générales touchant la physique, et
que, commençant à les éprouver en diverses difficultés particulières, j'ai remarqué jusques où elles
peuvent conduire, et combien elles diffèrent des principes dont on s'est servi jusques à présent, j'ai cru
25 que je ne pouvais les tenir cachées, sans pécher gran-
dement contre la loi qui nous oblige à procurer,
autant qu'il est en nous, le bien général de tous les
hommes. Car elles m'ont fait voir qu'il est possible
de parvenir à des connaissances qui soient fort utiles
30 à la vie, et qu'au lieu de cette philosophie spéculative,
qu'on enseigne dans les écoles, on en peut trouver

une pratique, par laquelle connaissant la force et les
actions du feu, de l'eau, de l'air, des astres, des cieux
et de tous les autres corps qui nous environnent, aussi
distinctement que nous connaissons les divers métiers de nos artisans, nous les pourrions employer   5
en même façon à tous les usages auxquels ils sont
propres, et ainsi nous rendre comme maîtres et possesseurs de la nature. Ce qui n'est pas seulement à
désirer pour l'invention d'une infinité d'artifices, qui
feraient qu'on jouirait, sans aucune peine, des fruits   10
de la terre et de toutes les commodités qui s'y
trouvent, mais principalement aussi pour la conservation de la santé, laquelle est sans doute le premier
bien et le fondement de tous les autres biens de cette
vie ; car même l'esprit dépend si fort du tempé-   15
rament, et de la disposition des organes du corps que,
s'il est possible de trouver quèlque moyen qui rende
communément les hommes plus sages et plus habiles
qu'ils n'ont été jusques ici, je crois que c'est dans la
médecine qu'on doit le chercher. Il est vrai que celle   20
qui est maintenant en usage, contient peu de choses
dont l'utilité soit si remarquable ; mais, sans que j'aie
aucun dessein de la mépriser, je m'assure qu'il n'y a
personne, même de ceux qui en font profession, qui
n'avoue que tout ce qu'on y sait n'est presque rien, à   25
comparaison de ce qui reste à y savoir, et qu'on se
pourrait exempter d'une infinité de maladies, tant du
corps que de l'esprit, et même aussi peut-être de l'affaiblissement de la vieillesse, si on avait assez de connaissance de leurs causes, et de tous les remèdes dont   30
la nature nous a pourvus. Or, ayant dessein d'em-

ployer toute ma vie à la recherche d'une science si
nécessaire, et ayant rencontré un chemin qui me
semble tel qu'on doit infailliblement la trouver, en le
suivant, si ce n'est qu'on en soit empêché, ou par la
5 brièveté de la vie, ou par le défaut des expériences,
je jugeais qu'il n'y avait point de meilleur remède
contre ces deux empêchements, que de communiquer
fidèlement au public tout le peu que j'aurais trouvé,
et de convier les bons esprits à tâcher de passer plus
10 outre, en contribuant, chacun selon son inclination
et son pouvoir, aux expériences qu'il faudrait faire,
et communiquant aussi au public toutes les choses
qu'ils apprendraient, afin que les derniers commençant ou les précédents auraient achevé, et ainsi, joi-
15 gnant les vies et les travaux de plusieurs, nous allas-
sions tous ensemble beaucoup plus loin que chacun
en particulier ne saurait faire.

Même je remarquais, touchant les expériences,
qu'elles sont d'autant plus nécessaires qu'on est plus
20 avancé en connaissance. Car, pour le commencement,
il vaut mieux ne se servir que de celles qui se présentent d'elles-mêmes à nos sens, et que nous ne
saurions ignorer, pourvu que nous y fassions tant
soit peu de réflexion, que d'en chercher de plus rares
25 et étudiées : dont la raison est que ces plus rares
trompent souvent, lorsqu'on ne sait pas encore les
causes des plus communes, et que les circonstances
dont elles dépendent sont quasi toujours si particulières et si petites, qu'il est très malaisé de les re-
30 marquer. Mais l'ordre que j'ai tenu en ceci a été tel.
Premièrement, j'ai tâché de trouver en général les

principes, ou premières causes, de tout ce qui est, ou qui peut être, dans le monde, sans rien considérer, pour cet effet, que Dieu seul, qui l'a créé, ni les tirer d'ailleurs que de certaines semences de vérités qui sont naturellement en nos âmes. Après 5 cela, j'ai examiné quels étaient les premiers et plus ordinaires effets qu'on pouvait déduire de ces causes : et il me semble que, par là, j'ai trouvé des cieux, des astres, une terre, et même, sur la terre, de l'eau, de l'air, du feu, des minéraux, et quelques 10 autres telles choses qui sont les plus communes de toutes et les plus simples, et par conséquent les plus aisées à connaître, Puis, lorsque j'ai voulu descendre à celles qui étaient plus particulières, il s'en est tant présenté à moi de diverses, que je n'ai pas 15 cru qu'il fût possible à l'esprit humain de distinguer les formes ou espèces de corps qui sont sur la terre d'une infinité d'autres qui pourraient y être, si ç'eût été le vouloir de Dieu de les y mettre, ni, par conséquent, de les rapporter à notre usage, si ce n'est 20 qu'on vienne au-devant des causes par les effets, et qu'on se serve de plusieurs expériences particulières En suite de quoi, repassant mon esprit sur tous les objets qui s'étaient jamais présentés à mes sens, j'ose bien dire que je n'y ai remarqué aucune chose 25 que je ne pusse assez commodément expliquer par les principes que j'avais trouvés. Mais il faut aussi que j'avoue que la puissance de la nature est si ample et si vaste, et que ces principes sont si simples et si généraux, que je ne remarque quasi plus aucun effet 30 particulier, que d'abord je ne connaisse qu'il peut en

être déduit en plusieurs diverses façons, et que ma plus grande difficulté est d'ordinaire de trouver en laquelle de ces façons il en dépend. Car à cela je ne sais point d'autre expédient, que de chercher dere-
5 chef quelques expériences, qui soient telles, que leur événement ne soit pas le même, si c'est en l'une de ces façons qu'on doit l'expliquer, que si c'est en l'autre. Au reste, j'en suis maintenant là, que je vois, ce me semble, assez bien de quel biais on se doit
10 prendre à faire la plupart de celles qui peuvent servir à cet effet ; mais je vois aussi qu'elles sont telles, et en si grand nombre, que ni mes mains, ni mon revenu, bien que j'en eusse mille fois plus que je n'en ai, ne sauraient suffire pour toutes ; en sorte que,
15 selon que j'aurai désormais la commodité d'en faire plus ou moins, j'avancerai ausssi plus ou moins en la connaissance de la nature. Ce que je me promettais de faire connaître, par le traité que j'avais écrit, et d'y montrer si clairement l'utilité que le public en
20 peut recevoir, que j'obligerais tous ceux qui désirent en général le bien des hommes, c'est-à-dire tous ceux qui sont en effet vertueux, et non point par faux semblant, ni seulement par opinion, tant à me communiquer celles qu'ils ont déjà faites, qu'à m'aider en la
25 recherche de celles qui restent à faire.

Mais j'ai eu, depuis ce temps-là, d'autres raisons qui m'ont fait changer d'opinion, et penser que je devais véritablement continuer d'écrire toutes les choses que je jugerais de quelque importance, à me-
30 sure que j'en découvrirais la vérité, et y apporter le même soin que si je les voulais faire imprimer : tant

5

afin d'avoir d'autant plus d'occasion de les bien examiner, comme sans doute on regarde toujours de
plus près à ce qu'on croit devoir être vu par plusieurs, qu'à ce qu'on ne fait que pour soi-même, et
souvent les choses qui m'ont semblé vraies lorsque   5
j'ai commencé à les concevoir, m'ont paru fausses
lorsque je les ai voulu mettre sur le papier ; qu'afin
de ne perdre aucune occasion de profiter au public,
si j'en suis capable, et que, si mes écrits valent
quelque chose, ceux qui les auront après ma mort   10
en puissent user ainsi qu'il sera le plus à propos ;
mais que je ne devais aucunement consentir qu'ils
fussent publiés pendant ma vie, afin que ni les oppositions et controverses, auxquelles ils seraient peut-
être sujets, ni même la réputation telle quelle, qu'ils   15
me pourraient acquérir, ne me donnassent aucune
occasion de perdre le temps que j'ai dessein d'employer
à m'instruire. Car, bien qu'il soit vrai que chaque
homme est obligé de procurer, autant qu'il est en lui,
le bien des autres, et que c'est proprement ne valoir   20
rien que de n'être utile à personne, toutefois il est
vrai aussi que nos soins se doivent étendre plus loin
que le temps présent, et qu'il est bon d'omettre les
choses qui apporteraient peut-être quelque profit à
ceux qui vivent, lorsque c'est à dessein d'en faire   25
d'autres qui en apportent davantage à nos neveux.
Comme, en effet, je veux bien qu'on sache que le
peu que j'ai appris jusqu'ici n'est presque rien, à
comparaison de ce que j'ignore, et que je ne désespère
pas de pouvoir apprendre ; car c'est quasi le même   30
de ceux qui découvrent peu à peu la vérité dans les

sciences, que de ceux qui, commençant à devenir
riches, ont moins de peine à faire de grandes ac-
quisitions, qu'ils n'ont eu auparavant, étant plus
pauvres, à en faire de beaucoup moindres. Ou bien
5   on peut les comparer aux chefs d'armée, dont les
forces ont coutume de croître à proportion de leurs
victoires, et qui ont besoin de plus de conduite, pour
se maintenir après la perte d'une bataille, qu'ils n'ont,
après l'avoir gagnée, à prendre des villes et des pro-
10   vinces. Car c'est véritablement donner des batailles,
que de tâcher à vaincre toutes les difficultés et les
erreurs qui nous empêchent de parvenir à la connaissance de la vérité, et c'est en perdre une, que de
recevoir quelque fausse opinion touchant une ma-
15   tière un peu générale et importante ; il faut, après,
beaucoup plus d'adresse, pour se remettre au même
état qu'on était auparavant, qu'il ne faut à faire de
grands progrès, lorsqu'on a déjà des principes qui
sont assurés. Pour moi, si j'ai ci-devant trouvé
20   quelques vérités dans les sciences (et j'espère que les
choses qui sont contenues en ce volume feront juger
que j'en ai trouvé quelques-unes), je puis dire que ce
ne sont que des suites et des dépendances de cinq ou
six principales difficultés que j'ai surmontées, et que
25   je compte pour autant de batailles où j'ai eu l'heur de
mon côté. Même je ne craindrai pas de dire, que je
pense n'avoir plus besoin d'en gagner que deux ou
trois autres semblables pour venir entièrement à
bout de mes desseins ; et que mon âge n'est point
30   si avancé que, selon le cours ordinaire de la nature,
je ne puisse encore avoir assez de loisir pour cet effet.

Mais je crois être d'autant plus obligé à ménager le
temps qui me reste, que j'ai plus d'espérance de le pouvoir bien employer ; et j'aurais sans doute plusieurs
occasions de le perdre, si je publiais les fondements de
ma physique. Car, encore qu'ils soient presque tous   5
si évidents, qu'il ne faut que les entendre pour les
croire, et qu'il n'y en ait aucun, dont je ne pense
pouvoir donner des démonstrations, toutefois, à
cause qu'il est impossible qu'ils soient accordants avec
toutes les diverses opinions des autres hommes, je   10
prévois que je serais souvent diverti par les oppositions qu'ils feraient naître.

On peut dire que ces oppositions seraient utiles,
tant afin de me faire connaître mes fautes, qu'afin
que, si j'avais quelque chose de bon, les autres en   15
eussent par ce moyen plus d'intelligence, et, comme
plusieurs peuvent plus voir qu'un homme seul, que
commençant dès maintenant à s'en servir, ils m'ai-
dassent aussi de leurs inventions. Mais, encore que je
me reconnaisse extrêmement sujet à faillir, et que je   20
ne me fie quasi jamais aux premières pensées qui me
viennent, toutefois l'expérience que j'ai des objections
qu'on me peut faire, m'empêche d'en espérer aucun
profit : car j'ai déjà souvent éprouvé les jugements,
tant de ceux que j'ai tenus pour mes amis, que de   25
quelques autres à qui je pensais être indifférent, et
même aussi de quelques-uns dont je savais que la
malignité et l'envie tâcheraient assez à découvrir ce que
l'affection cacherait à mes amis ; mais il est rarement
arrivé qu'on m'ait objecté quelque chose que je   30
n'eusse point du tout prévue, si ce n'est qu'elle fût

fort éloignée de mon sujet ; en sorte que je n'ai quasi jamais rencontré aucun censeur de mes opinions, qui ne me semblât ou moins rigoureux, ou moins équitable que moi-même. Et je n'ai jamais remarqué
5 non plus que, par le moyen des disputes qui se pratiquent dans les écoles, on ait découvert aucune vérité qu'on ignorât auparavant ; car, pendant que chacun tâche de vaincre, on s'exerce bien plus à faire valoir la vraisemblance, qu'à peser les raisons de part
10 et d'autre ; et ceux qui ont été longtemps bons avocats ne sont pas pour cela, par après, meilleurs juges.

Pour l'utilité que les autres recevraient de la communication de mes pensées, elle ne pourrait aussi être fort. grande, d'autant que je ne les ai point en-
15 core conduites si loin, qu'il ne soit besoin d'y ajouter beaucoup de choses avant que de les appliquer à l'usage. Et je pense pouvoir dire, sans vanité, que, s'il y a quelqu'un qui en soit capable, ce doit être plutôt moi qu'aucun autre : non pas qu'il ne puisse y
20 avoir au monde plusieurs esprits incomparablement meilleurs que le mien ; mais pource qu'on ne saurait si bien concevoir une chose, et la rendre sienne, lorsqu'on l'apprend de quelque autre, que lorsqu'on l'invente soi-même. Ce qui est si véritable, en cette
25 matière, que, bien que j'aie souvent expliqué quelques-unes de mes opinions à des personnes de très bon esprit, et qui, pendant que je leur parlais, semblaient les entendre fort distinctement, toutefois, lorsqu'ils les ont redites, j'ai remarqué qu'ils les ont changées pres-
30 que toujours en telle sorte que je ne les pouvais plus avouer pour miennes. A l'occasion de quoi je suis

bien aise de prier ici nos neveux, de ne croire jamais que les choses qu'on leur dira viennent de moi, lorsque je ne les aurai point moi-même divulguées. Et je ne m'étonne aucunement des extravagances qu'on attribue à tous ces anciens philosophes, dont nous 5 n'avons point les écrits, ni ne juge pas, pour cela, que leurs pensées aient été fort déraisonnables, vu qu'ils étaient des meilleurs esprits de leurs temps, mais seulement qu'on nous les a mal rapportées. Comme on voit aussi que presque jamais il n'est ar- 10 rivé qu'aucun de leurs sectateurs les ait surpassés ; et je m'assure que les plus passionnés de ceux qui suivent maintenant Aristote, se croiraient heureux, s'ils avaient autant de connaissance de la nature qu'il en a eu, encore même que ce fût à condition qu'ils n'en 15 auraient jamais davantage. Ils sont comme le lierre, qui ne tend point à monter plus haut que les arbres qui le soutiennent, et même souvent qui redescend, après qu'il est parvenu jusqu'à leur faîte ; car il me semble aussi que ceux-là redescendent, c'est-à-dire se 20 rendent en quelque façon moins savants que s'ils s'abstenaient d'étudier, lesquels, non contents de savoir tout ce qui est intelligiblement expliqué dans leur auteur, veulent, outre cela, y trouver la solution de plusieurs difficultés, dont il ne dit rien et auxquelles 25 il n'a peut-être jamais pensé. Toutefois, leur façon de philosopher est fort commode, pour ceux qui n'ont que des esprits fort médiocres ; car l'obscurité des distinctions et des principes dont ils se servent, est cause qu'ils peuvent parler de toutes choses aussi hardi- 30 ment que s'ils les savaient, et soutenir tout ce qu'ils

en disent contre les plus subtils et les plus habiles,
sans qu'on ait moyen de les convaincre. En quoi ils
me semblent pareils à un aveugle qui, pour se battre
sans désavantage contre un qui voit, l'aurait fait venir
5 dans le fond de quelque cave fort obscure ; et je puis
dire que ceux-ci ont intérêt que je m'abstienne de publier les principes de la philosophie dont je me sers :
car étant très simples et très évidents, comme ils sont,
je ferais quasi le même, en les publiant, que si j'ou-
10 vrais quelques fenêtres, et faisais entrer du jour dans
cette cave, où ils sont descendus pour se battre. Mais
même les meilleurs esprits n'ont pas occasion de souhaiter de les connaître : car, s'ils veulent savoir parler de toutes choses et acquérir la réputation d'être
15 doctes, ils y parviendront plus aisément en se contentant de la vraisemblance, qui peut être trouvée
sans grande peine en toutes sortes de matières, qu'en
cherchant la vérité, qui ne se découvre que peu à peu
en quelques-unes, et qui, lorsqu'il est question de par-
20 ler des autres, oblige à confesser franchement qu'on
les ignore. Que s'ils préfèrent la connaissance de
quelque peu de vérités à la vanité de paraître n'ignorer rien, comme sans doute elle est bien préférable,
et qu'ils veuillent suivre un dessein semblable au mien,
25 ils n'ont pas besoin, pour cela, que je leur dise rien davantage que ce que j'ai déjà dit en ce discours. Car,
s'ils sont capables de passer plus outre que je n'ai fait,
ils le seront aussi, à plus forte raison, de trouver d'eux-
mêmes tout ce que je pense avoir trouvé. D'autant
30 que, n'ayant jamais rien examiné que par ordre, il est
certain que ce qui me reste encore à découvrir, est

de soi plus difficile et plus caché, que ce que j'ai pu
ci-devant rencontrer, et ils auraient bien moins de
plaisir à l'apprendre de moi que d'eux-mêmes;
outre que l'habitude qu'ils acquerront, en cherchant
premièrement des choses faciles, et passant peu à   5
peu par degrés à d'autres plus difficiles, leur servira plus que toutes mes instructions ne sauraient
faire. Comme, pour moi, je me persuade que, si on
m'eût enseigné, dès ma jeunesse, toutes les vérités
dont j'ai cherché depuis les démonstrations, et que   10
je n'eusse eu aucune peine à les apprendre, je n'en
aurais peut-être jamais su aucunes autres, et du
moins que jamais je n'aurais acquis l'habitude et la
facilité, que je pense avoir, d'en trouver toujours de
nouvelles, à mesure que je m'applique à les chercher.   15
Et en un mot, s'il y a au monde quelque ouvrage qui
ne puisse être si bien achevé par aucun autre que
par le même qui l'a commencé, c'est celui auquel je
travaille.

Il est vrai que, pour ce qui est des expériences qui   20
peuvent y servir, un homme seul ne saurait suffire à
les faire toutes; mais il n'y saurait aussi employer
utilement d'autres mains que les siennes, sinon celles
des artisans, ou telles gens qu'il pourrait payer, et à
qui l'espérance du gain, qui est un moyen très efficace,   25
ferait faire exactement toutes les choses qu'il leur
prescrirait. Car, pour les volontaires, qui, par curiosité ou désir d'apprendre, s'offriraient peut-être de lui
aider, outre qu'ils ont pour l'ordinaire plus de promesses que d'effet, et qu'ils ne font que de belles   30
propositions dont aucune jamais ne réussit, ils vou-

draient infailliblement être payés par l'explication de
quelques difficultés, ou du moins par des compliments
et des entretiens inutiles, qui ne lui sauraient coû-
ter si peu de son temps qu'il n'y perdît. Et pour les
5 expériences que les autres ont déjà faites, quand
bien même ils les lui voudraient communiquer, ce
que ceux qui les nomment des secrets ne feraient
jamais, elles sont, pour la plupart, composées de tant
de circonstances, ou d'ingrédients superflus, qu il lui
10 serait très malaisé d'en déchiffrer la vérité ; outre qu'il
les trouverait presque toutes si mal expliquées, ou
même si fausses, à cause que ceux qui les ont faites
se sont efforcés de les faire paraître conformes à
leurs principes, que, s'il y en avait quelques-unes
15 qui lui servissent, elles ne pourraient derechef valoir
le temps qu'il lui faudrait employer à les choisir. De
façon que, s'il y avait au monde quelqu'un, qu'on
sût assurément être capable de trouver les plus
grandes choses et les plus utiles au public qui
20 puissent être, et que, pour cette cause, les autres
hommes s'efforçassent, par tous moyens, de l'aider à
venir à bout de ses desseins, je ne vois pas qu'ils pussent autre chose pour lui, sinon fournir aux frais des
expériences dont il aurait besoin et, du reste, empê-
25 cher que son loisir ne lui fût ôté par l'importunité
de personne. Mais, outre que je ne présume pas tant
de moi-même, que de vouloir rien promettre d'extraordinaire, ni ne me repais point de pensées si vaines,
que de m'imaginer que le public se doive beaucoup
30 intéresser en mes desseins, je n'ai pas aussi l'âme si
basse, que je voulusse accepter de qui que ce fût

aucune faveur, qu'on pût croire que je n'aurais pas méritée.

Toutes ces considérations jointes ensemble furent cause, il y a trois ans, que je ne voulus point divulguer le traité que j'avais entre les mains, et même que je fus en résolution de n'en faire voir aucun autre, pendant ma vie, qui fût si général, ni duquel on pût entendre les fondements de ma physique. Mais il y a eu depuis derechef deux autres raisons, qui m'ont obligé à mettre ici quelques essais particuliers, et à rendre au public quelque compte de mes actions et de mes desseins. La première est que, si j'y manquais, plusieurs, qui ont su l'intention que j'avais eue ci-devant de faire imprimer quelques écrits, pourraient s'imaginer que les causes pour lesquelles je m'en abstiens seraient plus à mon désavantage qu'elles ne sont. Car, bien que je n'aime pas la gloire par excès, ou même, si je l'ose dire, que je la haïsse, en tant que je la juge contraire au repos, lequel j'estime sur toutes choses, toutefois aussi je n'ai jamais tâché de cacher mes actions comme des crimes, ni n'ai usé de beaucoup de précautions pour être inconnu ; tant à cause que j'eusse cru me faire tort, qu'à cause que cela m'aurait donné quelque espèce d'inquiétude, qui eût derechef été contraire au parfait repos d'esprit que je cherche. Et pource que, m'étant toujours ainsi tenu indifférent entre le soin d'être connu ou ne l'être pas, je n'ai pu empêcher que je n'acquisse quelque sorte de réputation, j'ai pensé que je devais faire mon mieux pour m'exempter au moins de l'avoir mauvaise. L'autre raison, qui m'a obligé à écrire

ceci, est que, voyant tous les jours de plus en plus
le retardement que souffre le dessein que j'ai de m'instruire, à cause d'une infinité d'expériences dont j'ai
besoin, et qu'il est impossible que je fasse sans l'aide
5   d'autrui, bien que je ne me flatte pas tant que d'espérer que le public prenne grande part en mes intérêts, toutefois je ne veux pas aussi me défaillir tant
à moi-même, que de donner sujet à ceux qui me
survivront, de me reprocher quelque jour, que j'eusse
10   pu leur laisser plusieurs choses beaucoup meilleures
que je n'aurai fait, si je n'eusse point trop négligé de
leur faire entendre en quoi ils pouvaient contribuer
à mes desseins.

  Et j'ai pensé qu'il m'était aisé de choisir quelques
15   matières qui, sans être sujettes à beaucoup de controverses, ni m'obliger à déclarer davantage de mes
principes que je ne désire, ne laisseraient pas de faire
voir assez clairement ce que je puis, ou ne puis pas,
dans les sciences. En quoi je ne saurais dire si j'ai
20   réussi, et je ne veux point prévenir les jugements de
personne, en parlant moi-même de mes écrits ; mais
je serai bien aise qu'on les examine, et afin qu'on en
ait d'autant plus d'occasion, je supplie tous ceux qui
auront quelques objections à y faire, de prendre la
25   peine de les envoyer à mon libraire, par lequel en
étant averti, je tâcherai d'y joindre ma réponse en
même temps ; et par ce moyen les lecteurs, voyant
ensemble l'un et l'autre, jugeront d'autant plus aisément de la vérité. Car je ne promets pas d'y faire
30   jamais de longues réponses, mais seulement d'avouer
mes fautes fort franchement, si je les connais, ou

bien, si je ne les puis apercevoir, de dire simplement
ce que je croirai être requis pour la défense des
choses que j'ai écrites, sans y ajouter l'explication
d'aucune nouvelle matière, afin de ne me pas en-
gager sans fin de l'une en l'autre.   5

Que si quelques-unes de celles dont j'ai parlé, au
commencement de la Dioptrique et des Météores,
choquent d'abord, à cause que je les nomme des suppositions, et que je ne semble pas avoir envie de les
prouver, qu'on ait la patience de lire le tout avec   10
attention, et j'espère qu'on s'en trouvera satisfait. Car
il me semble que les raisons s'y entre-suivent en telle
sorte que, comme les dernières sont démontrées par
les premières, qui sont leurs causes, ces premières
le sont réciproquement par les dernières, qui sont   15
leurs effets. Et on ne doit pas imaginer que je com-
mette en ceci la faute que les logiciens nomment
un cercle; car l'expérience rendant la plupart de ces
effets très certains, les causes dont je les déduis ne
servent pas tant à les prouver qu'à les expliquer;   20
mais, tout au contraire, ce sont elles qui sont prouvées par eux. Et je ne les ai nommées des suppositions, qu'afin qu'on sache que je pense les pouvoir
déduire de ces premières vérités que j'ai ci-dessus
expliquées, mais que j'ai voulu expressément ne le   25
pas faire, pour empêcher que certains esprits, qui
s'imaginent qu'ils savent en un jour tout ce qu'un
autre a pensé en vingt années, sitôt qu'il leur en a
seulement dit deux ou trois mots, et qui sont d'autant
plus sujets à faillir, et moins capables de la vérité,   30
qu'ils sont plus pénétrants et plus vifs, ne puissent de

là prendre occasion de bâtir quelque philosophie extravagante sur ce qu'ils croiront être mes principes,
et qu'on m'en attribue la faute. Car, pour les opinions
qui sont toutes miennes, je ne les excuse point comme
5 nouvelles, d'autant que, si on en considère bien les
raisons, je m'assure qu'on les trouvera si simples et
si conformes au sens commun, qu'elles sembleront
moins extraordinaires, et moins étranges, qu'aucunes
autres qu'on puisse avoir sur mêmes sujets. Et je ne
10 me vante point aussi d'être le premier inventeur d'aucunes, mais bien, que je ne les ai jamais reçues, ni
pource qu'elles avaient été dites par d'autres, ni
pource qu'elles ne l'avaient point été, mais seulement pource que la raison me les a persuadées.

15   Que si les artisans ne peuvent si tôt exécuter l'invention qui est expliquée en la Dioptrique, je ne crois
pas qu'on puisse dire, pour cela, qu'elle soit mauvaise :
car, d'autant qu'il faut de l'adresse et de l'habitude,
pour faire et pour ajuster les machines que j'ai dé-
20 crites, sans qu'il y manque aucune circonstance, je ne
m'étonnerais pas moins, s'ils rencontraient du premier coup, que si quelqu'un pouvait apprendre, en un
jour, à jouer du luth excellemment, par cela seul qu'on
lui aurait donné de la tablature qui serait bonne. Et si
25 j'écris en français, qui est le langue de mon pays,
plutôt qu'en latin, qui est celle de mes précepteurs,
c'est à cause que j'espère que ceux qui ne se servent
que de leur raison naturelle toute pure, jugeront
mieux de mes opinions, que ceux qui ne croient
30 qu'aux livres anciens. Et pour ceux qui joignent le
bon sens avec l'étude, lesquels seuls je souhaite pour

mes juges, ils ne seront point, je m'assure, si partiaux
pour le latin, qu'ils refusent d'entendre mes raisons,
pource que je les explique en langue vulgaire.

Au reste, je ne veux point parler ici, en particulier,
des progrès que j'ai espérance de faire à l'avenir dans   5
les sciences, ni m'engager envers le public d'aucune
promesse que je ne sois pas assuré d'accomplir ; mais
je dirai seulement que j'ai résolu de n'employer le
temps qui me reste à vivre à autre chose qu'à tâcher
d'acquérir quelque connaissance de la nature, qui   10
soit telle qu'on en puisse tirer des règles pour la médecine, plus assurées que celles qu'on a eues jusqu'à
présent ; et que mon inclination m'éloigne si fort
de toute sorte d'autres desseins, principalement de
ceux qui ne sauraient être utiles aux uns qu'en nui-   15
sant aux autres, que, si quelques occasions me con-
traignaient de m'y employer, je ne crois point que je
fusse capable d'y réussir. De quoi je fais ici une
déclaration, que je sais bien ne pouvoir servir à me
rendre considérable dans le monde, mais aussi n'ai-   20
je aucunement envie de l'être ; et je me tiendrai
toujours plus obligé à ceux par la faveur desquels
je jouirai sans empêchement de mon loisir, que je
ne ferais à ceux qui m'offriraient les plus honorables
emplois de la terre.   25

FIN.

COMMENTAIRE HISTORIQUE

PREMIÈRE PARTIE

Titre : « *Discours ...* »

Sur le sens de « discours » voir plus loin, p. 4, l. 7 et suiv. : « Mais mon dessein ... », et aussi : « Mais je n'ai su bien entendre ce que vous objectez touchant le titre ; car je ne mets pas *Traité de la Méthode*, mais *Discours de la Méthode*, ce qui est le même que *Préface ou Avis touchant la Méthode*, pour montrer que je n'ai pas dessein de l'enseigner, mais seulement d'en parler. Car, comme on peut voir de ce que j'en dis, elle consiste plus en pratique qu'en théorie, et je nomme les Traités suivants des *Essais de cette Méthode*, pour ce que je prétends que les choses qu'ils contiennent n'ont pu être trouvées sans elle : comme aussi j'ai inséré quelque chose de Métaphysique, de Physique, et de Médecine dans le premier discours, pour montrer qu'elle s'étend à toutes sortes de matières. » *A Mersenne*, mars 1637, t. I, p. 349, l. 14-28. Cf. *à ****, 27 avril 1637, t. I, p. 379, l. 9-13 ; et la lettre *à Vatier* citée page suivante. — C'est pourquoi les premiers cartésiens ont souvent insisté sur le caractère « exotérique », ou même « populaire » du *Discours*. Voir notamment : Daniel Lipstorpius, *Specimina philosophiae cartesianae*, Lugduni Batavorum, Elzevier, 1653, Pars I, *De certitud. philosophiae cartes.*, p. 23. — J. Clauberg, *Defensio cartesiana adversus Jac. Revium... in qua Renati Cartesii Dissertatio de methodo vindicatur*, Amstelodami, L. Elzevier, 1652, cap. I, p. 1-7. Ce sont les Méditations, dit Clauberg, qui sont « acroamatiques », et l'on devra tenir compte de ce fait pour donner leur sens juste à plusieurs textes du *Discours*.

Titre : « *... de la Méthode ...* »

Voir à p. 3, l. 6-7.

Titre : « *... bien conduire sa raison ...* »

Le caractère le plus apparent de la réforme cartésienne est précisément de remplacer une confiance aveugle dans les dons naturels de l'esprit pour

découvrir la vérité par l'art de conduire l'esprit d'évidences en évidences :
« J'ai pris garde, en examinant le naturel de plusieurs esprits, qu'il n'y en a
presque point de si grossiers ni de si tardifs, qu'ils ne fussent capables d'entrer dans de bons sentiments et même d'acquérir les plus hautes sciences,
s'ils étaient conduits comme il faut. Et cela peut aussi être prouvé par raison : car, puisque les Principes sont clairs, et qu'on n'en doit rien déduire que
par des raisonnements très évidents, on a toujours assez d'esprit pour
entendre les choses qui en dépendent. » *Principes*, Préface, t. IX, p. 12,
l. 18-27.

Titre : « *... des essais de cette méthode.* »

Cette expression d'*Essai* a d'abord un sens positif indiqué dans le texte
que nous venons de citer ; mais elle signifie aussi que la *Dioptrique*, les
Météores et la *Géométrie*, pas plus que le *Discours*, n'ont pour objet d'enseigner la méthode ; seul le discours VIII des *Météores*, qui traite de l'Arc-en-
Ciel (t. VI, p. 325-344), peut être utilisé à cette fin : « Mon dessein n'a point été
d'enseigner toute ma Méthode dans le discours où je la propose, mais seulement d'en dire assez pour faire juger que les nouvelles opinions, qui se verraient dans la Dioptrique et dans les Météores, n'étaient point conçues à la
légère, et qu'elles valaient peut-être la peine d'être examinées. Je n'ai pu
aussi montrer l'usage de cette méthode dans les trois traités que j'ai donnés,
à cause qu'elle prescrit un ordre pour chercher les choses qui est assez différent de celui dont j'ai cru devoir user pour les expliquer. J'en ai toutefois
montré quelque échantillon en décrivant l'arc-en-ciel, et si vous prenez la
peine de le relire, j'espère qu'il vous contentera plus qu'il n'aura pu faire la
première fois ; car la matière est de soi assez difficile. Or, ce qui m'a fait
joindre ces trois traités au discours qui les précède, est que je me suis persuadé qu'ils pourraient suffire, pour faire que ceux qui les auront soigneusement examinés et conférés avec ce qui a été ci-devant écrit des mêmes matières jugent que je me sers de quelque autre méthode que le commun, et
qu'elle n'est peut-être pas des plus mauvaises ». *Au [P. Vatier]* [22 février
1638], t. I, p. 559, l. 13-p. 560, l. 6. — L'expression appartient d'ailleurs au
titre général du livre, non au titre particulier du *Discours*.

P. 1, l. 2 : « *... distinguer ...* »

C'est-à-dire : diviser. Sens du terme usité dans la dialectique de l'École :
distinguere, distinctio.

P. 1, l. 2-3 : « *Et, en la première ...* »

Le résumé du *Discours*, qui précède la Première Partie dans le texte français, se trouve supprimé dans le texte latin ; mais le traducteur a reporté en
marge, au début de chacune des parties, les lignes qui en résumaient briève-

ment le contenu. Cf. p. 1, l. 17 ; p. 11, l. 3 ; p. 22, l. 16 ; p. 31, l. 14 ; p. 40, l. 21.

P. **1**, l. **6-7** : « ... *tirée de cette Méthode* ... »

Ainsi que l'a fait observer M. L. Lévy-Bruhl (*Descartes*, Cours inédit), la morale ne doit venir que la dernière dans l'ordre des sciences telles que la méthode cartésienne les aura reconstituées ; cette expression ne peut donc signifier : « Une morale construite au moyen des règles de ma méthode », mais simplement : « C'est la méthode qui veut que nous nous donnions une morale provisoire, à cause de la nécessité où elle nous met de douter de tout, bien que les exigences de la vie pratique ne souffrent aucun délai. » Interprétation confirmée par le texte parallèle de la *Préface* des *Principes de philosophie*, où l'on voit que « l'ordre », donc la méthode, exige que l'on commence par la morale : « En suite de quoi, pour faire bien concevoir quel but j'ai eu en les publiant, je voudrais ici expliquer l'ordre qu'il me semble qu'on doit tenir pour s'instruire. Premièrement, un homme qui n'a encore que la connaissance vulgaire et imparfaite qu'on peut acquérir par les quatre moyens ci-dessus expliqués (les principes premiers, les sens, la conversation et la lecture) doit avant tout tâcher de se former une Morale qui puisse suffire pour régler les actions de sa vie, à cause que cela ne souffre point de délai, et que nous devons surtout tâcher de bien vivre ». T. IX, p. 13, l. 14-23. — En quel sens l'usage de la Méthode peut être dit *fonder* les règles de la morale provisoire, voir IIIe Partie, à p. 27, l. 22.

Cf. dans Huet, *Censura philosophiae cartesianae* (Paris, Horthemels, 1689), une objection fondée sur la méconnaissance du sens exact de ce passage : « Regulas ducendae vitae, morumque fingendorum, quas ex instituta a se et reperta studiorum ratione deprompsisse se scribit Cartesius ... », p. 223 ; car, dit Huet, Descartes ne peut avoir tiré sa morale de sa méthode, puisqu'il l'a empruntée aux Anciens.

P. **1**, l. **17**, en marge : « *Première Partie.* »

Le texte latin ajoute en marge : « Variae circa scientias considerationes » (t. VI, p. 540). Titre marginal emprunté au résumé français, t. VI, p. 1, l. 3-4.

P. **1**, l. **17** : « *Le bon sens* ... »

Cette expression peut recevoir deux significations différentes : 1º la faculté naturelle de distinguer le vrai du faux ; c'est le sens qu'elle a dans ce passage. 2º la Sagesse.

1º Employée sous la forme abrégée : « sens » (et sauf les cas où elle signifie la faculté de percevoir les objets extérieurs : vue, toucher, etc.), l'expression

est synonyme de « raison », ou faculté de juger (voir plus bas, p. 2, l. 26-27 :
« ... car pour la raison, ou le sens, ... » Cf. le texte de Montaigne cité à p. 1, l. 18).
Sous la forme complète « bon sens », elle revêt la nuance particulière de
« puissance de *bien* juger ». Elle s'apparente alors à la notion de *lumière naturelle*, qui correspond à l'usage de notre faculté de discerner le vrai du faux,
prise sous la forme pure et non adultérée où nous l'avons reçue de Dieu. Cf.
Discours, IIIe Partie, p. 27, l. 24-25 ; et aussi : « Tous les hommes ayant une
même lumière naturelle, ils semblent devoir tous avoir les mêmes notions ;
mais ... il n'y a presque personne qui se serve bien de cette lumière ... » (*A
Mersenne*, 16 octobre 1639, t. II, p. 597, l. 28-p. 598, l. 9). — La traduction
latine de *bon sens* n'est possible qu'au moyen du gallicisme *bona mens*.
Étienne de Courcelles s'y est résigné (cf. aussi IIIe Partie, p. 24, l. 13, et trad.
latine, t. VI, p. 553), et Descartes lui-même, lorsqu'il a voulu parler du bon
sens en langue latine, a dû y avoir recours (*Epist. ad Voetium*, t. VIII, p. 51,
l. 19 : « Qui aliquid habeat judicii sive bonae mentis ») ; cette traduction
semble inévitable, bien qu'elle ait le grave inconvénient de prêter à confusion avec le sens suivant.

2º Employée, inversement, comme traduction française de l'expression
latine *bona mens*, l'expression de « bon sens » désigne la Sagesse, au sens stoïcien (cf. Sénèque, *De vita beata*, XII, 1). C'est en ce sens que la *Regula* I
parle « de bona mente, sive de hac universali sapientia ... » (t. X, p. 360,
l. 19-20. Cf. *Reg.*, VIII ; t. X, p. 395, l. 17-22) et que Baillet, ayant à traduire
le titre du *Studium bonae mentis* (*Vie de M. Des Cartes*, 1691, t. II, p. 406, et
Œuvres, t. X, p. 191) rend l'expression par l'*étude du bon sens* (il aurait dû
traduire par : *Étude de la Sagesse*, ou même, plus simplement, *De la Philosophie*. Cf. Descartes : « ce mot Philosophie signifie l'étude de la Sagesse » ; et
aussi : « la Sagesse dont la Philosophie est l'étude ». *Principes*, Préface, t. IX,
p. 4, l. 22-23 ; p. 2, l. 15-17). Mais, de même que Descartes a dû se résigner à
traduire la première signification de « bon sens » par le gallicisme de *bona
mens*, il lui est arrivé d'employer le latinisme « bon sens » pour traduire l'expression de *bona mens* prise au sens de Sagesse. C'est ainsi qu'il écrit à la
princesse Élisabeth : « Et je crois que, comme il n'y a aucun bien au monde,
excepté le bon sens (*scil.* la Sagesse), qu'on puisse absolument nommer bien,
il n'y a aucun mal, dont on ne puisse tirer quelque avantage, ayant le bon
sens » (juin 1645, t. IV, p. 237, l. 21-24).

Ces deux sens ne sont d'ailleurs pas sans communiquer entre eux, car le
bon sens est l'instrument qui, si nous en usons bien, nous permet d'atteindre
la *bona mens*, ou Sagesse ; et, inversement, la Sagesse n'est que le bon sens
parvenu au point de perfection le plus haut dont il soit susceptible, grâce
à la méthode qui n'en est elle-même que l'usage régulier. Il ne reste pas moins
nécessaire de les distinguer, si l'on ne veut commettre l'équivoque d'attribuer
à tous les hommes une parfaite et égale Sagesse ; c'est ce qu'a d'ailleurs noté

Clauberg contre ceux qui l'avaient commise : « Si forte contendat Lentulus suam, non cartesianam bonae mentis descriptionem valere, litem de voce tantum movebit, eamque Interpreti potius quam Cartesio. Hic enim Gallice scripserat, *le bon sens. Sensus* autem ducitur a *sentio,* unde *sententia,* id est judicium, quod quis sentit, id est judicat » (*Defensio cartesiana,* ch. II, p. 8).

Cf. l'adjectif formé sur « bon sens » : bien sensé, mieux sensé, IIIe Partie, p. 23, l. 11 et 12.

P. 1, l. 17-18 : « ... *la mieux partagée* ... »

C'est-à-dire, comme l'interprète exactement la traduction latine (t. VI, p. 540), la plus équitablement : « aequabilius ». En effet, la raison étant égale chez tous, nul ne peut envier la part de son voisin.

P. 1, l. 18 : « ... *en être si bien pourvu* ... »

Voir le commentaire qu'a donné Descartes de ce passage dans l'*Entretien avec Burmann,* 16 avril 1648 : « *Obj.* — Sed multi homines obtusi ingenium exoptant saepe melius et praestantius. *Resp.* — Fateor ; multi sunt qui agnoscunt se deficere ab aliis ingenio, memoria, etc. Sed tamen unusquisque putat ita se excellere judicio, sententiam ferendi aptitudine, ut omnibus aliis in ea re aequalis sit. Nam omnibus arrident suae sententiae, et quot capita tot sensus. Et hoc per bonam mentem hic intelligit auctor. » T. V, p. 175. [*Ingenium* est pris dans cette réponse au sens le plus étroit que lui donne Descartes : « ..., proprie autem ingenium appellatur (*scil.* vis animae), cum modo ideas in phantasia novas format, modo jam factis incumbit ; ... » *Reg.,* XII ; t. X, p. 416, l. 8-10.]

La remarque était d'ailleurs proverbiale, et déjà présentée comme telle par Montaigne : « On dit communément que le plus juste partage que nature nous ait fait de ses grâces, c'est celui du jugement (copie de Bordeaux : *du sens*), car il n'est aucun qui ne se contente de ce qu'elle lui en a distribué. » *Essais,* l. II, ch. XVII : *De la présomption,* éd. F. Strowski, t. II, p. 443. — Le P. Garasse (cité par L. Brunschvicg, *L'idéalisme contemporain,* 1905, p. 19) la met au compte de Platon : « Jamais Platon n'avança plus belle maxime que celle par laquelle il dit qu'il n'y a partage au monde si bien fait que celui des Esprits, d'autant, dit-il, que tous les hommes en pensent avoir assez ; il n'y a si pauvre idiot qui ne s'en contente. » Dans *La doctrine curieuse des Beaux Esprits de ce temps,* éd. de 1623, liv. IX, p. 56. (Cette référence du P. Garasse à Platon n'a pu, jusqu'à présent, être authentifiée.)

L'expression dont use ici Descartes : « chacun pense en être si bien pourvu » ; l'équivalent qu'il en propose à Burmann : « tot capita quot sensus », et son caractère proverbial, que les derniers textes cités nous rappellent, concourent à suggérer qu'il entre une nuance d'ironie dans ce début. Le mouvement de la pensée cartésienne serait alors le suivant : le bon sens est égal chez tous et la manière dont chacun abonde dans son propre sens en est le signe ; or, cette satisfaction peut n'être pas toujours légitime, mais son caractère général n'en témoigne pas moins d'une égalité réelle de la raison chez tous, bien que tous n'en fassent pas également bon usage.

Sur l'importance primordiale du bon sens, en général, voir *Logique de Port-Royal*, Premier Discours, au début.

P. **2**, l. **5** : « ... *la puissance* ... »

Au sens latin de « potentia », c'est-à-dire : « facultas », ou « vis animae ». Cf. « ... vim incorrupte judicandi ... », t. VI, p. 540 : la faculté de bien juger.

P. **2**, l. **5** : « ... *de bien juger* ... »

Ce terme ne semble pas être pris ici dans son sens proprement cartésien. Il s'agit moins du jugement comme acte de la volonté qui choisit entre les idées proposées par la raison, que de l'élément cognitif qu'il suppose et que le langage courant désigne par le terme de jugement.

P. **2**, l. **9-10** : « ... *plus raisonnables* ... »

Voir plus loin, à p. 2, l. 21.

P. **2**, l. **11** : « ... *par diverses voies* ... »

Cf. F. Bacon, *Novum Organum*, I, 122 : « Nostra enim via inveniendi scientias exaequat fere ingenia et non multum excellentiae eorum relinquit, cum omnia per certissimas regulas et demonstrationes transigat » (cité par A. Lalande, *Quelques textes de Bacon et de Descartes*, Rev. de Métaph. et de Morale, 1911, p. 297). Descartes ne pense pas que la connaissance ni la pratique de la méthode soient suffisantes pour faire d'un esprit quelconque un inventeur (voir, au contraire, la déclaration formelle de Descartes *à Comenius*, t. II, p. 347, l. 29-30, citée plus loin à p. 8, l. 11), car s'il ne suffit pas pour cela d'avoir l'esprit bon, il est cependant nécessaire de l'avoir bon. Mais il estime que la méthode atténue l'inégalité des esprits, dans l'ordre même de l'invention, en ce sens qu'un esprit moins brillant, mais méthodique, peut faire des découvertes que ne fera certainement jamais un esprit mieux doué, mais qui procède sans ordre. Cf. : « Ego vero contra respondeo, me quidem mihi nihil arrogare, nec profiteri me plus videre quam caeteros ; sed hoc forte mihi profuisse, quod, cum proprio ingenio non multum fidam, planas tantum et faciles vias sim secutus. Nam, si quis per ipsas magis promoveat quam alii, multo majori ingenio praediti, per salebrosas et impenetrabiles illas quas sequuntur, non est mirandum. » *Epistola ad P. Dinet*, t. VII, p. 579, l. 11-18.

P. **2**, l. **13** : « ... *de l'appliquer bien.* »

Une conséquence immédiate de cette importante distinction est que l'égalité du bon sens chez tous les hommes ne permet cependant pas de considérer le consentement universel comme une marque de vérité ; le mauvais usage de la lumière naturelle a ce résultat, que beaucoup de vérités qui pourraient être connues restent ignorées et que beaucoup d'erreurs qui pourraient être détruites restent communément acceptées. Cf. *à Mersenne*, 16 octobre 1639, t. II, p. 597, l. 28-p. 598, l. 9.

P. **2**, l. **18-19** : « ... *et qui s'en éloignent.* »

Tout ce passage signifie : ceux qui se croient savants pour avoir beaucoup étudié la scolastique, se sont en réalité d'autant plus éloignés de la science qu'ils ont étudié davantage. Voir *Principes*, Préface, t. IX, p. 8, l. 25-p. 9, l. 12. — Cf. Sénèque, *De vita beata*, I, 1 : « adeoque non est facile consequi beatam vitam, ut eo quisque ab ea longius recedat quo ad illam concitatius fertur, si via lapsus est ; quae ubi in contrarium ducit, ipsa velocitas majoris intervalli causa fit. » Éd. A. Bourgery (Collection des Universités de France). Paris, 1923, p. 1. — On se souvient que Descartes connaissait le *De vita beata*, qu'il devait plus tard proposer comme thème d'entretien à la princesse Élisabeth (t. IV, p. 253, l. 2), et ce n'est pas le seul cas dans lequel nous pourrons observer une sorte de transposition de la méthode morale du stoïcisme en méthode scientifique par le cartésianisme. C'est ce qui se produira, par exemple, pour le thème bien connu des préjugés et des erreurs qui vicient l'âme du sage stoïcien comme celle du savant cartésien. Voir plus loin, p. 13, l. 11-12. — Le texte de Sénèque n'avait d'ailleurs jamais été oublié : « *Claudus in via antevertit cursorem extra viam*, dicterium vocat (*scil.* Cyr. Lentulus, adversaire de Descartes), quo illustris Baco de Verulamio tanquam proverbio utitur, *Nov. Org.*, lib. I, aph. 61, ubi eleganter addit : *Etiam illud manifesto liquet, currenti extra viam, quo habilior sit et velocior, eo majorem contingere aberrationem.* Eodem proverbio Augustinus aliique Theologi in rebus sacris utuntur. Calvin, *Inst. theolog.*, lib. 3, cap. 14, sect. 4 : *Belle idem ipse* (Augustinus) *alibi, dum talium hominum* (quorum fidei luce carentium praeclara facinora memorantur, Scipionis, Catonis, etc.) *studium erroneo cursui comparat. Quo enim magis strenue currit quis extra viam, eo longius a scopo recedit, ideoque fit miserior. Quare melius esse contendit claudicare, quam extra viam currere.* » J: Clauberg, *Defensio cartesiana*, c. II, 11 ; éd. citée, p. 12. Le rapprochement entre les textes de F. Bacon et le texte du *Discours* est si frappant que M. A. Lalande l'a proposé de nouveau en renvoyant à *De dignitate*, II, 2 ; *Nov. Org.*, I, 61, et en indiquant Sénèque, *loc. cit.*, comme source commune de Bacon et de Descartes. Voir A. Lalande, *Quelques textes de Bacon et de Descartes*, Rev. de Métaph. et de Morale, 1911, p. 297.

P. **2**, l. **20** : « *... mon esprit ...* ».

Latin : « ingenium ». Dans la langue de Descartes, le terme esprit s'emploie : 1º par opposition à la substance étendue. C'est son acception la plus générale. Employé en ce sens, ce terme est équivalent à celui de pensée, dont il marque cependant en propre l'aspect substantiel et personnel. Cf. *II Rép.*, Définition VI : « La substance, dans laquelle réside immédiatement la pensée, est ici appelée *Esprit.* Et toutefois ce nom est équivoque, en ce qu'on l'attribue aussi quelquefois au vent et aux liqueurs fort subtiles ; mais je n'en sache point de plus propre. » T. IX, p. 125. Et *IIe Méd.* : « ... je ne suis donc, précisément parlant, qu'une chose qui pense, c'est-à-dire un esprit, un entendement ou une raison. » T. IX, p. 21.

2º Par distinction d'avec le terme *raison* pris au sens propre, il connote la mémoire et l'imagination, donc tout le contenu de cette pensée qui réside en lui comme en son sujet : « Par le nom de pensée, je comprends tout ce qui est tellement en nous, que nous en sommes immédiatement connaissants. Ainsi toutes les opérations de la volonté, de l'entendement, de l'imagination et des sens sont des pensées. » *Ibid.*, Définition I, t. IX, p. 124. Pris en ce sens, l'esprit contient la raison, et c'est à ce point de vue que se place Descartes dans le présent passage du *Discours*. Cf. *Reg. ad dir. ing.*, XII ; t. X, p. 416, l. 8-10.

3º Par opposition avec le terme scolastique d'*âme*, qui suggère les notions confuses de facultés végétatives et motrices, donc, du point de vue de Descartes, la confusion de l'âme et du corps. C'est pourquoi nous venons de le voir déclarer qu'il n'en savait pas de plus propre (cf. 1º).

P. **2**, l. **21** : « *... en rien plus parfait ...* »

Le sens 2º de la note qui précède met en évidence la distinction de la *raison* et de l'*esprit* chez Descartes. C'est aussi ce qui explique pourquoi l'égalité des raisons n'engendre pas nécessairement l'égalité des esprits, car l'inégalité peut s'introduire dans les facultés de l'esprit qui ne sont pas la raison. Descartes ne se déjugera donc pas en parlant plus loin de « bons esprits » (p. 5, l. 14), ni même en félicitant « ceux qui ont assez de raison, ou de modestie, pour juger qu'ils sont moins capables de distinguer le vrai d'avec le faux, que quelques autres par lesquels ils peuvent être instruits » (p. 15, l. 25-29). Cette moindre capacité leur vient, en effet, d'une insuffisance d'esprit, non de raison.

L'équivoque sur ce point n'avait cependant pas tardé à se produire. Dans l'exemplaire de la traduction latine du *Discours* que lisait D. Huet, et qui se trouve à la Bibliothèque nationale (Imprimés, Rés. R. 975, p. 13), nous relevons la note manuscrite suivante, en marge de l'expression : « praestantiora ingenia » (*scil.* « ceux que Dieu a mieux partagés de ses grâces », p. 15, l. 9-10) : « At supra, p. 1, non id ingenii praestantia perfici docuit. » C'est manifestement employer les termes dont use Descartes dans un sens qui n'est pas le sien, et Clauberg dénonçait déjà, quoique en termes embarrassés, cette confusion entre l'esprit et la raison : « Longe vero aliud est judicandi facultatem in omnibus aequalem pronunciare, aliud aequali virtutum et recti de rebus judicii mensura cunctos donare. » *Defensio cartesiana*, c. II, 2 ; éd. citée, p. 8. Et encore : « Judicii aequalitatem Cartes tribuerat omnibus, non animarum ». *Ibid.*, c. II, 11, p. 12.

P. **2**, l. **22** : « *... la pensée aussi prompte ...* »

Trad. latine : « cogitandi celeritate. » Sur le sens de *prompt*, voir Littré : « Avoir l'esprit prompt, la conception vive et prompte, concevoir aisément. » Descartes veut donc désigner par cette expression la rapidité et l'aisance dans l'accomplissement de toutes les opérations de la pensée, prise au sens général marqué dans la note qui précède, sens 2° ; cf. aussi *IIᵉ Médit.*, p. 22 : « Mais qu'est-ce donc que je suis?... » etc.

P. **2**, l. **23** : « *... l'imagination aussi nette et distincte ...* »

Il ne s'agit pas ici de cette imagination qui est un organe corporel, situé dans le cerveau, et ne fait qu'un avec la mémoire (*Reg. ad dir. ing.*, XII ; t. X, p. 414, l. 16-24) ; mais de l'acte purement spirituel par lequel la pensée, s'appliquant aux traces laissées par les objets sur le sens commun, forme en soi l'image de la substance étendue et de ses différents modes. Cf. « Respondeo nullam speciem corpoream in mente recipi, sed puram intellectionem tam rei corporeae quam incorporeae fieri absque ulla specie corporea. Ad imaginationem vero, quae non nisi de rebus corporeis esse potest, opus quidem esse specie quae sit verum corpus, et ad quam mens se applicet, sed non quae in mente recipiatur. » *Vᵃᵉ Resp.*, t. VII, p. 387, l. 6-14. En ce sens, elle se distingue de la mémoire, faculté purement reproductrice, par le pouvoir qu'elle a de former des combinaisons nouvelles : « ... unicamque esse (*scil.* vim illam), quae vel accipit figuras a sensu communi simul cum phantasia, vel ad illas quae in memoria servantur se applicat, vel novas format, a quibus imaginatio ita occupatur, ut saepe simul non sufficiat ad ideas a sensu communi accepiendas ..., etc. » *Reg.*, XII, t. X, p. 415, l. 13-22. — *Passions*, I, art. 20-21, t. XI, p. 344-345.

P. **2**, l. **24** : « *... ou aussi présente ...* »

Littré donne le sens vague : « Avoir la mémoire présente, se rappeler parfaitement les choses. Une mémoire heureuse et très présente. La Bruyère, X. » On doit dire, plus précisément : « une mémoire qui trouve immédiatement à sa disposition les souvenirs dont elle a besoin. » C'est ce qu'indique la traduction latine : « memoriae capacitate *et usu* ... », t. VI, p. 540. Ce sens s'accorde avec celui qu'indique le *Dictionnaire de l'Académie* (1ʳᵉ édition,

1694) : qui agit immédiatement (Huguet, *Petit Glossaire des classiques français du XVII*e *siècle,* 4e éd., p. 308) ; et l'on peut ajouter qu'il s'est conservé
dans l'expression usuelle : présence d'esprit.

P. 2, l. 27 : « ... *ou le sens* ... »

Même acception que « bon sens », avec la nuance indiquée plus haut, p. 2,
l. 4-7. Terme attesté déjà par Montaigne, texte cité à p. 1, l. 18.

P. 2, l. 28 : « ... *et nous distingue des bêtes* ... »

Allusion à la définition classique de l'homme comme *animal rationale,*
dans laquelle *animal* désigne le genre, commun à l'homme et aux autres
animaux, alors que *rationale* distingue l'homme des autres animaux, en marquant sa différence spécifique. C'est une définition « per genus et differentiam ». Cf. Ét. Gilson, *Index scol.-cartésien,* texte 113, p. 64-65.

P. 2, l. 30 : « ... *l'opinion commune* ... »

Par exemple : « Quinta est (*scil.* substantiae proprietas) non suscipere
magis et minus, seu non posse praedicari secundum magis et minus, uti
solent quaedam accidentia, verbi gratia : calor, frigus, etc., quae praedicantur
in concreto de suis subjectis secundum magis et minus ; unde unum dicitur
magis aut minus calidum, magis aut minus frigidum, quam alterum. Quod
ex eo provenit quod illa accidentia secundum suam entitatem magis aut
minus participentur a suis subjectis ; verbi gratia, calor, secundum entitatem caloris, plus aut minus participatur ab uno quam ab alio ; unde dicimus
plus caloris esse in uno quam in alio. Hoc autem de substantia dici non
potest, cujus entitas secundum participationem est indivisibilis. Neque enim
humana natura secundum suam ipsius entitatem plus ab uno individuo participatur quam ab altero ; absurde enim loqueretur qui diceret plus esse
humanae naturae in Petro quam in Paulo. Quo fit ut unus non dicatur magis
homo quam alius, licet unus praestantior altero possit esse, quod secundum
qualitatem vel operationem accipiendum est, non vero secundum naturae
entitatem : sic enim unus altero ingeniosior, nobilior, doctior, fortior, etc...,
esse ac dici potest. » Eustachius a Sancto-Paulo, *Summa philosophica,* Paris,
1609, pars Iª, p. 102-103.

Le P. Poisson fait observer que Descartes use ici d'un argument *ad hominem,* et qui ne manquerait pas de force : « Si cela passe pour axiome au gré
de ces Philosophes, ils ne doivent pas plus refuser de reconnaître aussi
celui-ci, que les esprits sont égaux, puisque les esprits sont les formes substantielles des hommes. » *Remarques,* p. 3, l. 19. A quoi l'on doit cependant
ajouter : 1º que les expressions dont use le P. Poisson sont inexactes, car
Descartes affirme précisément l'égalité des raisons, non celle des esprits ;
2º que l'argument porte, en effet, du point de vue cartésien, contre la scolas-

tique, mais non du point de vue scolastique. Dans les deux doctrines, tous les hommes sont également hommes et le sont en tant que raisonnables ; mais dans la doctrine cartésienne, qui définit la pensée à part de l'étendue, cette constatation entraîne l'égalité des raisons individuelles ; dans la doctrine scolastique, au contraire, où la substance de l'homme n'est ni la pensée à part, ni l'étendue à part, mais le composé des deux, il doit arriver que l'essence, bien qu'elle demeure identique à l'intérieur d'une même espèce, n'apparaisse cependant pas avec la même pureté dans chaque individu, à cause de la matière qui la contracte selon des proportions différentes, en la multipliant. De ce point de vue, la lumière naturelle est bien de même degré chez tous les individus, car aucun homme n'est un ange ni une bête ; mais, considérée dans l'unité concrète et par soi du composé humain, elle ne brille pas nécessairement chez tous avec le même éclat.

P. **2**, l. **30** : « ... *des philosophes* ... »

Par antonomase, c'est-à-dire, selon l'usage constant de Descartes : « les philosophes scolastiques. »

P. **3**, l. **1** : « ... *accidents* ... »

Est accident tout ce qui appartient à un être, sans lui appartenir en vertu de la définition de son essence. D'où la formule classique : « *Accident*, est ce qui peut être ou n'être pas en son sujet, sans aucunement le détruire ou corrompre, ni par sa présence ni par son absence. » Scipion Du Pleix, *Corps de philosophie*, Genève, 1627, t. I, liv. II, c. 7, p. 43. — En italiques dans le texte de Descartes parce que c'est un « terme de l'art ». — Cf. Aristote, *Met.*, Δ, 30, 1025, a, 30-32.

P. **3**, l. **1** : « ... *formes* ... »

Au sens de : forme substantielle, c'est-à-dire : principe actif du composé substantiel, qui, s'unissant à la matière, constitue avec elle un corps naturel et le situe dans une espèce déterminée. C'est à ce dernier caractère que Descartes fait ici allusion, et de la manière la plus correcte ; car la forme étant l'acte simple, dont l'union avec la matière engendre la substance, c'est elle qui fonde l'essence. Elle est donc : « rationem quidditatis, id est, id in quo cujusque compositi naturalis essentia praecipue continetur, seu quod essentiam rei ejusque definitionem absolvit et ab aliis distinguit. » *Comment. Colleg. Conimbricensis*, *Phys.*, I, 9, 10, 1. — Cf. Aristote, *Met.*, Z, 7, 1032, b, 1.

P. **3**, l. **1** : « ... *ou natures* ... »

Dans son acception propre, la *nature* désigne : « le principe et la cause du mouvement et du repos, pour l'être en qui elle réside immédiatement, comme attribut résultant de son essence et non à titre accidentel. » Aristote,

Phys., II, 1, 192, b, 22. Or, lorsqu'il s'agit des corps matériels, c'est la forme qui est le principe du mouvement : « ergo ipsamet essentia et forma totius idem est quod uniuscujusque rei natura. » Suarez, *Met. Disput.*, XV, 11, 4. (Dans l'*Index scol.-cartésien*, texte 311, p. 200.) D'où l'expression dont use ici Descartes : « les formes, ou natures. »

P. **3**, l. **2** : « ... *individus* ... »

Au sens technique et scolastique : ce dont les propriétés, prises toutes ensemble, ne peuvent convenir à un autre. L'individu est donc « singulier » et s'oppose comme tel à l'espèce.

P. **3**, l. **2** : « ... *espèce* ... »

L'un des cinq attributs universels, ou *Prédicables* ; elle se définit, par opposition au genre : ce qui peut s'énoncer de plusieurs individus qui ne diffèrent que numériquement (Eust. a Sancto Paulo, *Sum. philos.*, t. I, p. 54-55 ; et *Index scol.-cartésien*, texte 214, p. 133). C'est la forme qui situe des individus distincts dans une même espèce (voir plus haut, p. 3, l. 1), et c'est à quoi Descartes fait ici allusion.

P. **3**, l. **4** : « ... *beaucoup d'heur* ... »

Heur, c'est-à-dire : bonheur. — Outre la nuance d'ironie que nous avons marquée, il convient d'en signaler une autre : le désir de s'exprimer en gentilhomme et d'éviter le genre pédant. C'est pourquoi Descartes, au moment même où il propose une méthode nouvelle pour réformer le système des sciences, commence par affirmer l'égalité des raisons ; puis, s'étant mis par là au niveau des autres, se présente même comme moins bien doué que beaucoup au point de vue des qualités qui concourent à la perfection de l'esprit ; et, enfin, ayant ainsi reporté d'avance l'honneur de ses succès sur sa méthode, ne s'attribue même pas le mérite de l'avoir inventée, mais en attribue la découverte à un heureux hasard. Cf. Clauberg, *Defensio cartesiana*, tout le cap. III, *De modestia Cartesii in modo loquendi*, p. 17-30. — Le P. Poisson (*Remarques*, p. 137-138) rapproche ce passage du « sentiment qu'avait Bacon de Vérulame lorsqu'il dit que les lumières et la méthode qu'il avait suivies pour travailler à la découverte de tant de choses n'étaient qu'un effet du sort, *felicitatis magis est quam excellentis alicujus facultatis*. Car, comme remarque le même auteur, l'esprit ne doit pas moins au hasard ses meilleures pensées, que toute la nature ses plus belles inventions, et comme à force de travailler des mains on trouve quelque nouveauté utile à la commodité de la vie corporelle, aussi à force de méditer on tombe sur des pensées qui perfectionnent la vie de l'esprit. » Ce rapprochement ne s'impose pas, car il n'est pas dans les habitudes de Descartes d'attribuer au hasard les découvertes que fait l'esprit dans l'étude des sciences ; c'est la méthode, au contraire, qui l'y conduit. La chance dont il est ici question ne doit donc pas créer un précédent, et, de plus, elle est d'un autre ordre que celle dont parle Bacon. Descartes parle d'une bonne fortune dont il a bénéficié dès sa jeunesse ; elle ne lui est donc pas venue « à force de méditer ». En réalité, Descartes pense surtout à la chance qu'il avait eue de suivre dès son enfance la manière de raisonner la plus simple, la plus naturelle à l'homme et, par là même aussi, la plus féconde. Et ce lui fut un bonheur, parce qu'il échappait du même coup à cette logique de l'École qui « corrompt le bon sens plutôt qu'elle ne l'augmente » (*Principes*, Préface, t. IX, p. 13, l. 29-30). Voilà comment, sans avoir une raison supérieure à celle des autres, mais simplement en rencontrant son usage naturel et véritable, le jeune Descartes s'est engagé sur la voie de la méthode et des découvertes qu'elle assure. La lumière naturelle retrouvait en lui la pureté qu'elle avait eue lors de la jeunesse du monde : « Sed mihi persuadeo, prima quaedam veritatum semina humanis ingeniis a natura insita, quae nos, quotidie tot errores diversos legendo et audiendo, in nobis extinguimus, tantas vires in rudi ista et pura antiquitate habuisse, ut eodem mentis luminè, quo virtutem voluptati, honestumque utili praeferendum esse videbant, etsi, quare hoc ita esset, ignorarent, Philosophiae etiam et Matheseos veras ideas agnoverint, quamvis ipsas scientias perfecte consequi nondum possent. » *Reg.*, IV ; t. X, p. 376, l. 12-20. Et c'est pourquoi l'usage qu'il en faisait lui apparaissait comme si différent de celui qu'en faisaient les autres (voir à p. 3, l. 4-5) ; il avait retrouvé par hasard le secret de ne plus penser au hasard.

P. **3**, l. **4** : « *... de m'être rencontré ... »*

Se rencontrer, c'est-à-dire : se trouver par un heureux hasard. — Sur le sens favorable attaché à *rencontre*, voir Huguet, *Petit Glossaire*, ad loc.

P. **3**, l. **4-5** : « *... dès ma jeunesse ... »*

1º Commenté par un témoignage de 1619 : « *Juvenis*, oblatis ingeniosis inventis, quaerebam ipse per me possem ne invenire, etiam non lecto auctore : unde paulatim animadverti me certis regulis uti. » *Cogitationes privatae*, t. X, p. 214, l. 1-3. — Cf. : « Eo me fateor natum esse ingenio, ut summam studiorum voluptatem, non in audiendis aliorum rationibus, sed in iisdem propria industria inveniendis semper posuerim ; quod me unum cum *juvenem adhuc* ad scientias addiscendas allexisset, quoties novum inventum aliquis liber pollicebatur in titulo, antequam ulterius legerem, experiebar utrum forte aliquid simile per ingenitam quamdam sagacitatem assequerer cavebamque exacte ne mihi hanc oblectationem innocuam festina lectio praeriperet. Quod toties successit, ut tandem animadverterim, me non amplius, ut caeteri solent, per vagas et caecas disquisitiones, fortunae auxilio potius quam artis, ad rerum veritatem pervenire, sed certas regulas, quae ad hoc non parum juvant, longa experientia percepisse, quibus usus sum postea ad plures excogitandas. Atque ita hanc totam methodum diligenter excolui, meque omnium maxime utilem studendi modum ab initio secutum fuisse mihi persuasi ». *Reg. ad dir. ing.*, X ; t. X, p. 403, l. 12, p. 404, l. 4 (texte de 1628 environ). — On notera surtout dans ces textes le caractère spontané de la méthode cartésienne, dont les règles ne feront que codifier les démarches d'une raison exceptionnellement heureuse. Descartes interprète donc lui-même l'invention de la méthode de la manière suivante : 1° un heureux hasard (« fortunae auxilio ... » ; « ... je pense avoir eu beaucoup d'heur ») consistant dans l'emploi spontané de certaines règles ; 2° la conscience de plus en plus claire de leur emploi, jusqu'à l'élaboration des formules qui les définissent (« ... unde paulatim animadverti ... » : «... ut tandem animadverterim ... » ; « ... qui m'ont conduit à des considérations ... ») ; 3° l'élévation de ces règles au rang de méthode (« ... atque ita hanc totam methodum diligenter excolui ... » ; « ... et des maximes dont j'ai formé une méthode ... ». La traduction latine du *Discours* est encore plus précise : « ... regularum sive axiomatum, quibus constat Methodus ... » T. VI, p. 541).

2° Reste à savoir quelle période de sa vie Descartes nomme ici sa « jeunesse ». Le texte du *Discours* correspond exactement aux *Regulae*, et celui des *Regulae* correspond exactement à celui des *Cogitationes privatae*. Or, le souvenir noté par les *Cogitationes privatae* est le deuxième du recueil et vient immédiatement après la note datée : 1619. *Calendis Januarii* (t. X, p. 213). Il est donc vraisemblablement de peu postérieur à cette date. Dans ces conditions, il est impossible de supposer que l'expression « juvenis » puisse désigner les années mêmes de 1618-1619 où Descartes l'emploie, et difficile qu'elle désigne les années immédiatement antérieures. Ce : « quand j'étais jeune », nous renvoie donc vraisemblablement à ses années de Collège (rapprocher : Baillet, t. II, p. 384-385 : « Étant encore à La Flèche, il s'était formé une méthode singulière de disputer en Philosophie ... », dans Ch. Adam, *Vie de Descartes*, p. 25). D'où l'interprétation suivante de l'ensemble du texte : Étant encore au Collège, j'ai contracté certaines manières de réfléchir et de penser, qui devaient me conduire plus tard, en 1618-1619, aux considérations et aux maximes dont j'ai formé ma Méthode.

P. **3**, l. **6-7** : « ... *une Méthode* ... »

Cf. « Per methodum intelligo regulas certas et faciles, quas, quicumque exacte servaverit, nihil unquam falsum pro vero supponet, et nullo mentis conatu inutiliter consumpto, sed gradatim semper augendo scientiam, perveniet ad veram cognitionem eorum omnium quorum erit capax. » *Reg.*, IV ; t. X, p. 371, l. 25-p. 372, l. 4. C'est donc la définition même de la Méthode que Descartes introduit ici dans le texte du *Discours*, et ses caractères sont les suivants : 1° certitude (par élimination des risques d'erreur) ; 2° facilité

(en ce qu'elle évite toute déperdition d'efforts) ; 3⁰ fécondité (par augmentation progressive de la science) ; 4⁰ sagesse (en ce qu'elle y conduit l'esprit ;
voir note suivante).

P. **3**, l. **9** : « *... au plus haut point ...* »

Les expressions très discrètes dont use ici Descartes prennent leur sens plein
lorsqu'on les rapproche de celles dont il avait usé dans la première rédaction
du titre du *Discours* : *Le projet d'une Science universelle qui puisse élever notre
nature à son plus haut degré de perfection* (*à Mersenne*, mars 1636, t. I, p. 339,
l. 18-20). La formule : « augmenter par degrés ma connaissance », correspond
donc à l'idée de science. L'expression atténuée : « au plus haut point »,
recouvre la notion de « perfection de notre nature » et, par conséquent, aussi
de sagesse.

Cette conception d'une sagesse purement humaine, dont les conditions
résident entièrement hors du domaine de la théologie, et qui se définit par
le plus haut degré de perfection dont notre nature soit capable, est chez Descartes un legs de la Renaissance, spécialement du stoïcisme chrétien et de
Montaigne. Elle devait occuper le premier plan dans une première esquisse
du *Discours*, le *Studium bonae mentis*, dont Baillet écrit : « Ce sont des considérations sur le désir que nous avons de savoir, sur les sciences, sur les dispositions de l'esprit pour apprendre, sur l'ordre qu'on doit garder pour acquérir la sagesse, c'est-à-dire la science avec la vertu, en joignant les fonctions
de la volonté avec celles de l'entendement » (A. Baillet, *La vie de M. Des
Cartes*, Paris, 1691, t. II, p. 406 ; et *Œuvres complètes*, t. X, p. 191). Elle
figurait encore à la place d'honneur, en tête des *Regulae*, où, en vrai disciple
de Sénèque et de Montaigne, Descartes oppose cette perfection intrinsèque
de l'esprit, en quoi consiste la Sagesse, à l'amas des connaissances inutiles
dont on charge sa mémoire : « Et profecto mirum mihi videtur, plerosque,
hominum mores, plantarum vires, siderum motus, metallorum transmuta-
tiones, similiumque disciplinarum objecta diligentissime perscrutari, atque
interim fere nullos de bona mente, sive de hac universali Sapientia, cogitare, cum tamen alia omnia non tam propter se quam quia ad hanc aliquid
conferunt, sint aestimanda » (*Reg.*, I, t. X, p. 360, l. 15-22).

Mais on aperçoit en même temps quelle transformation profonde Descartes fait subir à cette idée. La Sagesse de la Renaissance était en quelque
sorte une Sagesse sans contenu ; elle ne se distinguait pas seulement de la
science, elle s'y opposait : « Pour enseigner les autres et découvrir la faute
qui est en tout ceci, il faut montrer deux choses, l'une que la science et la
sagesse sont choses fort différentes, et que la sagesse vaut mieux que toute
la science du monde, comme le ciel vaut mieux que toute la terre, et l'or que
le fer ; l'autre que non seulement elles sont différentes, mais qu'elles ne vont
presque jamais ensemble, qu'elles s'entre-empêchent l'une l'autre ordinaire

ment ; qui est fort savant n'est guère sage ; et qui est sage n'est pas savant. Il y a bien quelques exceptions en ceci, mais elles sont bien rares. Ce sont des grandes âmes, riches, heureuses. Il y en a eu dans l'antiquité, mais il ne s'en trouve presque plus » (Charron, *De la Sagesse*, liv. III, c. 14, art. 14). C'est que la science de la Renaissance consiste essentiellement dans l'*érudition* des humanistes ; elle est donc affaire de pure mémoire : « Qui a bonne mémoire, il ne tient qu'à lui qu'il n'est savant ; car il en a le moyen » (*Ibid.*, art. 15). C'est pourquoi : « La science est un petit et stérile bien au prix de la sagesse ; car non seulement elle n'est point nécessaire, car des trois parties du monde les deux et plus s'en passent bien, mais encore elle est peu utile et sert à peu de choses » (*Ibid.*, art. 16. Cf. art. 17). Il va donc de soi que non seulement « elles ne sont pas toujours ensemble, mais au rebours elles sont presque toujours séparées » (*Ibid.*, art. 19 et aussi 21. Cf. Montaigne, *Essais*, éd. Strowski, t. II, p. 140, 275-276, 447).

Avec Descartes, au contraire, la pensée moderne débouche en quelque sorte de la Renaissance. En choisissant les mathématiques comme type de la science, Descartes fait passer la science de la mémoire à la raison. Il peut donc joindre ses critiques à celles de Montaigne et de Charron contre l'érudition scolaire qui garnit la mémoire sans former le jugement, et c'est ce qu'il va faire plus loin en discutant le plan d'études du collège de La Flèche, mais, en l'attaquant, ce n'est pas la science qu'il critique, parce que l'accumulation des connaissances dans la mémoire est à ses yeux le contraire de la science, depuis qu'il l'a réduite au sain usage de la raison.

On peut donc dire que la réforme cartésienne a consisté, sur ce point essentiel, à conférer son sens vrai à l'idée de science et à faire cesser du même coup le divorce de fait prononcé par la Renaissance entre la science et la sagesse. Sagesse signifiera désormais : « la parfaite connaissance de toutes les choses que l'homme peut savoir, tant pour la conduite de sa vie que pour la conservation de sa santé et l'invention de tous les arts » (*Principes*, Préface, t. IX, 2e partie, p. 2, l. 10-13). Ou encore : « Il n'y a véritablement que Dieu seul qui soit parfaitement Sage, c'est-à-dire qui ait l'entière connaissance de la vérité de toutes choses ; mais on peut dire que les hommes ont plus ou moins de Sagesse, à raison de ce qu'ils ont plus ou moins de connaissance des vérités plus importantes » (*Ibid.*, p. 2, l. 29-p. 3, l. 4). Mais la Sagesse cartésienne, pas plus que celle de Montaigne, ne se réduit à un amas de souvenirs entassés dans la mémoire ; sans rien nier de ce qu'il y a de légitime dans l'idéal humaniste de l'âge précédent (*Ibid.*, p. 5, l. 8-13), elle situe sa propre perfection dans la qualité d'un esprit, qui, possédant les premiers principes, est toujours capable de réengendrer en soi le système entier des sciences et de la morale : « Or, il y a eu de tout temps de grands hommes qui ont tâché de trouver un cinquième degré pour parvenir à la Sagesse, incomparablement plus haut et plus assuré que les quatre autres : c'est de chercher les premières causes et les vrais Principes dont on puisse déduire les raisons de tout ce qu'on est capable de savoir ; et ce sont particulièrement ceux qui ont travaillé à cela qu'on a nommés Philosophes. Toutefois, je ne sache point qu'il y en ait eu jusques à présent à qui ce dessein ait réussi » (*Ibid.*, p. 5, l. 18-27). Descartes, au contraire, les a trouvés ; il n'y a donc plus désormais aucune différence entre : « acquérir avec le temps une parfaite connaissance de toute la Philosophie, et monter au plus haut degré de la Sagesse » (*Ibid.*, p. 18, l. 20-22). — Cf. L. Brunschvicg, *Descartes*, dans *La tradition philosophique et la pensée française*, Paris, 1922, p. 49.

P. **3**, l. **9-10** : « ... *la médiocrité de mon esprit* ... »
Voir plus haut, p. 2, l. 22.

P. **3**, l. **12** : « ... *de tels fruits* ... »
A l'époque où Descartes publie le *Discours*, il est déjà en possession de sa Géométrie, puisqu'il l'a rédigée à cette occasion (t. I, p. 458, l. 5-10) ; de sa physique, puisqu'il l'avait exposée dans *Le Monde*, dont la condamnation de Galilée avait interrompu la publication ; de sa métaphysique enfin, dont il avait même commencé la rédaction pendant les premiers mois de son deuxième séjour en Hollande (1629). C'est ce qui lui permet d'accompagner le *Discours*, qui est en quelque sorte le programme de ce que la philosophie cartésienne a déjà réalisé, des *Essais*, qui en sont comme autant d'échantillons et d'après lesquels on pourra juger du reste.

P. **3**, l. **12** : « ... *aux jugements* ... »
Aux, c'est-à-dire : *dans les* jugements.

P. **3**, l. **15** : « ... *de philosophe* ... »
Parce que la Philosophie, étant par définition l'étude de la Sagesse (*Principes*, Préface, t. IX, p. 2, l. 5-15), est en même temps le moyen d'atteindre le souverain bien naturellement accessible à l'homme. Cf. p. 3, l. 21-23.

P. **3**, l. **18** : « ... *extrême satisfaction* ... »
Voir le texte suivant.

P. **3**, l. **17-18** : « ... *vaine et inutile* ... »
Cf. « J'aurais ensuite fait considérer l'utilité de cette Philosophie et montré que, puisqu'elle s'étend à tout ce que l'esprit humain peut savoir, on doit croire que c'est elle seule qui nous distingue des plus sauvages et barbares, et que chaque nation est d'autant plus civilisée et polie que les hommes y

philosophent mieux ; et ainsi que c'est le plus grand bien qui puisse être en
un État, que d'avoir de vrais Philosophes. Et, outre cela, que, pour chaque
homme en particulier, il n'est pas seulement utile de vivre avec ceux qui
s'appliquent à cette étude, mais qu'il est incomparablement meilleur de s'y
appliquer soi-même ; comme sans doute il vaut beaucoup mieux se servir
de ses propres yeux pour se conduire, et jouir par même moyen de la beauté
des couleurs et de la lumière, que non pas de les avoir fermés et suivre la
conduite d'un autre ; mais ce dernier est encore meilleur, que de les tenir
fermés et n'avoir que soi pour se conduire. C'est proprement avoir les yeux
fermés, sans tâcher jamais de les ouvrir, que de vivre sans philosopher ; et
le plaisir de voir toutes les choses que notre vue découvre n'est point comparable à la satisfaction que donne la connaissance de celles qu'on trouve par
la Philosophie ; et, enfin, cette étude est plus nécessaire pour régler nos
mœurs, et nous conduire en cette vie, que n'est l'usage de nos yeux pour
guider nos pas » (*Principes*, Préface, t. IX, p. 3, l. 6-p. 4, l. 1).

P. **3**, l. **20-21** : « ... *de telles espérances* ... »

La *Sixième Partie* du *Discours* est précisément destinée à mettre en évidence le pouvoir que la connaissance et la pratique de la vraie méthode
assureront à l'homme sur les choses de la nature (t. VI, p. 61, l. 28-p. 62,
l. 8). Descartes pense principalement à la médecine, dont la rénovation
entraînera nécessairement celle de la morale (*Ibid.*, p. 62, l. 12-20, et p. 78,
l. 6-13).

P. **3**, l. **22** : « ... *purement hommes* ... »

C'est-à-dire : tout homme à qui il n'est pas donné « d'avoir quelque
extraordinaire assistance du Ciel et d'être plus qu'homme » ; voir plus loin,
p. 8, l. 16-17. — Il existait, en effet, un sens bien connu du terme « sagesse »,
qui la définissait comme « Sagesse chrétienne » et, en la fondant sur la révélation, la confondait avec la Théologie : « Haec doctrina (*scil.* Theologia)
maxime sapientia est inter omnes sapientias humanas, non quidem in aliquo
genere tantum, sed simpliciter ... Sacra autem doctrina propriissime determinat de Deo, secundum quod est altissima causa ; quia non solum quantum
ad illud, quod est per creaturas cognoscibile (quod philosophi cognoverunt,
ut dicitur Rom. 1 : *Quod notum est Dei, manifestum est illis*) sed etiam quantum ad id, quod notum est sibi soli de seipso, et aliis per revelationem com-
municatum. Unde sacra doctrina maxime dicitur sapientia » (S. Thomas
d'Aquin, *Sum. theol.*, Iᵃ, qu. 1, art. 6, Concl.). Lorsque Descartes déclare ici
qu'il parlera en homme « purement homme », c'est donc pour revenir au sens
strictement philosophique du terme « sagesse », par opposition à son sens
médiéval et théologique. — Cf. le texte parallèle des *Principes*, Préface,
t. IX, p. 4, l. 19-21, et p. 5, l. 13-18 : « ... le souverain bien, considéré par la

raison naturelle sans la lumière de la foi. » — C'est pourquoi Clauberg commente exactement ce passage : « Per *meros homines* Cartes intelligit homines naturales, quatenus non sunt peculiari gratia a Deo illuminati, vel, qui supra vulgarium hominum sortem non sunt positi, ut pag. 7 de theologia agens loquitur. Confer utrobique editionem gallicam. » *Defensio cartesiana*, c. II, 16 ; éd. citée, p. 15.

P. **3**, l. **23** : « ... *solidement bonne et importante* »...

C'est qu'en effet, si l'on considère, comme le fait ici Descartes, l'homme « purement homme », la recherche de la vérité par la raison constitue la souverain bien : « Il n'y a point d'âme tant soit peu noble, qui demeure si fort attachée aux objets des sens, qu'elle ne s'en détourne quelquefois pour souhaiter quelque autre plus grand bien, nonobstant qu'elle ignore souvent en quoi il consiste. Ceux que la fortune favorise le plus, qui ont abondance de santé, d'honneurs, de richesses, ne sont pas plus exempts de ce désir que les autres ; au contraire, je me persuade que ce sont eux qui soupirent avec le plus d'ardeur après un autre bien, plus souverain que tous ceux qu'ils possèdent. Or, ce souverain bien, considéré par la raison naturelle sans la lumière de la foi, n'est autre chose que la connaissance de la vérité par ses premières causes, c'est-à-dire la Sagesse, dont la Philosophie est l'étude. » *Principes*, Préface, t. IX, p. 4, l. 9-23. — Cf. *à Elisabeth*, 4 août 1645, t. IV, p. 267, l. 9-19.

P. **4**, l. **1** : « ... *les chemins que j'ai suivis* ... »
Voir plus loin, à p. 4, l. 14.

P. **4**, l. **4** : « ... *les opinions qu'on en aura,*... »
Allusion à l'anecdote bien connue que rappelle le dicton : *Apelles latens post tabulam.* L'allusion est plus sensible encore dans la traduction latine du *Discours* : « vitam omnem meam tanquam in tabela delineare ; ut cuilibet ad reprehendendum pateat accessus, et ipse post tabulam delitescens liberas hominum voces in mei ipsius emendationem exaudiam » (t. VI, p. 541). — Cf. *à Mersenne*, 8 octobre 1629, t. I, p. 23, l. 24-26.

P. **4**, l. **7** : « ... *enseigner la méthode* ... »
Voir plus haut, *Titre*.

P. **4**, l. **10** : « ... *qui se mêlent* ... »
C'est-à-dire : ceux qui assument la responsabilité. — Cf. texte latin : « qui aliis praecepta dare audent » (t. VI, p. 541).

7

P. **4**, l. **11** : « ... *des préceptes* ... »

Au sens de : prescription morale ayant un caractère impératif ; les *prae-cepta* stoïciens par exemple.

P. **4**, l. **12-13** : « ... *s'ils manquent* ... »

C'est-à-dire : s'ils se trompent.

P. **4**, l. **14** : « ... *que comme une histoire* ... »

Comme l'a justement remarqué M. G. Cohen (*Écrivains français en Hollande dans la première moitié du XVIIᵉ siècle*, Paris, 1920, p. 417-418), cette expression, ainsi que plusieurs autres dont use Descartes, se retrouve dans une lettre de Balzac à Descartes du 30 mars 1628 : « Au reste, Monsieur, souvenez-vous, s'il vous plaît, De l'Histoire de votre esprit. Elle est attendue de tous nos amis et vous me l'avez promise en présence du Père Clitophon, qu'on appelle, en langue vulgaire, Monsieur de Gersan. Il y aura plaisir à lire vos diverses aventures dans la moyenne et dans la plus haute région de l'air, à considérer vos prouesses contre les Géants de l'École, le *chemin que vous avez tenu* (cf. *Discours*, p. 4, l. 1), le *progrès que vous avez fait dans la vérité des choses* (*Ibid.*, p. 3, l. 19-20), etc. » (t. I, p. 570, l. 22-p. 571, l. 3). M. G. Cohen suggère à ce propos l'hypothèse d'une communication par Descartes à Balzac d'un projet du *Discours de la Méthode* (*op. cit.*, p. 418, et note 1).

Il est à peine besoin de faire remarquer à quel point le dessein d'écrire un *Discours* en langue vulgaire, qui s'adressera par conséquent à tout le public cultivé, et dans lequel Descartes : « représentera sa vie », ou la racontera « comme une histoire », afin que ce lui soit un nouveau moyen de s'instruire, combien enfin le récit de ses études venant après l'*Institution des enfants* (*Essais*, t. I, p. 187) de Montaigne rappellent le dessein des *Essais* dont plusieurs passages du *Discours* trahissent d'ailleurs l'influence. Si cette « histoire de son esprit » est à bien des égards un « essai » au sens authentique de Montaigne, puisque Descartes en fait un « moyen de s'instruire », les *Essais* de Montaigne sont à bien des égards une « histoire », et le mot même est de lui : « Je sens ce profit inespéré de la publication de mes mœurs qu'elle me sert aucunement de règle. Il me vient parfois quelque considération de ne trahir l'histoire de ma vie (1ʳᵉ rédaction : *ma peinture*). Cette publique déclaration m'oblige de me tenir en ma route, et à ne démentir l'image de mes conditions ... » *Essais*, t. II, ch. ix ; *De la vanité*, éd. F. Strowski, t. III, p. 250.

P. **4**, l. **15** : « ... *que comme une fable* ... »

1º C'est-à-dire : comme un récit qui comporte pour le lecteur une moralité dont certains pourront tirer profit, mais dont les conclusions n'auront ni le

caractère universel ni le caractère nécessaire des préceptes moraux proprement dits. Cette expression annonce donc un récit instructif comme doit
l'être une fable (*fabula docet*), c'est-à-dire ni plus (comme serait la morale)
ni moins (comme serait une histoire purement narrative).

2º Il ne semble pas que le contexte autorise à voir dans cette expression
une réserve introduite par Descartes touchant l'historicité des faits qui
suivent et de l'histoire de son esprit. — En ce qui concerne les faits mêmes,
le P. Poisson faisait observer déjà l'allure historique du récit : « Le récit que
M. Descartes fait ici d'une partie de sa vie n'est point un conte fait à plaisir : mais les choses se sont passées comme il les écrit. Ceux qui ont con-
versé avec M. Descartes peuvent avoir appris de lui-même la vérité de ce
fait ; et sans doute que les circonstances dont il fait mention contribuent
si peu à favoriser l'intrigue d'une vérité supposée, comme de dire qu'il était
de retour d'une campagne qu'il avait faite en Allemagne, et qu'il était fort
commodément dans une chambre avec un poêle qui modérait la rigueur de
la saison, qu'il se rendrait ridicule s'il prétendait que, pour devenir Philosophe et suivre exactement sa Méthode, il fallût porter le harnois en ces
pays froids, et servir Mars avant Minerve. Les circonstances font donc assez
voir qu'il ne leur a donné place dans le récit de sa vie que parce qu'elles en
étaient, en effet, une partie. Enfin, on peut voir dans quelques écrits qui sont
demeurés entre les mains de M. Clerselier que ce qu'il dit ici est un fait arrivé,
et non pas une chose supposée. » *Remarques*, p. 138-139. Il ne semble d'ailleurs pas que ce point ait été sérieusement contesté.

Des doutes ont, au contraire, été soulevés sur la valeur historique de l'interprétation proposée par Descartes de l'Histoire de son esprit. On a soutenu
que le récit du *Discours* trahissait un remaniement, peut-être inconscient,
grâce auquel le philosophe, parvenu à la pleine maturité de sa pensée, aurait
reconstruit sa propre vie intérieure pour lui donner plus de continuité et
d'unité qu'elle n'en comportait réellement. Voir en ce sens Alf. Espinas, *Le
point de départ de Descartes*, Revue bleue, 3 et 10 mars 1906 ; *Descartes de seize
à vingt-neuf ans*, Ibid., 23 et 30 mars 1907. Voir surtout G. Cantecor, *La
vocation de Descartes*, Revue philosophique, 1923, novembre-décembre,
p. 372-400. Ce dernier auteur pose en principe que : « Un écrivain qui raconte
son passé peut être de bonne foi et pourtant se duper lui-même, oublier des
faits importants, mettre entre ceux dont il se souvient un ordre factice,
reporter au passé des préoccupations plus récentes, etc. Toute autobiogra-
phie intellectuelle ou sentimentale est sujette à de telles erreurs : on ne voit
pas pourquoi le seul récit de Descartes en serait exempt. En réalité, ce récit
comporte de si nombreuses et de si graves inexactitudes que le premier
devoir de quiconque veut connaître la vraie histoire de la pensée de Descartes est de tenir pour non avenu ce qu'il nous en dit et d'essayer de la
reconstituer par ses propres moyens » (*art. cité*, p. 373).

Il faut distinguer ici entre la question de principe et la question de fait. En principe, toutes les illusions ou erreurs dont on parle peuvent avoir altéré le récit de Descartes, mais rien ne nous permet d'affirmer *a priori* qu'elles l'aient effectivement altéré. En fait, nous aurons à examiner dans chaque cas particulier s'il est possible de prendre Descartes en flagrant délit d'inexactitude, si ces inexactitudes sont nombreuses, si elles sont graves, si le récit, sans être inexact, ne comporte pas des lacunes, etc. L'opinion que l'on peut se former sur l'historicité du *Discours* devra suivre l'explication du texte et en résulter, elle ne peut la précéder ; c'est donc de contrôler le récit de Descartes qu'il s'agira d'abord. Ajoutons ailleurs que, si nous le tenions pour nul et non avenu, comme nous n'avons guère d'autres documents sur sa pensée entre 1604 et 1618, nous devrions nous interdire, non seulement d'interpréter le récit qu'il nous a laissé de son séjour à La Flèche, mais même de formuler à cet égard aucune hypothèse en quelque sens que ce soit.

P. **4**, l. **18** : « ... *de ne pas suivre* ... »

Ceci n'est pas une simple formule de modestie. Écrit en français, le *Discours* s'adresse à tous, parce qu'il peut y avoir de bons esprits, et capables d'en appliquer la méthode, même parmi ceux qui ne savent pas le latin et ignorent la philosophie de l'École ; mais parmi ceux-là comme parmi les « Doctes », il en est beaucoup (Descartes dira ailleurs : le plus grand nombre) qui ne sauraient prétendre l'appliquer sans courir le risque de s'égarer. Au premier rang des exemples « qu'on aura raison de ne pas suivre » (l. 17-18), il faut placer le doute méthodique, dont Descartes déclare plus loin (p. 15, l. 12-17) : « La seule résolution de se défaire de toutes les opinions qu'on a reçues auparavant en sa créance n'est pas un exemple que chacun doive suivre ... » Or, qui n'a pas traversé le doute méthodique ne comprendra jamais la force probante des preuves de l'existence de Dieu ni la distinction réelle de l'âme et du corps, qui sont la substance même de la métaphysique cartésienne. C'est donc sérieusement que Descartes limite ses ambitions à être « utile à quelques-uns sans être nuisible à personne » ; il invite tout le monde à le lire, mais il n'invite pas tout le monde à l'imiter.

Ici s'achève le préambule général du *Discours* et Descartes commence l'Histoire de son esprit.

P. **4**, l. **20** : « ... *de ma franchise* ... »

Texte latin : « ingenuitati meae » (t. VI, p. 541). Cf. *Epistola ad G. Voetium*, t. VIII, p. 20, l. 3-20.

P. **4**, l. **21** : « *J'ai été nourri aux lettres* ... »

1º « Nourri aux ... », c'est-à-dire : élevé dans. Cf. Rabelais : « Gargantua, depuis les trois jusques à cinq ans, fut nourri et institué en toute discipline

convenante ... » *Œuvres complètes,* éd. A. Lefranc, t. I, p. 113. Et Descartes :
« ... afin que vous connaissiez par son style que c'est une personne qui n'a
jamais été nourrie aux lettres ... » *A Mersenne,* 29 juin 1638, t. II, p. 179,
l. 19-21. Cf. *Principes,* Préface, t. IX, p. 1, l. 10. Autres textes dans Huguet,
Petit Glossaire (4ᵉ éd.), *ad loc.*

2º « ... aux lettres ... », c'est-à-dire, au sens plein de l'expression « litterae
Humaniores », aux Humanités. Le mot désigne donc ici la Grammaire,
l'Histoire, la Poésie et la Rhétorique. Cf. « De Studiis Humanitatis, hoc est :
Grammaticae, Historiae, Poeticae et Rhetoricae ». Et aussi : « Nostrorum
progressus in litteris humanioribus ... » ; « ... in onere docendi Grammaticam
litterasque humaniores ... », dans : *Ratio atque Institutio Studiorum per sex
Patres ad id jussu R. P. Praepositi Generalis deputatos conscripta,* Romae,
1586, édité par G.-M. Pachtler, S. J., dans *Monumenta Germaniae Paedagogica,* t. V, Berlin, 1887, p. 25 et suiv.

P. **4,** l. **21** : « ... *dès mon enfance* ... »

Probablement à partir de 1606, c'est-à-dire, puisque Descartes est né le
31 mars 1596, depuis l'âge de dix ans. Voir la note à p. 4, l. 25-26.

P. **4,** l. **24-25** : « ... *un extrême désir de les apprendre* ... »

M. G. Cantecor (*art. cité,* p. 374) commente ainsi ce passage : « Donc, s'il
faut en croire Descartes, il aurait senti dès l'enfance le besoin *d'une connaissance claire et assurée de tout ce qui est utile à la vie.* C'est cela même qui aurait
excité et soutenu son zèle d'écolier. Ainsi, à l'origine de la vie intellectuelle
de Descartes, se trouverait la notion plus ou moins confuse d'un certain idéal
où son âme aspirait spontanément. Cet idéal, c'est la science : ..., etc., » à
savoir, une science à la fois certaine et applicable à la vie. « En réalité, tout
est factice, pour ne pas dire mensonger, dans le récit trop célèbre du *Discours,* à commencer par cette affirmation que l'idée et le besoin d'une science
à la fois certaine et applicable à la vie auraient suscité et dirigé dès l'enfance
ou l'adolescence de Descartes son activité intellectuelle (p. 380) ... Nul ne
supposera, prenant son récit à la lettre, que ce soit cette idée qui, dès l'âge
de huit ans, à son entrée au collège, l'ait décidé à se prêter docilement aux
soin de ses maîtres, de qui il aurait attendu un savoir capable de répondre
aux besoins de son esprit » (p. 381). Ce serait donc là une interprétation postérieure du philosophe.

Sur quoi l'on observera : 1º qu'il n'est pas une seule fois question de « la
science » dans le texte même de Descartes, mais des « lettres ». Or, cette
expression désigne, comme on l'a vu, d'abord les Humanités ; ensuite, pendant les trois dernières années, les sciences au sens scolastique de ce mot
(p. 5, l. 5) ; 2º que Descartes ne donne aucunement cette idée comme surgie
de son propre fonds, mais, au contraire, comme une conviction qui lui avait

été imposée par ses maîtres : « ... et pour ce qu'on me persuadait ... » ; 3° qu'il n'est aucunement absurde de supposer que les Jésuites de La Flèche aient promis au jeune Descartes la connaissance « de tout ce qui est utile à la vie ». Pris en lui-même, le thème de l'utilité des Lettres était une véritable banalité depuis les humanistes de la Renaissance. Or, c'est une originalité consciente et voulue de l'enseignement des Jésuites (voir le *Ratio studiorum* de 1586, édition citée plus haut, p. 144) que d'avoir recueilli la tradition humaniste de la Renaissance pour la coordonner à la philosophie scolastique ; leur programme d'études nomme les Humanités : « hoc insigne ornamentum, quo Deus societatem cohonestare dignatus est ... » Il n'y a donc rien d'invraisemblable à ce qu'un professeur de lettres, pour exhorter ses jeunes élèves à l'étude, leur ait vanté l'utilité des arts libéraux dans des termes analogues à ceux de l'humaniste Vivès : « Ut recte Possidonius apud Senecam definivit : *Artes hae quae liberales nuncupantur, pueriles sunt ; rudimenta nostra, non opera.* In nostris scholis haec quoque fundamenta sunt trium aedificiorum Medicinae, Theologiae, et peritiae Juris, quas supremas artes disciplinasque nominamus, et usui quotidiano cum primis serviunt. Philosophiam moralem adjunximus, quae multum Theologiae adminiculatur, et ex qua jus esse ortum existimant sacrum et profanum. Tum cognitionem naturae rerum, sine qua medicina manca est prorsum, nec rite aut percipi potest, aut teneri » (*De causis corruptarum artium*, lib. 1, éd. Jean Maire, Leyde, 1636, p. 9). Ou encore : « Artes vero ac peritiae quaenam erunt ? Quaenam aliae nisi quae ad finem pertineant vel huic vitae vel sempiternae necessarium ? nempe quae vel pietatem excolant, vel vitae necessitatibus succurrant vel certe utilitatibus, quae a necessitate non multum discedunt » (*De tradendis disciplinis*, lib. I, p. 409). Toutes les pages qui suivent dénombrent et décrivent les utilités de ces « artes hae, sive quis cognitiones malit nominare » (p. 414). C'est donc bien l'idéal pédagogique de la Renaissance dont nous percevons ici l'écho : « Quum deducetur ad scholas puer, sciat pater, quem tandem existimare debet fructum laboris studiosi : videlicet non honorem aut pecuniam (voir Descartes, plus loin, p. 9, l. 2-3), sed animi culturam, rem eximii atque incomparabilis pretii, ut doctior fiat juvenis, et, per sanam doctrinam, virtute melior » (*Ibid.*, lib. II, p. 449) ; 4° que la seule cause d'ambiguïté que recèle ce texte se trouve donc dans l'emploi de la formule cartésienne « claire et assurée », ou, comme dit plus fortement encore la traduction latine : « certam et evidentem », pour une époque où l'idée cartésienne de la science véritable n'était pas encore définie. Mais si l'on observe que Descartes prête ici cette expression à ses professeurs (« on me persuadait ... », « ... on m'avait fait auparavant espérer ... », p. 5, l. 18), on admettra sans doute qu'elle ne désigne pas l'idée cartésienne d'une science toute mathématique qu'il leur reproche précisément d'avoir ignorée. En tant qu'elle se rapporte à ses maîtres, comme le veut le texte, elle signifie donc simplement :

« une connaissance claire et certaine », au sens usuel de ces termes avant Descartes. Et quant à lui-même, il ne déclare en aucun passage de ce texte, ni d'aucun autre, qu'il ait eu dès le Collège l'idée de la vraie science, mais simplement ceci : on m'avait promis une connaissance certaine et utile à la vie, et je me suis senti, à la fin de mes études, embarrassé de doutes, et ignorant. Il y avait donc en lui dès cette époque comme un instinct de ce que devrait être une connaissance certaine, et une disposition naturelle qui le rendait incapable de se contenter de celles qu'on lui offrait (voir plus haut, p. 3, l. 4-5), mais rien de plus. Cette disposition n'est pas invraisemblable chez un jeune homme de dix-huit ans, qui devait parler quatre ans plus tard des fondements de sa Mécanique, et rien n'oblige donc à considérer sur ce point le récit du *Discours* comme factice ou comme mensonger.

P. **4**, l. **25-26** : « ... *achevé tout ce cours d'études* ... »

Le problème de la date initiale des études de Descartes et celui de leur date finale sont pratiquement inséparables. On a admis pendant longtemps, sur la seule foi de Baillet (t. I, p. 18), qui ne donnait d'ailleurs aucune référence, que Descartes était entré au Collège à Pâques de l'année 1604 (cf. Ch. Adam, *Vie de Descartes*, t. XII des Œuvres complètes, p. 19, note *b*. Et Ét. Gilson, *La liberté chez Descartes et la théologie*, Paris, 1913, p. 6, pour la date de sortie en 1612), et par conséquent aussi qu'il en était sorti en 1612. Mais une réflexion plus attentive sur les textes de Descartes lui-même a conduit plus tard M. Ch. Adam à proposer comme plus vraisemblables les dates 1606-1614, peut-être même 1607-1615 (Ch. Adam, *Vie de Descartes*, Appendice, t. XII, p. 564-565). De son côté, un érudit belge, Mgr Monchamp, établissait, pour des raisons analogues, que Descartes était sorti de La Flèche en 1614 (Mgr Monchamp, *Notes sur Descartes*, Liége, 1913, p. 3-10). Et M. Ch. Adam, revenant une dernière fois sur la question à la fin des *Œuvres complètes* (Supplément, p. 106-107 ; même conclusion chez M. G. Cohen, *Écrivains français en Hollande dans la première moitié du XVIIe siècle*, Paris, 1920, p. 360, note 4), optait définitivement pour les dates 1606-1614. Ce sont aussi les dates d'entrée et de sortie auxquelles nous nous rallions, pour les raisons principales que voici :

1º Il faut d'abord constater que la durée précise du séjour de Descartes à La Flèche ne nous est pas exactement connue. Le cours d'études régulier était de neuf ans (six ans d'humanités ; trois ans de philosophie) ; or, Descartes a déclaré deux fois que ses études avaient été un peu moins longues (*Lettre au P. Hayneuve*, 22 juillet 1640 : « Quia olim per novem fere annos in uno ex vestris Collegiis fui institutus ... », t. III, p. 100, l. 18-19. *Au P. Grandamy*, 2 mai 1644 : « ... à La Flèche où j'ai demeuré huit ou neuf ans de suite en ma jeunesse ... », t. IV, p. 122, l. 9-11). C'est sans doute, comme l'a bien noté Mgr Monchamp (*op. cit.*, p. 5), ce qui a conduit Baillet à supposer que

le jeune Descartes était entré à La Flèche en cours d'année, et probablement vers Pâques. Supposition vraisemblable, car, puisque Descartes a terminé sa philosophie et qu'il n'a pas eu d'interruption dans ses études
(« ... huit ou neuf ans de suite ... »), il ne peut guère les avoir écourtées qu'au
début. Nous admettrons donc une scolarité d'environ huit ans et demi.

2º Descartes, fait observer M. Ch. Adam (*Œuvres*, Supplément, p. 106-
107), écrivait au P. Charlet, S. J., le 9 février 1645 : « Vous, qui m'avez tenu
lieu de Père pendant tout le temps de ma jeunesse » (t. IV, p. 156, l. 12-13).
Et, le même jour, il rappelle au P. Bourdin sa parenté avec le P. Charlet :
« outre, ajoute-t-il, que je lui suis obligé de l'institution de toute ma jeunesse,
dont il a eu la direction huit ans durant pendant que j'étais à La Flèche, où
il était recteur » (t. IV, p. 160, l. 13-p. 161, l. 3). Or, on sait que le P. Charlet
fut professeur de théologie, puis recteur à La Flèche de 1606 à 1616 ; Descartes a donc été certainement élève de ce collège en 1606 au plus tôt, ce qui
reporte la fin de ses huit années en 1614. Cet argument décisif contre la date
traditionnelle a été proposé indépendamment par M. Ch. Adam, *loc. cit.*, et
Mgr Monchamp, *op. cit.*, p. 6.

3º Le 15 septembre 1637, par une lettre à Descartes datée de Louvain,
Plempius l'informe qu'il a reçu trois exemplaires du *Discours*, en a gardé un
pour soi, donné le deuxième à Froidmont, et envoyé le jour même le troisième exemplaire au P. Fournet : « unum mihi retinui, alterum Domino Fro-
mondo tradidi, tertium ad P. Fournet transmisi » (t. I, p. 399, l. 5-7). Or, fait
observer Mgr Monchamp, « ce P. Fournet qui, comme nous l'avons découvert (*Un correspondant belge de Descartes*, Bruxelles, 1893), résidait dans la
Flandre française, a été professeur de philosophie à La Flèche, l'année 1611-
1612 pour la logique ; 1612-1613 pour la physique ; 1613-1614 pour la métaphysique » (*op. cit.*, p. 7). Si l'on rapproche ces constatations de la conclusion
qui précède (nº 2), on ne peut guère douter que ce destinataire d'un exemplaire du *Discours* ne soit son ancien professeur de philosophie et que, par
conséquent, Descartes n'ait achevé son cours d'études en 1614.

4º Il est vrai qu'un texte de la Correspondance paraît contredire cette
conclusion. Une lettre du 14 juin 1637 (t. I, p. 383-384) commence par la
déclaration suivante : « Je juge bien que vous n'aurez pas retenu les noms de
tous les disciples que vous aviez il y a vingt-trois ou vingt-quatre ans,
lorsque vous enseigniez la Philosophie à La Flèche, et que je suis du nombre
de ceux qui sont effacés de votre mémoire » (*loc. cit.*, p. 383, l. 2-6). Or, le
destinataire supposé de la lettre serait le P. Noël et non le P. Fournet.

A quoi l'on peut observer : *a)* que, dans l'espèce, la date du séjour reste
la même quel qu'ait été le destinataire de cette lettre ; en effet, Descartes
s'y adresse à quelqu'un dont il a été le disciple il y a vingt-trois ou vingt-
quatre ans ; or, vingt-trois ou vingt-quatre ans, comptés à partir de 1637,
nous conduisent aux années 1614 et 1613, ce qui exclut précisément que

Descartes ait quitté le collège en 1612 ; *b)* qu'enfin le texte de Clerselier n'indique pas le nom du destinataire, mais porte simplement : « A un Révérend Père Jésuite. » L'attribution au P. Noël est une conjecture des éditeurs des *Œuvres complètes*, et une conjecture très hasardeuse. Au moment où paraissait le t. I de la *Correspondance*, M. Ch. Adam suivait l'hypothèse de Baillet et admettait les dates 1604-1612 ; or, dans cette hypothèse, le professeur de philosophie de Descartes eût été le P. François Véron (Rochemonteix, *Le collège Henri IV de La Flèche*, t. IV, p. 51-52 ; suivi par Ch. Adam, *op. cit.*, t. XII, p. 23, et Ét. Gilson, *op. cit.*, p. 6-7) ; mais les éditeurs ne pouvaient considérer la lettre du 14 juin 1637 comme destinée au P. Véron, parce qu'elle est manifestement adressée à un Jésuite et que le P. Véron ne l'était plus depuis 1620. Ne pouvant plus songer au professeur, ils se sont donc rabattus sur le répétiteur, qui était en effet le P. Noel. L'hypothèse cadrait d'ailleurs assez mal avec les dates 1604-1612 (t. I, p. 384, note) ; mais elle souffre aussi quelques difficultés pour les dates 1606-1614 (quoi qu'en pense M. Ch. Adam, *Supplément*, p. 107), car le P. Noël fut répétiteur de 1611 à 1613 et ne devint professeur qu'en 1613-1614 ; or, les élèves gardaient toujours le même professeur pendant leurs trois années de philosophie, et c'est bien à son professeur de philosophie que Descartes s'adressait alors, par opposition à ses multiples professeurs d'humanités : « un fruit ... duquel vous avez jeté les premières semences en mon esprit, comme je dois aussi à ceux de votre Ordre tout le peu de connaissance que j'ai des bonnes Lettres » (p. 383, l. 13-16). Le destinataire de la lettre est donc bien plutôt le P. Fournet, ainsi que l'a heureusement conjecturé Mgr Monchamp (*op. cit.*, p. 7-8 ; d'où il résulte que la lettre XCII, t. I, p. 454, est également adressée au P. Fournet : *Ibid.*, p. 8 ; par contre, M. Ch. Adam a raison de contester, contre Mgr Monchamp, que le destinataire de la lettre suivante soit le P. Fournet), et, par conséquent, tout concourt à placer en 1614 la date de sa sortie du Collège.

5º Si Descartes est sorti du Collège en 1614, ce n'est cependant pas à cette date qu'il a terminé son « cours d'études », tel que le décrit le *Discours*. Il ajoute, en effet, à la Philosophie, qui couronnait les études de La Flèche, la Jurisprudence et la Médecine, que l'on n'y a jamais enseignées (Ch. Adam, *op. cit.*, t. XII, p. 39, note *a*): La supposition (p. 39) qu'il y eût des professeurs de médecine et de droit au Collège est purement gratuite, et même invraisemblable, tous les professeurs étant jésuites et les jésuites ne formant ni juristes ni médecins. Nous devons donc englober dans ce « cours d'études » la préparation du baccalauréat et de la licence en droit qu'il passa à Poitiers les 9 et 10 novembre 1616. C'est vraisemblablement à Poitiers aussi qu'il fit les quelques études de médecine que suppose le récit du *Discours*. La date précise que désignent les mots : « sitôt que j'eus achevé tout ce cours d'études », est donc 10 novembre 1616.

P. **4**, l. **27** : « ... *reçu au rang des doctes* ... »

M. Ch. Adam a proposé la conjecture suivante : « Avant de prendre ses degrés de bachelier et de licencié en droit à l'Université de Poitiers, Descartes n'avait-il pas pris ceux de licencié et de maître ès arts au Collège de La Flèche? Nous ne savons pas bien ce qui se passait chez les Jésuites de La Flèche ; mais nous avons des renseignements précis sur ce que faisaient en ce temps-là leurs confrères de Pont-à-Mousson. Ils avaient en cette ville lorraine une Université, qui était plutôt aussi un Collège. Or, le cours complet des études se terminait, au moins pour les meilleurs élèves, par la collation des grades : baccalauréat ès arts, *baccalaureatus artium*, à la fin de la première année de philosophie, après explication de la *Dialectique* et des huit livres de *Physique* d'Aristote ; licence ès arts, *licentia artium*, et « magistère » ou doctorat ès arts, *magisterium artium*, après les deux années suivantes, et le cours des études enfin terminé. La collation des grades se faisait en grande cérémonie, avec remise solennelle des insignes : *livre* symbolique *anneau* également symbolique, *épitoge* et *bonnet* de docteur. » M. Ch. Adam pense ensuite découvrir des allusions : 1º au *bonnet* de docteur, dans le texte du *Discours*, t. VI, p. 9, l. 17-18, où il est question de l'affranchissement que ce bonnet symbolisait ; 2º au *livre*, dans le texte du *Discours*, t. VI, p. 9, l. 19-22 ; 3º à l'*anneau*, dans le texte du t. X, p. 214, l. 4-5 ; enfin, à la *maîtrise* elle-même dans notre texte : « Mais », et cette dernière citation, prise à la lettre, ferait croire que Descartes n'a pas quitté le Collège de La Flèche sans avoir reçu tous ses grades avec le cérémonial accoutumé, « sitôt, dit-il, que j'eus achevé tout ce cours d'études, au bout duquel on a coutume d'être reçu au rang des doctes ... » Et dans la traduction latine : *Simul ac illud studiorum curriculum absolvi, quo decurso mos est in eruditorum numerum cooptari* ... » (p. 542). Dans *Œuvres complètes*, Supplément, p. 105-106. (Cette description du cérémonial usité pour le Doctorat est rigoureusement conforme aux prescriptions du *Ratio studiorum* de 1586, p. 113 : « Astet Bidellus manu tenens annulum, pileum novum et librum Bibliorum pro Theologis, vel Aristotelis pro Philosophis. »)

La question est donc de savoir si le jeune Descartes a reçu le grade de Docteur avant de quitter La Flèche ou si l'on doit interpréter le texte du *Discours* en un sens moins littéral. Nous n'insisterons pas sur les soi-disant allusions au *bonnet*, au *livre* et à l'*anneau*, car elles sont extrêmement vagues. L'expression : « sortir de la sujétion de mes précepteurs », pouvait être appliquée à tous ceux qui terminaient leurs études, docteurs ou non ; celle du « grand livre du monde » est empruntée à Montaigne ; quant à : « scientia est velut mulier », il ne rappelle guère l'anneau que pour qui s'en souvient déjà. Reste, en réalité, le seul et unique texte du *Discours*, mais il faut avouer que l'explication précise en est assez difficile, et nous donnerons les arguments en faveur de chaque solution.

1º Il est d'abord exact que, selon l'expression de M. Ch. Adam, « nous ne savons pas bien ce qui se passait chez les Jésuites de La Flèche » ; nous savons cependant, et cela de manière certaine, comment les choses devaient en droit se passer dans les maisons dirigées par les Jésuites, d'après le *Ratio studiorum* de 1586. En ce qui concerne les Pères de la Société eux-mêmes, il était conseillé de leur faire conquérir le Doctorat pour leur conférer plus d'autorité, mais en très petit nombre, et juste avant le jour où devait commencer leur enseignement : « Nostri ad Magisterium vel Doctoratum promovendi essent, cum docturi sint Philosophiam aut Theologiam, ob majorem autoritatem ; quin etiam paucos alios oporteret esse jam promotos, qui vel subsidio esse possent aegrotantibus Doctoribus, vel designantur, ut aliquando doceant ; non enim pridie fere antequam quis doceat, decet Doctorem fieri » (*op. cit.*, dans *Monumenta Germaniae Paedagogica*, t. V, p. 114). De telles dispositions ne semblent pas destinées à favoriser la multiplication du nombre des Docteurs.

En ce qui concerne les élèves des collèges qui ne se destinaient pas à entrer dans la Société, les dispositions étaient plus libérales ; elles ne l'étaient pas cependant à un point tel qu'on puisse supposer que la maîtrise ès arts fût le couronnement normal des études de La Flèche. D'après les Constitutions de la Société, il fallait d'abord pour devenir maître ès arts les trois ans d'études philosophiques auxquels Descartes fut soumis (*Constitut.*, 4ᵉ Part., cap. 15, n. 2), plus une demi année pour repasser les cours et prendre les grades : « praeter quos medius adhuc annus ad audita repetenda et ad actus scholasticos celebrandos et gradum Magisterii suscipiendum iis, qui eum suscepturi sunt, relinquetur » (*Ratio studiorum*, dans *Monumenta Germaniae Paedagogica*, t. V, p. 110). Les auteurs du *Ratio studiorum* de 1586 ne se dissimulaient pas que cette disposition avait pour conséquence directe de réduire à un nombre infime les candidats au Doctorat ; une fois parvenus au terme de leurs études, les élèves se passaient fort bien du bonnet de docteur pour sortir de la sujétion de leurs précepteurs ; en France, particulièrement, c'était un fait connu qu'ils s'évadaient du Collège dès la troisième année de philosophie achevée pour aller dans une Université commencer leurs études de droit : « In Gallia quoque nihil ultra triennii finem expectant Philosophi, ut Magistri fiant, quod tantam moram non ferant, cum properent ad leges » (*Ratio studiorum*, De gradibus, cap. X, dans *Monumenta Germaniae Paedagogica*, t. V, p. 111). Si donc Descartes a suivi la coutume des jeunes Français, il n'a pas attendu après sa troisième année pour se rendre à l'Université de Poitiers, où il devait être reçu bachelier et licencié en droit deux ans plus tard, les 9 et 10 novembre 1616.

2º D'autre part, le *Ratio studiorum* ne s'exprime pas sur ce point en termes absolus et il suggère même un adoucissement à l'usage : « Consideret itaque R. P. Generalis an cum Italis et Transalpinis dispensare velit ... »

Op. cit., p. 111. Si, de plus, on consulte la rédaction postérieure de 1599, on constate qu'elle prévoit des actes philosophiques solennels, c'est-à-dire des disputes publiques, pour un petit nombre d'élèves choisis, et cela : « Sub finem triennii cursusque philosophici » (*op. cit.*, p. 280). Enfin, il est dit que la présence de tous les maîtres à ces actes publics est désirable : « cum Magisterium erit vel Doctoratus alicui conferendus » (*op. cit.*, p. 284). S'agit-il là des élèves proprement dits, ou des Pères de la Compagnie qui prenaient leurs grades? Et s'il s'agit des élèves, l'a-t-on fait à La Flèche. Et si on l'a fait à La Flèche, l'a-t-on fait pour le jeune Descartes? Il est impossible de répondre avec certitude.

Le texte est donc déjà susceptible d'au moins deux interprétations : 1º la première serait la suivante : sitôt que j'eus achevé ce cours d'études au bout duquel j'ai été reçu Docteur, comme c'est la coutume ; 2º la deuxième signifierait simplement : « le cours d'études requis par la coutume pour pouvoir conquérir le grade de Docteur. » De toute façon, ce à quoi Descartes tient surtout, c'est qu'on le considère comme ayant assimilé tout le savoir qui s'enseignait alors dans les Écoles, et comme qualifié pour le juger.

3º Ajoutons, enfin, qu'une troisième solution nous paraît beaucoup plus vraisemblable. Nous avons noté que la description du « cours d'études » suivi par Descartes implique des connaissances de médecine et de droit, bien que ces deux sciences ne fussent pas enseignées à La Flèche. Descartes entend donc par « cours d'études » d'abord ses années de Collège, plus celles qu'il employa ensuite à préparer sa licence en droit et peut-être aussi à acquérir quelques connaissances médicales. Or, il fut reçu licencié en droit le 10 novembre 1616 à l'Université de Poitiers. C'est donc bien plutôt cette date que Descartes considère comme marquant la fin de ses études et, par conséquent aussi, sa licence en droit qu'il désigne par l'expression assez vague : « être reçu au rang des doctes ». Ainsi le problème du doctorat en philosophie à La Flèche ne se pose même pas.

P. **4**, l. **27-28** : « ... *je changeai entièrement d'opinion* ... »

Espinas (*art. cité*) estime que ce passage suppose un remaniement postérieur des faits par Descartes, et qu'en réalité le jeune philosophe est sorti de La Flèche sans scrupules sur la valeur de l'enseignement qu'il y avait reçu. Mais Descartes lui-même nous dit ici qu'il attendit le complet achèvement de ses études pour les condamner en bloc et, puisqu'il les a terminées en 1616, il avait alors vingt ans. Or, nous le retrouvons, deux ans après seulement, en novembre 1618, devenu « Physico-Mathematicus » (*Journal d'Isaac Beeckman*, t. X, p. 52). Bien plus, à cette dernière date même, il ne nous est pas présenté comme un débutant, puisque Beeckman constate avec tristesse que : « Physico-Mathematici paucissimi », et ajoute : « Neque etiam ego, praeter illum, nemini locutus sum hujusmodi studii »

(*Ibid.*). Mieux encore, un opuscule composé par Descartes pour son nouvel ami, et que celui-ci insère dans son *Journal* entre le 23 novembre et le 26 décembre 1618, débute par la déclaration suivante : « Ut plane de propositis quaestionibus meam mentem exponerem, multa ex meis Mechanicae fundamentis essent praemittenda ; ... » (*Physico-Mathematica*, t. X, p. 67-68). Si l'on veut bien admettre que Descartes a jeté quelques regards sur ses livres de droit entre 1614 et 1616, et lui laisser un peu de temps pour poser lés fondements de sa Mécanique, on sera sans doute disposé à reconnaître que, si le *Discours* exagère, ce ne saurait être de beaucoup. Par conséquent : 1º en fait, il n'existe aucune trace d'une période scolastique postérieure à sa sortie du collège dans la vie de Descartes et, par conséquent, aucun fait actuellement connu ne contredit le témoignage du *Discours ;* 2º la précocité des préoccupations physico-mathématiques dont témoigne le *Journal* de Beeckman serait plutôt faite pour le confirmer.

P. **4**, l. **31** : « ... *mon ignorance* ... »

Allusion à la célèbre formule de Socrate : « Je ne sais qu'une chose, c'est que je ne sais rien. » Cf. Platon, *Apologie de Socrate*, 22-23 (*Œuvres complètes*, Coll. des Univ. de France, t. I, p. 146-147). — Cf. *Reg.*, II ; t. X, p. 364, l. 13-21.

P. **5**, l. **1** : « ... *une des plus célèbres écoles* ... »

Le Collège Henri IV, de La Flèche, fondé en 1604 par les Jésuites, dans une maison qui leur avait été donnée par Henri IV et qui prit le nom de « Collège Royal ». Le jeune Descartes y entra donc deux ans après sa fondation. Voir sur ce célèbre établissement : *Un Collège de Jésuites aux XVIIᵉ et XVIIIᵉ siècles. Le Collège Henri IV de La Flèche*, par le P. Camille de Rochemonteix, S. J., 4 vol. in-8º, Le Mans, 1889.

P. **5**, l. **7** : « ... *les plus curieuses* ... »

« *Sciences curieuses*. On appelle les *sciences curieuses* celles qui sont connues de peu de personnes, qui ont des secrets particuliers, comme la chimie, une partie de l'optique qui fait voir des choses extraordinaires avec des miroirs et des lunettes, et plusieurs vaines sciences où l'on pense voir l'avenir, comme l'astrologie judiciaire, la chiromance, la géomance, et même on y joint la cabale, la magie, etc. » Furetière, *Dictionnaire universel*, 1690 (Huguet, *Petit Glossaire*, 4ᵉ éd., p. 105, renvoie en outre à Molière, *Amants magnifiques*, III, 1 : « Tous les esprits ne sont pas nés avec les qualités qu'il faut pour la délicatesse de ces belles sciences qu'on nomme curieuses »). — Voir plus loin, p. 6, l. 14-15, et p. 9, l. 10-16.

P. 5, l. **7** : « ... *rares* ... »

Texte latin : « magis ... a vulgo remotis ... », t. VI, p. 542.

P. 5, l. **8** : « ... *tomber entre mes mains.* »

Le règlement des Collèges de Jésuites se montrait, en effet, fort strict en ce qui concerne les livres, surtout les modernes : « Auditoribus nostris non quicumque libri temere concedantur, sed ii duntaxat, quos quisque audit in schola, vel qui exponi solent ac possunt in sua classe juxta catalogum infra proponendum ... Ex recentiorum vero libris, et pauci, et magno cum delectu permittendi sunt » (*Ratio studiorum* de 1586, éd. citée, p. 178). Mais on verra que le professeur de mathématiques du jeune Descartes était fort curieux de sciences occultes, et il admit peut-être quelques exceptions à la règle en faveur d'un élève aussi bien doué. Cf. p. 6, l. 14-15.

P. 5, l. **12-13** : « ... *les places de nos maîtres* ... »

M. G. Cohen se demande : « Qui sont ces condisciples? On aurait aimé qu'il les nommât » (*op. cit.*, p. 363). En réalité, ce texte ne fait pas allusion à des élèves exceptionnellement brillants, mais aux novices qui suivaient les cours de Philosophie du Collège en qualité de vétérans. On les employait régulièrement comme moniteurs de leurs camarades plus jeunes, et c'est sans doute en repassant ses leçons avec eux que Descartes eut occasion de se montrer leur égal. Voici, en effet, ce que disait le règlement au sujet de la *Repetitio in scholis* : « Absolutis lectionibus, aliqui inter se audita recolant per semihoram, circiter deni, uno aliquo ex condiscipulis e Societate, si fieri potest, singulis decuriis praeposito. » *Ratio studiorum*, 1599 ; Reg. prof. philos., 16, dans *Monumenta Germaniae Paedagogica*, t. V, p. 340. Voir également le passage : *Institutio eorum qui per biennium privato studio theologiam repetunt*, art. 1 et 3. *Ibid.*, p. 452.

P. 5, l. **17** : « ... *doctrine* ... »

Au sens latin de « science ». Voir traduction latine : « nullam in mundo scientiam dari », t. VI, p. 542.

Tout ce développement tend vers la conclusion suivante : l'insuffisance de la doctrine que l'on m'avait enseignée est la seule cause assignable de ma déception. Car on ne peut l'expliquer ni par l'insuffisance du Collège où j'ai étudié, ni par celle de mes maîtres, ni par la mienne, ni par celle de mon temps. Donc..., etc.

P. 5, l. **20** : « ... *dans les Écoles* ... »

M. Ch. Adam observe justement : « Entré en sixième, il (*scil.* Descartes) suivit le cours régulier des études ; le coup d'œil rétrospectif qu'il y jette en

1637, dans le *Discours de la Méthode*, en reproduit l'ordre chronologique. »
Vie de Descartes, t. XII, p. 21.

P. 5, l. 20 : « *Je savais …* »

Les considérants invoqués par Descartes depuis : « Je savais … », jusqu'au
paragraphe suivant : « Mais je croyais … », en faveur des doctrines que l'on
étudiait de son temps, sont empruntés pour la plupart à leurs définitions
classiques ou aux réflexions élogieuses des écrivains de la Renaissance. « Je
savais » signifie donc ici : « Je reconnaissais ». Cf. texte latin : « Fatebar
enim … », t. VI, p. 542.

P. 5, l. 21 : « *… les langues qu'on y apprend …* »

C'est-à-dire le latin et le grec, enseignées pendant les trois premières années d'études, dans les classes de Troisième, Seconde et Première, dites
classes de Grammaire. Le manuel suivi était celui d'Emmanuel, qui se trouvait encore en usage au xixe siècle et recommandé par le *Ratio studiorum* de
1832 (voir *Monumenta Germaniae Paedagogica*, t. V, p. 258). Cet ouvrage
faisait loi dans tous les Collèges de Jésuites, au moins pour le fond, car
l'ordre en était critiqué et sujet à remaniement. Le niveau des études dans
les trois classes était le suivant : « Et in Tertia quidem classe explicanda
sunt rudimenta Grammaticae. In Secunda breve et facile compendium Syn-
taxeos. In Prima absoluta et perfecta Syntaxis. » *Ratio studiorum*, 1586,
dans *Monumenta Germaniae Paedagogica*, t. V, p. 183. Voir le programme
détaillé, p. 155 et suiv. On observera que l'étude du grec était beaucoup
moins poussée que celle du latin, puisqu'on en réduisait la durée à une demi-
heure par jour. Descartes est cependant sorti de La Flèche capable d'utiliser
un texte écrit en cette langue ; il écrira en effet dans la *Géométrie*, liv. I : « Je
cite plutôt la version latine (du problème de Pappus), afin que chacun l'en-
tende plus aisément » (t. VI, p. 377). Cf. p. 5, l. 23-24.

P. 5, l. 22 : « *… des livres anciens …* »

Cf. J.-L. Vivès, *De causis corruptarum artium*, lib. II, éd. citée, p. 114 :
« Ergo, ne intelligentia veterum scriptorum penitus interiret … »

P. 5, l. 22 : « *… la gentillesse …* »

Caractère agréable d'un récit qui tient à l'art ingénieux avec lequel il est
présenté. Texte latin : « artificiosas fabularum narrationes ».

P. 5, l. 22-23 : « *… des fables …* »

C'est-à-dire tous les récits de caractère fictif ; soit purement poétiques,
comme les *Métamorphoses* d'Ovide (Ch. Adam, *Vie de Descartes*, t. XII,
p. 21) ; soit plutôt choisis parmi ceux qui présentent une signification morale

(Ésope) ou reposent sur un fondement historique (*Éneide*). Cf. « Historiae accedat fabularum cognitio, sed eruditarum, quaeque ad usum vitae, quum res poscit accommodari queant : quales sunt poeticae, tum apologi Aesopici, proverbiorum, et sententiarum, quibus sensus communis addiscitur. » J.-L. Vivès, *De tradendis disciplinis*, lib. V ; éd. citée, p. 636. — Modèle de questions à poser aux élèves : « Cujus historiae fundamentum habent illae fabulae ex Palaephato, ex Eusebio, ex Lilio (*scil.* G. Lilye, auteur des *Elogia virorum illustrium*). » *Ratio studiorum* de 1586, dans *Monumenta. Germaniae Paedagogica*, t. V, p. 172.

P. **5**, l. **23** : « ... *réveille l'esprit* ... »

Texte latin : « ingenium quodammodo expolire et excitare ». Parce que la fable, choisie avec discernement, offre à l'enfant une matière où exercer sa réflexion, et que par là, selon l'expression de Vivès, « sensus communis addiscitur ».

P. **5**, l. **23-24** : « ... *les actions mémorables des histoires* ... »

M. Ch. Adam (*op. cit.*, p. 21) pense que les « fables » et les « histoires » désignent : « ce que l'on étudiait dans les classes de grammaire ». En réalité, la seule mention qui concerne ici en propre les classes de grammaire est celle des « langues qu'on y apprend » et des « fables ». L'histoire appartient plutôt à la quatrième année d'études, c'est-à-dire à la classe d'Humanités, dont elle constitue la matière propre, avec la Poésie, dont Descartes va parler immédiatement après. Cf. « Huic modo (*scil.* constituendi classem Humanitatis) favent Constitutiones 4. P. Cap. 12. A. in Declaratione. « Sub litteris, inquiunt, Humanioribus praeter Grammaticam intelligatur, quod ad Rhetoricam, Poësim et Historiam pertinet. » Deinde Cap. 13. B. quinque classes instituunt, et tribus quidem attribuunt Grammaticam, uni et supremae Rhetoricam, proximae vero Humanitatem. Quo loco cum Humanitatem divisissent in Grammaticam, Historiam, Poësim et Rhetoricam, et cum Grammaticam et Rhetoricam in proprias classes segregassent, consequens est, classi Humanitatis relinqui Historiam et Poësim. » *Ratio studiorum* de 1586, dans *Monumenta Germaniae Paedagogica*, t. V, p. 192. — « Historici vero, qui in hac classe videntur exponendi, sunt Caesar, Sallustius, Q. Curtius, Justinus, Cornelius Tacitus, aliquid Livii. » *Op. cit.*, p. 195.

P. **5**, l. **24** : « ... *le relèvent* ... »

Texte latin : « animum ad magna suscipienda impellere ».

P. **5**, l. **24-25** : « ... *avec discrétion* ... »

C'est-à-dire à la fois avec modération et discernement ; voir plus loin, p. 6, l. 26, et p. 7, l. 6. Texte latin : « cum prudentia ».

P. **5**, l. **25** : « ... *le jugement* ... »

Cf. Montaigne : « C'est un vain étude, qui veut (*scil.* l'histoire) ; mais qui veut aussi, c'est un étude de fruit inestimable. Quel profit ne fera-t-il en cette part-là, à la lecture des vies de notre Plutarque ? Mais que mon guide se souvienne où vise sa charge ; et qu'il n'imprime-pas tant à son disciple où mourut Marcellus, que pourquoi il fut indigne de son devoir qu'il mourut là. Qu'il ne lui apprenne pas tant les histoires, qu'à en juger. » *Essais*, liv. I, ch. XXVI. *De l'institution des enfants*, éd. F. Strowski, t. I, p. 202, l. 20-28.

P. **5**, l. **26** : « ... *une conversation* ... »

Texte latin : « ac si familiari colloquio ... uteremur » (t. VI, p. 542). Voir la même idée dans *Principes*, Préface, t. IX, p. 5, l. 12. — Cf. plus loin, p. 6, l. 20.

P. **5**, l. **27** : « ... *les plus honnêtes gens* ... »

Au sens que marque le texte latin : « praestantissimorum totius antiquitatis ingeniorum » (t. VI, p. 542) ; c'est-à-dire ici : les hommes dont l'esprit était doué des qualités les plus éminentes.

Cf. « *Honnête homme, honnêtes gens. — Honnête homme*, outre la signification qui a été touchée au premier article, et qui veut dire homme d'honneur, homme de probité, comprend encore toutes les qualités agréables qu'un homme peut avoir dans la vie civile ... Quelquefois on appelle aussi *honnête homme* un homme en qui on ne considère alors que les qualités agréables et les manières du monde. Et, en ce sens, *honnête homme* ne veut dire autre chose que galant homme, homme de bonne conversation, de bonne compagnie... *Honnêtes gens* se dit dans tous les sens d'*honnête homme.* » *Dictionnaire de l'Académie* (1694), dans Huguet, *Petit Glossaire*, 4ᵉ édit., p. 196. Cf. également la définition de l'*honnêteté* qu'a donnée le Chevalier de Méré : « Si quelqu'un me demandait en quoi consiste l'honnêteté, je dirais que ce n'est autre chose que d'exceller en tout ce qui regarde les agréments et les bienséances de la vie, » cité par L. Brunschwicg, *Blaise Pascal, Pensées et opuscules*, éd. minor, 4ᵉ éd., Paris, 1907, p. 116 ; voir p. 116-117 en entier. — Cf. Montaigne, texte cité plus loin, à p. 6, l. 20-21 ; et aussi *Essais*, liv. III, p. 3 ; t. III, p. 51, l. 25 et suiv.

P. **5**, l. **28-29** : « ... *étudiée* ... »

Texte latin : « et quidem colloquio ita praemeditato » (t. VI, p. 542).

P. **5**, l. **30** : « ... *que l'Éloquence* ... »

L'étude de l'art oratoire, déjà commencée pendant la quatrième année

8

d'études (Humanités) par l'explication des discours de Cicéron, ainsi que des discours insérés par César, Salluste et Tite-Live dans leurs histoires, constituait la matière propre de la cinquième année d'études (classe de Rhétorique). Bien que les autres auteurs n'y fussent pas oubliés, on peut dire que l'année de Rhétorique était l'année de Cicéron : « Aliud est enim Latinus stylus, aliud stylus Oratorius et pure Tullianus : posterior quidem ex M. Tullio, praesertim ex libris Rhetoricis et Orationibus, petendus videtur, prior vero ex aliis etiam Autoribus, quales leguntur in classe Humanitatis. Cum vero altior sit Oratorius stylus, quam latinus quilibet, ille servandus est supremae classi (*scil.* Rhetorica), in qua non nisi Tullius legatur, qui solus prope facit oratores ». *Ratio studiorum* de 1586, dans *Monumenta Germaniae Paedagogica*, t. V, p. 193. On apprenait donc le latin en Humanités et le Cicéron en Rhétorique ; c'est là le sens précis du terme « Éloquence ». Le plan d'études l'associe d'ailleurs étroitement à celui de Poésie, comme fait ici le *Discours*. Cf. « (Rhetorica) ad perfectam ... eloquentiam informat, quae duas facultates maximas, oratoriam et poëticam, comprehendit ... » *Ratio studiorum* de 1599, éd. citée, p. 398. — On notera que le *Ratio studiorum* ne nomme que cinq classes de lettres (Grammaire (trois ans), Humanités, Rhétorique) ; il faut donc supposer soit que la classe d'Humanités ait été dédoublée (c'est ainsi que compte M. Ch. Adam, *op. cit.*, t. XII, p. 21) ; soit que, entré en cours d'année dans la plus basse classe de Grammaire, l'écolier ait redoublé cette classe l'année suivante. On obtient ainsi les *novem fere annos* passées à La Flèche.

    P. **5**, l. **30** : « ... *a des forces* ... »

C'est-à-dire : des ressources pour produire des effets puissants.

    P. **5**, l. **31** : « ... *que la Poésie* ... »

Constituait, avec l'Histoire, la matière propre de la classe d'Humanités (quatrième année d'études). Auteurs expliqués : « Poëtae vero hujus classis fere sunt Virgilius, Horatius, Fasti Ovidii, Tragoediae Senecae, Statii Sylvae, Claudianus. » *Ratio studiorum* de 1586, dans *Monumenta Germaniae Paedagogica*, t. V, p. 196. Les élèves s'exerçaient à composer des vers latins sur des sujets proposés (*op. cit.*, p. 194), ce dont Descartes se souviendra plus tard (à *Huygens*, 14 mars 1644, t. IV, p. 102, l. 2-3) ; et l'on sait que, non content de citer en effet Virgile, Horace et Ovide, il emprunta la devise suivante à Sénèque le Tragique :

> *Illi mors gravis incubat,*
> *Qui, notus nimis omnibus,*
> *Ignotus moritur sibi.*

    Cf. Ch. Adam, *Vie de Descartes,* dans *Œuvres*, t. XII, p. 21, note *c*. —

Sur l'importance attribuée par Descartes aux pensées que l' « enthousiasme » inspire aux poètes, voir plus loin, à p. 7, l. 11.

P. **6**, l. **1** : « ... *des délicatesses* ... »
Texte latin : « amoenius » (t. VI, p. 542).

P. **6**, l. **1-2** : « ... *que les Mathématiques* ... »
Sur l'enseignement des Mathématiques à La Flèche, voir plus loin, à p. 7, l. 24.

P. **6**, l. **2** : « ... *très subtiles* ... »
Texte latin : « multa ... acutissime inventa » (t. VI, p. 542).

P. **6**, l. **3** : « ... *contenter* ... »
Contenter, c'est-à-dire, au sens fort : satisfaire l'esprit. Texte latin : « curiosos oblectant ». Cf. « Ad has omnes utilitates (*scil.* mathematicarum disciplinarum) accedit maxima jucunditas, atque voluptas, qua cujusque animus his artibus colendis exercendisque perfunditur. Sunt enim hae praecipuae ex septem artibus liberalibus, in quibus non solum ingenui adolescentes, verum etiam nobiles viri, principes, reges ac imperatores ad honestissimam, maximeque liberalem oblectationem animi, quam summa etiam cum utilitate conjunctam pariunt, diu multumque versari solebant. » Christ. Clavius, S. J., *Opera mathematica*, Moguntiae, 1612, t. I, Prolegomena, p. 6.

P. **6**, l. **3** : « ... *les curieux* ... »
« *Curieux* s'emploie aussi quelquefois dans le substantif, et alors il signifie celui qui prend plaisir à faire amas de choses curieuses et rares, ou celui qui a une grande connaissance de ces choses. *Le cabinet d'un curieux. C'est un homme qui est toujours avec les curieux.* » Dictionnaire de l'Académie (1694). Cf. Huguet, *Petit Glossaire*, p. 104.

P. **6**, l. **4** : « ... *tous les arts* ... »
Texte latin : « ... in operibus quibuslibet perficiendis, ... » (t. VI, p. 542).

P. **6**, l. **4-5** : « ... *diminuer le travail des hommes* ... »
La fin que ce texte assigne aux mathématiques coïncide avec celle que le *Ratio studiorum* leur assignait : « Constitutiones (*scil.* Soc. Jesu) 4 Part., cap. 12, C. : Tractabitur, inquiunt, Logica, Physica, Metaphysica, Moralis scientia et etiam Mathematicae, quatenus tamen ad finem propositum conveniunt. » — Convenire autem videntur non parum, non solum quia sine Mathematicis Academiae nostrae magno carerent ornamento, quin et mutilae forent, cum nulla sit fere paulo celebrior Academia, in qua suus non

sit, et quidem non ultimus locus Mathematicis disciplinis : sed multo etiam magis, quia illarum praesidio caeterae quoque scientiae indigent admodum. Illae namque suppeditant atque exponunt Poëtis ortus occasusque siderum ; Historicis locorum facies atque intervalla ; Analyticis solidarum exempla demonstrationum ; Politicis artes plane admirabiles rerum bene gerendarum domi militiaeque ; Physicis coelestium conversionum, lucis, colorum, diaphanorum, sonorum formas et discrimina ; Metaphysicis Sphaerarum atque Intelligentiarum numerum ; Theologis praecipuas divini opificii partes ; Juri et consuetudini ecclesiasticae accuratas temporum supputationes. Ut praetereantur interea quae ex Mathematicorum labore redundant in Rempublicam utilitates, in morborum curationibus, in navigationibus, in agricolarum studio. » *Ratio studiorum*, De mathematicis, p. 1, dans *Monumenta Germaniae Historica*, t. V, p. 141. Pour le *Ratio studiorum* de 1599, voir *op. cit.*, p. 348. C'est précisément ce caractère surtout utilitaire (voir plus haut : « sed multo etiam magis ... ») que Descartes reprochera à l'enseignement des mathématiques tel qu'il l'a reçu ; voir plus loin, à p. 7, l. 27.

P. **6**, l. **5** : « ... *les écrits qui traitent des mœurs* ... »

En règle générale, et dans l'intention de décharger le professeur de Philosophie, on confiait l'enseignement de la morale à un professeur spécial, et cet enseignement lui-même conservait un caractère particulier, moins technique, plus littéraire, et aussi plus pratique, que celui de la Philosophie proprement dite. L'enseignement de la morale prenait, pendant la troisième année de philosophie, la place de discipline complémentaire qu'occupaient les mathématiques pendant la deuxième année : « Ea vero facultas, cum Philosophiae pars sit, Philosophis videtur praelegenda, et quidem anno tertio eadem hora, qua in secundo Mathematicam audiunt ... Porro curandum est, ut non a lectore cursus Philosophici Ethica praelegentur, ne trium lectionum oneri succumbat. Ut autem uno anno possint octo libri Ethicorum (nam octavus et nonus compendio percurrendi essent) absolvi, satis erit, sic singula capita Aristotelis exponere, ut, cujusque capitis sententia breviter comprehensa, annotentur mox et expendantur quaedam sententiae celebriores : tum paucae quaestiunculae tractentur ex solis principiis Aristotelis, iis omnino praetermissis, quae ex revelatis veritatibus pendent : quin potius de iis disseratur fusius, quae vix attingit Theologus, ut de Passionibus, de Habitibus, de Virtutibus in genere et aliis hujusmodi : atque haec omnia majore quadam exornentur elegantia sermonis et cognitione Antiquitatis, Apophtegmatum, Adagiorum, Sententiarum ex Philosophis aut Poëtis, et aliis id genus » (*Ratio studiorum* de 1586, *op. cit.*, p. 134-135). C'est pourquoi Descartes parle ici (l. 6-7) des « exhortations à la vertu » que contient la Morale, et c'est aussi pourquoi il parlera plus loin (p. 7, l. 30) des « écrits des

anciens païens, qui traitent des mœurs ». On peut conjecturer qu'il prit contact dès le Collège avec les œuvres de Sénèque, dont l'influence sur sa pensée devait être si profonde.

P. **6**, l. **8** : « ... *enseignements* ... »
Texte latin : « praecepta » (t. VI, p. 542).

P. **6**, l. **8** : « ... *à gagner le ciel* ... »
Cf. saint Thomas d'Aquin : « Ad ea etiam, quae de Deo ratione humana
investigari possunt, necessarium fuit hominem instrui revelatione divina ;
quia veritas de Deo per rationem investigata, a paucis, et per longum tempus,
et cum admixtione multorum errorum homini proveniret, a cujus tamen
veritatis cognitione dependet tota hominis salus, quae in Deo est. Ut igitur
salus hominibus et convenientius, et certius proveniat, necessarium fuit,
quod de divinis per divinam revelationem instruerentur. Necessarium igitur
fuit, praeter philosophicas disciplinas, quae per rationem investigantur,
sacram doctrinam per revelationem haberi. » *Summa Theologica*, Pars Iᵃ,
qu. 1, art. 1, Concl. — Sur la tendance que manifeste ici Descartes à réduire
la science théologique à la foi brute, voir plus loin, p. 8, l. 9.

P. **6**, l. **8** : « ... *que la Philosophie* ... »
1º L'enseignement de la Philosophie dans les Collèges des Jésuites occupait les trois dernières années (durée imposée par les Constitutions : « Uni-
versam philosophiam non minus quam triennio praelegat ... », *Const.*, p. 4,
c. 15, n. 2. Cf. sur ce point *Ratio studiorum* de 1586, dans *Monumenta Germaniae Paedagogica*, t. V, p. 125-126 ; et *Ratio studiorum* de 1599, t. V,
p. 332) ; il comprenait deux heures de leçon, une le matin et une l'après-
midi (*Ratio studiorum* de 1586, *op. cit.*, p. 133 ; et de 1599, p. 332). Les
professeurs dictaient leur cours ou, s'ils ne le dictaient pas, parlaient avec
une lenteur calculée pour que les élèves pussent tout écrire exactement ; on
leur laissait quelque temps après la classe pour compléter leur cahier (*op.
cit.*, p. 133), et les supérieurs veillaient à ce que les cours fussent toujours
exactement achevés par les professeurs à la fin de chaque année. Descartes
restera toujours reconnaissant à ses anciens maîtres de lui avoir enseigné
« le cours entier » de la Philosophie (« universa philosophia », dit le *Ratio
studiorum*), de lui avoir dicté leurs cours et de les avoir achevés. Cf. *à* ***,
12 septembre 1638, t. II, p. 377, l. 10-p. 378, l. 2. — Après la classe et la
correction des cahiers venait la Répétition, qui s'effectuait par groupes de
quatre, cinq ou dix élèves, sous la direction d'un Novice et la surveillance
générale du professeur, qui circulait de groupe en groupe (*Ratio studiorum* de
1586, *op. cit.*, p. 134) ; cet exercice durait une demi-heure.
2º Considéré quant à sa matière, l'enseignement de la Philosophie repo-

sait tout entier sur la doctrine d'Aristote, comme l'exigeaient les Constitutions de la Société de Jésus, 4 Part. Cap. 14, n. 3 : « In Logica, et Philosophia naturali et morali, et Metaphysica, doctrina Aristotelis sequenda est. »
Le *Ratio studiorum* de 1586 conseillait avec insistance l'explication du texte
même d'Aristote (*op. cit.*, p. 130), mais on semble avoir eu quelque peine à
l'obtenir, et les cahiers manuscrits ou manuels imprimés qui nous ont été
conservés prouvent que, dans la pratique, on aboutissait le plus souvent à des
cours magistraux et continus, analogues à ceux qui s'enseignent aujourd'hui encore dans nos lycées français. Saint Thomas d'Aquin y était l'interprète en quelque sorte officiel d'Aristote (*op. cit.*, p. 140), sauf un petit
nombre de points réservés (*op. cit.*, art. 20, p. 140-141), et l'on tenait d'autant plus à cette prescription que l'enseignement de la Philosophie était
consciemment orienté vers celui de la Théologie, dont on la considérait
comme la servante : « Quoniam artes vel scientiae naturales ingenia disponunt ad Theologiam et ad perfectam cognitionem et usum illius inserviunt,
et per se ipsas ad eumdem finem juvant, eas, qua diligentia par est, Praeceptor, in omnibus sincere honorem et gloriam Dei querendo, ita tractet,
ut auditores suos, ac praecipue nostros ad Theologiam praeparet, maximeque
ad cognitionem excitet sui Creatoris. In rebus alicujus momenti ab Aristotele non recedat, nisi quid incidat a doctrina, quam Academiae ubique probant, alienum ; multo magis, si orthodoxae fidei repugnet : adversus quam,
si quae sunt illius aliive philosophi argumenta, strenue refellere studeat
juxta Lateranense Concilium ... Contra vero de S. Thoma nunquam non
loquatur honorifice : libentibus illum animis, quoties oporteat, sequendo ;
aut reverenter et gravate, si quando minus placeat, deserendo » (*Ratio studiorum* de 1599, *op. cit.*, p. 329-330). Le professeur de Philosophie devait
donc être un théologien : « nam si Theologi non fuerint, minus erunt tuti
in concludendo, in probando, in loquendo ... ; vix dissolvere poterunt argumenta Infidelium ... ; neque ita Philosophiam pertractabunt, ut Theologiae
deserviat » (*Ratio studiorum* de 1586, *op. cit.*, p. 133).

3º Le programme des classes de Philosophie était le suivant :

1ʳᵉ année. — LOGIQUE. D'après les manuels de Fonseca ou de Tolet, en
différant le problème des Universaux jusqu'à la métaphysique. Prédicaments (surtout analogie et relation). *De interpretatione*, II, en entier ; Premiers Analytiques, I et II, sauf les huit ou neuf premiers chapitres du lib. I
(en résumé). — Prolégomènes à la Physique, sous forme de questions sur la
Science et ses divisions. — Notions sur les Topiques et les Sophismes.

2ᵉ année. — PHYSIQUE. Les huit livres de la Physique d'Aristote (les
livres I, VI et VII en résumé). — Le *De Coelo* (résumer ou passer les livres II,
III, IV. Laisser au professeur de Mathématiques ce qui concerne le Ciel, sa
substance et l'influence qu'il exerce sur la terre). — *De Generatione*, lib. I.
— Le traité des Météores, par le professeur de Philosophie ou, à la rigueur,
par un professeur spécial.

3e année. — MÉTAPHYSIQUE. *De Generatione*, lib. II. *De Anima* (sans digressions médicales sur les organes des sens et leur structure). *Metaphysicorum libri*, en passant celles des questions relatives à Dieu et aux anges, qui relèvent surtout de la théologie. Ajouter le cours complémentaire de Morale.

P. **6**, l. **9** « ... *vraisemblablement* ... »

Voir plus loin, p. 8, l. 29.

P. **6**, l. **10-11** : « ... *la Jurisprudence* ... »

Au sens général de : science du droit. Descartes étudia pendant deux ans le droit à l'Université de Poitiers, sans que l'on puisse affirmer qu'il ait continuellement séjourné dans cette ville de 1614 à 1616. Sa présence y est attestée à la date du 21 mai 1616, où il fut parrain de l'enfant d'un tailleur chez qui il avait une chambre en location. C'est également à l'Université de Poitiers qu'il passa son baccalauréat et sa licence en droit civil et droit canonique. Il fut reçu bachelier le 9 novembre 1616, et licencié le lendemain, 10 novembre, avec la mention *Et laudetur* pour les deux examens. Pour les questions posées, voir Ch. Adam, *Vie de Descartes*, p. 40, note *a*.

P. **6**, l. **11** : « ... *et la Médecine* ... »

M. Ch. Adam (*Vie de Descartes*, p. 39) suppose la présence de professeurs de médecine au collège de La Flèche. En fait, on ne peut citer à l'appui de cette hypothèse que la présence d'un médecin qui « pouvait » enseigner la médecine, ce qui est fort peu, car il pouvait aussi ne pas l'enseigner. Par contre, M. Ch. Adam cite le texte du *Ratio studiorum* qui interdit à la fois l'enseignement de la médecine et du droit (p. 39, note *a*). En l'absence de tout document qui prouve ou même suggère le contraire, on doit donc admettre que le jeune Descartes s'instruisit, comme tout le monde, dans une Université. Et puisque nous savons qu'il étudia le droit à celle de Poitiers, rien de plus naturel que la deuxième hypothèse proposée plus loin par M. Ch. Adam : « Peut-être aussi fit-il alors à Poitiers quelques études de médecine, comme son aïeul paternel, le médecin Pierre Descartes, et comme son bisaïeul maternel, le médecin Jean Ferrand » (p. 40). C'est évidemment à cette hypothèse qu'il convient de se rallier ; et c'est encore pourquoi la fin du « cours d'études » coïncide avec la fin des études de Descartes, non à La Flèche, mais à l'Université.

P. **6**, l. **11** : « ... *les autres sciences* ... »

C'est-à-dire les sciences occultes, qui enrichissent les charlatans aux dépens des dupes qu'ils exploitent.

P. **6**, l. **12** : « ... *et des richesses* ... »

Savoir, comme l'indique l'ordre du texte, les honneurs pour la Jurisprudence et les richesses pour la Médecine. Cf. J. Clauberg : « Cartesius vulgarem versum respiciens : « *Dat Galenus opes, dat Justinianus honores* », dans *Defensio cartesiana*, cap. IV, art. 17, éd. citée, p. 41.

P. **6**, l. **14** : « ... *examinées* ... »

Mais non pas, à proprement parler, étudiées. Cf. le texte latin : « nec omnino ullam esse, etiam ex maxime superstitiosis et falsis, cui *aliquam operam dedisse* non sit utile ... », t. VI, p. 543.

P. **6**, l. **14-15** : « ... *les plus superstitieuses et les plus fausses* ... »

C'est-à-dire, comme on le voit plus loin, p. 9, l. 10-16, l'Alchimie, l'Astrologie et la Magie. L'examen auquel Descartes les a soumises remonte à son séjour à La Flèche, comme il l'a dit lui-même p. 5, l. 7-8. Son professeur de mathématiques, le P. François, s'y intéressait fort et devait composer plus tard un traité pour les réfuter : voici comment il en classait les variétés : « *La multiplicité de ces arts.* — Elle est telle qu'on ne peut sans étonnement en voir la variété ... Mais pour ne m'arrêter qu'aux arts qui sont reçus avec le plus de vogue..., la Géomantie devine les choses futures par la terre, l'Hydromantie par l'eau, la Pyromantie par le feu, la Belomantie par les flèches, la Coskynomantie par les cribles, la Catoptromantie par les miroirs, l'Oinomantie par le cri et le vol des oiseaux, la Splagehnomantie par les entrailles des animaux, la Nécromantie par les morts, la Physiomantie par la complexion et la proportion du corps, la Prosopomantie par les lignes et traits du visage, la Chiromantie par les traits et parties de la main, l'Onomantie par les lettres du nom, l'Oniromantie par les songes, la Cabale par certains noms et figures, l'Astromantie par les Astres : et comme celle-ci se sert d'un sujet plus noble, plus relevé et plus universel, aussi elle est reçue comme art de deviner par excellence ; mais aussi elle est l'art de mentir et de tromper par excellence. » J. François, *Traité des influences célestes, où les merveilles de Dieu dans les cieux sont déduites, les inventions des astronomes pour les entendre sont expliquées, les propositions des astrologues judiciaires sont démontrées fausses et pernicieuses, par toutes sortes de raisons, d'autorités et d'expériences*, Rennes, P. Hallaudays, 1660, p. 3. Cf. *Exemples des erreurs et des tromperies des astrologues, Ibid.*, p. 224-230. Le P. J. François doit donc avoir enseigné à son jeune élève l'horreur de la superstition, mais il en avait lui-même de bons restes : « C'est une chose avérée par une fréquente expérience, que les animaux et particulièrement les hommes ne meurent jamais d'une mort naturelle sur les côtes de la mer de Dieppe en Normandie qu'au reflux de la mer, et de Guyenne, qu'au flux. » *Ibid.*, p. 28 ; une extraordinaire histoire d' « envie »,

p. 29 ; la « belette qui va mourir dans la gueule d'un crapaud ... », p. 44, etc.
Ce n'est donc pas à lui que Descartes doit d'être demeuré libre de ces vieilles
traditions qui ont encombré le moyen âge et la Renaissance. On n'en trouve
dans toute son œuvre qu'une marque indiscutable, et elle date de sa jeunesse : « Id tantum videtur vocem humanam nobis gratissimam reddere,
quia omnium maxime conformis est nostris spiritibus. Ita forte etiam ami-
cissimi gratior est, quam inimici, ex sympathia et dispathia affectuum :
eadem ratione qua aiunt ovis pellem tensam in tympano obmutescere, si
feriatur, lupina in alio tympano resonante. » *Compendium Musicae*, I ; t. X,
p. 90, et note *a*.

P. 6, l. 17 : « *Mais je croyais ...* »

Le développement qui précède résumait les raisons qui justifient dans
une certaine mesure « les exercices auxquels on s'occupe dans les Écoles » et,
comme il était naturel, Descartes y parle avec ses souvenirs. Le développement nouveau qui commence ici contient, au contraire, la critique de ces
exercices. Si le sentiment de désappointement éprouvé par Descartes à la
fin de ses études ne paraît pas douteux, il serait cependant excessif d'affirmer qu'il se soit traduit dès lors par une critique aussi consciente que celle qui
se trouve relatée dans le *Discours*, et surtout formulée dans les mêmes
termes. Le départ entre ce qui correspond dans ce texte à un fond historique
et ce que l'on doit attribuer à un remaniement ultérieur, soit des idées, soit
des expressions, ne semble pas pouvoir être effectué avec précision.

P. 6, l. 20 : « *... de converser ...* »

Texte latin : « agere cum viris prisci aevi » (t. VI, p. 543). Ce terme évoque
en effet moins immédiatement notre idée moderne d'entretien que celle de :
relations suivies avec quelqu'un. « *Converser.* Être ordinairement avec quelqu'un ... *Il ne converse qu'avec les bêtes.* » *Dictionnaire de l'Académie* (1694).
Cf. Huguet, *Petit Glossaire*, p. 96. Et plus loin, IIᵉ Partie, p. 11, l. 8 : « ne
trouvant aucune conversation qui me divertît », c'est-à-dire : aucune relation suivie avec quelqu'un.

P. 6, l. 20 : « *... des autres siècles ...* »

Cf. Montaigne : « En cette pratique des hommes, j'entends y comprendre,
et principalement, ceux qui ne vivent qu'en la mémoire des livres. Il pra-
tiquera par le moyen des histoires ces grandes âmes des meilleurs siècles. »
Essais, liv. I, ch. xxvi, *De l'institution des enfants*, éd. F. Strowski, t. I,
p. 202, l. 17-20.

P. 6, l. 20-21 : « *... que de voyager ...* »

Cf. Charron : « Or, ces deux manières de profiter par paroles et par

exemples, encore sont-elles doubles ; car elles s'exercent et se tirent des gens
excellents, ou vivants, par leur fréquentation et conférence sensible et
externe, ou morts, par la lecture des livres. Le premier commerce des vivants
est plus vif et plus naturel ... Et ceci s'exerce, ou sans guère s'éloigner de
chez soi, ou bien en voyageant et visitant les pays étrangers ... L'autre commerce avec les morts par le bénéfice des livres est bien plus sûr et plus à
nous, plus constant et qui moins coûte. » *De la Sagesse*, liv. III, ch. xiv,
n. 26-27.

P. 6, l. 22 : « ... *de divers peuples* ... »

Cf. Montaigne : « A cette cause, le commerce des hommes y est merveilleusement propre, et la visite des pays étrangers ... pour en rapporter principalement les humeurs de ces nations et leurs façons, et pour frotter et
limer notre cervelle contre celle d'autrui. » *Essais*, liv. I, ch. xxvi, *De l'institution des enfants*, éd. F. Strowski, t. I, p. 198, l. 3-11.

P. 6, l. 24-25 : « ... *contre raison* ... »

Cf. Charron : « Le sot populaire et pédant ne s'y trouve point empêché
(*scil.* à juger des coutumes), car tout détroussément il condamne comme barbarie et bêtise tout ce qui n'est pas de son goût, c'est-à-dire de l'usage commun et coutume de son pays ; car il tient pour règle unique de vérité, justice, bienséance, la loi et coutume de son pays. » *De la Sagesse*, liv. II,
ch. viii, n. 5.

P. 6, l. 30 : « ... *en celui-ci.* »

C'est-à-dire : « De même que, lorsqu'on emploie trop de temps ..., de
même aussi, lorsqu'on est trop curieux des choses ... » L'argument vise la
conception de l'érudition et de l'histoire chère à Montaigne et aux humanistes de la Renaissance : l'érudition et l'histoire nous livrent l'*expérience* de
l'homme et de la société. Cf. J.-L. Vivès : « Experimenta nostra accedunt
aetate et rerum actibus ; aliena ex cognitione prioris memoriae discuntur,
quae historia nuncupatur ... », etc. *De tradendis disciplinis*, lib. V, éd.
citée, p. 616, et les textes de Montaigne ou de Charron, cités plus haut, sur
l'analogie de la lecture et du voyage.

P. 7, l. 1 : « ... *qui ne le sont point* ... »

Dans l'avenir comme dans le passé, les fables nous font imaginer comme
pouvant s'être produits ou pouvant se produire des événements qui n'ont
jamais pu ou ne pourront jamais arriver. La traduction commente bien
cette double orientation de *possible* vers le passé comme vers l'avenir :
« Praeterea fabulae plurimas res, quae fieri minime possunt, tanquam si aliquando contigissent, repraesentant, invitantque nos hoc pacto vel ad ea

suscipienda quae supra vires, vel ad ea speranda quae supra sortem nostram sunt. » Toute la fin depuis : « invitantque ... », est une addition du texte latin.

P. **7**, l. **6-7** : « ... *tel qu'il est.* »

C'est donc bien contre la conception de l'histoire comme source d'expérience et de connaissance du réel que Descartes s'élève ici. Cette critique, un peu trop finement nuancée peut-être pour représenter fidèlement l'état d'esprit du philosophe en 1614, peut cependant correspondre à un sentiment réellement éprouvé du caractère trop constamment « noble » de l'histoire pour que sa véracité n'en souffre pas. En tout cas, on se tromperait en cherchant dans ces lignes la critique définitive et spécifiquement cartésienne de l'humanisme. Elle est ailleurs, et Descartes s'est bien gardé de la présenter comme sienne dès cette époque. Cette critique suppose que la conception proprement cartésienne de la science, conçue comme une connaissance rationnelle de type mathématique, se trouve définitivement élaborée. A partir de ce moment, en effet, il apparaît que l'humanisme repose sur l'*érudition* et, par conséquent aussi, sur la *mémoire*, alors que la véritable discipline intellectuelle doit être à base de *science*, et par conséquent aussi de *raison*. Cf. Descartes : « Mais, afin que vous conceviez plus distinctement de quelle qualité sera la doctrine que je vous promets, je désire que vous remarquiez la différence qu'il y a entre les sciences et les simples connaissances qui s'acquièrent sans aucun discours de raison, comme les langues, l'histoire, la géographie, et généralement tout ce qui ne dépend que de l'expérience seule. Car je suis bien d'accord que la vie d'un homme ne suffirait pas pour acquérir l'expérience de toutes les choses qui sont au monde ; mais aussi je me persuade que ce serait folie de le désirer, et qu'un honnête homme n'est pas plus obligé de savoir le grec ou le latin que le suisse ou le bas-breton, ni l'histoire de l'Empire que celle du moindre État qui soit en l'Europe ; et qu'il doit seulement prendre garde à employer son loisir en choses honnêtes et utiles, et à ne charger sa mémoire que des plus nécessaires. » *Recherche de la Vérité*, t. X, p. 502, l. 22-p. 503, l. 7. Descartes fait donc preuve de discernement dans le choix des opinions qu'il fait remonter à cette époque.

P. **7**, l. **9** : « ... *des Paladins* ... »

Primitivement (du latin : *palatinus*), héros légendaire de la suite de Charlemagne (Roland, etc.), ou du roi Artus (Tristan, etc.). Par extension, tous les « héros de roman ». Texte latin : « antiquorum Heroum ».

P. **7**, l. **10** « : ... *leurs forces* ... »

La remarque s'applique non seulement à la fable, mais à l'histoire en tant qu'elle embellit la réalité par addition d'éléments fictifs ou prétérition de petitesses réelles. Son utilité est de « relever » l'esprit, son danger est de le relever jusqu'à concevoir des desseins qui passent nos forces.

P. **7**, l. **11** : « ... *j'étais amoureux* ... »

Expression intentionnellement très forte et qui témoigne d'une vraie passion du jeune Descartes pour la lecture des poètes. (Texte latin : « non parvo Poëseos amore incendebar ».) Il semble d'ailleurs avoir trouvé près d'eux plus de satisfactions, même au point de vue intellectuel, qu'auprès des philosophes, car c'est chez les poètes, dira-t-il en 1619-1620, plutôt que chez les philosophes, que sont les pensées lourdes de sens (« graves sententiae » ; t. X, p. 217, l. 17) ; mais il ajoutera aussitôt, d'accord avec notre passage du *Discours*, que c'est précisément parce que les poètes se livrent à l'inspiration. Si cette opinion ne datait pas de 1616, ce qui n'a cependant rien d'impossible, elle daterait donc de 1620 au plus tard.

P. **7**, l. **13** : « ... *des fruits de l'étude* ... »

Répond à p. 5, l. 30 : « Que l'Éloquence ... », etc. Ici encore on ne peut avoir pleine certitude que la méfiance de Descartes à l'égard de la *Rhétorique* et de l'*Art poétique* remonte vraiment à cette époque. Toutefois, un tel sentiment s'accorde mieux avec l'état d'esprit d'un jeune homme que le sentiment contraire, et de plus, comme nous l'avons rappelé, il est confirmé par des textes postérieurs de cinq ou six ans seulement à 1614. Dans le songe que relatent les *Olympica* (10 novembre 1619), le *Corpus Poetarum* symbolisera immédiatement à ses yeux « la Révélation et l'Enthousiasme » (t. X, p. 184).

P. **7**, l. **14-15** : « ... *qui digèrent* ... »

Au sens ancien de : « mettre en ordre ». Cf. texte latin : « quique ea quae cogitant quam facillimo ordine disponunt ». T. VI, p. 543.

P. **7**, l. **18** : « ... *que bas Breton* ... »

C'est-à-dire un dialecte « barbare » en ce qu'il n'est pas une langue littéraire. Cf. texte latin : « barbara tantum Gothorum lingua » (t. VI, p. 543), et aussi le texte de la *Recherche* cité plus haut, à p. 7, l. 6-7 : « ... le suisse ou le bas-breton ... »

P. **7**, l. **19** : « ... *les inventions* ... »

Ce que l'écrivain a su imaginer pour intéresser ou convaincre le lecteur :

> « Le Poète s'égaye en mille inventions,
> Orne, élève, embellit, agrandit toutes choses. »
>
> (Boileau, *Art poétique*, III.)

P. **7**, l. **21** : « ... *ornement* ... »

Littré : « Figures, formes de style qui servent à embellir le discours. »

P. **7**, l. **21** : « ... *douceur* ... »

Caractère harmonieux du style.

P. **7**, l. **22** : « ... *les meilleurs Poètes* ... »

Descartes, qui situe la méthode au premier plan dans l'ordre de la science, situe l'inspiration au premier plan dans l'ordre de l'art, et cela de quelque art qu'il s'agisse : art oratoire, poésie, musique. Toutefois, nous avons vu qu'au moins à l'époque des *Olympica*, il place une certaine inspiration à l'origine de la philosophie, point sur lequel Descartes n'est jamais revenu, ni pour l'affirmer de nouveau, ni pour le nier. Mais, inversement, il maintient implicitement dans le texte du *Discours* la nécessité d'une certaine technique (« ... exprimer avec le plus d'ornement et de douceur ... »), pourvu qu'elle se subordonne à l'inspiration. C'est de ce point de vue qu'il jugea les deux airs différents composés par Antoine Boësset, intendant de la musique de Louis XIII, et Jean-Albert Ban, sur les mêmes paroles : « Pour la musique de M. Ban, je crois qu'elle diffère de l'Air de Bosset, comme la Creye (*scil.* la *Chrie :* exercice scolaire qui consistait à donner d'un même thème autant de développements qu'il y a de lieux communs, ou *loci*) d'un écolier qui a voulu pratiquer toutes les règles de sa Rhétorique diffère d'une Oraison de Cicéron, où il est malaisé de les reconnaître. Je lui en ai dit la même chose, et je crois qu'il l'avoue à présent ; mais cela n'empêche pas qu'il ne soit très bon musicien, et d'ailleurs fort honnête homme, et mon bon ami, ni aussi que les règles ne soient bonnes, aussi bien en Musique qu'en Rhétorique. » *A Mersenne*, décembre 1640, t. III, p. 255, l. 20-28.

P. **7**, l. **22** : « ... *art Poétique* ... »

Texte latin : « omnia Poeticae Artis praecepta » ; c'est-à-dire l'Art Poétique par excellence, celui d'Horace.

P. **7**, l. **24** : « ... *surtout aux Mathématiques* ... »

En chargeant le P. Bourdin de distribuer à divers Jésuites un certain nombre d'exemplaires des *Principia philosophiae*, Descartes lui mandait : « et les autres seront, s'il vous plaît, pour le R. P. F***, mon ancien maître, et pour les Révérends Pères Vatier, Fournier, Mesland, Grandamy, etc. » (t. IV, p. 144, l. 1-3). M. Ch. Adam ne voit, pour compléter cette initiale, que le nom du P. Jean François, professeur de Philosophie et de Mathématiques à La Flèche, de 1613 à 1621 ; mais la fausse hypothèse, que lui suggère Baillet, du départ de Descartes en 1612, le détourne de cette conclusion. Sachant maintenant que Descartes a quitté La Flèche en 1614, nous devons au contraire voir dans cette initiale une nouvelle confirmation de cette date et admettre que le P. Jean François fut le professeur de Mathématiques du jeune Descartes.

L'enseignement de cette science se plaçait alors au cours de la deuxième année de Philosophie, où il était distribué à raison de trois quarts d'heure par jour, plus des répétitions supplémentaires pour les élèves particulièrement doués, comme c'était ici le cas (« Audiant et secundo Philosophiae anno Philosophi omnes in schola tribus circiter horae quadrantibus Mathematicam praelectionem. Si qui praeterea sint idonei et propensi ad haec studia, privatis post cursum lectionibus exerceantur ». *Ratio studiorum* de 1599, dans *Monumenta Germaniae Paedagogica*, t. V, p. 256), et des réunions solennelles consacrées à la solution publique de problèmes célèbres (« Singulis aut alternis saltem mensibus ab aliquo auditorum magno Philosophorum Theologorumque conventu illustre problema mathematicum enodandum curet [*scil.* professor Mathematicae]; posteaque, si videbitur, argumentandum », *op. cit.*, p. 348. Il restera toujours chez Descartes quelque chose de cette conception solennelle et guerrière du problème mathématique). Le jeune philosophe fut donc l'élève du P. François pendant l'année scolaire 1612-1613, en même temps qu'il étudiait la physique d'Aristote sous la direction du P. Fournet.

Les traités de mathématique dont le P. François était l'auteur, et qui se trouvent encore presque tous à la Bibliothèque nationale (voir *Catalogue général des imprimés, ad loc.* Pour la liste complète : Sommervogel, *Bibliothèque de la Compagnie de Jésus*, Paris, 1898, *ad loc.*), nous permettent de constater dans quel esprit il distribuait cet enseignement et quelles matières l'intéressaient davantage. Il nous a laissé, notamment, un excellent échantillon de sa méthode, dans une sorte de manuel dont la préface définit assez clairement les intentions : « Il faut néanmoins confesser que si ce livre sert de clef pour la connaissance des autres, il en demande une pour la sienne, et particulièrement pour les apprentifs. C'est-à-dire un homme intelligent qui le fasse entendre, et de la langue expliquant le contenu du livre, et de la main faisant les démonstrations oculaires de ce qu'il explique ; qui le rende sensible par ses expériences, et intelligible par des discours sur telles expériences, lesquels sans elles seraient inconcevables. Et ne t'étonne pas si souvent tu trouves réitéré cet avis en mes écrits, pour ce que je suis convaincu par raison, et par pratique, que c'est l'unique moyen de rendre nos mathématiques aisément intelligibles. Et quiconque les enseignera de la sorte aura bientôt des écoliers savants, et qui deviendront des maîtres » (J. François, *Traité de la quantité considérée absolument et en elle-même, relativement et en ses rapports, matériellement et en ses plus nobles sujets, pour servir d'introduction aux sciences et aux arts mathématiques et aux disputes philosophiques sur la quantité*, Rennes, P. Hallaudays, 1655, in-4°, 158 p. Voir

Avis au lecteur et p. 4). Si le P. François pensait à Descartes en imprimant ces lignes, on aurait mauvaise grâce à le contredire. De fait, son traité est d'une extrême clarté et, comme le titre même permet de le soupçonner, tout pénétré d'esprit philosophique. On n'y trouve cependant rien qui puisse expliquer l'orientation que devait suivre bientôt la pensée du jeune philosophe. Le récit de Dan. Lipstorpius (*Specim. philos. cartes.*, p. 15), d'après lequel Descartes : « ipsum Praeceptorem, in Algebraïcis forsan non tam exacte versatum, novis quaestionibus ita defatigavit, ut eum non amplius sua informatione indigere ingenuo testimonio confirmaret, etc. », semble sujet à caution ; mais il est certain du moins que Descartes n'a pas fait que suivre une impulsion reçue de son maître, car nous savons au contraire que son maître ne se décida jamais à le suivre. En 1655, le P. J. François tenait encore pour Ptolémée contre Copernic (*op. cit.*, p. 65), faisait étalage du finalisme physique le plus naïf (*Ibid.*, p. 100-102) et remerciait en ces termes son ancien élève de l'envoi des *Principia philosophiae*, dans le post-scriptum d'une lettre à Mersenne : « Mille recommandations à M. Descartes. Je trouve toutes ces (*sic*) règles du mouvement, à la réserve de deux, bien douteuses ; et selon le P. Fabri, fausses » (cf. *Œuvres*, t. IV, p. 144, et Mgr Monchamp, *op. cit.*, p. 20). — Voir note suivante.

P. **7**, l. **24-25** : « ... *à cause de la certitude et de l'évidence de leurs raisons* ... »

La certitude supérieure des mathématiques est un fait que nul ne pouvait contester ni même ignorer ; c'était même une doctrine scolastique unanimement reçue, à la suite d'Aristote, que le caractère purement formel de cette science lui assure une solidité et une évidence où ne sauraient prétendre les sciences dont l'objet est matériel. Cf. Aristote, *Eth. Nic.*, I, 1, 1094, b, 19, et II, 2, 1103, b, 34. *Metaph.*, II, 3, 995, a, 14-20 (du *Commentaire* de saint Thomas, II, lect. 5 : « Acribologia vero mathematica non in omnibus est expetenda, sed in non habentibus materiam »). Pour saint Thomas, voir plus loin, à p. 8, l. 29. — Cf. *Universae mathesis idea, qua mathematicae universim sumptae natura, praestantia, usus et distributio brevissime proponuntur*, authore A. Romano, Herbipoli, 1602 : « Formam Mathematicae constituunt ordo et methodus ; ordo quidem a notioribus ad ignotiora ; methodus vero est ubique demonstrativa », p. 6. Et du P. J. François, le professeur de Descartes : « des sciences et des arts mathématiques, qui joignent l'évidence des démonstrations avec la certitude des opérations, et le contentement des sciences spéculatives avec l'utilité des pratiques ... » *Traité de la quantité. Avis au lecteur.* — On ne lira cependant peut-être pas sans intérêt les curieuses déclarations du P. Clavius, S. J., l' « Euclide moderne », que le *Ratio studiorum* de 1586 chargeait d'organiser l'enseignement des mathématiques et de former des maîtres pour les Collèges de la Compagnie (*Monu-*

menta Germaniae Paedagogica, t. V, p. 143). L'attaque vigoureuse qu'il conduit contre la dialectique aristotélicienne nous révèle quelle opposition pouvait éclater entre l' « esprit » des classes de mathématiques et celui des classes de physique. Lorsqu'on songe que les deux enseignements étaient donnés dans la même année, et que le professeur de mathématiques insistait de préférence sur les mathématiques appliquées, on conçoit aisément que l'opposition entre les deux méthodes ait frappé l'esprit du jeune Descartes : « Mathematicae disciplinae sic demonstrant omnia, de quibus suscipiunt disputationem, firmissimis rationibus, confirmantque, ita ut vere scientiam in auditoris animo gignant, omnemque prorsus dubitationem tollant : id quod aliis scientiis vix tribuere possumus, cum in eis saepenumero intellectus multitudine opinionum ac sententiarum varietate in veritate conclusionum judicanda suspensus haereat atque incertus. Hujus rei fidem faciunt tot Peripateticorum sectae (ut alios interim Philosophos silentio involvam) quae ab Aristotele, veluti rami e trunco aliquo, exortae, adeo et inter se, et nonnunquam a fonte ipso Aristotele dissident, ut prorsus ignores, quidnam sibi velit Aristoteles, num de nominibus, an de rebus potius disputationem instituat. Hinc fit, ut pars interpretes graecos, pars latinos, alii arabes, alii nominales, alii denique reales quos vocant (qui omnes tamen Peripateticos se esse gloriantur) tanquam ductores sequantur. Quod quam longe a mathematicis demonstrationibus absit, neminem latere existimo. Theoremata enim, Euclidis caeterorumque Mathematicorum, eamdem hodie quam ante tot annos in scholis veritatis retinent puritatem, rerum certitudinem, demonstrationum robur, ac firmitatem ... Cum igitur disciplinae mathematicae veritatem adeo expetant, adament, excolantque, ut non solum nihil quod sit falsum, verum etiam nihil quod tantum probabile existat, nihil denique admittant quod certissimis demonstrationibus non confirment, corroborentque, dubium esse non potest quin eis primus locus inter alias scientias omnes sit concedendus. » Christophori Clavii, S. J., *Operum Mathematicarum*, Moguntiae, 1611, t. I, Prolegomena, p. 5.

Sur l'extrême probabilité que Descartes ait connu Clavius dès sa jeunesse et sur ce qu'il pouvait y trouver comme point de départ de ses propres recherches mathématiques, voir G. Milhaud : « Il est impossible de savoir quel fut le principal professeur de mathématiques de Descartes (*nota :* la remarque de Milhaud reste vraie, même si l'on admet que ce fut le P. François ; car si le P. François eut l'intelligence de mettre Clavius entre les mains d'un élève aussi bien doué, c'est Clavius qui a dû devenir son « principal professeur »). Du moins, la bibliothèque de La Flèche recevait à coup sûr les ouvrages de Clavius, à qui Descartes a bien pu emprunter des notations dont il fait usage en 1619, comme l'a remarqué M. Enerström, et qu'il citera plus tard (*à Mersenne*, 13 novemvre 1629, t. I, p. 70, l. 17-p. 71, l. 16). Or, les œuvres de Clavius, pour l'Algèbre et la Géométrie en parti-

culier, étaient des plus savantes, non pas seulement par les théories modernes, mais aussi par tout ce qu'elles donnaient des travaux d'analyse des
anciens (problèmes de la trisection de l'angle, des deux moyennes proportionnelles, etc.). Si Descartes est mécontent de l'enseignement de l'École,
ce mécontentement lui-même et son désir de savoir autrement et davantage ne sont-ils pas dus en partie à ce qu'il avait appris? » *Descartes savant*,
p. 235.

P. **7**, l. **27** : « ... *qu'aux Arts Mécaniques* ... »

Pour les anciens, voir Pappus, *Mathematicae Collectiones*, lib. VIII, init.
— Dans l'esprit des rédacteurs du *Ratio studiorum*, l'enseignement des
mathématiques, tel qu'il était donné dans les Collèges, devait s'orienter de
très bonne heure vers les applications pratiques : « Physicae auditoribus
explicet in schola (*scil.* profess. mathemat.) tribus circiter horae quadrantibus Euclidis elementa ; in quibus postquam per duos menses aliquantis-
per versati fuerint, aliquid Geographiae, vel Spherae, vel eorum quae libenter
audiri solent, adjungat, idque cum Euclide vel eodem die vel alterius diebus » (*Ratio studiorum* de 1599, dans *Monumenta Germaniae Paedagogica*,
t. V, p. 348). Dans un collège comme celui de La Flèche, où beaucoup de
jeunes nobles poursuivaient leurs études, on insistait volontiers sur les
applications des mathématiques à l'art militaire en général, et spécialement
à l'art des fortifications ; mais la variété des sujets traités pouvait être
infinie. Le P. J. François, professeur de Descartes, a publié notamment :
*L'arithmétique et la géométrie pratique, c'est-à-dire l'Art de compter toute
sorte de nombres avec la plume et les jetons, et l'Art de mesurer ... toute sorte de
lignes, de surfaces et de corps et particulièrement d'arpenter les terres et d'en
contre-tirer les plans, et ensuite de faire des cartes géographiques,... hydrogra-
phiques,... topographiques,...* Paris, N. Langlois, 1681, in-4°. — *La science
des eaux qui explique en quatre parties leur transformation, communication,
mouvement et mélange, avec les arts de conduire les eaux et mesurer la grandeur
tant des eaux que des terres, qui sont* 1. *de conduire toute sorte de fontaine*, 2. *de
niveler toute sorte de pente*, 3. *de faire monter l'eau sur sa source*, 4. *de contre-
tirer toute sorte de plans*, 5. *de connaître toute hauteur verticale et longueur
horizontale*, 6. *d'arpenter toute surface terrestre*, 7. *de compter tout nombre avec
la plume et les jetons*, Rennes, P. Hallaudays, 1653, in-4°. — Cf. également
l'analyse de l'*Institutio totius mathematicae*, du P. Gautruche (professeur à
La Flèche de 1643 à 1651), dans C. de Rochemonteix, *op. cit.*, t. IV, p. 36-49
(Astronomie, Gnomonique, Géographie, Hydrographie, Musique, Optique,
Architecture civile et militaire). — Du P. Bourdin, S. J., *Le cours de mathématiques, contenant en cent figures une idée générale de toutes les parties de
cette science, l'usage de ses instruments, diverses manières de prendre les dis-*

tances, l'Art d'arpenter, divers moyens de lever et tracer un plan, la réduction des figures par les triangles de rapport, la Trigonométrie, les Fortifications régulières et irrégulières, leurs dehors, profil, élévation, et Sciographie. Contenant de plus un Traité de l'usage du globe terrestre et un autre de l'optique, dioptrique et catoptrique. Dédié à la noblesse, Paris, chez Simon Bernard, 3e éd., 1661.

P. **7**, l. **29-30** : « ... *de plus relevé* ... »

Contestant la cohérence du récit de Descartes, M. G. Cantecor observe : « Mais les jugements mêmes que Descartes aurait, au sortir du collège, portés sur le savoir de ses maîtres et de ses livres et les décisions auxquelles ces jugements l'auraient conduit montrent assez clairement, s'il faut les tenir pour véridiques, que Descartes à ce moment ne savait pas trop ce qu'il voulait et à quoi il pourrait prendre un intérêt durable. Il ne s'attache pas aux mathématiques parce que, dit-il, « je ne remarquais point encore leur vrai usage ... », etc. » (*art. cité*, p. 381). Sur quoi l'on remarquera : 1º ce texte vise le cours même de ses études, et Descartes y déclare : « Je me plaisais surtout aux mathématiques ... », ce qui peut difficilement se traduire par : « Il ne s'attache pas aux mathématiques. » — 2º Bien loin de s'attribuer ici, par mégarde, un état d'esprit qui ne pourra être le sien que plus tard, Descartes oppose au contraire clairement : *a)* le goût très vif qu'il avait alors pour la certitude des mathématiques ; *b)* l'ignorance où il était encore de toute possibillité d'en généraliser la méthode. — La marche des idées est donc ici la suivánte : je cultivais les mathématiques avec plus de plaisir que tout le reste, mais, croyant ce que m'enseignaient mes maîtres, je pensais qu'elles n'avaient que des applications techniques (arpentage, cartographie, trigonométrie, fortifications, etc.), et je m'étonnais de cette disproportion entre leur haut degré de certitude et la bassesse de leurs applications.

P. **7**, l. **31** : « ... *des anciens païens* ... »

C'est-à-dire : les stoïciens, principalement Sénèque, que Descartes connaissait sans doute par l'enseignement littéraire de La Flèche (voir à p. 6, l. 5), et dont la doctrine avait été largement divulguée par le stoïcisme chrétien d'un Juste Lipse ou d'un Guillaume du Vair (voir sur ce point L. Zanta, *La renaissance du stoïcisme au XVIe siècle*, Paris, 1914). — L'allusion aux stoïciens est confirmée par l'explication des lignes suivantes, qui ne s'appliquent manifestement qu'à leur doctrine.

P. **8**, l. **3** : « ... *estimables* ... »

Le texte latin ajoute : « recte » ; c'est-à-dire : « et les font, avec raison, paraître estimables ... », etc.

P. 8 l. **4** : « ... *qui sont au monde* ... »

Parce que le but de la vie est le Souverain Bien et qu'il se confond en fin de compte avec la vertu. Voir Sénèque : « Summuⁿ bonum in ipso judicio est et habitu optimae mentis ... Itaque erras, cum interrogas quid sit illud propter quod virtutem petam ; quaeris enim aliquid supra summum. Interrogas quid petam ex virtute? Ipsam. Nihil enim habet melius, enim ipsa pretium sui. » *De vita beata*, IX, 3-4, éd. A. Bourgery, p. 11. — Cf. Juste Lipse, *Manuductio ad philos. stoïc.*, lib. II, dissert. 20 : « Solam igitur virtutem sufficere ad Beatitatem nec externa aut fortuita requiri. »

P. 8, l. **6-7** : « ... *insensibilité* ... »

Insensibilité qui les place en dehors de la nature humaine. Allusion à la doctrine stoïcienne qui veut que les passions n'aient aucune action sur le sage idéal en possession de la parfaite vertu. D'où son *imperturbabilité*, ou *impassibilité* (ἀπάθεια), que les adversaires du stoïcisme pur, auxquels se joint ici Descartes, traitent d'*insensibilité* (texte latin : « immanitas et durities »). Sénèque, suivi par Juste Lipse, avait essayé déjà d'adoucir sur ce point la doctrine. Cf. *Manuductio ad philos. stoïc.*, lib. III, dissert. 7. Voir aussi la discussion du *paradoxe* stoïcien : « Sapientem non ignoscere. Non misereri Sapientem ». *Ibid.*, lib. III, dissert. 19.

P. 8, l. **7** : « ... *un orgueil* ... »

Allusion aux paradoxes stoïciens qui déclarent que le sage est infaillible, le seul libre, le seul roi, etc., et qu'enfin même il vit sur pied d'égalité avec les dieux. Voir, par exemple, Sénèque : « Sapiens ille, plenus gaudio, hilaris et placidus, inconcussus, cum diis ex pari vivit. » *Epist. ad Lucil.*, LII. Conception déjà blâmée comme excessive par Juste Lipse, *op. cit.*, lib. III, dissert. 14 : « Sapientem Deo parem : Paradoxum, atque etiam Paralogum. » — Cf. J. Clauberg : « Ex quibus claret quod Philosophos Stoïcos hic respiciat, qui hominem jam sensu privare, jam Deo aequare suis dogmatibus annituntur. » *Defensio cartesiana*, c. IV, 20, éd. citée, p. 43-44.

P. 8, l. **7** : « ... *ou un désespoir* ... »

Allusion possible à la doctrine stoïcienne qui légitime dans certains cas le suicide (cf. Cicéron, *De finibus*, III, 18, 60, et Juste Lipse, *op. cit.*, lib. III, dissert. 22. Brochard (éd. du *Discours*, p. 24) suppose que Descartes se souvient ici du suicide de Caton d'Utique) ; mais peut-être simplement allusion à l'attitude désespérée du stoïcien qui renonce d'un coup à toutes choses, sous prétexte qu'elles ne dépendent pas entièrement de lui (l'attitude de Descartes sur ce point, bien que s'inspirant de la leur, sera en effet plus modérée ; voir plus loin, IIIᵉ Partie, p. 25, l. 20 et suiv.).

P. **8**, l. **7** : « ... *ou un parricide* ... »

C'est-à-dire : le meurtre d'un parent, ou même d'un concitoyen. — Cf.
« *Parricide.* Celui qui tue son père. Il se dit aussi, par extension, de celui qui
tue sa mère, son frère, sa sœur, ses enfants, etc. » *Dictionnaire de l'Académie*
(édit. de 1694), dans Huguet, *Petit Glossaire* (4ᵉ édit.), p. 277. — Allusion
probable à certains traits souvent cités comme exemples de stoïcisme
romain ; notamment : à L.-J. Brutus condamnant ses propres enfants à
mort et présidant lui-même à leur exécution ; ou M.-J. Brutus assassinant
César (cf. éd. Brochard, p. 24) ; hypothèse qui n'a rien que de vraisemblable
(*Tu quoque, fili mi!*) et que confirmerait un texte de Suétone : « Curiam, in
qua occisus est (*scil.* Caesar), obstrui placuit, Idusque Martias parricidium
nominari, ac ne unquam eo die senatus ageretur. » C. Suetonii Tranquilli,
De XII Caesaribus libri VIII, éd. J. Casaubon, 1611 (sans indication de lieu),
p. 122 (paginée 130, par erreur).

P. **8**, l. **8** : « ... *notre Théologie* ... »

Théologie : science qui a Dieu pour objet ; la connaissance des vérités
nécessaires au salut pour fin ; et, pour contenu, les vérités surnaturelles,
d'abord en tant que révélées par Dieu (Écritures et Tradition) et recueillies
par la Théologie dogmatique, ensuite en tant qu'interprétées rationnelle-
ment et systématisées par la Théologie scolastique. — Cf. note suivante, 1º.

P. **8**, l. **9** : « ... *à gagner le ciel* ... »

Nous avons deux séries de textes cartésiens relatifs à la Théologie :
1º Ceux où, comme ici, la théologie est celle que l'on a « assujettie à Aristote » (t. I, p. 85, l. 21), c'est-à-dire la scolastique thomiste et ses dérivés.
Descartes la considère comme inutile et réclame à la place une théologie
simplifiée, consistant uniquement dans l'ensemble des vérités de foi qu'il
est nécessaire et suffisant de croire pour faire son salut. Il est ici l'écho des
attaques menées par les Humanistes, et spécialement par Érasme, contre
la théologie scolastique. Peut-être fut-il touché, dès la fin de son séjour à
La Flèche, par ce mouvement dont les répercussions avaient été considé-
rables et qui, par Vittoria, Melchior Cano et d'autres, allait aboutir, dans le
catholicisme même, à la théologie dogmatique de Petau et de Thomassin.
C'est l'attitude à laquelle il reviendra chaque fois que théologie signifiera
pour lui « scolastique », et tel texte de Descartes pourrait être emprunté au
Stultitiae Laus d'Érasme : « Et certe Theologia nostris ratiociniis, quae in
Mathesi et aliis veritatibus adhibemus, subjicienda non est, cum nos eam
capere non possumus ; et quanto eam servamus simpliciorem, eo meliorem
habemus. Et si sciret auctor aliquem ex sua Philosophia ratiocinia deductu-
rum in Theologia, et in eum modum sua Philosophia abusurum, eum operae

suae poeniteret. Possumus quidem et debemus demonstrare Theologicas veritates non repugnare Philosophicis, sed non debemus eas ulla modo examinare. Et per hoc monachi occasionem dederunt omnibus sectis et haeresibus, per suam Theologiam Scholasticam scilicet, quae ante omnia exterminanda esset. Et quorsum opus tanto molimine, cum videamus idiotas ac rusticos aeque coelo potiri posse ac nos? Et hoc certe nos monere deberet, longe satius esse tam simplicem habere Theologiam ac illi, quam eam multis controversiis vexare, et ita corrumpere, et occasionem dare jurgiis, rixis, bellis, *et similibus*, et praecipue cum hinc adsueverint Theologi adversae partis Theologis omnia affingere et calumniari, ut calumniandi artem plane sibi familiarem reddiderint, et vix aliter quam calumniari, etiam inadvertentes, possint » (*Entretien avec Burmann*, t. V, p. 176).

2º Ceux où Descartes envisage la possibilité d'une réforme de la théologie scolastique. Si Descartes est d'accord avec les Humanistes contre la scolastique médiévale, il diffère d'eux profondément en ce qu'il envisage la possibilité d'une théologie scolastique cartésienne qui, tôt ou tard, devra nécessairement prendre la place de l'ancienne. Car : *a)* sa philosophie étant la seule vraie, elle est aussi la seule qui puisse s'accorder avec la foi : « Vous verrez que j'y accorde tellement avec ma Philosophie ce qui est déterminé par les conciles touchant le Saint-Sacrement, que je prétends qu'il est impossible de le bien expliquer par la Philosophie vulgaire ; en sorte que je crois qu'on l'aurait rejetée, comme répugnante à la foi, si la mienne avait été connue la première. Et je vous jure sérieusement que je le crois, ainsi que je l'écris » (*à Mersenne*, 31 mars 1641, t. III, p. 349, l. 6-12). C'est saint Thomas qui est responsable de Calvin. Cf. t. IV, p. 165, l. 18-23 ; t. IV, p. 216, l. 12 et suiv., et surtout t. I, p. 564, l. 18-25 ; *b)* il est donc désirable que l'on s'emploie à faire bénéficier une théologie vraie du secours de la vraie philosophie (t. III, p. 296-297) ; *c)* Descartes lui-même en a donné un exemple très minutieusement et longuement développé en expliquant la Transsubstantiation (t. III, p. 295-296 ; *IVe Réponse*, t. IX, p. 192 et suiv., et lettre *à Mesland*, t. IV, p. 165-170). — Voir plus loin, à p. 8, l. 30-31.

P. **8**, l. **11** : « ... *aux plus ignorants qu'aux plus doctes* ... »

Parce que la Théologie emprunte ses principes propres à la foi et que la foi ne dépend pas de l'excellence de la raison, mais de la grâce que Dieu donne à tous : « En quoi il (*scil.* Comenius) me semble ne pas remarquer qu'il y a grande différence entre les Vérités Acquises et les Révélées, en ce que, la connaissance de celles-ci ne dépendant que de la Grâce (laquelle Dieu ne dénie à personne, encore qu'elle ne soit pas efficace en tous), les plus idiots et les plus simples y peuvent aussi bien réussir que les plus subtils ; au lieu que, sans avoir plus d'esprit que le commun, on ne doit pas espérer de rien faire d'extraordinaire touchant les Sciences humaines ». *A Comenius*, 1639 ;

t. II, p. 347, l. 21-30 (cf. *Supplément*, p. 100). Cf. *à Mersenne*, 27 août 1639, t. II, p. 570, l. 20-22, et p. 573, l. 11-15.

Cette remarque était banale à l'époque de Descartes. Elle se retrouve chez Montaigne, *Essais*, Apologie de R. Sebond, lib. II, ch. xii : « Les simples, dit saint Paul, et les ignorants s'élèvent et saisissent du ciel ; et nous, à tout notre savoir, nous plongeons aux abimes infernaux », t. II, p. 219, l. 8-10. M. P. Villey, *Les sources des Essais*, t. IV, p. 237, renvoie à Cornelius Agrippa, qui renvoie à son tour à saint Augustin répétant une exclamation de saint Paul : « Vidit haec Augustinus et timuit, exclamans illud Pauli : surgunt indocti et rapiunt coelos, et nos cum scientia nostra mergimur in infernum. » En réalité, Augustin ne cite pas saint Paul : « Surgunt indocti et coelum rapiunt ; et nos cum doctrinis nostris sine corde, ecce ubi volutamur in carne et sanguine. » *Confess.*, lib. VIII, cap. 8, n. 19 ; *Pat. lat.*, t. XXXII, col. 757. Et, en effet, nous n'avons pas retrouvé dans saint Paul l'origine de l'exclamation ; elle paraîtrait plutôt avoir été suggérée à saint Augustin par le texte de Mathieu, XI, 12 : « regnum coelorum vim patitur. et violenti rapiunt illud ; » combiné, semble-t-il, avec une réminiscence de saint Paul, *I Cor.*, 1, 27 : « sed quae stulta sunt mundi elegit Deus, ut confundat sapientes ; et infirma mundi elegit Deus, ut confundat fortia ». Jusqu'à nouvel ordre, l'origine de la formule proprement dite reste donc le texte de saint Augustin.

P. **8**, l. **16** : « *... extraordinaire ...* »

C'est-à-dire : une grâce spéciale venant s'ajouter à la révélation commune.

P. **8**, l. **17** : « *... et d'être plus qu'homme ...* »

La théologie dite scolastique n'exige aucune lumière surnaturelle spéciale, puisqu'elle résulte d'une application de la raison au contenu de la foi. Mais si l'on élimine, comme le fait ici Descartes, la systématisation rationnelle qui s'est ajoutée au contenu de la foi, la théologie ne peut plus contenir que ce qui est révélé de Dieu dans les Écritures, ou surnaturellement inspiré par Dieu soit aux Docteurs de l'Église, soit à l'Église elle-même s'exprimant par le Pape et le Concile touchant ce qui concerne la foi et les mœurs. La déclaration de Descartes revient donc à ceci : n'admettant pas de théologie scolastique et n'étant, d'autre part, bénéficiaire d'aucune inspiration surnaturelle, je n'ai plus qu'à croire les vérités révélées sans en disputer.

Clauberg interprète exactement le sens de ce passage : « Nota autem, aliud esse Theologiam ignorare, quatenus a doctoribus per modum disciplinae in ordinatum systema redacta Theologiae candidatis proponitur ; aliud, Theologiam ignorare, quantum ad veritates revelatas et ad salutatem scitu necessarias quas ex verbo Dei vel ore Ministrorum populus christianus

haurit. Priorem ignorantiam coelo excludere negat Cartesius, non posterio-
rem. » J. Clauberg, *op. cit.*, V, 10, p. 49.

P. **8**, l. **18** : « ... *la Philosophie* ... »

C'est-à-dire : la scolastique. Voir plus haut, p. 6, l. 8.

P. **8**, l. **21-22** : « ... *dont on ne dispute* ... »

C'est-à-dire : à propos de quoi l'on ne soutienne dialectiquement le pour
et le contre, sans arriver à une décision.

1º L'allusion à la Scolastique est transparente, tant à cause de la place
qu'y occupait la dispute (voir plus loin, 2º) qu'en raison du caractère simplement probable des conclusions auxquelles sa dialectique aboutissait. —
Le spectacle des dissentiments entre les diverses écoles, exploité de tout
temps par les philosophes sceptiques, l'avait été particulièrement à l'époque
de la Renaissance par les adversaires de la scolastique. Cf. Jean-Louis
Vivès : « Ergo indagandi veri una et simplex via est relicta ; faciendi fuci
apertae sexcentae, qua quisque ut commodum sibi esset, grassaretur,
praesertim quum nihil sit tam deforme quin autorem inveniat. Nec solum
in hanc opinionem populus cucurrit, finem discendi esse disputare, ut mili-
tiae, conflictum, ... etc. » *De Disciplinis*, lib. I, *De causis corruptarum artium*,
éd. de 1636, p. 67. Et la parole d'Isaac Casaubon, rapportée par Leibniz :
« Et dans les disputes académiques, c'est le répondant ou le soutenant qui
parle le dernier, ... Et, pour dire le vrai, il n'est presque point question de
la vérité dans ces rencontres ; aussi soutient-on en différents temps des
thèses opposées dans la même chaire. On montra à Casaubon la salle de la
Sorbonne, et on lui dit : Voici le lieu où l'on a disputé durant tant de siècles.
Il répondit : Qu'y a-t-on conclu ? » *Nouveaux Essais*, liv. IV, ch. vii, par. 11.

2º On se souviendra d'ailleurs que la dispute était considérée dans les
Collèges des Jésuites comme une véritable méthode philosophique et comme
le critérium par excellence de la solidité des opinions : « Porro conandum est,
ut disputationes omnes, quarum fervor ac dignitas jam concidisse videtur,
pristinae restituantur autoritati, cum hoc exercitationis genere nihil sit utilius ad capessendas superiores facultates. Videas non paucos in legendo, in
scribendo, in compaginandis quae scripserunt, totos esse, disputationem
vero fugere, negligere, otiosam existimare, habere tandem Theologiam non
tam in memoria atque intelligentia, quam in libris papyraceis reconditam.
Constitutiones vero nihil gravius commendant, quam disputationes earum-
que frequentiam et assiduitatem ; tantumque in iis momenti esse putent,
ut ne humaniorum quidem litterarum et grammaticae studiosos iis carere
patiantur. Semper vero viri graves sibi persuaserunt, addisci Philosophiam
ac Theologiam, non tam audiendo, quam disputando. Illic enim certissimum
fit periculum, quantum quis intelligat ea, quae scribit aut docet ; et quanta

sit firmitas privatarum cogitationum, cum non raro quae splendescere
videntur in cubiculo, sordeant in Scholasticis concertationibus. Tunc etiam,
dum ab adversario premimur, cogimur omnes ingenii nervos intendere, et
pleraque tunc extundimus urgentibus aliis, quae in otio atque umbra nunquam venissent in mentem. Audimus aliorum inventa, quae aut lucem aliquam rebus dubiis afferunt, aut viam aperiunt ad aliquid aliud excogitan-
dum, aut, si minus placent, perspectis adversarii effugiis, et iis possunt occurrere facilius, et nostra firmius communire ; observare possunt et auditores,
quid boni iste, quid ille Praeceptor afferat, et exemplo doctorum sese acuunt
ad pugnam, animadvertentes, ubi .claudicent argumenta ; quae distinctiones opportunae sint ; quomodo Praeceptoris doctrina subsistat. Tandem
et gravissimorum virorum judicio et experimento comprobatur, disputationem unam plus prodesse, quam lectiones multas ... » *Ratio studiorum* de
1586, *op. cit.*, p. 102-103. C'est pourquoi, outre les argumentations privées
du samedi (*sabbatines*) et les actes publics trimestriels, les professeurs orga-
nisaient chaque mois un tournoi solennel : « Disputationes menstruae fiant,
in quibus argumententur non pauciores quam tres mane, totidem a prandio ; primus quidem per horam, caeteri vero per ternos circiter quadrantes.
Et mane quidem primo loco disputet Theologus aliquis (si Theologorum
suppetit copia) *contra* Metaphysicum ; *contra* Physicum Metaphysicus,
Physicus *contra* Logicum ; sed a prandio Metaphysicus cum Metaphysico,
Physicus cum Physico, Logicus cum Logico. Mane item Metaphysicus, a
prandio Physicus, unam aut alteram conclusionem confirmabit breviter et
philosophice. Const., p. 4, v. 5, n. 10. » *Ratio studiorum* de 1599, t. V,
p. 341-432.

P. **8**, l. **22** : « ... *qui ne soit douteuse* ... »

C'est-à-dire : la dispute suppose le désaccord entre les esprits, et ce désaccord est un signe d'erreur. En effet, là où il y a évidence, il y a accord entre
les esprits, et par conséquent aussi il ne saurait y avoir de dispute. — Ce
sentiment trouvera plus tard son expression définitive, lorsque Descartes
aura décidé de n'admettre comme vrai que ce dont l'évidence est égale à
celle de l'arithmétique et de la géométrie. Le texte du *Discours* est rédigé
avec une fermeté qui suppose cette décision déjà prise, mais le désir d'accord
et d'unité qui la préparait peut fort bien dater de la jeunesse de Descartes,
d'autant mieux que d'autres esprits l'éprouvaient à la même époque (cf. à
p. 7, l. 24-25, et p. 8, l. 21-22, 1º). — Cf. *Regulae :* « Omnis scientia est
cognitio certa et evidens ; ... Verum, si hanc regulam (*scil.* rejicere omnes
probabiles tantum cognitiones) bene servemus, valde pauca occurrent, quibus addiscendis liceat incumbere. Vix enim in scientiis ulla quaestio est,
de qua non saepe viri ingeniosi inter se dissenserint. Sed quotiescumque
duorum de eadem re judicia in contrarias partes feruntur, certum est alterum

utrum saltem decipi, ac ne unus quidem videtur habere scientiam : si enim hujus ratio esset certa et evidens, ita illam alteri posset proponere, ut ejus etiam intellectum tandem convinceret. » *Reg.*, II ; t. X, p. 362, l. 1-p. 363, l. 13. A quoi se rattache la résolution de ne retenir que l'Arithmétique et la Géométrie, puis, par une transition naturelle, la critique de la dispute comme méthode d'investigation philosophique : « scholasticorum, aptissima bellis, probabilium syllogismorum tormenta ;... », etc.

P. **8**, l. **23-24** : « ... *d'y rencontrer mieux* ... »

C'est-à-dire : d'y réussir mieux. Cf. Huguet, *Petit Glossaire* (4e éd.), p. 138.

P. **8**, l. **25** : « ... *de diverses opinions* ... »

L'érudition du professeur de philosophie se marquait, en effet, par l'abondance des opinions divergentes appartenant à différents auteurs qu'il était capable de citer, et il en citait le plus possible pour avoir plus d'occasions de faire valoir sa virtuosité en les réfutant toutes au profit de l'une d'entre elles : « Cum incidit textus celebrior et in disputationibus saepe jactatus et accommodatus ad varios usus, is erit accurate perpendendus, non omnibus quidem, sed illustrioribus aliquot interpretationibus allatis atque excussis, ut, quae quibus anteferenda sit, innotescat ... » *Ratio studiorum* de 1586, dans *Monumenta Germaniae Paedagogica*, t. V, p. 130 ; de 1599, *Ibid.*, p. 338.

P. **8**, l. **27-28** : « ... *plus d'une seule* ... »

Cf. *Reg.*, II ; texte cité plus haut, à p. 8, l. 22, et Sanchez : « Succedunt temporibus tempora, sic hominum diversae opiniones ; quorum quisque se verum invenisse credit : cum ex mille varia opinantibus solus unus invenisse potest. » *Quod nil scitur*, Ad. Lect.

P. **8**, l. **28** : « ... *presque* ... »

Presque, c'est-à-dire : sans affirmer positivement que ce qui n'est que vraisemblable fût faux à proprement parler, je me comportais à son égard comme s'il l'eût été, car aussi longtemps qu'une proposition n'est pas démontrée vraie, on ignore si elle n'est pas fausse. — L'attitude de Descartes à ce moment diffère de celle qu'il adoptera au moment du doute méthodique, prélude nécessaire de la reconstruction de la science : « je pensai qu'il fallait que je fisse tout le contraire, et que je rejetasse, comme absolument faux, tout ce en quoi je pourrais imaginer le moindre doute, ... » IVe Partie, p. 31, l. 26-30. Si donc, comme nous le verrons, le doute méthodique sera une entreprise libre et réfléchie (p. 13, l. 29), et tout le contraire d'un scepticisme, Descartes n'en a pas moins traversé d'abord une période de doute non méthodique, résultant d'une sorte de découragement temporaire devant l'impuissance des méthodes reçues à découvrir et transmettre la vérité. Ces deux moments de l'histoire de son esprit ne doivent pas être confondus.

P. **8**, l. **29** : « *... que vraisemblable* ... »

Vraisemblable : c'est-à-dire tout ce qui ne dépend pas du raisonnement démonstratif, mais du raisonnement dialectique, dont la dispute applique les règles : « Est autem argumentum dialecticum probabile inventum ad faciendam fidem, id est, quod probabiliter seu verisimiliter cum utroque aut saltem altero termino quaestionis seu propositionis probandae connectitur, ex quo assensus rei probatae non omnino necessarius gignitur, in quo differt a demonstrativo, quod cum utroque termino quaestionis necessariam quamdam connexionem habet. » E. a S^{to} Paulo, *Sum. phil.*, t. I, p. 243-244, dans *Index scol.-cartésien*, texte 119, p. 69. Or, c'est un axiome scolastique que *modus scientiae debet respondere materiae*, et c'est pourquoi la physique est moins certaine que les mathématiques : « Ex hoc autem quod consideratio naturalis est circa materiam, a pluribus dependet, scilicet a consideratione materiae et formae, et dispositionum materialium et proprietatum quae consequuntur formam in materia. Ubicumque autem ad aliquid cognoscendum oportet considerare plura, est difficilior cognitio ; unde in I Posteriorum dicitur, quod minus certa scientia est quae est ex additione, ut geometria ad arithmeticam. Ex hoc vero quod ejus consideratio est circa res mobiles, et quae non uniformiter se habent, ejus cognitio est minus firma, quia ejus demonstrationes, ut in majori parte, sunt ex hoc, quod contingit aliquando aliter se habere ; et ideo quando aliqua scientia magis appropinquat ad singularia, sicut scientiae operativae, ut medicina, alchimia, et moralis, minus possunt habere de certitudine propter multitudinem eorum quae consideranda sunt in talibus scientiis, quo quodlibet si omittatur, frequenter erratur, et propter eorum variabilitatem ... Mathematica autem ipsa sub sensu cadunt, et imaginationi subjacent ut linea, figura, numerus, et hujusmodi ; et ideo intellectus humanus a phantasmatibus accipiens, facilius eorum cognitionem accipit et certius quam Intelligentiae alicujus, vel etiam quidditatem substantiae, potentiam, et actum, et hujusmodi : et sic patet quod mathematica consideratio est facilior et certior quam naturalis et theologica, et multo plus quam aliae scientiae operativae, et ideo ipsa maxime dicitur disciplinabiliter procedere, et hoc est quod dicit Ptolemaeus in principio Almagesti : « Alia duo genera theorici potius quis opi-« nionem quam conceptionum scientiam : theologum quidem propter inap-« parens et incomprehensibile ; physicum vero propter materiae instabile et « immanifestum. Solus autem mathematicus inquisitionis firmam stabi-« lemque fidem intendentibus dabit, velut utique demonstrationes per indu-« bitabiles rationes manifestans. » (Saint Thomas, *In Boëtium de Trinitate*, qu. VI, art. 1. Voir aussi *Index scol.-cartésien*, texte 361, p. 230, et le texte du P. Clavius cité plus haut, p. 7, l. 24-25). Si nous considérons Descartes à la fin de ses études, il ne soupçonne aucunement que toutes les sciences puissent être élevées à la certitude des mathématiques, mais il constate qu'elles n'y atteignent pas, et c'est pourquoi il s'en désintéresse. Le résultat pratique auquel nous allons le voir aboutir, c'est qu'il va « quitter entièrement l'étude des lettres » et entrer dans une période d'incertitude analogue au scepticisme de Montaigne. Elle durera jusqu'à la rencontre avec Beeckman, en 1618. — Cf. *Reg.*, II, t. X, p. 362, l. 5-p. 363, l. 20 ; p. 364, l. 15-20.

P. **8**, l. **30** : « ... *les autres sciences* ... »

C'est-à-dire surtout le droit et la médecine. Cf. plus haut : « que la Jurisprudence, la Médecine et les autres sciences apportent des honneurs et des richesses à ceux qui les cultivent » ; à quoi répond exactement, plus loin, p. 9, l. 2-3 : « ni l'honneur ni le gain qu'elles promettent ... »

P. **8**, l. **30-31** : « ... *elles empruntent leurs principes* ... »

Clauberg cite à ce propos le dicton : « Ubi Physica desinit, Medicina incipit ». *Defensio cartesiana*, c. VI, 13, éd. citée, p. 68. — Cf. J.-L. Vivès : « In nostris scholis haec (*scil.* les arts libéraux et la philosophie) quoque fundamenta sunt trium aedificiorum Medicinae, Theologiae, et peritiae Juris, quas supremas artes disciplinasque nominamus ». *De causis corruptarum artium*, lib. I, éd. citée, p. 9. On observera que Descartes évite de critiquer la Théologie scolastique comme reposant sur des fondements ruineux, bien qu'en fait sa base soit la même que celle de la médecine et du droit ; c'est pourquoi il l'a critiquée à part, et simplement comme inutile, même du point de vue religieux.

P. **9**, l. **2** : « ... *des fondements si peu fermes* ... »

Le témoignage du *Discours* est confirmé par une lettre postérieure, où Descartes rappelle combien peu la philosophie scolastique l'avait satisfait lors de son séjour à La Flèche : « Et cependant j'ai envie de relire un peu leur Philosophie (*scil.* des Jésuites), ce que je n'ai pas fait depuis vingt ans, afin de voir si elle me semblera maintenant meilleure qu'elle ne faisait autrefois. » *A Mersenne*, 30 septembre 1640, t. III, p. 185, l. 4-7.

P. **9**, l. **2-3** : « ... *ni le gain* ... »

Voir plus haut, p. 6, l. 12.

P. **9**, l. **5** : « ... *de condition* ... »

Au sens précis de : « condition de fortune ». Toute cette partie de la phrase : depuis : « car je ne me sentais point ... », à : « ... de ma fortune ... », répond au mot « gain » de la partie qui précède. On ignore le chiffre exact de la fortune personnelle de Descartes (voir les renseignements relatifs à cette question, réunis par Ch. Adam, *Vie de Descartes*, p. 14, note *a*, et p. 42, notes *c* et *d*). En fait, elle fut effectivement suffisante pour lui permettre de vivre d'une vie simple, mais indépendante, et sans exercer jamais aucun emploi rémunéré.

P. **9**, l. **6** : « ... *un métier* ... »

Texte latin : « ut a fortuna cogerer liberales disciplinas in illiberalem usum convertere ». T. VI, p. 544.

P. **9**, l. **7** : « ... *je ne fisse pas profession* ... »

C'est-à-dire : quoique je ne me donnasse pas pour un homme qui méprisait ... Cf. plus loin, l. 15-16 : « ... ceux qui font profession de savoir ... » ; c'est-à-dire : ceux qui se donnent comme sachant plus qu'ils ne savent ; ou, texte latin : « qui videri volunt ea scire quae ignorant » (t. VI, p. 544).

P. **9**, l. **8** : « ... *la gloire* ... »

Répond au mot : « *honneur* », de la première partie de la phrase.

P. **9**, l. **8** : « ... *de mépriser* ... »

Le texte latin ajoute : « ... plane » (t. VI, p. 544).

P. **9**, l. **8** : « ... *en Cynique* ... »

Allusion probable à la réponse de Diogène le Cynique à Alexandre le Grand : « Ce que je veux de toi? Que tu t'ôtes de mon soleil! »

P. **9**, l. **8-9** : « ... *fort peu d'état* ... »

« *Faire état* signifie aussi estimer, faire cas. *Je fais beaucoup d'état, peu d'état de cet homme-là. Je fais peu d'état de ses menaces.* » *Dictionnaire de l'Académie* (1694). Cf. Huguet, *Petit Glossaire*, p. 150-151.

P. **9**, l. **10** : « ... *qu'à faux titres.* »

Le texte latin commente : « hoc est, ob scientiarum non verarum cognitionem » (t. VI, p. 544) ; comme c'eût été le cas s'il eût exercé les sciences juridiques ou médicales, sachant que leurs fondements sont incertains.

P. **9**, l. **10-11** : « ... *mauvaises doctrines* ... »

C'est-à-dire : les mauvaises sciences, l'alchimie, l'astrologie et la magie. Ces sciences étaient considérées comme mauvaises parce qu'elles supposent au moins le vice de superstition chez celui qui les professe, et parfois l'opération du démon. Cf. saint Thomas d'Aquin, *Sum. Theol.*, II^a-II^{ae}, qu. 95, art. 3-7. Beaucoup, même parmi les théologiens, les critiquaient aussi comme des impostures (cf. plus haut, à p. 6, l. 14-15). Le nom même que l'on donnait usuellement à l'or des alchimistes : « aurum sophisticatum », est révélateur du peu de confiance qu'on leur accordait (cf. saint Thomas, *Sum. Theol.*, II^a-II^{ae}, qu. 77, art. 2, ad 1^m).

P. 9, l. **13** : « ... *les promesses* ... »
Principalement le remède qui guérira toutes les maladies, et la pierre philosophale qui transmuera tous les métaux en or. — Cf. à *Mersenne*, 30 juillet 1640, t. III, p. 120, l. 2-12.

P. 9, l. **13-14** : « ... *les prédictions d'un Astrologue* ... »
« Hortensius, étant en Italie il y a quelques années, se voulut mêler de faire son horoscope, et dit à deux jeunes hommes de ce pays, qui étaient avec lui, qu'il mourrait en l'an 1639, et que, pour eux, ils ne vivraient pas longtemps après. Or, lui étant mort cet été, comme vous savez, ces deux jeunes hommes en ont eu telle appréhension que l'un deux est déjà mort ; et l'autre, qui est le fils de Heinsius, est si languissant et si triste qu'il semble faire tout son possible afin que l'astrologie n'ait pas menti. Voilà une belle science, qui sert à faire mourir des personnes qui n'eussent pas peut-être été malades sans elle.
« Vous verrez ce que j'écris à M. Meissonnier. Sa lettre le représente bien plus honnête homme que les titres du livre qu'il m'a envoyés ; car il y mêle tant d'astrologie, de chiromancie et autres telles niaiseries que je n'en puis avoir bonne opinion. » A *Mersenne*, 29 janvier 1640, t. III, p. 15, l. 3-19.

P. 9, l. **14** : « ... *les impostures d'un Magicien* ... »
C'est-à-dire : l'art de produire « les spectres, les illusions et, bref, tous les effets merveilleux qui s'attribuent à la Magie ; car j'estime qu'il est utile de les savoir, non pas pour s'en servir, mais afin que notre jugement ne puisse être prévenu par l'admiration d'aucune chose qu'il ignore ». *Recherche de la Vérité*, t. X, p. 504, l. 15-24, et p. 505, l. 20-27. — Cf. « Il y a une partie dans les Mathématiques, que je nomme la science des miracles, pour ce qu'elle enseigne à se servir si à propos de l'air et de la lumière, qu'on peut faire voir par son moyen toutes les mêmes illusions, qu'on dit que les Magiciens font paraître par l'aide des Démons. Cette science n'a jamais encore été pratiquée, que je sache, et je ne connais personne que lui (*scil.* le sieur Ferrier) qui en soit capable ; mais je tiens qu'il y pourrait faire de telles choses, qu'encore que je méprise fort de semblables niaiseries, je ne vous célerai pas toutefois que, si je l'avais pu tirer de Paris, je l'aurais tenu ici exprès pour l'y faire travailler, et employer avec lui les heures que je perdrais dans le jeu,

ou dans les conversations inutiles. » *A* ***, t. I, p. 21, l. 8-22. On trouvera un exemple de ces inventions dans les *Météores* (t. VI, p. 343, l. 17-p. 344, l. 21) pour faire « paraître des signes dans le ciel ». Voir également *Cogitationes privatae*, t. X, p. 214, l. 9-19. — L'*Illusion comique* de P. Corneille, qui témoigne d'une curiosité analogue, date de 1636.

P. **9**, l. **15** : « ... *la vanterie* ... »
Voir plus loin, p. 17, l. 19.

P. **9**, l. **18** : « ... *la sujétion* ... »
C'est-à-dire : l'obligation d'étudier certaines matières et d'accepter certaines conclusions imposées. Cf. *Reg.*, II, t. X, p. 364, l. 9-11.

P. **9**, l. **19** : « ... *l'étude des lettres* ... »
C'est-à-dire en 1616, puisque Descartes inclut ses études de droit dans cette désignation.

P. **9**, l. **21** : « ... *en moi-même* ... »
Descartes sait désormais par expérience personnelle que la science ne se trouve pas dans les livres ; il renonce donc, non pas nécessairement à lire, mais à croire que la lecture soit une méthode efficace pour découvrir la vérité. On observera que l'expression : « en moi-même », dont use ici Descartes, désigne deux expériences nettement distinctes : 1º ce que la fréquentation du monde nous apprend sur ce que nous sommes et sur la manière dont il convient de se comporter pour bien vivre (p. 9, l. 19, à p. 20, l. 26) ; c'est alors l'acquisition d'une sorte de sagesse empirique, analogue à celle que préconise Montaigne, qui se trouve visée ; 2º la science proprement dite, qu'il est possible d'acquérir par voie de réflexion personnelle sur le contenu de sa propre pensée (p. 10, l. 26, à p. 11, l. 2), et qui sera la science cartésienne. Descartes va montrer comment il s'est élevé de la première à la seconde.

P. **9**, l. **21-22** : « ... *le grand livre du monde* ... »
Cf. Montaigne : « Ce grand monde, que les uns multiplient encore comme espèces sous un genre, c'est le miroir où il nous faut regarder pour nous connaître de bon biais. Somme, je veux que ce soit le livre de mon écolier. Tant d'humeurs, de sectes, de jugements, d'opinions, de lois et de coutumes nous apprennent à juger sainement des nôtres, et apprennent notre jugement à reconnaître son imperfection et sa naturelle faiblesse : qui n'est pas un léger apprentissage. » *Essais*, liv. I, ch. xxvi, *De l'institution des enfants*, éd. F. Strowski, t. I, p. 204, l. 24-p. 205, l. 1. — Le P. Poisson, *Remarques*, éd. citée, p. 146, renvoie à Cardan, *Proxeneta*.

P. **9**, l. **22** : « ... *de ma jeunesse* ... »

Texte latin : « insequentes aliquot annos », t. VI, p. 544-545. Puisque la période nouvelle qui s'ouvre ici prendra fin avec le commencement de l'hiver (IIᵉ Partie, p. 11, l. 7), cette expression désigne les années 1616-1619, et suppose, par conséquent, que Descartes situe « le reste de sa jeunesse » entre sa vingtième et sa vingt-troisième année.

P. **9**, l. **22** : « ... *à voyager* ... »

Descartes ne commença peut-être pas à voyager immédiatement après ses études de droit. Nous ignorons complètement ce qu'il fit entre le 10 novembre 1616 et son départ pour la Hollande, sauf pourtant qu'il signa deux actes, en qualité de témoin, à Sucé, diocèse de Nantes, les 22 octobre et 3 décembre 1617. Ce fait suffit d'ailleurs à rendre pour le moins suspect le récit de Baillet, qui fait résider alors le jeune Descartes à Paris (voir Ch. Adam, *Vie de Descartes*, p. 35 ; à ces arguments, on peut ajouter que si, comme nous le pensons, Descartes est sorti de La Flèche en 1616, tout le récit de Baillet est une conjecture basée sur de fausses dates). — La date à laquelle Descartes quitta la France est incertaine. Sa présence en Hollande n'est indiscutablement attestée qu'à partir du 10 novembre 1618, où le *Journal* d'Isaac Beeckman nous le montre à Bréda (t. X, p. 45), dans le Brabant septentrional (pour les hypothèses relatives à la date de son départ, voir Ch. Adam, p. 44, et note *g*; G. Cohen, *op. cit.*), p. 374. — M. G. Cohen (*op. cit.*, p. 69, note 4, et p. 374, note 1) fait observer que le terme « voyage » était parfois employé à cette époque pour désigner une expédition militaire. Descartes peut lui avoir donné ce sens dans notre texte, mais il l'entend certainement aussi, comme l'indique le contexte, au sens également usuel de voyage de curiosité et d'agrément.

P. **9**, l. **23** : « ... *des cours* ... »

Parce que le séjour des cours était considéré comme indispensable à l'éducation complète d'un jeune gentilhomme et passait pour la manière la plus sûre d'apprendre à connaître les hommes. Le texte latin met les armées avant les cours et ajoute les villes : « exercitus, urbes aulasque exterorum Principum », t. VI, p. 545. — Voir plus loin, IIᵉ Partie, p. 11, l. 6.

P. **9**, l. **23** : « ... *et des armées* ... »

Cette manière de compléter les études était recommandée par les PP. Jésuites eux-mêmes : « Dans *Le Pèlerin de Lorette*, du jésuite Louis Richeome (Bordeaux, petit in-8°, S. Millanges, 1604), on trouve cette page curieuse, qui nous renseigne sur les habitudes du temps. Un fils écrit à son père, p. 965 : « ... Ayant appris les bonnes lettres jusques à l'âge de dix-huit ans, vous me « fîtes apprendre à manier les armes avec la Noblesse Française, aux meil-

« leures Académies de l'Europe. Après, je fus envoyé vers Hongrie à la
« guerre contre les Turcs, où je commandai trois ans, avec honorable succès
« de mes travaux et contentement des Seigneurs à la compagnie desquels
« je portais les armes. Étant revenu de ce voyage, et ne se présentant
« aucune occasion en notre France où je pusse m'employer honorablement
« selon mon désir et vacation, vous fûtes d'avis, vous privant de moi pour
« l'amour de moi, que j'allasse voyager en Levant, afin d'apprendre la vertu
« en l'école du monde, voyant divers pays et diverses nations ... » (Ch. Adam,
Vie de Descartes, p. 41, note *b*). Le héros du *Menteur* de P. Corneille n'est
postérieur que de peu d'années (1643) et témoigne à quel point le *curriculum
vitae* du jeune Descartes se conformait à des usages répandus. Comme Descartes, il a « quitté la robe pour l'épée » (*Le Menteur*, I, 1) ; comme Descartes encore : « Il vint hier de Poitiers, mais il sent peu l'école » (II, 1) ;
mais à la différence de Descartes, étant menteur, il se dispense d'aller en
Allemagne et se vante simplement d'y être allé : « Depuis que j'ai quitté
les guerres d'Allemagne » (I, 3). M. G. Cohen (*Écrivains français en Hollande*, p. 371-372) a de plus établi qu'à cette époque un grand nombre de
jeunes Français allaient s'inscrire en qualité d'étudiants dans les universités
hollandaises et que deux régiments français au service des États séjour-
naient dans les Pays-Bas. Certains gentilshommes, comme le jeune Charles
de Condren, éprouvaient un scrupule à servir en pays protestant et dans une
armée qui venait de battre, sous Maurice de Nassau, les troupes de la catholique Espagne ; d'autres n'en éprouvaient aucune gêne (cf. G. Cohen, *op.
cit.*, p. 373 ; Ch. Adam, *op. cit.*, p. 41, note *b*) ; Descartes fut de ce nombre
et il se vantera même plus tard d'avoir porté les armes contre l'Inqui-
sition d'Espagne pour aider les Hollandais à s'en délivrer (*à Servien*, 12 mai
1647, t. V, p. 25, l. 21-p. 26, l. 2. Sur ce point, voir G. Cohen, p. 374). « Il
s'engagea donc comme volontaire, s'équipant à ses frais, avec un valet au
mois à son service. Il ne reçut point de solde, sauf une fois, au début, un
doublon qu'il conserva en souvenir » (Ch. Adam, *op. cit.*, p. 42).

P. **9**, l. **24** : « ... *humeurs* ... »

« *Humeurs* : se dit encore d'une certaine disposition de l'esprit, ou naturelle, ou accidentelle. *Être ... d'une humeur inquiète ...* » *Dictionnaire de
l'Académie* (1694), t. I, p. 575. Ici : disposition naturelle.

P. **9**, l. **24** : « ... *et conditions* ... »

Texte latin : « ... *et ordinis* ... » (t. VI, p. 545), c'est-à-dire : conditions
sociales, et, spécialement, celles des ingénieurs et artisans ; voir p. 9, l. 31.

P. **9**, l. **25** : « ... *expériences* ... »

Au sens purement empirique ; ce que l'on apprend par la fréquentation des hommes et l'usage de la vie. Le latin traduit ici par le pluriel « experimenta », mais il traduit plus loin le singulier : « quelque expérience » (p. 10, l. 28), par le même pluriel latin « experimenta ». C'est donc bien de l' « expérience » au sens usuel du terme qu'il s'agit ici. Voir le texte de Montaigne cité à p. 10, l. 12.

P. **9**, l. **26** : « ... *que la fortune* ... »

C'est-à-dire : la destinée (cf. Huguet, *op. cit.*, p. 168). Le terme désigne généralement toutes les occasions que le hasard de la vie pouvait offrir au jeune Descartes de s'*essayer* lui-même (au sens de Montaigne ; G. Cohen, *op. cit.*, p. 368, note 2 : « comme on éprouve un métal à la pierre de touche ») ; mais le contexte suggère plus particulièrement l'idée de rencontres dangereuses, au sens militaire du terme. Il est vrai que la Hollande est alors pacifiée, puisque la trêve de douze ans, conclue en 1609, n'expirera qu'en 1621, et que Descartes ira en Allemagne, où l'appellera « l'occasion des guerres qui n'y sont pas encore finies » (p. 11, l. 4), pour chercher, sans succès d'ailleurs, ce que la Hollande ne lui donne pas. Mais l'insécurité des voyages à cette époque offrait au curieux de ces émotions plus d'une occasion de montrer ce qu'il valait. — En fait, nous savons par Descartes lui-même : 1° qu'il eut à cette époque le goût naturel du métier militaire (« cette chaleur de foie qui me faisait autrefois aimer les armes, ... » *A Mersenne*, 9 janvier 1639, t. II, p. 480) ; 2° qu'il assista peut-être à de petits engagements, qui furent sanglants, et dont il prit en effet occasion pour noter certaines observations sur la psychologie du combattant : « Un gendarme revient d'une mêlée : pendant la chaleur du combat, il aurait pu être blessé sans s'en apercevoir, mais maintenant qu'il commence à se refroidir, il sent de la douleur, il croit être blessé : on appelle un Chirurgien, on ôte ses armes, on le visite, et on trouve enfin que ce qu'il sentait n'était autre chose qu'une boucle ou une courroie qui, s'étant engagée dans ses armes, le pressait et l'incommodait » (*Le Monde*, t. XI, p. 6, l. 6-17. Cf. t. II, p. 546, l. 5-7). Et « j'en ai vu l'expérience en une cuirasse faussée par le bond d'un boulet, sans que celui qui la portait fût tué ». *A Mersenne*, 28 octobre 1640, t. III, p. 209, l. 21-23. Cf. « J'ai des mémoires entre les mains que M. Descartes a faits à la guerre, où l'on peut voir ... qu'un esprit bien fait trouve dans le milieu d'un Camp de quoi servir d'entretien à ceux qui fréquentent aussi le Lycée. » P. Poisson, *Remarques*, cité par Ch. Adam, t. X, p. 255-256. Et enfin l'anecdote, t. X, p. 189-190, où l'on voit Descartes tenir en respect les matelots qui veulent le dépouiller et les intimider par son attitude résolue.

P. **9**, l. **31** : « ... *l'événement* ... »

Événement, c'est-à-dire : l'issue de quelque chose. (Cf. Huguet, *op. cit.*,

p. 152 : « L'événement de ce procès est douteux. ») Il s'agit du résultat auquel les raisonnements conduisent lorsqu'on les applique. Descartes pense donc ici surtout aux techniques diverses, dans lesquelles le succès ou l'échec pratique est le critère de la valeur des théories. En fait, nous savons qu'il étudia sérieusement le flamand dès l'année 1619, ce qui suppose le dessein d'entrer en relations avec des artisans ignorant le latin et le français ; qu'il s'occupa de Peinture (sans doute la Perspective) et d'Architecture militaire (ou art des fortifications) : « Neque me tamen ita desidiosum existimes, ut plane tempus inutiliter conteram ; immo nunquam utilius, sed in rebus quas ingenium tuum, altioribus occupatum, haud dubie contemnet, et ex edito scientiarum caelo despiciet : nempe in Pictura, Architectura militari, et praecipue sermone Belgico. In quo quid profecerim, brevi visurus es : petam enim Middelbourg, si Deus sinat, quadragesima ineunte » (*à Beeck-man*, 24 janvier 1619, t. X, p. 151, l. 11-p. 152, l. 5). Sur les ingénieurs militaires que Descartes put alors fréquenter, voir G. Cohen, p. 373 et 381. En outre, Descartes a composé en 1618 son *Compendium musicae* (t. X, p. 56, n° IX, et p. 88-141), où la considération des résultats pratiques inter-venait nécessairement (« Celebris est horum (modorum) tractatus apud Practicos ... », p. 139, l. 11). Enfin, nous le voyons préoccupé de problèmes relatifs à l'art de naviguer (« Cogitavi etiam, Middelburgo exiens, ad ves-tram navigandi artem, et revera modum inveni ... », etc. *A Beeckman*, 26 mars 1619, t. X, p. 159, l. 15 et suiv.).

P. **10**, l. **1** : « ... *le doit punir* ... »

Cf., dans le même sens, *à Plempius*, 30 octobre 1637, t. I, p. 421, l. 11-14.

P. **10**, l. **2** : « ... *un homme de lettres* ... »

C'est-à-dire un esprit purement spéculatif. Texte latin : « doctor aliquis in Musaeo sedens » (t. VI, p. 545). Ce terme de *doctor* suggère d'ailleurs que Descartes pense aux scolastiques. Voir même page, l. 3-4.

P. **10**. l. **2** : « ... *dans son cabinet* ... »

Cf. Clauberg : « Alludit ad eos doctores de quibus Bacon de Verulamio *de Augm. scient.*, lib. I, ait : quod otio abundantium et historiam naturae ac temporis maxima ex parte ignorantium, mentes sint conclusae in paucorum authorum, praecipue Aristotelis dictatoris sui scriptis, non minus quam corpora ipsorum in coenobiorum cellis ». *Defensio cartesiana*, c. VII, art. 6, éd. citée, p. 73.

P. **10**, l. **3-4** : « ... *aucun effet* ... »

Aucun résultat concret que l'on puisse contrôler. Pointe dirigée contre la stérilité pratique de la spéculation scolastique. Texte latin : « in iis quas doctor aliquis ... excogitavıt circa entia rationis, aut similia quae ad usum vıtae nihil juvant » (t. VI, p. 545).

P. **10**, l. **4** : « ... *d'autre conséquence* ... »

Et qui ne peuvent avoir pour lui d'autre résultat que ... Cf. texte latin : « ... et ex quibus nihil aliud expectat, nisi forte ... » (VI, 545).

P. **10**, l. **6** : « ... *sens commun* ... »

Texte latin : « a veritate ac sensu communi erunt remotiores » (t. VI, p. 545). Le terme « veritas » se trouve ajouté pour marquer l'opposition au « vraisemblable » (l. 8), dont se contente la scolastique. La rédaction latine de tout ce passage accentue son caractère d'hostilité contre l'École.

P. **10**, l. **8** : « ... *artifice* ... »

C'est-à-dire : plus d'art, ou d'industrie. (Cf. Huguet, *op. cit.*, p. 18.) Texte latin : « plus ingenii atque industriae » (t. VI, p. 545).

P. **10**, l. **8** : « ... *vraisemblables* ... »

C'est-à-dire : probables, au sens scolastique de dialectiquement probables. Voir plus haut, p. 8, l. 29.

P. **10**, l. **10-11** : « ... *en mes actions* ... »

Texte latin : « ut rectum iter vitae clarius viderem » (t. VI, p. 545). Le caractère moral des premières préoccupations de Descartes se trouve une fois de plus affirmé.

P. **10**, l. **11** : « ... *avec assurance* ... »

C'est-à-dire : avec sécurité. Cf. Huguet, *Petit Glossaire* (4e éd.), p. 21.

P. **10**, l. **11** : « ... *en cette vie* ... »

Voir plus haut, p. 4, l. 21-25.

P. **10**, l. **12** : « ... *je ne faisais que* ... »

C'est-à-dire : aussi longtemps que je m'en tenais à l'observation empirique des mœurs et coutumes, sans y ajouter une réflexion personnelle et systématique, je me libérais de bien des préjugés, sans acquérir toutefois aucune certitude. — C'est une expérience analogue à celle de Montaigne : « Il n'est désir plus naturel que le désir de connaissance. Nous essayons tous les moyens qui nous y peuvent mener. Quand la raison nous faut, nous y employons l'expérience, ... qui est un moyen plus faible et plus vil ; mais la vérité est chose si grande que nous ne devons dédaigner aucune entremise qui nous y conduise. La raison a tant de formes que nous ne savons à laquelle nous prendre ; l'expérience n'en a pas moins. » *Essais*, liv. III, ch. xiii, *De l'expérience*, éd. F. Strowski, t. III, p. 360.

P. 10, l. 14 : « ... *m'assurer* ... »

C'est-à-dire : acquérir la certitude que je cherchais. Cf. Huguet, *Petit Glossaire*, p. 22 : *s'assurer*. Et plus haut, l. 11.

P. 10, l. 16 : « ... *des Philosophes* ... »

Des philosophes scolastiques.

P. 10, l. 19 : « ... *et ridicules* ... »

Voir plus haut, p. 6, l. 24.

P. 10, l. 20-21 : « ... *d'autres grands peuples* ... »

Cf. Montaigne, *Essais*, liv. I, ch. xxi, *Des cannibales*, éd. F. Strowski, t. I, p. 264 et suiv ; liv. II, ch. xlix, *Des coutumes anciennes*, Ibid., t. I, p. 380 et suiv. ; liv. II, ch. xii, *Apologie de R. Sebond*, Ibid., t. II, p. 337 et suiv.

P. 10, l. 22-23 : « ... *l'exemple et la coutume* ... »

Dans tout ce développement, Descartes se souvient de Montaigne, *De la coutume* : « Mais le principal effet de sa puissance, c'est de nous saisir et empiéter de telle sorte qu'à peine soit-il en nous de nous ravoir de sa prise et de rentrer en nous pour discourir et raisonner de ses ordonnances. De vrai, parce que nous les humons avec le lait de notre naissance, et que le visage du monde ne se présente en cet état à notre première vue, il semble que nous soyons nés à la condition de suivre ce train. Et les communes imaginations que nous trouvons en crédit autour de nous, et infuses en notre âme par la semence de nos pères, il semble que ce soient les générales et naturelles. » *Essais*, liv. I, ch. xxiii, éd. F. Strowski, t. I, p. 147. — « Qui voudra se défaire de ce violent préjudice de la coutume, il trouvera plusieurs choses reçues d'une résolution indubitable, qui n'ont appui qu'en la barbe chenue et rides de l'usage qui les accompagne ; mais, ce masque arraché, rapportant les choses à la vérité et à la raison, il sentira son jugement comme tout bouleversé et remis pourtant en bien plus sûr état. » *Ibid.*, p. 149.

P. 10, l. 24 : « ... *offusquer* ... »

C'est-à-dire : l'empêcher d'être vue, l'obscurcir. Cf. Huguet, *op. cit.*, p. 265 : « Les nuées offusquent le soleil, offusquent le jour. » — La lumière de la raison est naturellement égale chez tous, mais elle peut cesser de briller à cause des erreurs que déposent en nous l'exemple et la coutume, dont l'enseignement se fait le porte-parole, et qu'il a pour effet de confirmer. C'est pourquoi, bien qu'ils demeurent également raisonnables, les hommes peuvent devenir « moins capables d'entendre raison » les uns que les autres.

P. **10**, l. **25-26** : « ... *entendre raison* ... »

Le texte latin est plus concis : « Et ita sensim multis me erroribus liberabam, mentemque veris rationibus agnoscendis aptiorem reddebam » (t. VI, p. 545). — Descartes considère donc la méthode d'observation préconisée par les humanistes de la Renaissance comme insuffisante, mais salutaire. C'est pourquoi, d'ailleurs, il l'appliquera de nouveau pendant les neuf années qui suivront la méditation décisive de l'hiver 1619. — M. G. Cantecor (*op. cit.*, p. 379) estime « qu'il n'y eut pas de rapport entre sa première curiosité des sciences et le sentiment qui le décide à voir des pays étrangers ». Le sentiment de la nécessité de voyager pour apprendre autre chose que ce que l'on trouve dans les livres n'a cependant rien d'extraordinaire ; c'est celui-là même que le P. Richeome, dont on invoque ici le témoignage contre Descartes, prête à son disciple : « que j'allasse voyager en Levant afin d'apprendre la vertu en l'école du monde » (voir plus haut, p. 9, l. 23). De ce que Descartes a repris ici « une idée banale et une pratique coutumière » (G. Cantecor, *op. cit.*, p. 380), il n'en résulte pas que cette idée et cette pratique n'aient pu revêtir, en s'intégrant à son expérience, un sens particulier. Rien n'interdit donc jusqu'à présent d'admettre que Descartes : 1° ait poursuivi ses études avec l'espoir d'acquérir une science certaine ; 2° qu'il ait ensuite espéré se faire une opinion ferme touchant les règles de la conduite, en observant et comparant les mœurs des divers hommes appartenant à divers pays et de diverses conditions ; 3° qu'il ait reconnu de bonne heure l'insuffisance de cette pratique, tout en constatant et marquant son utilité. Le récit du *Discours* peut nous paraître aujourd'hui systématique parce que nous savons, nous aussi, vers quel but il se dirige. Descartes ne dit cependant pas qu'il ait d'abord défini la science cartésienne, puis essayé divers moyens pour l'acquérir, mais qu'il a d'abord usé des moyens employés par tout le monde sans constater autre chose que l'incertitude des résultats obtenus. Et, sans doute, ce manque de satisfaction suppose chez le jeune Descartes des exigences particulières en fait de certitude, mais non point du tout qu'il ait conçu avant l'hiver 1619 l'idée d'une science intégralement mathématique. C'est là qu'il allait sans en avoir clairement conscience, et l'on ne peut supposer ni qu'il soit arrivé au but avant de partir ou sans avoir à en chercher la route, ni qu'il ait parcouru cette route sans aucun sentiment du but vers lequel il tendait. Si Descartes avait suivi les mêmes chemins que tout le monde, dans le même état d'esprit que tout le monde, il ne serait pas arrivé où lui seul est arrivé.

P. **10**, l. **26-27** : « *... quelques années ...* »

Texte latin : « ... sic aliquandiu ... » (t. VI, p. 545). — M. G. Cantecor
observe à ce propos : « Descartes nous raconte que, désillusionné de la science
des livres, il serait allé chercher le vrai savoir dans « le grand livre du
monde ». Il faut reconnaître tout d'abord qu'il ne l'y a pas cherché bien
longtemps, encore qu'il se flatte d'y avoir employé plusieurs années. Parti
de France dans le courant de l'année 1618, c'est dans l'automne de 1619 que,
résolu à rentrer en lui-même et à faire lui-même, si l'on peut ainsi parler, ses
propres affaires intellectuelles, il se serait décidé à construire la science par
ses propres moyens. Sa tentative de s'instruire par l'observation du monde
n'aurait donc duré qu'une année ou à peine un peu plus » (*La vocation de
Descartes*, p. 377). La remarque est fondée si l'on compte les années à partir
du jour où la présence de Descartes en Hollande nous est attestée. Mais,
outre que l'on a supposé un premier voyage de Descartes aux Pays-Bas en
1617 (G. Cohen, p. 374 et note 4), il est clair que Descartes compte ici comme
employées à étudier le livre du monde toutes les années qui forment « le
reste de sa jeunesse » (p. 9, l. 22). Or, nous avons vu que cette période commence avec la fin de ses études universitaires (novembre 1616), et, par conséquent, les « quelques années » dont il est ici question doivent désigner au
moins les trois années qui vont de l'automne 1616 à l'automne 1619. Mais
on doit, en outre, ne pas oublier que Descartes continuera de voyager pendant neuf années après sa retraite en Allemagne (1618-1626), et précisément
avec cette même intention de s'instruire au contact des hommes (« Et d'autant que j'espérais en pouvoir mieux venir à bout, en conversant avec les
hommes... je me remis à voyager. » I1Ie Partie, p. 28, l. 19-24. Cf. p. 30,
l. 5-9). Ainsi cette « tentative de s'instruire par l'observation du monde »
(Cantecor, *loc. cit.*) s'étend en réalité de l'automne 1616 à l'automne 1628 ;
elle finit seulement avec la résolution prise alors par Descartes de s'éloigner de tous les lieux où il pouvait avoir des « connaissances » et de se « reti-
rer » en Hollande pour y vivre « aussi solitaire et retiré que dans les déserts
les plus écartés ». IIIe Partie, p. 31, l. 1-13.

P. **10**, l. **27** : « *... le livre du monde ...* »

Texte latin : « Sed postquam sic aliquandiu quidnam in mundo ab aliis
ageretur inspexissem ... » (t. VI, p. 545).

P. **10**, l. **28** : « *... un jour ...* »

Le texte latin marque plus nettement encore : « semel » (t. VI, p. 545). —
Le récit du *Discours* nous présente ici la vie de Descartes sous un aspect
plus simple qu'elle ne le fut en réalité. De 1616 à 1619, Descartes n'aurait ni
lu ni travaillé, mais se serait contenté de voyager pour observer et de s'inté-

resser à certains arts pratiques ; en 1619, avec la réflexion dans le poêle d'Allemagne, aurait commencé une période toute différente d'activité intellectuelle théorique et de spéculation. En fait, le récit de Descartes contient un fond de vérité historique, mais il ne respecte pas la complexité des événements.

1º Descartes n'a jamais cessé de s'intéresser aux problèmes scientifiques proprement dits depuis sa sortie du collège. Lorsqu'il passe ses examens de droit en 1616, il s'est déjà occupé de médecine et, deux ans après, il parlera à son ami Beeckman des fondements de sa mécanique, en vrai physico-mathématicien qu'il sera devenu dans l'intervalle (t. X, p. 52 et 67, l. 6-7. Voir G. Milhaud, *Descartes savant*, p. 25-38).

2º De plus, nous pouvons suivre dans les lettres à Beeckman tout un travail intellectuel qui prépare et annonce la découverte de 1619 : *a)* quatre démonstrations mathématiques « insignes et plane novas » (26 mars 1619, t. X, p. 154-156. Voir G. Milhaud, *Descartes savant*, p. 38-42) ; *b)* l'idée d'une généralisation de ces méthodes telle qu'il en naisse une science entièrement nouvelle (« penitus novam »), par laquelle on pourrait résoudre toutes les questions qui se posent dans n'importe quel genre de quantité, continue ou discontinue : « adeo ut pene nihil in Geometria supersit inveniendum. Infinitum quidem opus est, nec unius. Incredibile quam ambitiosum : sed nescio quid luminis per obscurum hujus scientiae chaos aspexi, cujus auxilio densissimas quasque tenebras discuti posse existimo » (*Ibid.*, p. 156, l. 7- p. 158, l. 2).

3º Cependant, dès l'époque même dont il s'agit, Descartes a éprouvé le sentiment qu'un changement d'orientation se produisait dans sa vie et qu'il revenait d'une période surtout technique à une activité intellectuelle plus spéculative. Lors de la première lettre à son ami (24 janvier 1619. Voir plus haut, à p. 9, l. 31), Descartes vit dans une sorte de paresse intellectuelle, non pas absolue, car, au contraire, il travaille beaucoup, mais, en quelque sorte, spéculative, car Beeckman tente inutilement de l'arracher aux problèmes pratiques dans lesquels il s'enfonce et de ramener son ami vers la spéculation théorique (« desidiosus meo more, vix titulum libris, quos te monente scripturus sum, imposui », t. X, p. 151, l. 9-10. C'est alors qu'il étudie le flamand, les fortifications et la perspective) ; Descartes est donc alors le praticien, par opposition à Beeckman, qui est le savant (« ingenium tuum, altioribus occupatum », *Ibid.*). Ce fut Beeckman qui finalement l'emporta, et Descartes le remercia dans une lettre chaleureuse de l'avoir ainsi rappelé des occupations secondaires auxquelles il s'amusait vers les problèmes proprement scientifiques : « Tu enim revera solus es, qui desidiosum excitasti, jam e memoria pene elapsam eruditionem revocasti, et a seriis occupationibus aberrans ad meliora reduxisti » (23 avril 1619, t. X, p. 162, l. 18-p. 163, l. 3. Sur ce que pouvait être cette *eruditio*, voir G. Milhaud, *Descartes savant*, p. 236-238).

4º La comparaison entre le récit du *Discours* et les textes contemporains des faits qu'il rapporte conduit donc aux conclusions suivantes : *a)* Descartes a réellement traversé une période d'oisiveté spéculative et de curiosité tournée vers les problèmes d'expérience pratique, comme le raconte le *Discours; b)* cette période, qui ne prendra réellement fin qu'avec la méditation de l'hiver 1619, comme l'affirme le *Discours* (voir à p. 10, l. 29), prépare cependant la suivante par des relations qui se nouèrent en novembre 1618 entre Beeckman et Descartes ; *c)* dès avant cette date, Descartes s'était employé à l'étude de la mécanique.

Le récit du *Discours* modifie donc arbitrairement les faits : 1º en transformant une période *surtout* pratique en une période *uniquement* pratique ; 2º en exagérant la netteté de la coupure qui, pendant l'hiver 1619, mit fin à cette période ; 3º en présentant comme venant uniquement de Descartes lui-même (« je pris un jour résolution ... », p. 10, l. 28-29) une résolution dont l'honneur revenait pour une part à son ami Beeckman. L'injustice dont il fait preuve à son égard s'explique par la brouille, suivie d'une tiède réconciliation, qui les avait séparés dans l'intervalle (voir les lettres si violentes de Descartes *à Beeckman*, septembre ou octobre 1630, t. I, p. 155-156, et 17 octobre 1630, t. I, p. 157-167). Mais elle s'explique surtout par le fait capital que voici : Beeckman est bien l'auteur responsable du retour de Descartes aux spéculations théoriques, mais ce qu'il engage Descartes à étudier, ce sont uniquement les Mécaniques et la Géométrie. En avril 1619, Descartes lui-même ne pense pas à autre chose ; il sait qu'il doit à Beeckman d'être revenu à ces études, il le reconnaît et l'en remercie (voir note suivante). Mais, entre cette date et la rédaction du *Discours*, un fait important s'est produit : les études purement mathématiques auxquelles Descartes s'est livré, à l'instigation de Beeckman, l'ont conduit d'abord à une généralisation de méthodes qui ne doit rien à Beeckman, et ensuite à l'universalisation de la méthode mathématique, donc à l'idée de l'unité de la science, qui est la grande découverte cartésienne de l'hiver 1619. De tout cela, Beeckman n'a été que la cause très indirectement occasionnelle et parfaitement inconsciente, puisque Descartes lui-même, en avril 1619, ne prévoyait pas que sa retraite future dût avoir un autre objet que des recherches mathématiques (t. X, p. 162, l. 14) ; ce caractère si complètement imprévu du développement de sa pensée explique pourquoi Descartes n'a pas accordé à Beeckman dans l'histoire de son esprit la part très modeste sans doute, mais à laquelle cependant il avait droit.

P. **10**, l. : **29** « *... en moi-même ...* »

Texte latin : « seriò me ipsum examinare » (t. VI, p. 545). Le témoignage du *Discours* est ici garanti par une lettre à Beeckman ; Descartes a véritablement quitté la Hollande, avec l'intention consciente de saisir la première occasion qui s'offrirait à lui pour se consacrer enfin à une réflexion d'ordre proprement spéculatif. L'arrêt de 1619 en Allemagne ne sera que la mise à exécution de ce projet, et c'est pourquoi le *Discours* insiste sur le fait qu'avec son départ de Hollande Descartes commence une nouvelle vie. Beeckman l'a reconquis aux sciences spéculatives et il le quitte pour s'y adonner ; c'est ce qui explique qu'en fait il se soit remis à leur étude un peu avant 1619 et que cependant il ait pu dater de 1619 le moment où il s'y était adonné tout entier : « Si alicubi immorer, ut me facturum spero, statim tibi polliceor me Mechanicas vel Geometriam digerendam suscepturum, teque ut studiorum meorum promotorem et primum authorem amplectar » (*à Beeckman*, 23 avril 1619, t. X, p. 162, l. 13-17).

Le bilan des travaux scientifiques entrepris et réalisés par Descartes sous l'impulsion première de Beeckman avant son départ de Hollande, c'est-à-dire entre novembre 1618 et mai 1619, se décompose ainsi :

1° Un mémoire concernant la pression exercée par les liquides sur le fond des vases et leur pesanteur (t. X, p. 67-74). L'occasion de ce travail, rédigé entre le 23 novembre et le 26 décembre 1618, est une question posée par Beeckman à Descartes *e Stevino*, c'est-à-dire d'après la statique de Stevin (Milhaud, *op. cit.*, p. 36).

2° Un mémoire touchant la loi de la chute des corps (même date), où Descarte considère que, dans le mouvement accéléré de la chute, les vitesses sont proportionnelles aux espaces parcourus, non aux temps. Cette confusion persistera longtemps dans sa pensée et son ami Beeckman était en avance sur lui sur ce point (Milhaud, *op. cit.*, p. 26-34).

3° Le *Compendium musicae*, rédigé et offert à Beeckman au début de janvier 1619. Travail inspiré de Zarlino. Voir A. Pirro, *Descartes et la musique*, Paris, 1907.

4° Enfin, de mars à avril 1619, quatre démonstrations mathématiques relatives au problème de la trisection de l'angle et à la résolution de certaines équations cubiques (t. X, p. 234-246), à la suite desquelles Descartes pose le problème que traitera complètement, en 1637, la *Géométrie* : « la classification des lignes apportant la solution de toutes les questions relatives à la quantité continue » (Milhaud, *op. cit.*, p. 38-46). Cf. les lettres à Beeckman, t. X, p. 151-169.

P. **10**, l. **30** : « ... *les chemins* ... »

Non au sens précis de : règles de méthode, mais au sens général de : voies à suivre pour parvenir à la vérité. Texte latin : « quidnam a me optimum fieri posset inquirere » (t. VI, p. 545). — Cette expression rappellerait le *Quod vitae sectabor iter?* d'Ausone, qu'il crut lire en rêve à l'époque même où le

Discours vient de nous conduire. Voir le récit du songe dans les *Olympica*, t. X, p. 183 ; mais on se souviendra que Descartes lui-même a interprété cette parole du poète en un sens moral, et non en un sens méthodologique. Cf. « M. Descartes, continuant d'interpréter le songe dans le sommeil, estimait que la pièce sur l'incertitude du genre de vie qu'on doit choisir et qui commence par le *Quod vitae sectabor iter*, marquait le bon conseil d'une personne sage, ou même la théologie morale » (t. X, p. 184).

P. **11**, l. **2** : « ... *de mes livres* ... »

Ici encore le texte latin marque le sens précis en accentuant l'hostilité contre l'École : « nec a scholasticis studiis unquam recessissem » (t. VI, p. 545).

DEUXIÈME PARTIE

P. **11**, l. **3**, en marge : « *Seconde Partie.* »

Le texte latin ajoute en marge : « Praecipuae illius Methodi, quam inves-
tigavit Author, regulae » (t. VI, p. 545). Titre emprunté au résumé français,
p. 1, l. 4-5.

P. **11**, l. **4** : « *... en Allemagne ...* »

Descartes a quitté Amsterdam le 29 avril 1619 pour visiter le Danemark
et passer quelque temps à Copenhague : « Hodie navim conscendo, ut
Daniam invisam ; ero aliquandiu in urbe Coppenhaven ... » (*à Beeckman*,
29 avril 1619, t. X, p. 165). L'itinéraire complet d'abord prévu par le philosophe était le suivant : Danemark, Pologne, Hongrie, en évitant l'Allemagne (Palatinat et Bavière), dont les routes étaient alors peu sûres (*à
Beeckman*, 23 avril 1619, t. X, p. 162, l. 10-13. Cf. Ch. Adam, *Vie de Descartes*, p. 46-47). Il semble peu probable cependant que Descartes ait fait le
détour Pologne-Hongrie, car, si peu de temps qu'il soit demeuré en Danemark, il ne lui aurait guère été facile d'accomplir un tel trajet entre avril,
date de son départ de Hollande, et juillet-septembre, date du couronnement
de l'Empereur à Francfort, fête à laquelle il assista (voir plus loin à p. 11,
l. 6).

P. **11**, l. **4-5** : « *... l'occasion des guerres ...* »

Texte confirmé par la lettre *à Beeckman* du 23 avril 1619 : « Nam belli
motus nondum me certo vocant ad Germaniam ... » (t. X, p. 162, l. 8). Descartes s'est donc laissé décider ; mais il lui est arrivé ce qu'il prévoyait : il a
trouvé beaucoup de soldats et peu de batailles. De là aussi la mise à exécution du projet de retraite et de méditation qui date de cette époque (*Ibid.*,
l. 13-17 ; texte cité plus haut, à p. 10, l. 29).

P. **11**, l. **5** : « *... pas encore finies ...* »

Le *Discours* est de 1637 ; la guerre de Trente ans ne devait prendre fin
qu'en 1648, avec la paix de Westphalie.

P. **11**, l. **6** : « ... *du couronnement de l'Empereur* ... »

C'est-à-dire : le couronnement de Ferdinand, roi de Bohême (1617), de
Hongrie (1618), et couronné empereur à Francfort en 1619. Les fêtes du
couronnement durèrent du 20 juillet au 9 septembre 1619.

P. **11**, l. **7** : « ... *vers l'armée* ... »

En quittant la Hollande, Descartes avait dénoncé son engagement dans
les troupes du protestant Maurice de Nassau ; l'armée vers laquelle il se
dirigeait en revenant des fêtes du couronnement était celle du catholique
duc Maximilien de Bavière, qui rassemblait alors des troupes contre Fré-
déric, comte palatin et roi de Bohême. — Nous devons ces détails à Lipstorp, dont le témoignage est ici d'autant plus digne de foi qu'il regrette de
voir Descartes engagé contre des protestants d'Allemagne et l'en excuse :
« ... uti tristis nos eventus docuit. Apud ipsum vero nomen rursus professus
est militis voluntarii, hostem licet ignorans, adversus quem copiae forent
educendae » (Daniel Lipstorp, *Specimina philosophiae cartesianae*, Leyde,
Elzevier, 1653, Pars Secunda, p. 78).

P. **11**, l. **7** : « ... *le commencement de l'hiver* ... »

Le témoignage des *Olympica*, confirmé plus tard par les *Cogitationes privatae*, fixe la date décisive des réflexions de Descartes au 10 novembre 1619 :
« x novembris 1619, cum plenus forem Enthousiasmo, et mirabilis scientiae
fundamenta reperirem, etc. » (A. Baillet, *Vie de M. Des Cartes*, 1691, t. I,
p. 50-51. Dans *Œuvres*, t. X, p. 179 et 216). Il résulte de là que « le commencement de l'hiver » doit signifier : vers le début du mois de novembre 1619.

P. **11**, l. **7-8** : « ... *en un quartier* ... »

Puisque Descartes s'y trouve pendant son retour vers l'armée, il ne peut
s'agir des quartiers d'hiver de l'armée elle-même, où, d'ailleurs, il eût difficilement trouvé le repos souhaité. Cette expression désigne donc le village
dans lequel le jeune volontaire s'installe lui-même pendant la suspension
des hostilités qu'amenait toujours l'hiver, et nous atteignons ici la fin
de sa carrière militaire : il y entre soldat, il en sortira philosophe. — L'empla-
cement exact de ce « quartier » n'est pas connu. Daniel Lipstorp, appuyé
par Ch. Adam (*Vie de Descartes*, p. 47), conjecture un village des environs
d'Ulm, ville de mathématiciens, et où Descartes (D. Lipstorp, *op. cit.*, p. 78-
79) serait d'abord allé rendre visite à Faulhaber.

P. **11**, l. **8** : « ... *aucune conversation* ... »

C'est-à-dire aucun voisin avec qui nouer et entretenir des relations intellectuelles comme c'avait été le cas avec Beeckman. C'est ce qui conduit à

supposer que Descartes s'était retiré dans un village plutôt que dans une ville, surtout une ville de mathématiciens. Cf. plus haut à p. 6, l. 20.

P. **11**, l. **9** : « ... *me-divertit* ... »

C'est-à-dire : qui détournât et dispersât mon attention. « *Divertir :* détourner, distraire. *Divertir quelqu'un de ses occupations. Il avait un tel dessein, je l'en ai diverti* ». *Dictionnaire de l'Académie* (1694).

P. **11**, l. **9-10** : « ... *aucuns soins* ... »

« *Soin* signifie aussi sollicitude, peine d'esprit, souci... *La vie des grands est pleine de soins. L'ambition cause bien des soins.* » *Dictionnaire de l'Académie* (1694). Cf. Huguet, *Petit Glossaire*, p. 365-366.

P. **11**, l. **10** : « ... *ni passions* ... »

Comme il en éprouvera, par exemple, à l'époque de son « dangereux engagement » avec Hélène, mère de sa fille Francine (voir G. Cohen, *Écrivains français...*, ch. xi, p. 483-489).

P. **11**, l. **11** : « ... *dans un poêle* ... »

Chambre chauffée par un poêle de faïence, à la mode allemande, et dont les Français, accoutumés à des cheminées fumeuses, appréciaient fort la commodité. C'est sans doute comme dernière circonstance de nature à favoriser ses réflexions qu'il indique ici ce détail. On notera cependant que si les Français estimaient la chaleur « égale, constante et universelle, sans lueur, sans fumée », que l'on ressentait dans les « poêles », ils se plaignaient par contre d'y respirer un air confiné. Cf. Montaigne, *Journal de voyage*, éd. Lautrey, Paris, Hachette, 1909, p. 92-93. *Essais*, éd. F. Strowski, III, 13, t. III, p. 381-382 (cité par G. Cohen, *op. cit.*, p. 718-719). — Sur les cheminées qui fument, voir lettre *à Mersenne*, 20 octobre 1624, t. III, p. 587-589.

P. **11**, l. **12** : « ... *m'entretenir* ... »

C'est-à-dire : méditer. Texte latin : « variis meditationibus placidissime vacabam » (t. VI, p. 545). — Cf. « Et on dit : *s'entretenir soi-même, entretenir ses pensées, ...* pour dire : penser à quelque chose, méditer. » *Dict. de l'Académie* (1694), t. II, p. 547.

P. **11**, l. **13** : « ... *l'une des premières* ... »

1º Texte latin : « ... primum fere ... ». Descartes n'affirme pas que cette idée lui soit venue la première ; il faut, néanmoins, qu'elle ait été la plus importante parmi celles qui s'offrirent à lui les premières pour qu'il la place avant les autres dans son récit. En effet, le développement littéraire qui suit exprime en termes modestes et enveloppés une idée capitale, mais qu'il eût été difficile de formuler dans sa nudité brutale : l'édifice de la science ne peut être que l'œuvre d'un seul, et Descartes se considère comme qualifié pour le construire. C'est là cependant ce que signifie, malgré bien des détours et des restrictions de forme, tout le début de la IIe Partie jusqu'à la page 17, l. 11 : « *J'avais un peu étudié* ... » Il est donc évident que nous percevons ici un écho de la nuit du 10 novembre 1619 et que le récit du *Discours* s'accorde avec le témoignage des *Olympica* (voir à p. 11, l. 7). Pendant la nuit du 10 au 11 novembre, Descartes, qui se sentait plein d'enthousiasme parce qu'il était en train de découvrir (*cum reperirem*) les fondements d'une science admirable, eut trois songes consécutifs en une seule nuit, « qu'il s'imagina ne pouvoir être venus que d'en haut » (*Olympica*, t. X, p. 181). Le récit de ces songes et surtout l'interprétation que s'en donna immédiatement Descartes permettent de discerner, outre des préoccupations de nature morale et religieuse, l'idée centrale dont le *Discours* situe précisément la découverte à cette époque : 1º l'unité du corps des sciences ; 2º la réconciliation et l'unité foncière de la philosophie et de la sagesse ; 3º le sentiment éprouvé par Descartes qu'il est investi par Dieu de la mission de constituer le corps des sciences et, par conséquent aussi, de fonder la vraie sagesse : « Il jugea que le *Dictionnaire* ne voulait dire autre chose que toutes les sciences ramassées ensemble, et que le Recueil de Poésies, intitulé *Corpus poetarum*, marquait en particulier, et d'une manière plus distincte, la Philosophie et la Sagesse jointes ensemble... Là-dessus, doutant s'il rêvait ou s'il méditait, il se réveilla sans émotion et continua, les yeux ouverts, l'interprétation de son songe sur la même idée. Par les Poètes rassemblés dans le Recueil, il entendait la Révélation et l'Enthousiasme, dont il ne désespérait pas de se voir favorisé. Par la pièce de vers *Est et Non*, qui est le *Oui* et le *Non* de Pythagore (*en marge* : ναὶ καὶ οὔ), il comprenait la Vérité et la Fausseté dans les connaissances humaines et les sciences profanes. Voyant que l'application de toutes ces choses réussissait si bien à son gré, il fut assez hardi pour se persuader que c'était l'Esprit de Vérité qui avait voulu lui ouvrir les trésors de toutes les sciences par ce songe » (*Olympica*, t. X, p. 184-185).

On peut dès lors reconstituer, avec une extrême vraisemblance, la marche suivie par la pensée de Descartes : en avril 1619, il quitte Beeckman avec l'intention de s'arrêter à la première occasion pour élaborer une Géométrie et une Mécanique ; cette occasion se présente à lui dans les premiers jours de novembre 1619, grâce à la solitude que lui offre le poêle où il prend ses quartiers d'hiver ; le point de départ de sa réflexion est le projet « incroyablement ambitieux » d'une science « entièrement nouvelle » et qui pourrait à peine « être l'œuvre d'un seul » : construire, au moyen d'une seule et même méthode, l'édifice entier de la Géométrie (cf. à p. 10, l. 28, nº 2) ; après quelques jours de réflexion, la pensée cartésienne dépasse encore cette généralisation déjà si hardie et conçoit la possibilité de construire toutes les sciences au moyen de cette même méthode géométrique : *cum plenus forem Enthou-siasmo, et mirabilis scientiae fundamenta reperirem.* Mais cette découverte implique nécessairement l'idée de l'unité systématique des sciences et le pres-sentiment de la mission qui devait désormais être la sienne : en constituer à lui seul le système entier. Les songes de la nuit suivante ne firent que le confirmer dans cette conviction. — Cf. *Cogitationes privatae* : « Larvatae nunc scientiae sunt : quae, larvis sublatis, pulcherrimae apparerent. Cate-nam scientiarum pervidenti, non difficilius videbitur, eas animo retinere, quam seriem numerorum », t. X, p. 215, l. 1-4. Et G. Cohen, *op. cit.*, p. 400. — Pour les multiples interprétations des songes de Descartes, voir Ch. Adam, *Vie de Descartes*, t. XII, p. 50-56. G. Milhaud, *Descartes savant*, ch. II : Une crise mystique de Descartes en 1619, p. 47 et suiv. J. Maritain, *Le songe de Descartes*, Revue universelle, décembre 1920. G. Cohen, *Écrivains français en Hollande*, p. 400-401. H. Gouhier, *La pensée religieuse de Descartes*, Appendice II, p. 315-318.

2º Cette découverte de l'unité du corps des sciences, dont l'invention s'accompagna d'enthousiasme, est aussi celle qui s'exprime dans les pages si prudentes et si méticuleusement restrictives du *Discours de la Méthode* (p. 11-16. Pour le rapport entre la date du 10 novembre des *Olympica* et ce passage du *Discours* : G. Cohen, p. 394. Il semble, par contre, peu croyable que Descartes en ait eu le pressentiment dès le 26 mars 1618 et qu'il l'ait caché à Beeckman par modestie, comme le pense G. Cohen, p. 383 ; car Descartes ne songe à cette date qu'à une méthode générale pour l'ensemble des ma-thématiques, et c'est pour constituer sa Géométrie et ses Mécaniques qu'il pense alors s'arrêter quelque part ; cf. t. X, p. 162. D'ailleurs, si sa décou-verte datait du 26 mars 1618, l'enthousiasme du 10 novembre 1619 ne se comprendrait plus). Cette idée fondamentale, que le *Discours* suggère avec modestie plutôt qu'il ne la formule, s'exprime nettement dans les *Regulae*, avec celle de l'unité de l'esprit humain qui la fonde et les conséquences qui en découlent. A la distinction scolastique des sciences, qui, s'inspirant d'une fausse analogie avec les arts techniques (Descartes vise ici le texte connu d'Aristote, *Ethic. Nicom.*, A, 1, 1094, a. 1-b 10, commenté par tous les traités scolastiques, qui distingue et hiérarchise techniques, arts et sciences du point de vue de leurs fins. Cf. saint Thomas : « Virtutes intel-lectuales sunt circa diversas materias ad invicem non ordinatas, sicut patet in diversis scientiis, et artibus, et, ideo non invenitur in eis connexio quae invenitur in virtutibus moralibus... » *Sum. theol.*, Iª IIae, 65, 1, ad 3ᵐ. C'est pourquoi : « virtutes intellectuales non sunt connexae : potest enim aliquis habere unam scientiam sine hoc quod habeat aliam. » Et *Quaest. disp. de virtutibus cardinalibus*, art. 2, ad 8ᵐ), les divise comme leurs objets eux-mêmes sont divisés, Descartes substitue l'identité foncière de toutes les sciences dans l'esprit humain qui est leur sujet commun et en qui elles s'unissent : « ... idem de scientiis etiam crediderunt (*scil.* homines), illasque pro diversitate objectorum ab invicem distinguentes, singulas seorsim et omnibus aliis omissis quaerendas esse sunt arbitrati. In quo sane decepti sunt. Nam cum scientiae omnes nihil aliud sint quam humana sapientia, quae semper una et eadem manet, quamtumvis differentibus subjectis applicata, nec majorem ab illis distinctionem mutuatur, quam solis lumen a rerum, quas illustrat, varietate, non opus est ingenia limitibus ullis cohibere ; ... Credendumque est, ita omnes inter se esse connexas, ut longe facilius sit cunctas simul addiscere, quam unicam ab aliis separare. Si quis igitur serio rerum veritatem investigare vult, non singularem aliquam debet optare scientiam : sunt enim omnes inter se conjunctae et a se invicem dependentes. » *Reg.*, I ; t. X, p. 360, l. 3-15, et p. 361, l. 12-25. — Descartes ne publiera jamais cette idée fondamentale sous la forme pure qu'elle revêtit d'abord dans son esprit, sauf dans la *Préface* écrite pour la traduction française des *Principes de la Philosophie*, qui est un manifeste dirigé contre la scolastique, et où elle devient la célèbre comparaison de « l'arbre de la science » (*Principes*, t. IX, p. 14, l. 23-31).

P. **11**, l. **15** : « ... *de plusieurs pièces* ... »

Parce qu'ils ont été faits en plusieurs fois et sans que les maîtres qui s'y sont employés ne se soient concertés. Texte latin : « illa opera quibus diversi artifices, inter se non consentientes, manum adhibuere ... » (t. VI, p. 545).

P. **11**, l. **16** : « ... *divers maîtres* ... »

Cf. Clauberg : « Dico aedificium illud scientiae sive scientiarum (quatenus consideramur ut adulti, sed verae Philosophiae expertes) non esse ab uno architecto in mente nostra exstructum, sed a diversis ac dissentientibus, eaque de causa, secundum axioma huic capiti praescriptum, esse imperfectum, infirmum, inordinatum. Nam 1. dum infantes fuimus non quidem eruditionem eamdem habuimus quam viri ... attamen de multis coeco impetu judicia nostra praecipitavimus, talesque ac tantas res omnes esse credidimus, qualiter et in quantum nos afficiebant, atque errores tum admissi et longa judicandi consuetudine firmati aliorum deinceps errorum causae existunt et plurimi tam horum quam illorum semper etiam viris adhaerescunt. 2. etiam a matribus et nutricibus fabulas plures audivimus, quibus aliquorum mentes serio interdum fuerunt depravatae. 3. tunc ex conversatione, a populo et communi loquendi ratione falsa veris admixta plurima hausimus. 4. ac denique ex praeceptoribus et libris, quos habuimus varios ac differentes, plurima et vera et falsa didicimus, nunc horum, nunc illorum monita et praecepta secuti. Hi omnes doctores ac magistri nostri antequam serio philosopharemur fuerunt, qui nec inter se conjunctim, nec sibi ipsis sigillatim semper consensere. Quare fieri non potest, ut judicia nostra tam firma sint ac recta, quam essent si a sola matura ratione profecta omnia fuissent » (*Defensio cartesiana*, c. VII, 13, éd. citée, p. 85-86). Voir plus loin le texte de la *Recherche de la Vérité*, à p. 13, l. 5.

P. **11**, l. **17** : « *Ainsi* ... »

Descartes va proposer, à l'appui de sa thèse, cinq exemples différents, dont chacun est annoncé par la même formule : 1º les architectes et leurs édifices : « Ainsi voit-on ... » (p. 11, l. 17) ; 2º les ingénieurs et les villes qu'ils dessinent : « Ainsi ces anciennes cités ... » (p. 11, l. 22) ; 3º les peuples et les législations qu'ils se donnent : « Ainsi je m'imaginai ... » (p. 12, l. 9) ; 4º la philosophie scolastique et son caractère composite, par où Descartes rejoint la conclusion vers laquelle il tend : « Et ainsi je pensai ... » (p. 12, l. 25) ; 5º l'homme et ses opinions : « Et ainsi encore ... » (p. 13, l. 1). — Dans la *Recherche de la Vérité* (t. X, p. 507-508), Descartes usera d'un autre exemple, celui d'un tableau mal commencé par les sens et que l'entendement s'efforce en vain de retoucher. Voir plus loin à p. 13, l. 5.

P. **11**, l. **18** : « ... *architecte* ... »

A distinguer de l' « ingénieur ». L'architecte dresse les plans d'un édifice particulier et en surveille la construction. Cf. p. 11, l. 26.

P. **11**, l. **20** : « ... *de raccommoder* ... »

Le contexte (« *être plus beaux et mieux ordonnés* ... », montre que Descartes pense moins ici à des réparations de parties ruinées qu'aux modifications apportées à certains bâtiments ou à certaines villes pour leur donner meilleur aspect. Le terme était usuel en ce sens au xviiᵉ siècle : « Je n'avais que dix-huit ans quand je fis cette ode, mais je l'ai raccommodée. » Boileau, *Note sur l'ode 2* (Littré, sens nº 4). Texte latin : « diversis temporibus novos parietes veteribus adjungendo ... » (t. VI, p. 546). Cf. à p. 13, l. 26, fin de la note.

P. **11**, l. **22** : « ... *anciennes* ... »

Ces *vieilles* villes.

P. **11**, l. **23** : « *bourgades* ... »

Petit bourg, construit d'abord à proximité d'un château et dont les maisons sont très disséminées.

P. **11**, l. **24** : « ... *par* ... »

En raison de.

P. **11**, l. **24** : « ... *compassées* ... »

C'est-à-dire : proportionnées. Cf. « *Compasser*. Mesurer avec le compas... Il signifie plus ordinairement : bien *proportionner* une chose. *Il a bien compassé ces allées.* » *Dictionnaire de l'Académie* (1694).

P. 11, l. **24** : « ... *au prix de* ... »
En comparaison de.

P. 11, l. **25** : « ... *ces places régulières* ... »
Places, au sens de *villes* et particulièrement : villes fortifiées. Cf. « *Place* signifie encore : une ville de guerre. » *Dictionnaire de l'Académie* (1694), t. II, p. 245. — Cf. « Plusieurs fondations urbaines nous montrent la conception idéale que l'on avait alors des villes ; on cherchait la régularité du plan. Dans la création de Vitry-le-François, en 1545, les rues furent tracées avec symétrie, les maisons enfermées dans un carré flanqué d'une enceinte bastionnée. Quand Charles III de Lorraine constitue une cité nouvelle au sud de la vieille ville de Nancy, à partir de 1588, les alignements sont pris au cordeau ; des fortifications, dont quelques-unes sont encore debout : Saint-Nicolas (1603-1608), Saint-Georges (1606) défendaient la ville neuve. A Charleville, fondée en 1605 par Charles de Gonzague, duc de Nevers, les rues viennent aboutir à une grande place centrale d'où l'on voyait les quatre portes de la ville ; de même à Henrichemont, que Sully avait établi en 1608 dans sa principauté du Berry, les voies forment une sorte d'étoile partant du milieu du bourg. » Gaston Brière, dans André Michel, *Histoire de l'art*, t. V, 2ᵉ partie, ch. xiii, p. 717. Voir le plan de Henrichemont dans Cam. Enlart, *Manuel d'archéologie française* (Paris, 1904), t. II, p. 242-243.

Parmi ces villes, M. Ch. Adam (*Vie de Descartes*, t. XII, p. 581) ne voit guère que Charleville où Descartes ait pu passer. Clauberg (*Defensio cartesiana*, ch. viii, 7, p. 81) propose la ville de Richelieu ; mais cette ville fut commencée vers 1631, et Descartes ne revint pas en France entre 1628 et 1637 ; il ne peut donc l'avoir vue lorsqu'il écrit le *Discours*. On voit d'ailleurs par ce qui précède que cette conception des villes modernes était trop généralisée pour que Descartes puisse ne pas en avoir entendu parler. Et l'on peut ajouter que les places publiques (*Place Royale, Place Dauphine,* etc.) s'inspiraient du même idéal que les villes. Or, on disait alors de la place Royale (aujourd'hui *Place des Vosges*) : « Tous conviennent que c'est la plus grande et la plus régulière place du monde, et que ni les Grecs ni les Romains n'en ont jamais eu de semblable. » A. Gaboard, *Histoire de Paris*, Paris, 1864, t. III, p. 461. Marcel Poète, *La promenade à Paris au XVIIᵉ siècle*, Paris, 1913, ch. ii, p. 28 et suiv. Gaston Brière, dans *Histoire de l'art*, *loc. cit.*, p. 718.

P. 11, l. **25** : « ... *qu'un Ingénieur* ... »
« *Ingénieur*. Celui qui invente, qui trace et qui conduit des travaux et des ouvrages pour l'attaque ou pour la défense des places. » *Dictionnaire de*

l'Académie (1694), t. I, p. 379. Ici : celui qui trace les plans d'une place en construction.

P. 11, l. **25-26 :** « ... *à sa fantaisie* ... »

Sans qu'aucun accident de terrain ni aucune construction déjà existante n'impose de contrainte à son imagination. Texte latin : « ... libere ... » (t. VI, p. 546).

P. 11, l. **29 :** « ... *arrangés* ... »

Disposés et distribués.

P. 11, l. **31 :** « ... *courbées et inégales* ... »

Inégales, c'est-à-dire : qui ne sont pas de niveau. Du point de vue de l'histoire de l'art, c'est cette absence de plan des villes médiévales, et l'irrégularité qui en résulte, qui les distingue des villes régulières du XVIIe siècle, dites parfois, en souvenir de ce passage du *Discours* qui en donne la première description typique : villes à la Descartes. Il n'est guère téméraire de supposer que Descartes se souvient ici de Poitiers.

P. 12, l. **1 :** « ... *la fortune* ... »

Le hasard. Texte latin : « ... caeco potius et fortuito quodam casu ... » (t. VI, p. 546). — Cf. Huguet, *op. cit.*, p. 167.

P. 12, l. **4 :** « ... *quelques officiers* ... »

Ceux qui possédaient, à titre d'office, la charge de veiller à ce que les constructions privées contribuent à l'embellissement des villes. Ces fonctionnaires dépendaient de l'échevinage ; consulter, à leur sujet : Camille Enlart, *Manuel d'archéologie française,* Architecture, Paris, 1904, t. II, p. 248-252, *Édilité.* Texte latin : « ... aediles aliquos ... » (t. VI, p. 546). — Sur le redoublement de sévérité qui se manifeste à cette époque dans les règlements : « Dans les transformations des villes anciennes se manifestent les mêmes principes qui dirigent les fondations nouvelles. Des ordonnances obligent à la régularité des façades et à l'alignement des maisons ..., etc. » Gaston Brière, *op. cit.*, p. 717-718.

P. 12, l. **8-9 :** « ... *fort accomplies* ... »

Pourvues de toutes les qualités qu'elles doivent avoir.

P. 12, l. **12 :** « ... *l'incommodité des crimes* ... »

C'est-à-dire : la gêne ou la peine que causent les crimes. — Cf. « On dit : l'*incommodité du vent, du soleil,* pour dire : la peine que cause le vent, le soleil. » *Dictionnaire de l'Académie* (1694), t. I, p. 214.

P. **12**, l. **13** : « ... *être si bien policés* ... »

Ne sauraient jouir d'une aussi bonne organisation politique et judiciaire. Une *police*, dit le *Dictionnaire de l'Académie* (1694), c'est « l'ordre, le règlement qu'on observe dans un État, dans une république, dans une ville ». Cf. Pascal : « La pente vers soi est le commencement de tout désordre, en guerre, en police, en économie. » *Pensées*.

P. **12**, l. **15** : « ... *les constitutions* ... »

Lois fondamentales, soit ecclésiastiques ou civiles, soit générales ou particulières (Littré, sens n° 5).

P. **12**, l. **15** : « ... *prudent* ... »

C'est-à-dire : sage. Cf. Huguet, *op. cit.*, p. 316, à *Prudemment* et *Prudent*.

P. **12**, l. **15-16** : « ... *Législateur* ... »

Descartes pense à Lycurgue. Voir plus loin, l. 20 et à l. 24.

P. **12**, l. **16-17** : « ... *l'état de la vraie Religion* ... »

État : manière d'être fixe et durable, dans laquelle Dieu a constitué la vraie religion. — Il s'agit de la religion chrétienne dont les « ordonnances », c'est-à-dire les prescriptions fondamentales, sont en effet contenues dans les commandements de Dieu et les livres révélés. Texte latin : « status verae religionis, qui legibus a Deo ipso sancitis gubernatur ... » (t. VI, p. 546).

P. **12**, l. **23** : « ... *contraires aux bonnes mœurs* ... »

Par exemple : nécessité d'abandonner sur le mont Taygète, où ils périssaient, les enfants mal conformés ; éloges décernés aux enfants qui volaient des aliments sans se laisser prendre ; encouragements à la ruse et à l'espionnage ; jeunes filles s'exerçant nues dans la palestre ; la communauté des femmes autorisée par groupes, etc.

P. **12**, l. **24** : « ... *par un seul* ... »

C'est-à-dire Lycurgue, personnage plutôt légendaire qu'historique, mais qui passait pour avoir donné à Sparte sa constitution complète au début du ixe siècle av. J.-C.

P. **12**, l. **25** : « ... *à même fin* ... »

Toute la législation de Sparte et toutes ses institutions n'avaient en effet qu'une seule fin : faire du Spartiate un soldat accompli et dont la vie fût totalement au service de l'État.

P. **12**, l. **27** : « ... *que probables* ... »

C'est-à-dire les sciences purement dialectiques, et spécialement la philosophie scolastique, par opposition aux sciences mathématiques. Cf. plus haut, p. 8, l. 21-22, et p. 8, l. 29.

P. **13**, l. **1** : « ... *de bon sens* ... »

Au sens fort de l'expression, marqué par Descartes, p. 1, l. 17 : un homme qui ne fait appel qu'à sa propre raison. Texte latin : « ... homo aliquis sola ratione naturali utens et nullo praejudicio laborans ... » (t. VI, p. 546).

P. **13**, l. **4** : « ... *par nos appétits* ... »

Terme scolastique : « *appetitus* », pris ici au sens plus particulier qu'indique bien le texte latin : « ... *vel cupiditatum* ... » C'est-à-dire : par les mouvements de désir ou d'aversion qu'engendrent en nous les perceptions de certains objets sensibles. Descartes peut avoir eu dès 1619 l'idée que nos conceptions actuelles sont solidaires des impressions éprouvées pendant notre enfance (voir p. 13, l. 11-12), mais il n'aura de doctrine complètement développée sur ce point qu'après l'élaboration de sa métaphysique, en 1629.

Les articulations essentielles de sa pensée définitive seront alors les suivantes : 1° n'étant que pensée, l'âme ne contient par essence rien qui ne soit intelligible ; 2° si donc nous lui supposons un contenu inné, ce contenu lui est, en droit, totalement et immédiatement intelligible ; 3° en fait, cette âme est substantiellement unie à un corps ; elle éprouve, de ce fait, des impressions qui sont fonction de la vie du corps et qui lui représentent les choses, non pas en elles-mêmes, mais par rapport à nos besoins corporels ; 4° ces impressions sont d'autant plus fortes et plus envahissantes que les besoins du corps sont eux-mêmes plus exigeants ; elles atteignent leur maximum pendant la période embryonnaire et leur importance décroît progressivement à mesure que, le corps achevant sa formation, la pensée devient plus capable de penser, non pour vivre, mais pour penser ; 5° ces impressions sont d'abord des impressions de plaisir et de douleur avec les « appétits » qui les accompagnent : désir ou aversion ; puis des sensations de moindre caractère affectif : odeurs, saveurs, sons, couleurs, etc. ; notre erreur initiale consistant à extérioriser spontanément nos sensations, à cause de leur caractère affectif, et à juger que les choses sont en elles-mêmes ce qu'elles nous semblent être en fonction de nos besoins ; 6° les jugements spontanés élaborés pendant cette période où l'activité physiologique prédomine sont de nature persistante et constituent une source féconde de préjugés (*Princ. phil.*, I, 72) ; 7° la philosophie scolastique n'est que la justification métaphysique de ces préjugés et le système d'un univers pensé en fonction de nos besoins ; 8° on ne se débarrasse de ces préjugés que par une critique et un entraînement destinés à dénouer le lien de ces habitudes invétérées ; son instrument le plus efficace est la méditation métaphysique prolongée de la distinction réelle de l'âme et du corps.

Voir sur ce point le texte important, *à X****, août 1641 : « Nec etiam sine ratione affirmavi, animam humanam ubicumque sit, etiam in matris utero, semper cogitare : nam quae certior aut evidentior ad hoc posset optari, quam quod probarim ejus naturam sive essentiam in eo consistere, quod cogitet, sicut essentia corporis in eo consistit quod sit extensum? Neque enim ulla res potest unquam propria essentia privari... Non autem idcirco mihi persuadeo, mentem infantis de rebus metaphysicis in matris utero meditari ; sed contra, si quid liceat de re non perspecta conjicere, cum experiamur mentes nostras corporibus ita esse adjunctas, ut semper ab iisdem patiantur ; et quamvis in adulto et sano corpore vigens animus nonnulla fruatur libertate cogitandi de aliis quam quae ipsi a sensibus offeruntur, eamdem tamen non esse libertatem in aegris, nec in dormientibus, nec in pueris, et solere esse eo minorem, quo aetas est tenerior ; nihil magis rationi consentaneum est, quam ut putemus mentem corpori infantis recenter unitam in solis ideis doloris, titillationis, caloris, frigoris et similibus, quae ex ista unione ac quasi permixtione oriuntur, confuse percipiendis sive sentiendis occupari. Nec minus tamen in se habet ideas Dei, sui et earum omnium veritatum, quae per se notae esse dicuntur, quam easdem habent homines adulti, cum ad ipsas non attendunt ; nec enim postea, crescente aetate, illas acquirit ; nec dubito quin, si vinculis corporis eximeretur, ipsas apud se esset inventura » (t. III, p. 423, l. 11-p. 424, l. 18). — Voir surtout : « Hicque primam et praecipuam errorum omnium causam licet agnoscere. Nempe in prima aetate, mens nostra tam arcte corpori erat alligata, ut non aliis cogitationibus vacaret, quam iis solis, per quas ea sentiebat quae corpus afficiebant : necdum ipsas ad quidquam extra se positum referebat, sed tantum ubi quid corpori incommodum occurrebat, sentiebat dolorem ; ubi quid commodum, sentiebat voluptatem ; et ubi sine magno commodo vel incommodo corpus afficiebatur, habebat diversos quosdam sensus, illos scilicet quos vocamus sensus saporum, odorum, sonorum, caloris, frigoris, luminis, colorum et similium, quae nihil extra cogitationem positum repraesentant. Simulque etiam percipiebat magnitudines, figuras, motus et talia ; quae illi non ut sensus, sed ut res quaedam, vel rerum modi, extra cogitationem existentes, aut saltem existendi capaces, exhibebantur, etsi hanc inter ista differentiam nondum notaret. Ac deinde, cum corporis machinamentum, quod sic a natura fabricatum est ut propria sua vi variis modis moveri possit, hinc inde temere se contorquens, casu commodum quid assequebatur aut fugiebat incommodum, mens illi adhaerens incipiebat advertere id, quod ita assequebatur aut fugiebat, extra se esse ; nec tantum illi tribuebat magnitudines, figuras, motus et talia, quae ut res aut rerum modos percipiebat, sed etiam sapores, odores, et reliqua, quorum in se sensum ab ipso effici advertebat. Atque omnia tantum referens ad utilitatem corporis, cui erat immersa, eo plus aut minus rei esse putabat in unoquoque objecto a quo afficiebatur, prout plus aut minus ab ipso afficiebatur ... Milleque aliis ejusmodi praejudiciis, a prima infantia, mens nostra imbuta est ; quae deinde in pueritia non recordabatur fuisse a se sine sufficienti examine recepta, sed tanquam sensu cognita, vel a natura sibi indita, pro verissimis evidentissimisque admisit. » *Principia Philosophiae*, pars I, 71 ; t. VIII, p. 35, l. 5-p. 36, l. 22.

Cf. *à Morin*, 13 juillet 1638, t. II, p. 212, l. 25-p. 213, l. 15 ; *à M. de Beaune*, 20 février 1639, t. II, p. 518, l. 20 ; *au P. Mesland*, 2 mai 1644, t. IV, p. 114, l. 11-16 ; *à Morus*, 5 février 1649, t. V, p. 275, l. 31, p. 176, l. 9 ; *Recherche de la Vérité*, t. X, p. 509, l. 1-7 ; *VI^ae Resp.*, t. VII, p. 438, l. 2-15.

P. **13**, l. **4-5** : « *... nos appétits et nos Précepteurs ...* »

C'est-à-dire les deux causes de toute la classe des préjugés que Descartes attribue à ce qu'il nomme la *Prévention*. Cf. le texte de la *Recherche de la Vérité*, cité plus loin, à p. 13, l. 5, et aussi le texte de Clauberg, cité plus haut, à p. 11, l. 15.

P. **13**, l. **5** : « *... et nos Précepteurs ...* »

Considéré comme méthode de transmission de la vérité, l'enseignement souffre de deux insuffisances : 1° son contenu, qui ne fait que prolonger, élaborer et confirmer les préjugés de notre enfance, ajoute de nouvelles erreurs à celles que nous commettons spontanément ; 2° même au cas où son contenu serait vrai, la vérité ne pourrait devenir telle pour la raison qu'après qu'elle l'aurait examiné et approuvé ; l'enseignement n'est donc pas une méthode d'acquisition de la vérité qui se suffise à soi-même, et il requiert précisément la vérification rationnelle à laquelle va procéder le *Discours*.

Cf. « Il me semble que tout cela s'explique fort clairement, si on compare la fantaisie des enfants à une table d'attente, dans laquelle doivent être mises nos idées, qui sont comme des portraits tirés de chaque chose après le naturel. Les sens, l'inclination, les précepteurs et l'entendement sont les peintres différents qui peuvent travailler à cet ouvrage ; entre lesquels ceux qui en sont moins capables sont les premiers qui s'en mêlent, à savoir des sens imparfaits, un instinct aveugle et des nourrices impertinentes. Le meilleur vient le dernier, qui est l'entendement ; et encore faut-il qu'il fasse plusieurs années d'apprentissage et qu'il suive longtemps l'exemple de ses maîtres avant qu'il ose entreprendre de corriger aucune de leurs fautes. Ce qui est, à mon avis, une des principales causes pourquoi nous avons tant de peine à connaître. Car nos sens ne voient rien au delà des choses plus grossières et communes, notre inclination naturelle est toute corrompue, et pour les précepteurs, encore qu'il s'en puisse trouver sans doute de très parfaits, si est-ce qu'ils ne sauraient forcer notre créance de recevoir leurs raisons jusqu'à ce que notre entendement les ait examinées, auquel seul il appartient de parachever cet ouvrage. Mais il est comme un excellent peintre qu'on aurait employé pour mettre les dernières couleurs à un mauvais tableau que de jeunes apprentis ont ébauché ; lequel aurait beau pratiquer toutes les règles de son art pour y corriger peu à peu tantôt un trait, tantôt un autre, et y ajouter du sien tout ce qui manque, si est-ce pourtant qu'il ne pourrait jamais si bien faire qu'il n'y laissât de grands défauts, puisque dans le commencement le dessin a été mal compris, les figures mal plantées et les proportions mal observées. » *Recherche de la Vérité*, t. X, p. 507, l. 2-p. 508, l. 9.

P. **13**, l. **9** : « ... *si purs* ... »

Purs de toute erreur d'origine sensible et, par conséquent, non rationnelle. Texte latin : « ... tam recta ... »

P. **13**, l. **9** : ... *si solides* ... »

Parce que de caractère purement rationnel, donc nécessaire, au lieu d'être de caractère sensible, donc dialectique et seulement probable, comme c'est actuellement le cas.

P. **13**, l. **10** : « ... *l'usage entier* ... »

Sans partage avec les impressions végétatives et sensibles que notre âme a dû subir pour le bien du corps.

P. **13**, l. **11-12** : « ... *conduits que par elle* ... »

Le thème général de ce développement, depuis : « Et ainsi encore je pensai ... », semble dérivé, directement ou non, d'un texte de Cicéron que cite Clauberg : « Verba Ciceronis sunt initio lib. 3 *Tusc. Quaest.* : Quod si tales nos natura genuisset, ut eam ipsam intueri et perspicere, eademque optima duce cursum vitae conficere possemus, haud erat sane quod quisquam rationem ac doctrinam requireret ; nunc parvulos nobis dedit igniculos, quos celeriter malis moribus opinionibusque depravatis sic restinguimus, ut nusquam naturae lumen appareat : sunt enim ingeniis nostris semina innata virtutum, quae si adolescere liceret, ipsa nos ad beatam vitam natura perduceret. Nunc autem simul atque editi in lucem et suscepti sumus, in omni continuo pravitate et in summa opinionum perversitate versamur, ut pene cum lacte nutricis errorem suxisse videamur ; cum vero parentibus redditi, id est, magistris traditi sumus, tum ita variis imbuimur erroribus, ut vanitati veritas, et opinioni confirmatae natura ipsa cedat. Accedunt etiam Poetae, qui cum magnam speciem doctrinae sapientiaeque prae se tulerunt, audiuntur, leguntur, ediscuntur et inhaerescunt penitus in mentibus. Tum vero accedit eadem, quasi maximus quidam magister, populus, atque omnis undique ad vitia consentiens multitudo, tum plane inficimur opinionum pravitate a

naturaque ipsa desciscimus. » Concludat hoc caput illustris Baco de Verulamio, qui lib. I *Nov. Org.*, aph. 97, ita scribit : Ratio illa humana quam habemus, ex multa fide, et multo etiam casu, nec non ex puerilibus, quas primo
hausimus, notionibus, farrago quaedam est et congeries. Quod si quis aetate
matura, et sensibus integris, et mente repurgata, se ad experientiam et ad
particularia de integro applicet, de eo melius sperandum est. » J. Clauberg,
op. cit., VIII, 14-15, p. 87-88. — Cf. *Recherche de la Vérité*, t. X, p. 495, l. 9-
p. 496, l. 12.

P. **13**, l. **13** : « ... *nous ne voyons point* ... »

C'est-à-dire : nous n'avons point d'exemple (texte latin : « ... insolens
foret ... », t. VI, p. 547). L'expression a pour contre-partie : « ... mais on voit
bien ... » ; c'est-à-dire : on constate souvent ... », etc. (texte latin : « At certe
non insolens est ... », t. VI, p. 547).

P. **13**, l. **16** : « ... *plusieurs* ... »

C'est-à-dire : beaucoup. Texte latin : « multi ». — Cf. « *Plusieurs*..., qui
signifie : beaucoup, quantité, grand nombre... *Plusieurs*, absolument, veut
toujours dire : plusieurs personnes. » *Dictionnaire de l'Académie* (1694),
t. II, p. 261.

P. **13**, l. **18** : « ... *contraints* ... »

Allusion à la situation dans laquelle Descartes lui-même s'est trouvé après
son double échec pour conquérir une science certaine, d'abord par les méthodes scolastiques, ensuite par les méthodes humanistes de la Renaissance.

P. **13**, l. **22** : « ... *point d'apparence* ... »

C'est-à-dire : il ne serait pas raisonnable. Cf. « *Apparence* se dit quelquefois
de ce qui est raisonnable. Il n'y a point d'apparence de transporter ce malade en l'état qu'il est. » Furetière, *Dictionnaire universel*, 1690. Cf. Huguet,
Petit Glossaire, p. 16.

P. **13**, l. **22** : « ... *un particulier* ... »

Texte latin : « ... privatus aliquis ... » ; un homme qui n'est investi d'aucune autorité publique ; au sens propre, s'oppose à « prince ».

P. **13**, l. **25** : « ... *aussi* ... »

Au sens de : non plus. Cf. Huguet, *Petit Glossaire*, p. 26.

P. **13**, l. **26** : « ... *pour les enseigner* ... »

Ce passage ne signifie pas que Descartes n'ait pas conçu au début de l'hiver 1619 l'idée d'une réforme complète de la philosophie et des sciences dont

elle est le fondement ; une telle interprétation ne serait pas seulement contredite par les *Olympica* et les *Cogitationes privatae*, où la concaténation de toutes les sciences est affirmée (voir à p. 11, l. 13), mais encore par les lignes suivantes du *Discours*, où nous voyons Descartes reconstruire toutes ses connaissances sur des fondements nouveaux. Le sens exact est le suivant : considérant la scolastique (« le corps des sciences » ; latin : « scientias vulgatas »), la médecine et le droit comme une sorte d'institution sociale, dont non seulement le contenu, mais encore les méthodes d'enseignement (« l'ordre établi dans les écoles ») relèvent de la coutume et de la tradition, je n'ai pas voulu me poser en réformateur en demandant que la destruction de cet édifice ruineux eût lieu dans les Collèges et les Universités en même temps qu'elle aurait lieu dans ma propre pensée. C'est donc bien « le corps des sciences ou l'ordre établi dans les écoles pour les enseigner » que Descartes va réformer, mais pour son propre compte, et il attendra toute sa vie que les institutions sociales intéressées ou les princes qui ont pouvoir sur elles (les Jésuites ; les Universités ; Christine, reine de Suède) entreprennent d'eux-mêmes la réforme qu'un particulier comme lui n'a pas autorité pour effectuer.

Sur l'intention qu'eut véritablement Descartes de renverser tout l'édifice, au moins pour son propre compte, cf. le passage parallèle de la *Recherche de la Vérité* : « ... il faudra ici que vous me prêtiez votre attention et me laissiez un peu entretenir avec Poliandre, < afin > que je puisse d'abord renverser toute la connaissance acquise jusqu'à présent. Car, puisqu'elle n'est pas suffisante pour lui satisfaire, elle ne saurait être que mauvaise, et je la < tiens > pour quelque maison mal bâtie, de qui les fondements ne sont pas assurés. Je ne sais point de meilleur moyen pour y remédier que de la jeter toute par terre et d'en bâtir une nouvelle ; car je ne veux pas être de ces petits artisans qui ne s'emploient qu'à raccommoder les vieux ouvrages pour ce qu'ils se sentent incapables d'en entreprendre de nouveaux » (t. X, p. 509, l. 8-22). Cf. *VIIe Resp.*, t. VII, p. 536, l. 28-p. 537, l. 5.

P. **13**, l. **27** : « ... *toutes les opinions* ... »
Voir plus loin, p. 31, l. 27.

P. **13**, l. **28** : « ... *en ma créance* ... »
C'est-à-dire : au nombre des opinions que j'estime être véritables.
Le terme de *croyance* correspond à celui d'*opinions* dont vient d'user Descartes. Les opinions sont crues ; les vérités sont sues.

P. **13**, l. **29** : « ... *que d'entreprendre* ... »
Ce terme marque le caractère volontaire du doute méthodique dont Descartes va donner la formule dans les lignes qui suivent. La mise en doute simultanée.de la totalité de nos jugements (sous la réserve indiquée p. 17,

l. 3-10) n'est chose possible que parce que le jugement est un acte volontaire et, par conséquent, essentiellement libre. Descartes donnera même la décision dont résulte le doute méthodique comme le type de l'acte libre. Cf. : « Quod autem sit in nostra voluntate libertas, et multis ad arbitrium vel assentiri vel non assentiri possimus, adeo manifestum est, ut inter primas et maxime communes notiones, quae nobis sunt innatae, sit recensendum. Patuitque hoc maxime paulo ante, cum de omnibus dubitare studentes, eo usque sumus progressi, ut fingeremus aliquem potentissimum nostrae originis autorem modis omnibus nos fallere conari ; nihilominus enim hanc in nobis libertatem esse experiebamur, ut possemus ab iis credendis abstinere, quae non plane certa erant et explorata ». *Princip. philos.*, I, 39, t. VIII, p. 19, l. 25-p. 20, l. 5. Cf . *Ibid.*, I, 6 : « ... hanc nihilominus in nobis libertatem esse experimur, ut semper ab iis credendis, quae non plane certa sunt et explorata, possimus abstinere ; atque ita cavere, ne unquam erremus. » T. VIII, p. 6, l. 25-30. Et encore : « mens, quae propria libertate utens supponit ea omnia non existere de quorum existentia vel minimum potest dubitare ... » *Medit.*, Synopsis, t. VII, p. 12, l. 10, ou traduction française, t. IX, p. 9. — Il n'y a donc pas eu à ce moment gain progressif du doute dans l'esprit de Descartes, mais une « entreprise » libre et réfléchie, dont l'épithète : « méthodique », usuellement accolée au mot « doute » pour caractériser l'attitude du philosophe, marque fort bien le vrai caractère.

P. **13**, l. **29** : « ... *une bonne fois* ... »

Texte latin : « simul et semel ». Le caractère de totalité (« ... toutes les opinions ... ») et de simultanéité que doit avoir cette opération est, en effet, requis pour qu'elle aboutisse à un résultat. Car une critique successive n'est que partielle en chacun des moments où elle s'effectue et une critique partielle peut laisser subsister des erreurs ou échapper des vérités sans la connaissance desquelles l'édifice nouveau péchera par la base. — L'expression « simul et semel » se retrouve littéralement dans les *VII*ᵐᵉ *Resp.*, t. VII, p. 481, l. 16-17. Voir ce texte dans la note suivante.

P. **13**, l. **29** : « ... *d'y en remettre* ... »

Cette comparaison entre les idées et des objets que l'on ôte pour en remettre ensuite plusieurs après les avoir triés a revêtu sa forme la plus concrète dans les *VII*ᵐᵉ *Resp.*, adressées au P. Bourdin : « Utar hic exemplo valde familiari, ad facti mei rationem ipsi explicandam, ne deinceps illam non intelligat, aut se non intelligere ausit simulare. Si forte haberet corbem pomis plenam, et vereretur ne aliqua ex pomis istis essent putrida, velletque ipsa auferre, ne reliqua corrumperent, quo pacto id faceret? An non in primis omnia omnino ex corbe rejiceret? ac deinde singula ordine perlustrans, ea sola, quae agnosceret non esse corrupta, resumeret, atque in corbem reponeret, aliis relictis? Eadem ergo ratione, ii qui nunquam recte philosophati sunt, varias habent in mente sua opiniones, quas cum a pueritia coacervare coeperint, merito timent ne pleraeque ex iis non sint verae, ipsasque ab aliis separare conantur, ne ob earum mixturam reddantur omnes incertae. Hocque nulla meliore via facere possunt, quam si omnes simul et semel, tanquam incertas falsasve, rejiciant ; ac deinde singulas ordine perlustrantes, eas solas resumant, quas veras et indubitatas esse cognoscent. » *VII^{ae} Resp.*, t. VII, p. 481, l. 1-19.

P. **13**, l. **31** : « ... *ou bien les mêmes* ... »

Le but que vise Descartes n'est pas uniquement ni même principalement d'inventer des idées nouvelles, car toute l'originalité, la fécondité et la vérité même des idées leur viennent de la place qu'elles occupent dans la déduction, non de leur contenu pris à part. C'est pourquoi les idées des Anciens ne leur appartiennent pas en propre, mais à celui qui sait le premier leur conférer un sens vrai en les mettant à la place qui leur revient. Cf. le fragment non daté que nous a conservé Baillet : « Ut nulla scribere possumus vocabula, in quibus aliae sint quam Alphabeti litterae, nec sententiam implere, nisi iis verbis constet quae sunt in Lexico : sic nec librum, nisi ex iis sententiis quae apud a'ios reperiuntur. Sed si illa quae dixero ita inter se cohaerentia sint atque ita connexa, ut unae ex aliis consequantur, hoc argumento erit me non magis sententias ab aliis mutuari, quam ipsa verba ex Lexico sumere. Cartes. in fragm. Mss.

> ... Dii male perdant
> Antiquos, mea qui praeripuere mihi. »

Dans Baillet, *La Vie de M. Des Cartes*, 1691, t. II, p. 545, en marge, et *Œuvres*, t. X, p. 204.

P. **14**, l. **1** : « ... *au niveau de la raison.* »

C'est-à-dire : en me servant de la raison comme d'un niveau de maçon, avec lequel on vérifie si la pierre est d'aplomb.

M. Lévy-Bruhl fait observer à propos de ce texte (*Descartes*, Cours inédit) : « L'expression de la Ire Méditation : « funditus omnia semel in vita ever- « tenda », donnera au doute un aspect plus révolutionnaire qu'il ne l'était en réalité, car le doute marque l'exigence d'une *méthode* nouvelle, et non pas nécessairement de *vérités* nouvelles, les anciennes pouvant encore servir une fois ajustées au niveau de la raison. »

P. **14**, l. **7** : « ... *diverses difficultés* ... »

Par exemple : l'inconvénient qu'il y aurait à demeurer dans un scepticisme absolu en rejetant toutes les opinions passées avant d'avoir au moins le plan de la science qui doit plus tard les remplacer (p. 17, l. 3-10) ; l'inconvénient, plus grave encore, qu'il peut y avoir à faire dépendre la morale de toutes les autres sciences, alors qu'elles ne sont pas encore construites et que la vie ne souffre cependant aucun délai (p. 22, l. 23-29).

P. **14**, l. **8** : « *... sans remède ...* »

Le remède au premier inconvénient, consiste à ne rejeter entièrement les anciennes opinions qu'après avoir établi le plan de la philosophie nouvelle et défini sa méthode (p. 17, l. 6-10) ; le remède au deuxième inconvénient, sera l'adoption d'une morale provisoire (p. 22, l. 30 et suiv.).

P. **14**, l. **10-11** : « *Ces grands corps ...* »

Cf. Montaigne, *Essais*, liv. III, ch. ix, *De la vanité* : « Tout ce qui branle ne tombe pas. La contexture d'un si grand corps tient à plus d'un clou. Il tient même par son antiquité : comme les vieux bâtiments, auxquels l'âge a dérobé le pied, sans croûte et sans ciment, qui pourtant vivent et se soutiennent en leur propre poids. » Éd. Strowski, t. III, p. 224, l. 11-15. — Cf. *Essais*, liv. I, ch. xxiii, *De la coutume et de ne changer aisément une loi reçue* : « Il y a grand doute, s'il se peut trouver si évident profit au changement d'une loi reçue, telle qu'elle soit, qu'il y a de mal à la remuer ; d'autant qu'une police, c'est comme un bâtiment de diverses pièces jointes ensemble, d'une telle liaison, qu'il est impossible d'en ébranler la moindre, que tout le corps ne s'en sente », t. I, p. 151, l. 15-19 ; voir aussi t. I, p. 152, l. 3-15 ; et enfin : « Si me semble-t-il, à le dire franchement, qu'il y a grand amour de soi et présomption d'estimer ses opinions jusque-là que, pour les établir, il faille renverser une paix publique et introduire tant de maux inévitables et une si horrible corruption de mœurs que les guerres civiles apportent, et les mutations d'état, en chose de tel poids ; et les introduire en son pays propre », t. I, p. 153, l. 7-12. — Cf. Pierre Charron, *De la Sagesse*, II, 8, 7 : « Tout remuement ... »

P. **14**, l. **19-20** : « *... elles sont quasi toujours plus supportables que ne serait leur changement.* »

Le texte latin ajoute à *plus supportables* : « ab assuetis populis » (t. VI, p. 547). — Cf. Montaigne, *Essais*, liv. III, ch. ix, *De la vanité* : « Rien ne presse un État que l'innovation : le changement donne seul forme à l'injustice et à la tyrannie. Quand quelque pièce se démanche, on peut l'étayer ; on peut s'opposer à ce que l'altération et corruption naturelle à toutes choses ne nous éloigne trop de nos commencements et principes. Mais d'entreprendre à refondre une si grande machine et en changer les fondements, c'est à faire à ceux qui veulent amender les défauts particuliers par une confusion universelle et guérir les maladies par la mort ». Éd. Strowski, t. III, p. 220, l. 25-p. 221, l. 5. — Pierre Charron, *De la Sagesse*, liv. II, ch. viii, art. 7 : « Tout remuement et changement des lois ... apporte des maux tout certains et présents pour un bien à venir et incertain. »

P. **14**, l. **27** : « ... *aucunement approuver* ... »

Texte latin : « ... maxime odi ... » (t. VI, p. 548). — Sur ce qu'il y aura de constant dans ce conservatisme social de Descartes, et pour les fondements métaphysiques de ce qui en passera dans la morale définitive elle-même, voir l'importante lettre à *Élisabeth*, 15 septembre 1645, t. IV, p. 292, l. 30-p. 294, l. 21.

P. **14**, l. **28** : « ... *ces humeurs brouillonnes et inquiètes* ... »

Humeurs, c'est-à-dire : ces dispositions de l'esprit naturellement brouillonnes. Voir plus haut à p. 9, l. 24, et cf. Charron, *De la Sagesse*, liv. II, ch. VIII, art. 7 : « Il faut laisser le monde où il est : ces brouillons et remueurs de ménage, sous prétexte de réformer, gâtent tout. »

P. **14**, l. **29** : « ... *leur naissance* ... »

C'est-à-dire : par leur noblesse. Texte latin : « ... nec a genere ... » (t. VI, p. 548). Cf. Huguet, *op. cit.*, p. 254.

P. **14**, l. **29-30** : « ... *leur fortune* ... »

Par la situation sociale à laquelle ils sont parvenus. — Cf. « *Fortune* ... se prend aussi pour l'avancement et l'établissement dans les biens, dans les charges, dans les honneurs. » *Dictionnaire de l'Académie* (1694), dans Huguet, *op. cit.*, p. 169.

P. **14**, l. **30** : « ... *au maniement* ... »

Texte latin : « ... administrationem ... »

P. **15**, l. **3** : « ... *de souffrir* ... »

C'est-à-dire : de permettre. Cf. Huguet, *Petit Glossaire* (4e édit.), p. 368.

P. **15**, l. **3-4** : « ... *qu'il fut publié* ... »

Toutes les réflexions qui précèdent tendent beaucoup moins à disculper Descartes du projet de réformer l'État, ce qui ne rentre évidemment pas dans son dessein, que de celui de réformer l'enseignement de la philosophie et des sciences. Étant donné que la scolastique occupe en fait les chaires de tous les Collèges et de toutes les Universités, ce serait entreprendre une véritable réforme sociale, malgré son apparence purement spéculative, que de vouloir l'en expulser. Or, ce n'est pas la fonction d'un particulier que d'être un réformateur ; Descartes ne réformera donc que sa propre pensée en laissant aux autorités qualifiées la charge d'étendre cette réforme à la société.

P. **15**, l. **7-8** : « ... *le modèle* ... »

Texte latin : « exemplar » (t. VI, p. 548) ; le *Discours* n'étant, en effet, qu'un modèle réduit de l'œuvre complète. — Cf. « *Modèle*. Exemplaire, ... sur lequel on travaille ensuite pour faire l'ouvrage qu'on s'est proposé. » *Dictionnaire de l'Académie* (1694), t. II, p. 75.

P. **15**, l. **9-10** : « ... *mieux partagés de ses grâces* ... »

Texte latin : « ... praestantiora ingenia ... » Cf. à p. 2, l. 21.

P. **15**, l. **11** : « ... *cetui-ci* ... »

Pour : celui-ci.

P. **15**, l. **12** : « ... *pour plusieurs* ... »

Pour beaucoup. Le texte latin est encore plus catégorique : « sed vereor ne hoc ipsum quod suscepi tam arduum et difficile sit, ut valde paucis expediat imitari », t. VI, p. 548.

P. **15**, l. **14** : « ... *en sa créance* ... »

Voir plus haut à p. 13, l. 28.

P. **15**, l. **15** : « ... *que chacun doive suivre* ... »

C'est pourquoi Descartes s'est contenté de poser les principes du doute méthodique dans le *Discours* sans développer complètement les arguments sceptiques réunis dans la *Meditatio I*ᵃ : « Itaque, quod ea quae in prima Meditatione atque etiam in reliquis continentur, ad omnium ingeniorum captum non sint accommodata, plane concedo ; idque, ubicumque sese obtulit occasio, testatus sum, atque in posterum testabor. Et haec unica fuit causa cur eadem in Dissertatione de Methodo, quae gallice scripta erat, non tractarim, sed ad has Meditationes, quas a solis ingeniosis et doctis legendas esse praemonui, reservarim ». *IVᵃᵉ Resp.*, t. VII, p. 247, l. 8-16. Cf. plus loin, p. 17, l. 4-5.

P. **15**, l. **15** : « ... *et le monde n'est quasi composé* ... »

Voir *Obj. VIIᵃᵉ*, t. VII, p. 475, l. 10-19. — Cf. Montaigne, *Essais*, liv. II, ch. XII, *Apologie de Raymond Sebond* : « ... ce fut lorsque les nouvelletés de Luther commençaient d'entrer en crédit et ébranler en beaucoup de lieux notre ancienne créance. En quoi il avait un très bon avis, prévoyant bien, par discours de raison, que ce commencement de maladie déclinerait aisément en un exécrable athéisme : car le vulgaire (et tout le monde est quasi de ce genre) n'ayant pas de quoi juger des choses par elles-mêmes, se laissant emporter à la fortune et aux apparences, après qu'on lui a mis en main la hardiesse de mépriser et contreroller les opinions qu'il avait eues en extrême

révérence, comme sont celles où il va de son salut, et qu'on a mis les articles
de sa religion en doute et à la balance, il jette tantôt après aisément en
pareille incertitude toutes les autres pièces de sa créance, qui n'avaient pas
chez lui plus d'autorité ni de fondement que celles qu'on lui a ébranlées, et
secoue comme un joug tyrannique toutes les impressions qu'il avait reçues
par l'autorité des lois ou révérence de l'ancien usage,

Nam cupide conculcatur nimis ante metutum ;

entreprenant dès lors en avant de ne recevoir rien à quoi il n'eût interposé
son décret et prêté consentement. » Éd. Strowski t. II, p. 14, l. 10-27.

P. **15**, l. **18** : « ... *plus habiles* ... »

« *Habile*, qui a de l'esprit, de l'adresse, de la science, de la capacité. » Furetière, *Dictionnaire universel* (1690). Cf. Huguet, *Petit Glossaire*, p. 190.

P. **15**, l. **19** : « ... *de précipiter leurs jugements* ... »

La Précipitation, qui est avec la Prévention l'une des deux grandes sources
de nos erreurs, consiste en ce que nous n'attendons pas d'avoir découvert
l'évidence pour porter notre jugement. C'est le défaut de ceux qui se croient
habiles parce qu' « étant plus ardents, ils se hâtent trop : d'où vient qu'ils
reçoivent souvent des Principes qui ne sont pas évidents, et qu'ils en tirent
des conséquences incertaines. » *Principes*, Préface, t. IX, p. 13, l. 2-5.

P. **15**, l. **23** : « ... *tenir le sentier* ... »

C'est-à-dire : se maintenir dans le sentier. — Cf. texte latin : « ... non facile
illi semitae ... semper insistent, ... » T. VI, p. 548.

P. **15**, l. **25** : « ... *égarés toute' leur vie* ... »

Il existe trois sortes de textes cartésiens touchant le droit du philosophe
à tenter des voies nouvelles :
1º Ceux qui se rapportent aux esprits faux, dévorés par le besoin de dire
quelque chose de nouveau, mais incapables de trouver quelque chose qui
soit à la fois nouveau et vrai : ce sont les « novatores omnes », tels que Telesio,
Campanella, Bruno, Vanini, dont chacun soutient son sens propre et croit que
la nouveauté est une qualité indépendamment de la vérité (*à Beeckman*,
17 octobre 1630, t. I, p. 158, l. 19-21). Ces novateurs sont plus coupables que
ceux qui acceptent sans discussion les erreurs communes, et Descartes dira
par exemple à propos du *De sensu rerum* de Campanella : « Je ne saurais en
dire autre chose, sinon que ceux qui s'égarent en affectant de suivre des chemins extraordinaires me semblent bien moins excusables que ceux qui ne
faillent qu'en compagnie, et en suivant les traces de beaucoup d'autres » (*à
Huygens*, mars 1638, t. II, p. 48, l. 7-17).

2º Les textes qui se rapportent aux chercheurs de bonne volonté, guidés par le sentiment juste de l'insuffisance des doctrines communes, mais desservis par une mauvaise méthode. Tel Ismaël Bouillau et son *De natura lucis* dont Descartes écrivait : « ... tombant par hasard sur l'endroit où il dit que *Lux est medium proportionale inter substantiam et accidens*, je me suis quasi mis à rire, et n'en aurais pas lu davantage, n'était l'estime que je fais de son auteur et de tous ceux qui, comme lui, travaillent autant qu'ils peuvent à la recherche des choses naturelles, et qui, tentant des routes nouvelles, s'écartent pour le moins du grand chemin, qui ne conduit nulle part et qui ne sert qu'à fatiguer et égarer ceux qui le suivent » (*à Huygens*, ibid., t. II, p. 51, l. 24-p. 52, l. 7. Descartes réclame la même indulgence pour lui-même s'il s'est trompé : *Epist. ad G. Voetium*, t. VIII, p. 27, l. 3-5).

3º Les textes qui posent le problème pour lui-même ou supposent qu'il soit posé de cette façon. Descartes estime alors que, absolument parlant, le novateur est un personnage aussi souhaitable en philosophie que funeste en théologie ; car c'est son propre rôle que d'apporter des opinions qui soient à la fois vraies et nouvelles, et Descartes défend dans ces textes sa propre cause : « Philosophia autem illa vulgaris, quae in scholis et Academiis docetur, est tantum congeries quaedam opinionum, maxima ex parte dubiarum... Quapropter nullo modo rationi consentaneum est, ut ii qui opiniones istas, quas ipsimet fatentur esse incertas, didicerunt, alios odio habeant, quia certiores invenire conantur. Odiosum quidem est circa Religionem aliquid velle innovare : quia cum quisque illam, quam amplectitur, dicat se credere institutam esse a Deo, qui errare non potest, nihil ex consequenti credit in ea posse novari, quod non sit malum. Sed circa Philosophiam, quam ultro fatentur omnes nondum ab hominibus satis sciri, ac multis egregiis inventis augeri posse, nihil laudabilius est, quam esse Novatorem. » *Epist. ad G. Voet.*, t. VIII, p. 26, l. 7-25.

P. **15**, l. **27** : « *... moins capables de distinguer le vrai d'avec le faux ...* »

C'est-à-dire : de découvrir le vrai pour le substituer au faux. — Cette assertion de Descartes semble contredire celle qui précède, p. 2, l. 5-8 : « la puissance de bien juger et distinguer le vrai d'avec le faux ... est naturellement égale en tous les hommes. » Mais il ne faut pas confondre : 1º la faculté de discerner le vrai du faux lorsque, la vérité et l'erreur se trouvant déjà mises sous le regard de la pensée, elle n'a qu'à distinguer ce qui est vérité de ce qui est erreur ; 2º la faculté de découvrir le vrai lorsqu'on ne le connaît pas encore et de le substituer à l'erreur. La première faculté est égale chez tous, car toutes les raisons, une fois parvenues en présence du vrai et du faux, sont capables de les discerner. La deuxième faculté n'est pas égale chez tous, car beaucoup, qui seront capables de reconnaître le vrai lorsqu'on le leur montrera, ne le sont cependant pas de le découvrir par eux-mêmes. C'est de ceux-ci qu'il est ici question. Descartes a expressément déclaré ailleurs la nécessité absolue de cette supériorité intellectuelle pour l'invention de la vérité : « sans avoir plus d'esprit que le commun, on ne doit pas espérer de rien faire d'extraordinaire touchant les sciences humaines » (*à ****, août 1639, t. II, p. 347, l. 28-30. Il s'agit de la prétention de Comenius d'enseigner : « une science universelle, dont les jeunes écoliers soient capables et qu'ils puissent avoir apprise avant l'âge de vingt-quatre ans »). Cf. le texte latin du *Discours* qui, beaucoup plus précis que le texte français, écarte l'incertitude que crée l'emploi du terme « distinguer » dans les deux textes et soumet la raison de presque tous les hommes à la « sagesse » de quelques-uns. La pensée de Descartes devient ainsi parfaitement claire : tous les hommes sont capables de distinguer la vérité, un très petit nombre sont capables de la découvrir : « Alii vero fere omnes cum satis judicii vel modestiae habeant ad existimandum nonnullos esse in mundo qui ipsos sapientia antecedant et a quibus possint doceri, debent potius ab illis opiniones quas secuturi sunt accipere quam alias proprio ingenio investigare », t. VI, p. 548. Cf. « ... car, encore que plusieurs (*scil.* beaucoup) ne soient pas capables de trouver d'eux-mêmes le droit chemin, il y en a peu toutefois qui ne le puissent assez reconnaître lorsqu'il leur est clairement montré par quelque autre ; ... » *A Élisabeth*, 18 août 1645, t. IV, p. 272, l. 15-20.

P. 16, l. 5 : « *Mais ayant appris, dès le Collège ...* »

Citation de Cicéron, dont la traduction latine reproduit exactement le texte. Cf. « Jam Pythagoras et Plato, locupletissimi auctores, quo in somnis certiora videamus, praeparatos quodam cultu atque victu proficisci ad dormiendum jubent ; faba quidem Pythagorei utique abstinere, quasi vero eo cibo mens, non venter infletur. Sed nescio quo modo nihil tam absurde dici potest, quod non dicatur ab aliquo Philosophorum. » Cicéron, *De divinatione*, II, 58, 119, éd. C.-F.-W. Müller, p. 239-240. — « Vere illud a quopiam dictum fuit nihil tam ridiculum et absurdum esse, quin aliquem Philosophorum auctorem et defensorem aliquando habuerit», *Conimbricenses, Phys.*, II, 7, 11, 1. — Montaigne, *Essais*, liv. II, ch. xii, *Apologie de Raymond Sebond* : « Je dis de même de la Philosophie ; elle a tant de visages et de variété que tous nos songes et rêveries s'y trouvent. L'humaine fantaisie ne peut rien concevoir en bien et en mal qui n'y soit. Nihil tam absurde dici potest quod non dicatur ab aliquo philosophorum », t. II, p. 288, l. 7-11.

P. 16, l. 10 : « *... barbares ni sauvages ...* »

Cf. Montaigne : « Or, je trouve, pour revenir à mon propos, qu'il n'y a rien de barbare et de sauvage en cette nation, à ce qu'on m'en a rapporté, sinon que chacun appelle barbarie ce qui n'est pas de son usage ; comme de vrai, il semble que nous n'avons autre touche de la vérité et de la raison que l'exemple et idée des opinions et usances du pays où nous sommes. Là est toujours la parfaite religion, la parfaite police, parfait et accompli usage de toutes choses. » *Essais*, liv. I, ch. xxxi, *Des Cannibales*, éd. F. Strowski, t. I, p. 268, l. 9-15.

P. **16**, l. **13** : « ... *étant nourri* ... »
C'est-à-dire : étant élevé. Voir *I*ʳᵉ *Partie*, p. 4, l. 21.

P. **16**, l. **13-14** : « ... *entre des Français ou des Allemands* ... »
« Nous sommes chrétiens à même titre que nous sommes ou Périgourdins ou Allemands. » Montaigne, *Essais*, liv. II, ch. xii, *Apologie de R. Sebond*, éd. Strowski, t. II, p. 149, l. 15-26. Cf. Pierre Charron, *De la Sagesse*, liv. II, c. 5, art. 8.

P. **16**, l. **16** : « ... *des Cannibales* ... »
Texte latin : « ... americanos ... » Cf. Montaigne, *Essais*, liv. I, ch. xxxi : « Des Cannibales » ; essai dont la pensée qu'exprime ici Descartes est le thème principal.

P. **16**, l. **20** : « ... *la coutume et l'exemple* ... »
Voir plus haut, à p. 16, l. 10. Cf. P. Charron, *De la Sagesse*, liv. II, c. 8, art. 2 : « La prochaine et plus pareille autorité à la loi est la Coutume, qui est une autre puissante et impérieuse maîtresse ... », etc.

P. **16**, l. **25-26** : « ... *que tout un peuple* ... »
Cf. *à Gibieuf*, 19 janvier 1642, t. III, p. 473, l. 12-p. 474, l. 3 ; *à Regius*, janvier 1642, t. III, p. 486, l. 12-15.

P. **16**, l. **26** : « ... *choisir personne* ... »
Les deux seules autorités entre lesquelles Descartes considère que l'on pourrait hésiter sont Platon et Aristote, dont tous les philosophes ultérieurs se sont plutôt employés à suivre les opinions qu'à chercher quelque chose de meilleur. Pour une critique de leurs méthodes, voir *Principes*, Préface, t. IX, p. 5, l. 27-p. 8, l. 3, depuis : « Les premiers et les principaux dont nous ayons les écrits sont Platon et Aristote... »

P. **17**, l. **4** : « ... *à rejeter tout à fait* ... »
Voir plus haut, p. 14, l. 7. On observera le soin que prend Descartes de reculer la condamnation complète de ses anciennes opinions de manière à la rapprocher le plus possible du moment où il aura de quoi les remplacer.

P. **17**, l. **6** : « *... par la raison ...* »

Le texte latin ajoute : « sed ut veterem domum inhabitantes, non eam ante diruunt, quam novae in ejus locum extruendae exemplar fuerint premeditati ; sic prius quâ ratione certi aliquid possem invenire cogitavi,.... » (t. VI, p. 549) ; la traduction reprend ensuite : « et satis multum temporis impendi in quaerenda vera Methodo ... », etc.

P. **17**, l. **8** : « *... l'ouvrage ...* »

On peut interpréter d'abord ce terme au sens général d'entreprise, ou d'œuvre, et non au sens d'un ouvrage littéraire ou philosophique particulier. Mais il semble bien que Descartes ait conçu dès ce moment le projet de consigner le fruit de ses réflexions dans un livre et de le publier. En tout cas, il s'est promis à lui-même, quelques mois plus tard, d'achever un livre avant Pâques 1620 et de l'éditer : « Omnino autem ante Pascha absolvam tractatum meum, et si librariorum mihi sit copia dignusque videatur, emittam, ut hodie promisi, 1620, die 23 Febr. » *Cogit. privatae*, t. X, p. 218, l. 3-5. On ignore ce que peut avoir été ce traité, mais rien ne s'opposerait à ce que ce fût le *Studium bonae mentis* (t. X, p. 191-203), dont ce que nous savons correspond exactement aux préoccupations méthodologiques et morales de Descartes à cette époque : « Ce sont des considérations sur le désir que nous avons de savoir, sur les sciences, sur les dispositions de l'esprit pour apprendre, sur l'ordre qu'on doit garder pour acquérir la sagesse, c'est-à-dire la science avec la vertu, en joignant les fonctions de la volonté avec celles de l'entendement. Son dessein était de frayer un chemin tout nouveau ; mais il prétendait ne travailler que pour lui-même et pour l'ami à qui il adressait son traité sous le nom de *Museus*, que les uns ont pris pour le sieur J. Beeckman, principal du collège de Dordrecht, d'autres pour M. Mydorge ou pour le P. Mersenne » (A. Baillet, t. II, p. 406 ; *Œuvres*, t. X, p. 191). Ces identifications de personnages sont purement conjecturales et il n'y a pas à en tenir compte, d'autant moins que Museus pourrait fort bien n'avoir été qu'un interlocuteur imaginaire ; mais tout le reste s'accorde avec l'élaboration de la méthode et de la morale provisoire que Descartes situe entre novembre 1619 et mars ou avril 1620.

P. **17**, l. **8-9** : « *... la vraie Méthode ...* »

La découverte de la vraie méthode ne doit donc pas être confondue avec celle de l'unité de la science et a, par conséquent, exigé de Descartes un effort spécial. Même si l'on admet qu'il n'ait pu se représenter les sciences comme enchaînées sans les concevoir sur le modèle des sciences mathématiques (ce qui semble évident lorsqu'on pense que Descartes est arrivé à cette idée par une généralisation progressive de certaines méthodes mathématiques : p. 10, l. 28, 2º), il reste à expliquer comment le philosophe a su extraire des mathématiques des procédés de raisonnement qui, tout en conservant les qualités de fécondité et de certitude propres à ces sciences, devenaient applicables à des matières auxquelles on n'avait jamais songé à les appliquer. Certains historiens (G. Cohen, p. 401) ont voulu faire de cette découverte une deuxième date critique dans l'histoire de la pensée de Descartes et expliquer par elle la mention mystérieuse du 11 novembre 1620 : « XI novembris 1620, coepi intelligere fundamentum inventi mirabilis » (*Olympica*, t. X, p. 179). Baillet constate que « ni M. Clerselier ni les autres cartésiens n'ont encore pu nous en donner l'explication » (*Ibid.*). En tout cas, elle ne peut correspondre à l'élaboration de la méthode, que Descartes rapporte expressément à l'hiver 1619-1620, ainsi que la constitution de la morale provisoire (voir plus loin, p. 28, l. 22). — Pour la même raison, il est *a fortiori* impossible de reporter l'élaboration de la méthode au 11 novembre 1619 et de la considérer comme une invention subite, ainsi que le soutient O. Hamelin (*Le système de Descartes*, p. 42-44), car l'idée que la méthode doit être mathématique et l'idée des règles qui doivent constituer cette méthode correspondent à deux problèmes différents. — Sur la conjecture de E. Milhaud relative à la signification de la date du 11 novembre 1620, voir plus loin, IIIᵉ Partie, à p. 28, l. 25, 3º.

P. **17**, l. **11** : « ... *étant plus jeune* ... »

Descartes étant ici âgé de vingt-trois ans et n'étant revenu à ses premières études mathématiques que sur l'instigation de Beeckman (« ... jam e memoria pene elapsam eruditionem revocasti ... », t. X, p. 163, l. 1), l'expression « étant plus jeune ... » ne peut désigner que l'époque de son séjour à La Flèche. C'est d'ailleurs le seul moment où il ait étudié la logique scolastique dont il va critiquer les procédés. On doit donc faire remonter aussi à cette date ce que Descartes nous dit de ses études touchant l'Analyse géométrique et l'Algèbre. Le témoignage du *Discours* est d'ailleurs confirmé sur ce point par le fait qu'en 1619 Descartes se servait encore des procédés de notation algébrique dont usait le P. Clavius, S. J. (cf. la note de G. Eneström, t. X, p. 154, note *c* ; G. Milhaud, *op. cit.*, p. 45 et note 2 ; Ch. Adam, t. X, p. 261-262). C'est donc bien dans les ouvrages de cet « Euclide moderne », mis entre ses mains au cours de ses études à La Flèche, qu'il a puisé la conception de l'Analyse et de l'Algèbre que nous allons le voir réformer.

P. **17**, l. **12** : « ... *à la Logique* ... »

Voir plus haut, à p. 6, l. 8, nº 3.

P. **17**, l. **13** : « ... *à l'Analyse des Géomètres* ... »

Descartes pouvait en trouver quelques exemples dans les traités du P. Clavius, qui se réfère souvent à Pappus et l'utilise plus souvent encore qu'il ne

s'y réfère. Cf. *Geometriae practicae*, lib. VIII : « Ut extremam manum Geometriae huic nostrae practicae imponamus, concludemus eam variis non-
nullis Theorematibus, atque Problematibus Geometricis, tum collectis ex
Geometris aliis, tum proprio, ut aiunt, Marte excogitatis ac demonstratis.
Qua in re exemplum illustre habemus in Pappo Alexandrino, qui octo totos
libros conscripsit de Mathematicis conclusionibus. » *Op. cit.,* t. II, p. 195.
Pour la quadratrice, d'après Pappus, voir liv. VII, Appendix I, p. 189. Cf.
lib. VIII, theor. 2, propos. 2, Scholium, p. 198 (en ce qui concerne Apollonius
de Perge, Philon de Byzance, Dioclès, Nicomède, voir lib. VI, p. 161-163). —
Sur ce que le P. Clavius pouvait apprendre à Descartes touchant l'analyse
des anciens et le point de départ qu'il peut lui avoir fourni pour ses recherches
ultérieures, voir les très importantes remarques de G. Milhaud, *Descartes
savant*, p. 76 et 235. — Quant à la définition de la méthode analytique, c'est
dans la traduction de Pappus par Commandino que Descartes l'apprit, avec
ce que l'on savait alors de son histoire : « Quid autem proprie sit locus ἀναλυόμενος, h. e. resolutus, de quo scripserunt Euclides, Apollonius Pergaeus,
et Aristaeus senior ; quisnam primus ejus fuerit Author (Plato nempe, a quo
primus eam auxit Leontius, quamque post hunc perfecit Apollonius, ejus
methodum et viam in litteras referens, ne opus esset iisdem de rebus semper
eamdem cantilenam repetere), quinam libri ad locum resolutum pertineant,
quove ordine se excipiant, denique cujus tantummodo utilitatis gratia sit
inventa, specialius te edocebunt Pappus Alexandrinus, initio lib. VII *Mathematicarum collectionum*, opera Federici Commandini, praestantissimi Mathe-
matici, ex Graeco latina civitate donatus, et commentariis elegantissimis
illustratus ; Franciscus Vieta *In artem Analyt. Isag.*, cap. 1 ; Willebrordus
Snellius in *Apollonio Batavo*, p. 9, 10 et 11 ; Franciscus Schoten in praef. ad
Lect. quae praefigitur *Locis planis*. » Dan. Lipstorp, *Specim. Philos. cartes.*,
Praef. ad Lectorem. Voir plus loin, p. 17, l. 27, 3°. — Sur ce qu'il y a de fondé
dans la tradition qui fait remonter à Platon les origines de l'Analyse, consulter
L. Brunschvicg, *Les étapes de la philosophie mathématique*, p. 53-55. — On
voit, en outre, par ce texte de Lipstorp, que les contemporains de Descartes
n'ont pas signalé l'opposition que croit devoir établir Hamelin entre l'analyse considérée comme partie de la Géométrie, ou τόπος, et la méthode analytique elle-même. Le texte de Pappus, où la synthèse apparaît comme un
moment du τόπος ἀναλυόμενος et qui semble avoir frappé Hamelin (*op. cit.*,
p. 56), s'explique par le fait que l'analyse des anciens, étant surtout géométrique, s'appliquait à des propositions hiérarchiquement ordonnées, donc
non réciproques, et qui exigeaient la contre-épreuve de la synthèse ; Descartes, au contraire, se plaçant sur le terrain de l'algèbre, travaille sur des
propositions qui s'expriment en équations, sont réciproques et peuvent,
comme telles, se passer de la synthèse. C'est pourquoi une démonstration
géométrique ancienne reste analytique même si la contre-épreuve synthé-

tique s'y introduit ; et Descartes n'a d'ailleurs jamais contesté la légitimité de cette contre-épreuve : « sed quantum ad synthesim, quae procul dubio ea est quam hic a me requiritis, etsi in rebus Geometricis aptissime post Analysim ponatur ... » *II^ao Resp.*, t. VII, p. 156, l. 23-25.

P. **17**, l. **13-14** : « ... *l'Algèbre* ... »

Voir plus loin, p. 18, l. 3. Descartes l'a sans doute étudiée dans l'*Algebra* du P. Clavius, S. J., *Operum mathematicorum*, t. II, Moguntiae, 1612, p. 1-181.

P. **17**, l. **14** : « ... *arts* ... »

Descartes écrit : « arts ou sciences », sans doute afin d'écarter comme inutile la controverse séculaire « Utrum logica sit ars, aut scientia ? ». Cf. J. Mariétan, *Problème de la classification des sciences d'Aristote à saint Thomas*, 1901, ch. IV, p. 78. — Peut-être aussi en souvenir de la solution apportée par saint Thomas à ce problème : la logique est un art, en tant qu'elle a pour fin de rendre possible la constitution des sciences ; elle est une science en tant que, prise en elle-même, elle suit ses propres règles et peut être étudiée dans ses propres lois : « ars logica, id est scientia rationalis. » *Comment. in Anal. Post.*, I, lect. I. Cf. J. Mariétan, *op. cit.*, p. 180. Cette solution pouvant aisément être étendue à l'arithmétique et la géométrie, le texte sous-entendrait alors : selon l'aspect sous lequel on les envisage.

P. **17**, l. **17** : « ... *ses autres instructions* ... »

Hamelin (*Le système de Descartes*, p. 50), s'appuyant sur un passage de la *Recherche de la Vérité* (t. X, p. 515-517), conjecture que Descartes pense à l'arbre de Porphyre, à sa hiérarchie des concepts et, par conséquent, aux raisonnements que l'on peut immédiatement en déduire. Mais l'expression d' « instructions » (latin : « praecepta ») s'appliquerait plus facilement aux règles prescrites pour développer le contenu d'un concept en recourant aux lieux communs, ou topiques. La suite du texte, qui vise manifestement l'art d'amplifier les idées, confirme cette interprétation. Clauberg observe d'ailleurs justement : « Notum interim est, Logicae Peripateticae praecepta omnia et singula ad syllogismum tendere, *non aliter atque omnes lineae ad centrum in aliquo circulo*, sicut Johan. Willius ex communi Peripateticorum sensu, Logicae Peripateticae cap. 1, loquitur. » *Defensio cartesiana*, c. X, 2, éd. citée, p. 108.

P. **17**, l. **18-19** : « ... *les choses qu'on sait* ... »

La logique d'Aristote, telle que l'enseigne la scolastique, peut rendre deux sortes de services : 1° elle impose aux jeunes esprits un entraînement et une discipline provisoires, en attendant une logique meilleure que leur enseigneront les mathématiques (*Reg.*, II ; t. X. p. 363, l. 21-p. 364, l. 9) ; 2° bien qu'elle soit à cet égard moins satisfaisante que la méthode analytique suivie par les *Méditations métaphysiques*, elle est une méthode d'exposition correcte pour proposer aux autres des vérités déjà découvertes ; Descartes lui-même déclare en avoir souvent usé : *VII*ᵃᵉ *Resp.*, t. VII, p. 544, l. 3-6.

Considérées au point de vue de l'invention, les formes syllogistiques sont au contraire : 1° complètement inutiles, même pour déduire correctement une conclusion à partir d'une vérité que l'on possède déjà, parce que l'esprit humain est naturellement capable de déduire correctement sans avoir besoin d'apprendre à le faire. *Reg.*, II ; t. X, p. 365, l. 2-14 ; *Reg.*, III ; t. X, p. 368, l. 21-22 ; *Reg.*, IV ; t. X, p. 372, l. 22-p. 373, l. 2. — 2° Les formes syllogistiques sont, en outre, dangereuses, parce que la validité de ces formes est indépendante de celle de leur contenu, alors que dans la vraie logique la forme et le contenu de vérité des raisonnements sont indissociables ; ce que l'on reconnaît à deux signes : *a)* dans la logique d'Aristote, on peut déduire correctement une vérité déjà connue à partir de prémisses absurdes, ce que la vraie logique s'interdit (*à Mersenne*, 18 mars 1641, t. III, p. 339, l. 24-p. 340, l. 2) ; *b)* au lieu de procéder, comme doit faire toute logique de l'invention, par intuition directe d'une nature simple ou par comparaison de plusieurs intuitions entre elles, la logique de l'École porte tout son effort sur l'élément formel du discours qui relie une notion à l'autre, comme si l'intuition était là pour le discours, alors que le discours n'est là qu'en vue de préparer l'intuition (*Reg.*, XIV ; t. X, p. 439, l. 24-p. 440, l. 9). D'où il résulte que notre raison, toute occupée qu'elle est à suivre les règles de la déduction syllogistique, perd de vue les idées, dans lesquelles seules pourtant la vérité se trouve contenue et, par conséquent aussi, la matière de l'invention. Cf. *Reg.*, X ; t. X, p. 405, l. 21-p. 406, l. 14. Et aussi p. 365, l. 7-10 ; p. 372, l. 22-p. 373, l. 2.

C'est donc sur le caractère formel de la logique d'Aristote que Descartes fait porter tout le poids de sa critique, et spécialement sur la technique élaborée par la scolastique pour former les syllogismes (Descartes écrit toujours : *syllogismorum formae*). Et le point qu'il vise spécialement est la légitimité, ou même la possibilité, d'une méthode qui prétendrait réglementer la forme des raisonnements indépendamment de leur contenu. La logique cartésienne sera telle, au contraire, que le contenu du raisonnement en engendrera *ipso facto* la forme, cette dernière ne faisant rien de plus que de formuler le mouvement même accompli par l'esprit dans son analyse des idées. Les historiens de Descartes expriment parfois son changement d'attitude à l'égard de la logique en disant qu'il a substitué à la logique de l'extension, dont usait la scolastique, une logique de la compréhension (Hamelin, *op. cit.*, p. 89-90). Cette manière de présenter les choses n'est pas cartésienne ; elle est cependant sans inconvénient grave, à condition de ne pas supposer que la réforme logique de Descartes ait consisté à interpréter en compréhension les *concepts* que l'École interprétait en extension ; car c'est le matériel même sur lequel travaille l'esprit qui se trouve désormais changé, la méthode de Descartes portant sur des *natures simples* intuitivement perçues au lieu de porter sur des concepts. Ce n'est donc ni d'extension ni de compréhension des concepts qu'il s'agira désormais (en fait, Descartes n'use pas de ces expressions), mais d'une analyse portant sur des idées du type mathématique, et cette méthode sera féconde, parce qu'au lieu de porter sur la forme des raisonnements, qui est une abstraction vide, elle portera sur le contenu des idées et sur leurs rapports, donc sur cela même qu'il s'agit de découvrir. Cf. *Epist. ad G. Voetium*, t. VIII, p. 43, l. 7 et suiv.

Sur l'extension de la critique cartésienne du syllogisme scolastique à la méthode scolastique de formation des concepts (arbre de Porphyre), voir *Recherche de la Vérité*, t. X, p. 515-518.

Pour une critique détaillée des trois parties que Descartes distingue dans la logique de l'École (« Hujus tres praecipue sunt partes : prima continet locos ex quibus rationes petantur ; secunda formas syllogismorum, quibus illae vestiantur, ut meliores appareant ; ac tertia distinctiones, quibus adversariorum argumenta eludantur »), voir le long développement de Descartes dans : *Epistola ad G. Voetium*, t. VIII, p. 50, l. 12-p. 52, l. 1.

Sur la conception cartésienne de la déduction, voir plus loin, p. 19, l. 6.

P. 17, l. 19 : « ... ou même ... »

Descartes ramène toute la logique scolastique à n'être qu'une dialectique et même un art d'user des lieux communs : « Ea potius est Dialectica, cum doceat nos de omnibus rebus disserere, quam Logica, quae de omnibus rebus demonstrationes dat. Et sic bonam mentem magis evertit quam adstruit ; nam dum nos divertit et digredi facit in hos locos communes et capita, quae rei externa sunt, divertit nos ab ipsa rei natura. » *Entretien avec Burman*, 16 avril 1648, t. V, p. 175. La raison qui explique cette attitude est que Descartes réserve le nom de Logique à la science des démonstrations nécessaires. Il ne peut donc plus l'accorder à la logique de l'École qui, renfermant dans le domaine des mathématiques pures le syllogisme du nécessaire, est obligée de se contenter du syllogisme topique, ou dialectique, pour tous les domaines où la matière introduit de l'accidentel, et pour celui de la physique en particulier.

P. 17, l. 19 : « ... comme l'art de Lulle ... »

L'attention de Descartes s'est d'abord trouvée attirée sur l'*Ars brevis* de Raymond Lulle par son ami Beeckman, qui lui avait sans doute demandé ce que la méthode générale que Descartes cherchait alors, ou *Ars generalis ad omnes quaestiones solvendas quaesita*, pouvait avoir de commun avec celle de Lulle (*à Beeckman*, 26 mars 1619, t. X, p. 156, l. 8). Sur ces entrefaites, Descartes rencontra à Dordrecht un lulliste dont l'attitude et les prétentions sont manifestement l'origine de ce que Descartes écrit de Lulle dans ce passage du *Discours* : « Reperi nudius tertius eruditum virum in diversorio Dordracensi, cum quo de Lulli *arte parva* sum locutus : qua se uti posse gloriabatur, idque tam feliciter, ut de materia qualibet unam horam dicendo posset implere ; ac deinde, si per aliam horam de eadem re agendum foret, se plane diversa a praecedentibus reperturum, et sic per horas viginti consequenter. Utrum credas, ipse videris. Senex erat, aliquantulum loquax, et cujus eruditio, utpote a libris hausta, in extremis labris potius quam in cerebro versabatur. Inquirebam autem diligentius, utrum ars illa non consisteret in quodam ordine locorum dialecticorum unde rationes desumuntur ; et fassus est quidem, sed addebat insuper nec Lullium nec Agrippam (*scil.* Cornelius Agrippa ; voir t. X, p. 64, note *a*) claves quasdam in libris suis tradidisse, quae necessariae sunt, ut dicebat, ad artis illius aperienda secreta. Quod illum certe dixisse suspicor, ut admirationem captaret ignorantis, potius quam ut vere loqueretur » (*à Beeckman*, 29 avril 1619, t. X, p. 164, l. 15-p. 165, l. 14). Beeckman examina le livre à la demande de Descartes (p. 165, l. 15-23 ; cf. p. 63-65), lui rendit compte de ce qu'en disait le commentaire d'Agrippa (*à Descartes*, 6 mai 1619, t. X, p. 167, l. 5-p. 168, l. 17) et le confirma dans son idée première que c'était une méthode spéciale d'utilisation des lieux communs (l. 4-7). Descartes ne semble pas avoir jamais étudié directement l'*Ars brevis* et il n'en a jamais fait aucun cas (t. II, p. 629, l. 19-21). La lecture des œuvres mêmes de Lulle ne l'aurait d'ailleurs pas fait changer d'avis. Bien qu'en effet cette combinatoire ne porte pas purement et simplement sur les lieux communs de l'École, mais principalement sur les attributs de Dieu, et se déduise de l'exemplarisme de saint Bonaventure, elle revenait effectivement, du point de vue de Descartes, à une nouvelle liste de lieux communs, aussi inutilisable pour la science que pouvait l'être l'ancienne. Voir J.-H. Probst, *Caractère et origine des idées du bienheureux Raymond Lulle*, Toulouse, 1912, p. 40 et suiv.

P. **17**, l. **19-20** : « ... *sans jugement* ... »

Sans mettre en œuvre notre faculté de discerner le vrai d'avec le faux. — Le texte latin ajoute à « sine judicio » l'adverbe : « et copiose » (t. VI, p. 549).

P. **17**, l. **22** : « ... *très vrais et très bons* ... »

Non seulement les règles du syllogisme, que Descartes considère comme vraies, même s'il ne les considère pas comme bonnes, mais encore des préceptes spéciaux comme celui que répète constamment Aristote : aller toujours du plus connu au moins connu ; bien diviser les problèmes à discuter (dicton scolastique : *qui bene dividit bene docet*), etc. Les adversaires de Descartes lui ont même parfois reproché de n'avoir rien ajouté de bon à la logique de l'École et ont insisté sur ce qu'il en aurait conservé. Cf. Cyriacus Lentulus, *Nova Renati Descartes sapientia faciliori quam antehac Methodo detecta*, Herbornae Nassoviorum, 1651, p. 53-54. C'est de là que sont partis les auteurs de la *Logique de Port-Royal* pour justifier leur dessein d'apporter une logique complétée par une méthode ; voir *op. cit.*, Premier Discours : « Néanmoins, parce qu'il n'est pas très juste de rejeter absolument ce qu'il y a de bon dans la logique ... » jusqu'à la fin.

P. **17**, l. **27** : « ... *l'Analyse des anciens ...* »

I. — *L'analyse géométrique.*

1º La redécouverte progressive de l'Analyse comme partie de la Géométrie est liée d'abord au mouvement humaniste de la Renaissance et ne pouvait être primitivement le fait que d'hellénistes mathématiciens. Viète est de Fontenay-le-Comte, où vivait Tiraqueau et s'était formé Rabelais. Presque tout ce que l'on en savait était dû à la traduction latine de Pappus par Commandino (1509-1575). Cf. Lipstorp : « Valde dolebat excellentioribus viris, illum (*scil.* Apollonius de Perge) qui ex totius antiquitatis mathematicis Magni cognomentum solum meruerat ; illum, cujus tanta tamque multiplici eruditione apud Pappum utilissimorum et subtilissimorum librorum argumenta tantum extant, cum tamen problemata omnia et theoremata quae ad analysin obscuriorum problematum aliquid momenti allatura videbantur, uno volumine esset complexus, eique, ab effectu ἀναλυομένου τόπου titulum fecisset ; ... illum inquam, damnosae diei et edacis temporis injuriae, fuisse obnoxium. Ideoque omni ope allaborarunt ut haec προβλήματα et ζητήματα a mortuis in vitam revocarent, sibique non parum gratulabantur, quod ope atque industria Pappi Alexandrini nobis aliquae tabellae tanquam ex naufragio servatae essent. Is enim lib. VII Συναγωγῆς μαθηματικῆς singulorum argumenta nobis retulit ; quibus si caruissemus, caruissemus omnibus ferme libris (sauf les *Coniques* d'Apollonius, dont on possédait déjà la moitié au XVIIᵉ siècle), qui ad locum ἀναλυόμενον spectant. » *Specimina philos. cartes.*, Praef. ad lectorem.

2º Sur l'histoire de cette méthode, Descartes s'est expliqué dans la *Reg.*, IV, en disant que les Anciens qui en ont usé nous ont dissimulé leurs procédés : « satis enim advertimus veteres Geometras analysi quodam usos fuisse, quam ad omnium problematum resolutionem extendebant, licet eamdem posteris inviderint. » *Reg.*, IV ; t. X, p. 373, l. 12-15, et p. 376, l. 21-p. 377, l. 2 (ce qu'avait déjà soutenu Viète : « Omitto nunc lubens Archimedem, Euclidem, Apollonium Pergaeum, Diophantum, quos Vieta, p. 10, *In art. Anal. Isag.*, quos alii viri summi eamdem caluisse quidem, sed dissimulasse, ut tanto magis esset admirationi illorum subtilitas et solertia, non male suspicantur. » Lipstorp, *loc. cit.*). Elle ne serait donc que la démarche naturelle et primitive de l'esprit humain dans sa première vigueur, dont Pappus et Diophante n'ont fait que codifier les résultats, que leurs commentateurs ont obscurcie à dessein et que les modernes se sont employés à restaurer (t. X, p. 375, l. 22-p. 377, l. 9).

3° Le texte ancien le plus étendu où se trouve caractérisée et définie la méthode analytique est celui de Pappus. Le voici tel que Descartes a pu le lire dans la traduction de Commandino : « Locus qui vocatur ἀναλυόμενος hoc est resolutus, o Hermodore fili, ut summatim dicam, propria quaedam est materia post communium elementorum constitutionem, iis parata, qui in geometricis sibi comparare volunt vim ac facultatem inveniendi problemata quae ipsis proponuntur ; atque hujus tantummodo utilitatis gratia inventa est. Scripserunt autem hac de re tum Euclides, qui elementa tradit, tum Apollonius Pergaeus, tum Aristaeus senior. Quae quidem per resolutionem (analyse) et compositionem (synthèse) procedit.

« Resolutio igitur est via a quaesito tanquam concesso, per ea quae deinceps consequuntur, ad aliquod concessum in compositione. In resolutione enim id quod quaeritur tanquam factum ponentes, quid ex hoc contingat, consideramus : et rursum illius antecedens, quousque ita progredientes incidamus in aliquod jam cognitum, vel quod sit e numero principiorum. Et hujusmodi processum resolutionem appellamus, veluti ex contrario factam solutionem. In compositione autem per conversionem ponentes tanquam jam factum id quod postremum in resolutione sumpsimus, atque hic ordinantes secundum naturam ea antecedentia, quae illic consequentia erant, et mutua illorum facta compositione ad quaesiti finem pervenimus, et hic modus vocatur compositio. » Pappi Alexandrini, *Mathematicarum Collectionum*, lib. VII, au début. Suit la distinction entre l'analyse des théorèmes et l'analyse des problèmes, et l'histoire des travaux consacrés à l'analyse par ceux que Pappus considère comme ses prédécesseurs.

4° La destination primitive de l'analyse comme méthode d'invention et sa comparaison avec la synthèse sont des thèmes que Descartes a repris ; mais, à la différence de Pappus, il considère que l'analyse est supérieure à la synthèse aussi bien comme méthode d'exposition que comme méthode d'invention. Le texte essentiel sur ce point est celui des *Secundae Responsiones*, que voici : « Demonstrandi autem ratio duplex est, alia scilicet per analysim, alia per synthesim. — Analysis veram viam ostendit per quam res methodice et tanquam a priori inventa est, adeo ut, si lector illam sequi velit atque ad omnia satis attendere, rem non minus perfecte intelliget suamque reddet, quam si ipsemet illam invenisset. Nihil autem habet, quo lectorem minus attentum aut repugnantem ad credendum impellat ; nam si vel minimum quid ex iis quae proponit non advertatur, ejus conclusionum necessitas non apparet, saepeque multa vix attingit, quia satis attendenti perspicua sunt, quae tamen praecipue sunt advertenda. — Synthesis e contra per viam oppositam et tanquam a posteriori quaesitam (etsi saepe ipsa probatio sit in hac magis a priori quam in illa) clare quidem id quod conclusum est demonstrat, utiturque longa definitionum, petitionum, axiomatum, theorematum, et problematum serie, ut si quid ipsi ex consequentibus negetur, id in antecedentibus contineri statim ostendat, sicque a lectore, quantumvis repugnante ac pertinaci, assensionem extorqueat ; sed non ut altera satisfacit, nec discere cupientium animos explet, quia modum quo res fuit inventa non docet. Hac sola Geometrae veteres in scriptis suis uti solebant, non quod aliam plane ignorarent, sed, quantum judico, ut sibi solis tanquam arcanum quid reservarent. » *II^{ae} Resp.*, t. VII, p. 155, l. 21-p. 156, l. 20. Sur ce point, voir plus loin, p. 18, l. 7-8, et comparer *Logique de Port-Royal*, IVe Partie, ch. II.

II. — *Les applications de l'Analyse.*

Le terme *analyse* se rencontre, chez Descartes, dans trois expressions ; il importe de les distinguer, sans perdre toutefois de vue leur rapport : 1° la règle de méthode, dite de l'analyse : 2° l'analyse au sens géométrique ; 3° la géométrie analytique.

1° La règle de méthode, dite de l'analyse, consiste dans le troisième précepte de la méthode, tel qu'il se trouve ici formulé (p. 18, l. 27-p. 19, l. 2). C'est un exemple typique de ce que les *Regulae* nommaient la *mathématique universelle*. En effet, ce précepte ne retient de la mathématique que l'exigence de l'*ordre*, exigence dans laquelle consiste l'essence même de la méthode (« Tota methodus consistit in ordine et dispositione eorum ad quae mentis acies convertenda est, ut aliquam veritatem inveniamus ». *Reg.*, V ; t. X, p. 379, l. 15-17). C'est en ce sens que les *Meditationes* ne sont qu'un vaste problème résolu par l'analyse, et qui fût demeuré insoluble sans elle. On peut le formuler ainsi : trouver les principes premiers de la physique. Celui qui veut procéder synthétiquement part des principes les plus abstraits et les plus universels, dont il ne tire que des conclusions verbales (scolastique) ; celui qui veut procéder analytiquement cherche l'objet particulier « le plus simple et le plus aisé à connaître » (*Cogito*), qui lui livre du premier coup l'essence de l'âme et, par conséquent, la distinction de l'âme et du corps, principe de la physique cartésienne de l'étendue et du mouvement.

2° L'analyse, au sens géométrique, est un cas particulier de l'analyse universelle qui précède ; elle consiste à chercher l'ordre particulier qui se trouve requis pour la solution des problèmes géométriques. La découverte de cet ordre suppose d'abord qu'on puisse disposer de toutes les lignes nécessaires à la construction du problème, sans quoi il serait impossible de savoir comment elles se conditionnent les unes les autres. C'est pourquoi l'analyse géométrique suppose un artifice préliminaire, qui lui confère son caractère propre : « considérer (le problème) comme déjà fait et donner des noms à

toutes les lignes qui semblent nécessaires pour le construire, aussi bien à
celles qui sont inconnues qu'aux autres ». Ce n'est là, toutefois, que la condition *sine qua non* pour que l'application de la règle de l'analyse devienne
possible dans ce cas particulier ; à partir de ce moment, en effet : « on doit
parcourir la difficulté selon l'ordre qui montre, le plus naturellement de tous,
en quelle sorte elles dépendent naturellement les unes des autres ». On
retrouve donc ici la règle de l'analyse telle qu'elle vient d'être formulée à
l'article précédent. C'est elle qui permet de trouver ensuite une équation par
ligne inconnue (*La géométrie*, liv. VI, ch. vi, p. 372, l. 10-24) ou, le cas
échéant, à ramener progressivement à une seule toutes les inconnues dont on
n'aurait pas trouvé d'abord l'équation (*Ibid.*, p. 372, l. 24-p. 374, l. 13) ;
travail qui relève proprement de l'analyse, puisqu'il revient à « se servir par
ordre de chacune des équations qui restent » (p. 373, l. 3) pour les réduire aux
équations déjà connues ou à l'un quelconque de leurs rapports. — Cf. Cour-
not, *Considérations sur la marche des idées et des événements dans les temps
modernes*, 1872, t. I, p. 265 (cité par L. Brunschvicg, *Les étapes de la philosophie mathématique*, p. 118).

3° La géométrie analytique, enfin, n'est qu'une application du précepte
de l'analyse à l'étude des courbes géométriques (c'est-à-dire mesurables
exactement). En effet : *a)* le système des coordonnées rectangulaires, dites
coordonnées cartésiennes, permet d'exprimer désormais les relations géométriques sous forme d'équations algébriques, ce qui conduit à la simplification
voulue par Descartes (p. 20, l. 10-24) : un système de rapports étudiés sur
des droites et exprimables algébriquement ; *b)* toutes les courbes géométriques rentrent désormais dans une seule classe, où elles se répartissent en
genres, selon le degré de leur équation (*La géométrie*, liv. II, ch. vi, p. 392,
l. 15-p. 393, l. 6). Ainsi, le précepte qui prescrit de partir toujours du plus
simple pour s'élever par ordre au plus composé devient applicable à l'étude
de toutes les courbes géométriques étudiables (t. VI, p. 392 et p. 412), grâce
au procédé nouveau préconisé par Descartes.

Pierre-Silvain Régis a tenté de donner une définition de l'analyse qui fût
immédiatement applicable à ces divers cas. Elle ne va pas sans quelque gau-
cherie, mais satisfait assez bien aux exigences des deux premiers : « L'Analyse, ou méthode de division, est une application particulière de l'Esprit à
ce qu'il y a de connu dans ce que la question qu'il veut résoudre a de plus
particulier, d'où il tire successivement des vérités, qui le mènent enfin à la connaissance de ce qu'il désire savoir » (*Cours entier de philosophie...*, La Logique,
IVe partie, ch. ii, Amsterdam, 1691, t. I, p. 41).

Sur l'ensemble de la question, consulter L. Brunschvicg, *Les étapes de la
philosophie mathématique*, liv. II, ch. vii, et ch. viii, section A.

P. **17**, l. **27-28** : « ... *l'Algèbre des modernes* ... »

C'est-à-dire simplement : l'Algèbre sous la forme où les modernes l'enseignent (cf. texte latin : « Algebram vero, ut solet doceri, ... » t. VI, p. 549) et, spécialement, telle que l'enseigne le P. Clavius, dont Descartes a utilisé d'abord la notation. Descartes ne s'oppose donc pas ici à la tradition qui fait remonter la découverte de l'algèbre, par delà les Arabes, jusqu'aux Grecs (cf. Clavius, *Algebra*, cap. I, t. II, p. 4 : « De inventore hujus artis non convenit inter omnes. Gebrum Arabem Astronomum asserunt non pauci, et a Gebro Algebram dictam contendunt. Verosimilius tamen Joannes Regiomontanus, in praefatione Alphragani, Diophanto Alexandrino hoc inventum attribuit. Ipse enim Diophantus in tredecim librorum praefatione, quos hac de re scripsit ad Dyonisium, se primum hujus scientiae inventorem profitetur, et a nemine ante se in lucem datam, immo ad suam usque aetatem ignotam omnino fuisse, pronunciat. » Sur ce point, voir L. Brunschvicg, *op. cit.*, p. 31, note 2, et art. 63, p. 103), et c'est même au delà de Diophante (« Et quidem hujus verae Matheseos vestigia quaedam adhuc apparere mihi videntur in Pappo et Diophanto, qui, licet non prima aetate, multis tamen saeculis ante haec tempora vixerunt. » *Reg.*, IV ; t. X, p. 376, l. 21-24) qu'il fait remonter les origines de la vraie Mathématique, dont l'art confus auquel les modernes donnent le nom barbare d'Algèbre est une tentative de restauration (*Ibid.*, p. 377, l. 2-5). Descartes vise donc ici la nomenclature et les règles de calcul dont usent ses contemporains (« Fuerunt denique quidam ingeniosissimi viri, qui eamdem hoc saeculo suscitare conati sunt ... ») pour reconstruire une méthode ancienne, mais dont le secret est depuis longtemps perdu.

P. **17**, l. **29** : « ... *d'aucun usage* ... »

C'est-à-dire : dont on ne voit aucunement par quel procédé les faire sortir des mathématiques pures pour les appliquer aux problèmes concrets de la physique et rénover ainsi les arts techniques qui en dépendent.

P. **17**, l. **30** : « ... *si astreinte* ... »

Cf. le commentaire de ce passage par Pierre Boutroux : « Chez les Grecs, qui résolvent tous les problèmes à l'aide de constructions géométriques, la démonstration est astreinte à la considération de la figure et se laisse diriger par l'imagination. La preuve en est que leur méthode n'a pas une généralité absolue... Si la même démonstration ne s'applique pas telle quelle et sans modification aucune à tous les cas particuliers, c'est qu'elle n'est pas l'œuvre de l'entendement seul. Or, les démonstrations des anciens sur le triangle, par exemple, s'appliquent, il est vrai, à une infinité de triangles sensibles, mais non pas à tous les cas de cette figure. Si, dans un problème, ils ont à consi-

dérer deux droites, les Grecs doivent distinguer et traiter séparément les cas
où ces droites se coupent, sont parallèles ou coïncident. Ainsi la méthode à
employer varie lorsque la figure étudiée change de forme tout en restant la
même pour l'entendement ; elle varie surtout quand on passe d'un problème
à un autre. Tout cela indique qu'elle n'est pas indépendante de l'imagination. On voit, d'ailleurs, facilement où intervient cette faculté. Comment, en
effet, procède le géomètre grec ? Après les avoir fixées dans son imagination,
en traçant une figure, il ne tient plus compte de toutes les données : mais il
considère à part certaines lignes particulières qu'il choisit arbitrairement ;
au lieu d'aborder la question de front, il porte toute son attention sur une
certaine bissectrice, une médiane ou un angle. Or, n'est-ce pas son imagination qui le conduit à prendre le problème par tel ou tel bout, à faire telle
construction plutôt que telle autre ? » *L'imagination et les mathématiques
selon Descartes* (Paris, 1900. Bibliothèque de la Faculté des lettres. Université de Paris, t. X, p. 21-22. Cf. *Ibid.*, Appendice I, p. 37-41).

P. **17**, l. **31** : « ... *des figures* ... »

Descartes se rattache donc d'abord, ainsi que l'a noté G. Milhaud (*Descartes savant*, p. 45) : « aux Grecs, ou plus précisément aux traditions de la
Géométrie classique de la grande époque, et qu'il faut soigneusement distinguer, d'une part de certaines tendances des Pythagoriciens, d'autre part et
surtout de la tradition représentée par Diophante ». En d'autres termes,
Descartes semble avoir porté d'abord sa réflexion sur les problèmes purement géométriques appartenant au genre de ceux qu'avait traités Pappus
(trisection de l'angle, construction de deux moyennes proportionnelles au
moyen de compas et de lignes auxiliaires ; cf. *Correspondance avec Beeckman*,
t. X, p. 154-156) plutôt que sur les questions proprement mathématiques,
traitant de l'ordre et de la mesure, auxquelles Diophante s'était attaché. Cf.
« Humanitatem profecto singularem, quae generositatis et verae fortitudinis
nota esse solet, in D(ominatione) vestra deprehendo ; non modo ex iis verbis
quibus mea qualiacumque inventa extollit ; sed in hoc etiam quod ea pauca,
quae de Geometria scripsi, Mathematicae purae nomen mereri dicat : nihil
enim ibi eorum, quae ad Arithmeticam proprie pertinent, explicui, nec ullam
solvi ex iis quaestionibus in quibus ordo simul cum mensura spectatur, quarum exempla habentur in Diophanto » (*au P. Ciermans*, 23 mars 1638, t. II,
p. 70, l. 18-p. 71, l. 1).

P. **18**, l. **1** : « ... *l'imagination ;* ... »

L'usage de l'imagination dans la démonstration mathématique comporte
deux inconvénients principaux :

1° Il exige une contention particulière de l'esprit, s'appliquant au corps
auquel il est uni, pour se représenter les figures. Cette contention vient de ce

que la fonction normale de l'esprit est de penser, non d'imaginer. Elle entraîne donc une fatigue, et, si l'on ne subordonne pas l'imagination à la raison pour en faire un auxiliaire, elle est une gêne pour la pensée. C'est le point sur lequel insiste le *Discours*.

2º Il peut entraîner la pensée à se contenter de pseudo-démonstrations où l'imagination voit la solution du problème sans que la raison la comprenne. Cf. « circa figuras vero, multa ipsismet oculis quodammodo exhibebant, et ex quibusdam consequentibus concludebant ; sed quare haec ita se habeant, et quomodo invenirentur, menti ipsi non satis videbantur ostendere... nam revera nihil inanius est, quam circa nudos numeros figurasque imaginarias ita versari, ut velle videamur in talium nugarum cognitione conquiescere, atque superficiariis istis demonstrationibus, quae casu saepius quam arte inveniuntur, et magis ad oculos et imaginationem pertinent quam ad intellectum, sic incumbere, ut quodammodo ipsa ratione uti desuescamus ; ... » *Reg.*, IV ; t. X, p. 375, l. 5-20.

Sur le bon usage de l'imagination, voir plus loin, p. 20, l. 18.

P. **18**, l. **3** : « ... *et à certains chiffres* ... »

Texte latin : « certis regulis et numerandi formulis esse contentam ». T. VI, p. 549. — Allusion aux nombres cossiques (« Apud Italos Regula cosae, seu *della cosa* nuncupatur (*scil.* Algebra) : quod in quaestionibus solvendis semper una radix ponatur, quam ipsi cosam dicunt. Ex quo etiam nomen illud sortita est, quo a multis regula Cossica nominatur ». Clavius, *Algebra*, cap. I, p. 4), dont la nomenclature était d'ailleurs assez variable selon les auteurs (« Quemadmodum enim appellationes numerorum Cossicorum apud scriptores varios variae sunt, ut diximus, ita etiam signa seu characteres, quibus ipsas exprimunt, idem non sunt », p. 6), et qui désignaient le nombre simple, la racine, le carré, le cube, le carré de carré, le sursolide, le carré de cube, etc. Voici ce que dit le P. Clavius de leur difficulté et de la complication de leur calcul : « Studii praeterea plurimum in Algorithmo addiscendo collocandum erit, quem habet haec facultas (*scil.* Algebra) a caeteris peculiarem. Algorithmum vero dicimus tractationem, quae additionem, substractionem, et alias operationes numerorum complectitur. Eum inquam Algorithmum numerorum quorumdam, quos vulgari Arithmetica explicari in usu non est. Eorum porro numerorum triplex omnino genus numeratur. Primum quidem eorum, quos Cossicos plerique, vel Denominatos dixerunt, iique in aliqua Geometrica progressione quae ab unitate ducit initium, reperiuntur ; cujusmodi sunt Radices, Quadrati, Cubi, et quae ejusdem generis sunt non pauca, ... In altero genere insunt numeri qui radicales appellantur, ut radix quadrata, cubica et hujusmodi cujuscumque numeri, sive is eam habeat radicem, sive non habeat ... Tertii denique generis sunt

13

numeri radicales numerorum ejus generis quod primo loco positum est a
nobis, quales sunt radix quadrata, vel cubica, et similes quotcunque quadra-
torum, cuborum, vel radicum, etc... Et quoniam eorum numerorum Algorithmus, quos in secundo ac tertio genere collocavimus, difficultatem non
minimam et obscuritatem habet non contemnendam, de industria eum in
finem Algebrae rejici placuit... Primum igitur Algorithmus Cossicorum ...
numerorum explicandus nobis est, qui ad hanc scientiam cognoscendam
omnino censetur necessarius » (cap. I, p. 4-5). Le P. Clavius consacre, en
effet, un long chapitre (ch. II) à la nomenclature de ces nombres, un autre à
leur numération (ch. III), quatre aux opérations élémentaires que l'on peut
effectuer sur eux, et n'aborde qu'au ch. VII la *Regula Algebrae* ou théorie des
équations. — Les chiffres par lesquels Clavius désigne ces nombres se
trouvent encore utilisés dans les premières œuvres mathématiques de Descartes ; par exemple, t. X, p. 155-156 ; *Cogit. privatae*, p. 244 et suiv. ; *De
so idorum elementis*, p. 265-276 ; *Excerpta mathematica*, p. 294 et suiv.

P. **18**, l. **5** : « ... *qui le cultive.* »

Texte latin : « scientia qua excolatur et perspicacius reddatur », t. VI,
p. 549. L'algèbre est donc une sorte de technique pour obtenir mécaniquement des résultats au lieu d'une méthode dont chaque moment est réglé par
l'intellect. Le P. Clavius confessait ce caractère de l'algèbre alors enseignée
et l'obscurité qui en résultait : « Persimile est, quod dissimili in re andaba-
tarum more ludentibus (ceux qui jouent à colin-maillard, comme ces gladia-
teurs qui luttaient les yeux bandés) evenire solet. Quamdiu enim obvelatis
oculis urgentur ipsi, urgentque urgentes se, comprehensuros se aliquem nunquam desperant, è multis tamen, quis tandem sit intercipiendus, ignotum
habent, et frustra saepe his atque illis tentatis tenebris, ubi aliquem tenue-
runt, tum demum detracta vitta, lucem oculi recipiunt, et ludus absolvitur.
Obscuros enim numeros Algebra nunc addendo, nunc dividendo, nunc mul-
tiplicando, suspenso velut vestigio, pertentat, certa, se in aliqua Geometrica
progressione ab unitate perfecta deprehensuram quod quaerit, in qua tamen
progressione inventura sit, incerta ; ac tamdiu coeco labore ludit, tamdiu
latitantis numeri tenebras omnes explorat, vestigat ac perfert, donec eo pro-
grediatur, ut ad eum numerum deveniatur, qui fuerat quaestioni subjectus,
qui tum demum in lucem emergit, cum ipsa absolvitur operatio. » *Algebra*,
Procemium, dans *Op. Math.*, t. II, p. 3. L'intellect travaille donc ici les yeux
bandés.

P. **18**, l. **7-8** : « ... *de leurs défauts ...* »

C'est-à-dire : une méthode qui conserve ce qu'ont de bon les préceptes de
la logique (Hamelin, *op. cit.*, p. 58-60) et s'applique comme elle aux problèmes concrets de la physique, mais qui soit une méthode d'invention ; qui

parle aux sens et à l'imagination comme la Géométrie, mais n'y asservisse pas l'intellect ; qui symbolise les quantités par des signes comme l'Algèbre, mais en la simplifiant. Voir plus loin, p. 20, l. 23-24.

En ce qui concerne la valeur euristique de l'analyse, Hamelin observe excellemment : « Ainsi l'analyse pouvait être aux yeux de Descartes une méthode se suffisant à elle-même. Quant au principal service que Descartes en attendait, celui de permettre l'invention, il est clair qu'elle est propre à le rendre. Elle est une méthode d'invention presque-par définition. C'est ce que disait une jolie formule de Geminus (Ammonius, dans Waitz, *Organon*, t. I, p. 44, l. 5), ἀνάλυσίς ἐστιν ἀποδείξεως εὕρεσις. Elle est une méthode d'invention ou, du moins, une méthode pour inventer la preuve, par le fait même qu'elle part de la proposition à établir. Il ne s'agit plus d'arriver, on ne sait comment, à cette proposition : il ne s'agit que de la rattacher aux propositions logiquement antérieures dont elle dépend. Si, au contraire, il fallait partir, ainsi que le ferait la synthèse livrée à elle-même, d'une proposition établie, sans savoir par où s'acheminer de là à la proposition qu'on veut prouver, on ne saurait quelle conséquence choisir à chaque degré, et, suivant le mot souvent cité par Leibniz (*Nouveaux Essais*, liv. IV, ch. ii, § 7), « ce serait la mer à boire ». Si la synthèse paraissait s'avancer sûrement, bien que soi-disant livrée à elle-même, c'est que tout l'ordre de ses propositions serait déjà secrètement arrangé. » *Le système de Descartes*, p. 57. C'est cette impossibilité d'inventer par voie synthétique qui a conduit Descartes et Viète à supposer que les anciens géomètres se sont servis de l'analyse pour découvrir leurs théorèmes, mais l'ont volontairement dissimulée en exposant synthétiquement des résultats qu'ils n'avaient pu découvrir par cette voie. Cf. plus haut, p. 17, l. 27, 2° et 4°. Sur la vraie raison qui explique la préférence des anciens pour la synthèse, voir L. Brunschvicg, *Les étapes de la philosophie mathématique*, p. 84-85 et 96.

P. **18**, l. **12** : « ... *grand nombre de préceptes* ... »

« Elle laisse (*scil.* la *Méthode de Descartes*) à ceux qui ne trouvent rien de digne de leur étude que ce qui surpasse leurs forces, à se gêner sur un scrupuleux dénombrement de *modes, conversions, équipollences, réductions*, et autres semblables subtilités, et à revêtir les vérités qu'ils examinent de tant de formes logiques que souvent ils les l'étouffent ; et, laissant échapper ce qui en fait l'âme, ils n'en retiennent plus que le corps ou son ombre. » P. Poisson, *Remarques*, p. 118.

P. **18**, l. **12** : « ... *la Logique* ... »

La méthode se ramène à quatre préceptes simples et ces quatre préceptes concernent deux opérations de la pensée : l'intuition et la déduction. Or, ces deux opérations ne consistent que dans l'usage spontané de notre lumière naturelle ; elles ne peuvent donc être enseignées, et ainsi, la logique se réduisant à quelques préceptes touchant l'usage de l'intuition pour éviter l'erreur et l'invention des déductions pour découvrir la vérité, tous les préceptes de la Dialectique deviennent superflus : « At si methodus recte explicet quomodo mentis intuitu sit utendum, ne in errorem vero contrarium delabamur, et quomodo deductiones inveniendae sint, ut ad omnium cognitionem perveniamus : nihil aliud requiri mihi videtur, ut sit completa, cum nullam scientiam haberi posse, nisi per mentis intuitum vel deductionem, jam ante dictum sit (p. 368, l. 11-12). Neque enim etiam illa extendi potest ad docendum quomodo hae ipsae operationes faciendae sint, quia sunt omnium simplicissimae et primae, adeo ut, nisi illis uti jam ante posset intellectus noster, nulla ipsius methodi praecepta quantumcumque facilia comprehenderet. Aliae autem mentis operationes, quas harum priorum auxilio dirigere contendit Dialecta [*M. Adam corrige ainsi* : aliae autem regulae quarum auxilio mentis operationes dirigere se contendit Dialectica], hic sunt inutiles, vel potius inter impedimenta numerandae, quia nihil puro rationis lumini superaddi potest, quod illud aliquo modo non obscuret. » *Reg.*, IV ; t. X, p. 372, l. 11-p. 373, l. 2.

P. **18**, l. **13** : « ... *des quatre suivants* ... »

La rédaction du *Discours*, qui va réduire l'exposé de la Méthode à quatre préceptes, correspond très probablement à un état tardif de la pensée de Descartes. Les *Regulae ad directionem ingenii*, quelle qu'en soit la date, sont certainement antérieures au *Discours* et postérieures à l'hiver 1619 ; or, nous y trouvons énoncées vingt et une règles, bien que l'ouvrage soit demeuré inachevé, comme si Descartes s'était découragé devant l'accroissement indéfini de leur nombre. Le caractère volontairement simplifié de l'exposé du *Discours* est donc plus vraisemblablement le résultat de l'échec auquel avait abouti la tentative des *Regulae* que celui de la méditation de 1619. On notera cependant que les deux ouvrages coïncident pour le fond ; que les *Regulae* ne contiennent en définitive que les quatre préceptes du *Discours*, et que ce qu'elles leur ajoutent ne consiste pas en préceptes supplémentaires, mais en règles pratiques destinées à faciliter leur application. La méthode a donc été dès le début, quant à l'essentiel, ce qu'elle devait toujours demeurer ; Descartes n'a varié qu'en ce qu'il a de moins en moins cru à la possibilité d'en formuler et d'en enseigner les procédés d'application.

P. **18**, l. **14** : « ... *ferme et constante résolution* ... »

Les préjugés et les mauvaises habitudes de toutes sortes étant en nous invétérés, il ne suffit pas que nous possédions la connaissance théorique des règles de la méthode ni même que nous sachions les appliquer, il nous faut encore le vouloir. D'autant plus que l'erreur se rencontre dans le jugement et que le jugement est faux en raison d'un mauvais usage de la volonté. Voir plus loin, l. 20.

P. **18**, l. **16** : « *Le premier* ... »

La formule du premier précepte se divise en deux parties : 1º énoncé du principe de l'évidence : « Le premier ... être telle » ; 2º énumération des conditions requises pour qu'il y ait évidence : « c'est-à-dire ... de le mettre en doute. »

P. **18**, l. **17** : « *évidemment* ... »

1º Le caractère propre de la connaissance vraie, telle que Descartes la conçoit, est l'*évidence*, qui se définit toujours dans sa pensée par opposition à la *conjecture*. Le conjectural est ce dont la vérité n'apparaît pas à l'esprit d'une manière immédiate ; l'évident est, au contraire, ce dont la vérité apparaît à l'esprit d'une manière immédiate, c'est-à-dire ce dont la justification ne requiert aucune autre opération de la pensée que celle par laquelle il est actuellement donné. La condition requise par le *Discours* : « de ne recevoir aucune chose pour vraie » sans qu'elle ne soit évidente, se justifie dès lors aisément, car l'admission d'une seule proposition non évidente dans la trame du raisonnement suffit à rendre conjecturale la suite entière des conséquences. Cf. *Reg.*, III ; t. X, p. 367, l. 24 : « Monemur praeterea ... », à p. 368, l. 8 : « ... non esset incertum ». — Cf. IVᵉ Partie, à p. 33, l. 22.

2º Ce caractère d'immédiateté qui définit l'évidence implique nécessairement le caractère de simplicité et d'immédiateté de l'acte de connaissance par lequel nous la saisissons. Cet acte reçoit le nom d'*intuition*. Les trois propriétés essentielles de l'intuition sont : *a)* d'être un acte de la pensée pure (par opposition avec la perception sensible) ; *b)* d'être infaillible, en ce qu'elle est encore plus simple que la déduction, qui n'est elle-même que la progression spontanée de la lumière naturelle ; *c)* de s'appliquer à tout ce qui peut tomber sous un acte simple de la pensée, c'est-à-dire : premièrement, les jugements, tels que : je pense, j'existe, le triangle n'a que trois côtés, etc. ; deuxièmement, les rapports entre les jugements, tels que $2 + 2 = 3 + 1$, et autres semblables. Cf. *Reg.*, III ; t. X, p. 368, l. 14-p. 369, l. 17 ; *Reg.*, IV ; t. X, p. 372, l. 17-p. 373, l. 2.

3º D'où il résulte enfin que la notion cartésienne de la vérité n'admet aucun degré intermédiaire entre la certitude absolue et l'ignorance. Elle exclut donc la notion aristotélicienne de *probabilité* et s'oppose consciemment à la dialectique scolastique du vraisemblable : « Omnis scientia est cognitio certa et evidens ; neque doctior est qui de multis dubitat, quam qui de iisdem nunquam cogitavit... Atque ita per hanc propositionem rejicimus illas omnes probabiles tantum cognitiones, nec nisi perfecte cognitis, et de quibus dùbitari non potest, statuimus esse credendum. » *Reg.*, II ; t. X, p. 362, l. 5-16. Et la suite du texte qui vise directement la scolastique.

P. **18**, l. **18** : « ... *c'est-à-dire* ... »

Descartes précise sa règle générale en lui subordonnant trois préceptes : 1º ne pas juger avant d'avoir atteint l'évidence ; 2º ne pas juger en se fondant sur des idées préconçues ; 3º ne pas permettre à notre jugement de s'étendre au delà de notre évidence actuelle.

P. **18**, l. **18-19** : « ... *la Précipitation* ... »

Défaut qui consiste à juger avant que l'entendement ne soit parvenu à une complète évidence et d'où résultent des jugements portés « temere et absque fundamento » (*Reg.*, II ; t. X, p. 365, l. 14). — Les causes de la Précipitation sont multiples, notamment : une confiance excessive dans les ressources de notre esprit, vice qui menace surtout les mieux doués (*Principes*, Préface, t. IX, p. 13, l. 3-5) ; la crainte de l'effort, qui fait que l'on aime mieux deviner au hasard dans des matières difficiles que de retenir son jugement jusqu'à la vérité dans des matières faciles (*Reg.*, II ; t. X, p. 365, l. 20-p. 366, l. 3) ; le respect humain, qui détermine à porter un jugement au hasard touchant ce que l'on ne sait pas plutôt que de confesser son ignorance (*Reg.*, II ; t. X, p. 362, l. 24-p. 363, l. 4. *Discours*, IIIᵉ partie, p. 30, l. 22-25. *Meditationes*, Epistola, t. VII, p. 5, l. 3-5) ; la hâte excessive que l'on apporte à examiner des questions que l'on n'a pas pris soin de bien poser (*Reg.*, XIII ; t. X, p. 434, l. 17-24).

Le remède spécifique contre la précipitation est la *circonspection* (*Principes*, Préface, t. IX, p. 19, l. 3) ou résolution de ne jamais affirmer ce que l'on ne connaît pas évidemment être vrai. Voir plus haut, p. 17, l. 1 : « ... user de tant de circonspection en toutes choses que, si je n'avançais que fort peu, je me garderais bien, au moins, de tomber ». Regius ayant prétendu que la précipitation dans le jugement dépendait toujours du tempérament du corps, soit acquis, soit inné, Descartes protesta : « quod nullo modo possum admittere, quia sic tolleretur libertas et amplitudo nostrae voluntatis, quae potest istam praecipitantiam emendare ; vel, si non faciat, error inde ortus privatio quidem est respectu nostro, sed respectu Dei mera negatio » (24 mai 1640, t. III, p. 65, l. 16-24).

Au point de vue historique, cette notion de précipitation est une interprétation cartésienne de la notion correspondante de la morale thomiste. La précipitation est, selon saint Thomas, un vice opposé à la vertu de délibération, qui est elle-même connexe de la vertu intellectuelle de prudence. La précipitation consiste à passer des principes à une conclusion en négligeant l'ordre requis pour délibérer correctement (*Sum. theol.*, IIᵃ-IIᵃᵉ, qu. 53, art. 3). Conformément aux théories respectives du jugement dans les deux doctrines, la précipitation est un vice de l'intellect chez saint Thomas au lieu qu'elle est un vice de la volonté chez Descartes. Cf. *IV Medit.*, t. VII, p. 59, l. 28-p. 60, l. 10.

P. **18**, l. **19** : « ... *la Prévention* ... »

Première et principale source de nos erreurs (*Princ. phil.*, I, 71 ; t. VIII, p. 35, l. 5). La prévention consiste dans la permanence en nous des jugements que nous portons sur les choses au cours de notre enfance, que nous ne nous souvenons plus d'avoir admis sans examen, et qui s'imposent actuellement à nous comme des vérités évidentes : « Milleque aliis ejusmodi praejudiciis, a prima infantia, mens nostra imbuta est ; quae deinde in pueritia non recordabatur fuisse a se sine sufficienti examine recepta, sed tanquam sensu cognita, vel a natura sibi indita, pro verissimis evidentissimisque admisit » (*Ibid.*, p. 36, l. 18-22). En parlant de prévention et de préjugés, Descartes pense presque toujours à la confusion entre l'âme et le corps qu'engendrent nos sensations et qui est à la base de la doctrine des formes susbtantielles. Analysant la manière dont les préjugés s'introduisent et durent en nous, Descartes distingue : 1º l'acquisition des préjugés au cours de l'enfance ; 2º l'impossibilité où nous sommes de les oublier ; 3º leur alimentation par la difficulté extrême que nous éprouvons à penser des idées pures sans les contaminer par le recours à l'imagination ; 4º la nécessité qui s'impose à nous d'exprimer nos idées par des mots, si bien que nous raisonnons ensuite sur des mots et jugeons d'après ces mots que nous croyons avoir autrefois compris au lieu de juger d'après des idées (*Princ. phil.*, I, 71-74 ; t. VIII, p. 35-38. — Cf. Pierre-Silvain Régis, *Cours entier de la Philosophie ... selon les principes de M. Descartes. La logique*, IVe partie, ch. v, 6º, où sont analysées cinq causes de la prévention. Édit. d'Amsterdam, 1691, t. I, p. 51).

Le remède spécifique contre la prévention en général est le doute méthodique, par lequel nous remettons en question, totalement et simultanément, l'ensemble de nos jugements (voir plus haut, p. 13, l. 20 et suiv.). Le remède spécifique contre les préjugés relatifs à la confusion de l'âme et du corps est l'entraînement systématique à douter du témoignage des sens. Les principes de cette dernière forme du doute sont indiqués dans le *Discours*, IVe partie, p. 31, l. 30 et suiv., et complètement développés dans la *Première Méditation*.

Sur la nécessité d'un *effort* approprié pour chasser les préjugés, voir Ve *Rép.*, t. VII, p. 348, l. 21-26 ; p. 349, l. 19-p. 350, l. 8, et *Lettre sur les V. obj.*, t. IX, p. 204, l. 1-26.

P. **18**, l. **20** : « ... *rien de plus* ... »

La possibilité de comprendre dans ses jugements quelque chose de plus que ce que l'entendement conçoit clairement et distinctement s'explique par la théorie cartésienne, qui fait dépendre le jugement du concours de l'entendement et de la volonté. Car la volonté étant en quelque sorte infinie par sa faculté d'affirmer, alors que l'entendement est fini dans sa faculté de concevoir, la volonté n'est pas obligée de se maintenir dans les limites de l'entendement, mais elle peut affirmer plus que l'entendement ne conçoit, et c'est alors qu'elle se trompe : « Unde ergo nascuntur mei errores? Nempe ex hoc uno quod, cum latius pateat voluntas quam intellectus, illam non infra eosdem limites contineo, sed etiam ad illa quae non intelligo extendo ; ad quae cum sit indifferens, facile a vero et bono deflectit, atque ita et fallor et pecco » *Medit. IV*ᵃ, t. VII, p. 58, l. 20-25. De là vient qu'une ferme résolution de pratiquer l'abstention méthodique s'impose à nous, et qu'il nous faut opposer à l'entraînement irréfléchi d'une raison qui excède les limites de l'entendement, comme une sorte d'habitude de ne pas nous tromper : « Ac praeterea, etiam ut non possim ab erroribus abstinere priori illo modo qui pendet ab evidente eorum omnium perceptione de quibus est deliberandum, possum tamen illo altero qui pendet ab eo tantum, quod recorder, quoties de rei veritate non liquet, a judicio ferendo esse abstinendum ; nam quamvis eam in me informitatem esse experiar, ut non possim semper uni et eidem cognitioni defixus inhaerere, possum tamen attenta et saepius iterata meditatione efficere, ut ejusdem, quoties usus exiget, recorder, atque ita habitum quemdam non errandi acquiram. » *Ibid.*, p. 61, l. 27-p. 62, l. 7. — Le cas type auquel pense toujours Descartes lorsqu'il parle d'affirmer plus que ce que nous percevons clairement est le jugement irraisonné par lequel nous attribuons aux choses des couleurs ou autres qualités analogues à celles que nous sentons (*Princ. phil.*, I ; 68, I, 70 ; t. VIII, p. 33 et 34) ; d'où naît l'erreur scolastique des qualités réelles. Cf. *Ad Hyperaspistem*, août 1641, t. III, p. 430, l. 13-p. 431, l. 13.

P. **18**, l. **21** : « *... si clairement ...* »

C'est-à-dire : de telle manière que ce soit l'idée elle-même qui se manifeste à ma pensée.

I. Descartes se représente d'une manière très précise ce qu'il nomme la « clarté » d'une idée. Pour le comprendre, il faut se référer à sa préoccupation constante de nous amener à penser des idées et non de simples souvenirs d'idées ; pour interpréter les termes dont il use, il faut les comparer à la différence qu'il y a entre percevoir un objet, se souvenir d'un objet qu'on a vu, croire que l'on a vu un objet et avoir l'illusion de s'en souvenir. La perception d'un objet présent est claire ; le souvenir de cet objet ne l'est pas ; le faux souvenir de l'avoir vu l'est encore moins. Dans ce cas, la clarté consiste donc dans le caractère spécifique que présentent les idées lorsqu'elles sont engendrées en nous par la présence des objets eux-mêmes.

Par analogie, il y a une manière de connaître les idées qui consiste à placer l'entendement immédiatement en présence de leur contenu. Il y en

a une autre qui consiste à se contenter du souvenir de la perception antérieure de ce contenu par l'entendement. Il y en a une troisième qui ne consiste que dans l'illusion d'avoir autrefois perçu ce contenu et d'en avoir
gardé le souvenir. L'impression que produit l'idée elle-même immédiatement présente à l'entendement est une *idée claire*, et sa clarté est faite du
sentiment de la présence immédiate de l'idée (« Claram voco illam (*scil.*
ideam) quae menti attendenti praesens et aperta est : sicut ea clare a nobis
videri dicimus, quae, oculo intuenti praesentia, satis fortiter et aperte illum
movent ». *Princ. phil.*, I, 22 ; t. VIII, p. 13, l. 3-6). L'impression que produit
le souvenir d'une idée précédemment perçue sans qu'elle le soit actuellement n'est pas une idée claire. Celle que produit le faux souvenir d'avoir
autrefois perçu le contenu d'une idée l'est encore moins. Le défaut le plus
commun des hommes, et qui nuit le plus au progrès de l'esprit, consiste à
penser par souvenirs, ou même par faux souvenirs, au lieu de penser par idées
(*Princ. phil.*, I, 44 ; t. VIII, p. 21, l. 26-29). Rien ne nous y oblige cependant,
car, si la clarté de l'idée entraîne irrésistiblement notre assentiment à sa
vérité (*Princ. phil.*, I, 43 ; t. VIII, p. 21, l. 16-19), l'idée qui n'est pas claire
laisse notre volonté indifférente et maîtresse de refuser son assentiment.

II. Hamelin a soutenu que « les notions de vérité, de certitude et même de
critérium de la certitude, qui forment le contenu des règles dont nous parlons (*scil.* première règle du *Discours*, et *Regulae*, I-III), sont au moins connexes des notions les plus proprement et les plus incontestablement métaphysiques, et que, par conséquent, elles « sont d'un autre ordre que les règles
qui suivent dans le *Discours* et dans les *Regulae* » (*Système de Descartes*,
p. 64). C'est là confondre deux moments de la pensée cartésienne qui doivent
être, au contraire, soigneusement distingués comme ils le sont dans le *Discours* :

1º Décision de réserver le nom de *vérité* au seul et unique genre de connaissances qui appartiennent au type mathématique, c'est-à-dire : *a)* parmi
les sciences déjà existantes, à l'Arithmétique et à la Géométrie (*Reg.*, II ;
t. X, p. 363, l. 17-20), par opposition à la dialectique du probable cultivée
chez les scolastiques ; *b)* pour les sciences non encore constituées, tout ce que
Descartes réussira à rendre aussi évident que le sont déjà les conclusions de
l'Arithmétique et de la Géométrie (*Discours*, p. 21, l. 25-27). Cette décision,
qui constitue la véritable révolution cartésienne dans l'ordre de la pensée,
est entièrement indépendante de la métaphysique qui en résultera plus tard ;
en fait, toutes les *Regulae ad directionem ingenii* supposent que la constatation de l'incertitude qui règne dans le domaine de la philosophie scolastique,
c'est-à-dire de la dialectique, par opposition à la certitude qui est l'apanage
des mathématiques, suffit à exclure de la science proprement dite tout ce qui
n'est pas mathématiquement évident. La critique s'exerce ici à l'intérieur
même de la science, au nom d'un idéal de certitude intuitive et déductive

qui ne requiert aucune justification métaphysique, et Descartes a vécu sur cette conception jusqu'à ce que la tâche de constituer un système complet de philosophie se soit imposée à lui.

2º Au moment où Descartes décide de construire la métaphysique elle-même sur des bases nouvelles, il a besoin d'autre chose que d'un critérium qui lui permette de distinguer entre ce qui est démontré et ce qui n'est que probable, il lui faut un critérium qui lui permette d'affirmer que des réalités correspondent hors de la pensée à la vérité déjà contenue dans la pensée. Ce sera l'œuvre du *Cogito* que de rendre possible une telle certitude. A partir de ce moment Descartes saura non seulement, ce qu'il savait depuis l'hiver 1619, que les idées claires et distinctes sont toujours vraies, mais encore que l'on peut légitimement conclure de l'évidence des idées à la réalité des choses, le *Cogito* étant un jugement d'existence dont toute la certitude se fonde sur la clarté et la distinction de son contenu. On peut donc dire qu'après les *Regulae* Descartes a généralisé ses principes de critique en même temps que sa méthode : *a)* en se demandant si la certitude des mathématiques est elle-même à l'abri de toute suspicion ; *b)* en s'élevant du point de vue scientifique au point de vue philosophique par la recherche d'un fondement de la connaissance ; d'où le doute provisoire, qui est un élargissement et un approfondissement de la critique mathématique des *Regulae* (voir *Discours*, IIᵉ partie, début). Mais la première règle de la méthode que formule ici le *Discours* s'est bien effectivement d'abord suffi à elle-même ; c'est elle seule qui a régi le travail de critique scientifique poursuivi par Descartes de 1619 à 1628, et c'est seulement lorsque s'est posé pour lui le problème métaphysique qu'il s'est vu contraint à la retrouver sur un autre plan et par une autre voie, celle du *Cogito*.

Sur la décision de choisir les mathématiques comme type unique de toute science vraie, voir surtout *Reg.*, IV ; t. X, p. 373, l. 25-p. 374, l. 15.

Sur la suffisance de l'évidence comme critérium de la vérité, cf. *Princ. phil.*, I, 43 ; t. VIII, p. 21, l. 16-19.

P. **18**, l. **21** : « *... et si distinctement ...* »

C'est-à-dire : de telle manière que cette idée ne contienne que ce qui lui appartient, à l'exclusion de ce qui appartient en propre à d'autres idées.

La distinction d'une idée ne se confond pas avec sa clarté ; néanmoins, ces deux propriétés sont en étroit rapport l'une avec l'autre. En effet, une idée distincte est une idée qui se trouve séparée et définie en elle-même par rapport à toutes les autres, cette distinction résultant de ce qu'elle contient tout ce qui lui appartient, et rien de ce qui ne lui appartient pas. Or, la distinction d'une idée est obtenue en poussant sa clarté jusqu'à ses dernières limites, c'est-à-dire par élimination radicale de tout ce qu'elle contient d'obscur (« Distinctam autem illam (*scil.* ideam voco), quae, cum clara sit, ab omnibus aliis ita sejuncta est et praecisa, ut nihil plane aliud, quam quod clarum est, in se contineat. » *Princ. phil.*, I, 45 ; t. VIII, p. 22, l. 6-9). Cette conception de la *distinction* des idées s'explique de la manière suivante : une idée est claire dans la mesure où elle est immédiatement présente à notre entendement ; mais cette idée claire peut coexister dans notre pensée avec des idées obscures, c'est-à-dire avec de simples souvenirs d'idées que nous avons ou même que nous croyons avoir antérieurement perçues comme claires. En pareil cas, notre idée est claire, mais non distincte, puisqu'il s'y mêle des éléments étrangers. Supposons, au contraire, que nous réussissions à en éliminer tout ce qui est souvenir ou pseudo-souvenir d'idées claires, pour n'en conserver dans l'entendement que ce qui est véritablement clair, il ne restera plus alors qu'une idée pure de tout élément étranger. On pourra donc dire de cette idée qu'elle est non seulement claire parce qu'immédiatement présente à la pensée, mais encore distincte parce que séparée de toute autre idée qu'elle.

Les rapports entre la clarté et la distinction des idées sont donc les suivants : 1º une idée peut être claire sans être distincte ; 2º une idée intégralement claire est toujours distincte ; 3º une idée distincte est toujours une idée claire. — L'exemple auquel pense toujours Descartes est celui des qualités sensibles que nous réalisons et qui se trouvent devenir ainsi indûment la base de la physique scolastique des formes substantielles. Cf. « Ita, dum quis magnum aliquem sentit dolorem, clarissima quidem in eo est ista perceptio doloris, sed non semper est distincta ; vulgo enim homines illam confundunt cum obscuro suo judicio de naturâ ejus, quod putant esse in parte dolente simile sensui doloris, quem solum clare percipiunt. Atque ita potest esse clara perceptio, quae non sit distincta ; non autem ulla distincta, nisi sit clara. » *Princ. phil.*, I, 46 ; t. VIII, p. 22, l. 10-17.

Sur l'application de ces notions à la théorie des préjugés, voir à p. 18, l. 19.

Pour la classification des idées claires et distinctes, voir *Princ. phil.*, I, 48-49 ; t. VIII, p. 22, l. 28-p. 24, l. 6.

P. **18**, l. **22-23** : « ... *de le mettre en doute.* »

La règle des idées claires et distinctes suppose d'abord un fait dont témoigne l'expérience des mathématiques tout entière : « aussitôt que nous pensons concevoir clairement quelque vérité, nous sommes naturellement portés à la croire. Et si cette croyance est si forte que nous ne puissions jamais avoir aucune raison de douter de ce que nous croyons de la sorte, il n'y a rien à rechercher davantage : nous avons touchant cela toute la certitude qui se peut raisonnablement souhaiter » (*II Rép.*, t. IX, p. 113. Cf. IVᵉ Partie, à p. 33, l. 22). Reste à savoir s'il existe véritablement des croyances ou persuasions si fermes qu'elles soient équivalentes à de parfaites certitudes. En d'autres termes : existe-t-il des cas où non seulement nous ne doutons aucunement, mais encore où nous puissions être certains qu'il n'y a pour nous aucune raison de douter? Ces cas existent chaque fois que les trois conditions suivantes se trouvent satisfaites :

1º Que notre idée ne contient absolument aucun élément d'obscurité (contraire de la clarté) ni de confusion (contraire de la distinction) ; car la moindre obscurité ou confusion, si léger qu'en soit le soupçon, suffit à nous la faire mettre en doute (cf. le sens précis de ces termes à p. 18, l. 21).

2º Que cette clarté et cette distinction soient celles d'une idée conçue par une intuition de la pensée pure et non d'une perception sensible ; car les idées conçues clairement et distinctement ne peuvent être fausses, au lieu que l'évidence sensible (la neige paraît jaune à celui qui a la jaunisse) peut contenir de l'erreur.

3º Enfin, les idées ainsi conçues doivent être d'une telle simplicité qu'elles ne puissent être présentes à la pensée sans apporter avec elles leur complète justification ; à ce prix seulement il ne reste plus « aucune occasion de les mettre en doute », car, si leur simplicité est telle que l'acte par lequel nous les pensons ne laisse en dehors aucun élément de leur justification, il est impossible de les penser sans les penser comme vraies ; or, pour en douter, il faut y penser ; il est donc impossible d'en douter sans faire éclater leur vérité : « Ex his autem quaedam sunt tam perspicua, simulque tam simplicia, ut nunquam possimus de iis cogitare, quin vera esse credamus : ut quod ego, dum cogito, existam ; quod ea, quae semel facta sunt, infecta esse non possint, et talia, de quibus manifestum est hanc certitudinem haberi. Non possumus enim de iis dubitare, nisi de ipsis cogitemus ; sed non possumus de iisdem cogitare, quin simul credamus vera esse, ut assumptum est ; ergo non possumus de iis dubitare, quin simul credamus vera esse, hoc est, non possumus unquam dubitare. » IIᵈᵉ Resp., t. VII, p. 145, l. 22-p. 146, l. 4.

P. **18**, l. **24** : « ... *difficultés* ... »

Les *difficultés* rentrent dans le genre de ce que Descartes nomme *quaestio* dans les *Regulae*, entendant par là tout ce qui prête matière à vérité ou à erreur : « Intelligimus autem per quaestiones, illa omnia in quibus reperitur verum, vel falsum » (*Reg.*, XIII ; t. X, p. 432, l. 13-15). La possibilité de vérité ou d'erreur apparaît avec le jugement : « jamjam diximus, in solo intuitu rerum, sive simplicium, sive copulatarum, falsitatem esse non posse ; neque etiam hoc sensu quaestiones appellantur, sed nomen illud acquirunt, statim atque de iisdem judicium aliquod determinatum ferre deliberamus » (*Ibid.*, p. 432, l. 18-22). Une *difficulté*, au sens technique de ce terme, est donc un complexe de questions, d'où la nécessité proclamée par le deuxième précepte de la méthode de le ramener à une question simple. — Pour l'équivalence des termes, voir *Reg.*, XIII ; t. X, p. 434, l. 11-16. Cf. *Reg.*, XVII ; t. X, p. 459, l. 6 et suiv.

P. **18**, l. **26** : « *... les mieux résoudre* ... »

Le deuxième précepte de la méthode (diviser les difficultés pour les mieux résoudre) est étroitement apparenté au troisième (aller du simple au composé), car il faut d'abord découvrir le simple afin de pouvoir ensuite en partir. C'est pourquoi les deuxième et troisième préceptes, qui nous sont donnés comme distincts dans le *Discours*, nous sont, au contraire, donnés comme les deux moments d'une seule et même règle dans la rédaction des *Regulae*. Ainsi entendues, elles contiennent à elles seules toute la méthode : « Tota methodus consistit in ordine et dispositione eorum ad quae mentis acies est convertenda, ut aliquem veritatem inveniamus. Atque hanc exacte servabimus, si propositiones involutas et obscuras ad simpliciores gradatim reducamus, et deinde ex omnium simplicissimarum intuitu ad aliarum omnium cognitionem per eosdem gradus ascendere tentemus » (*Reg.*, V ; t. X, p. 379, l. 15-21).

Considéré à part du mouvement inverse par lequel la pensée va du simple au complexe, ce mouvement d'analyse comporte deux moments :

1º Réduction des questions incomplètement déterminées à des questions complètement déterminées. Est incomplètement déterminée toute question qui s'étend au delà de ce que ses données permettent de démontrer ; est au contraire complètement déterminée celle qui ne demande rien de plus que ce que l'on peut déduire à partir de ses données : « Sed insuper (*scil.* en outre de ce que : 1º elle contient une inconnue ; 2º que cette inconnue soit désignée de manière que l'on sache quoi chercher ; 3º qu'elle soit désignée par quelque chose déjà connue) ut quaestio sit perfecta, volumus illam omnino determinari, adeo ut nihil amplius quaeratur quam id quod deduci potest ex datis » (*Reg.*, XIII ; t. X, p. 431, l. 3-6). Exemple : chercher ce que l'on peut conclure touchant la nature du son, non en général, mais en considérant un son égal rendu par trois cordes A, B, C, dont B est d'égale longueur avec A, mais deux fois plus grosse et tendue par un poids deux fois plus lourd ; C, de même grosseur que A, mais seulement deux fois plus longue et tendue par un poids quatre fois plus lourd, etc. Dans une question ainsi précisée, tout concept étranger à la question posée se trouve écarté, nous n'avons plus à prendre en considération la nature particulière du sujet sur lequel nous opérons et, contrairement à ce qui se passerait si nous cherchions à définir la nature du son d'après les corps sonores en général, il ne nous reste plus alors que des grandeurs pures et simples à comparer. *Reg.*, XIII ; t. X, p. 430, l. 23-p. 431, l. 27 ; cf. p. 435, l. 2-10.

2º La question une fois débarrassée de tout concept superflu par la formule précise que nous lui avons imposée, il nous reste à la *simplifier* et à la *diviser* en parties aussi petites que possible : « Si quaestionem perfecte intelligamus, illa est ab omni superfluo conceptu abstrahenda, ad simplicissimam revocanda, et in quam minimas partes cum enumeratione dividenda. » *Reg.*,

XIII ; t. X, p. 430, l. 7-10. Nous expliquerons à propos du troisième précepte de la méthode (p. 18, l. 28) comment on *simplifie* les questions ; expliquons maintenant comment on les *divise* (« Additur praeterea difficultatem esse ad simplicissimam reducendam, nempe juxta regulas quintam et sextam, et dividendam juxta septimam. » *Reg.*, XIII ; t. X, p. 432, l. 3). Soit, par exemple, les trois cordes A, B, C, dont nous voulons étudier le son, nous comparerons d'abord A à B, puis A à C, et ainsi successivement jusqu'à ce que nous ayons comparé toutes les cordes entre elles. Il est clair d'ailleurs que cette division de la difficulté en parties doit se compléter par le procédé inverse, qui consiste à rassembler les parties ainsi divisées et résolues pour en composer la solution totale : « ut si magnetem examinem ex pluribus experimentis, unum post aliud separatim percurram ... ut postea omnia simul sufficienti enumeratione complectar » (*Ibid.*, p. 432, l. 3-8). Le deuxième précepte de la méthode, qui est la division, se complète donc nécessairement par le quatrième, qui est l'énumération.

On observera d'ailleurs que les trois préceptes de la méthode : division, simplification, énumération, s'impliquent réciproquement, si bien qu'il ne faut pas s'étonner d'être constamment renvoyé de l'un à l'autre et qu'il n'existe aucun ordre obligatoire à suivre dans leur exposition : « Caeterum hae tres ultimae propositiones non sunt separandae, quia ad illas simul plerumque est reflectendum et pariter omnes ad methodi perfectionem concurrunt ; neque multum intererat, utra prior doceretur. » *Reg.*, VII ; t. X, p. 392, l. 1-5. C'est ce qui explique que le deuxième précepte du *Discours* (division) corresponde dans les *Regulae* tantôt à la division des difficultés proprement dite (t. X, p. 432, l. 3-8), tantôt à l'énumération (*Reg.*, VII ; à laquelle nous renvoie la *Reg.*, XIII ; t. X, p. 432, l. 3, pour commenter la division) qui la suppose accomplie et la vérifie, mais constitue cependant le quatrième précepte du *Discours*. De même la *Reg.*, XIII, réunit en une seule règle la simplification des questions et leur division, alors que la simplification constitue le troisième précepte du *Discours* et la division le quatrième. La vérité est que, comme le dit Descartes, l'ordre suivi dans l'explication de ces trois opérations inséparables importe assez peu : diviser les difficultés, c'est s'obliger à les énumérer ensuite pour les réunir ; simplifier les questions, c'est aller jusqu'au principe dont dépend la solution de la difficulté ainsi divisée, mais c'est par là même s'obliger à énumérer dans la suite les degrés intermédiaires par lesquels on l'aura rejointe à partir de ce principe une fois découvert. Il reste cependant qu'elles sont véritablement distinctes et que le mouvement par lequel la pensée considère séparément les divers éléments d'un problème (division ; 1er précepte) ne se confond ni avec celui par lequel elle cherche les vérités antérieures et plus simples que ce problème supposerait déjà démontrées (simplification ; 2e précepte), ni avec celui par lequel elle rassemble soit les parties du problème ainsi distinguées, soit la chaîne des propositions antérieures qui en conditionnent la solution (énumération ; 4e précepte).

P. 18, l. 27 : « ... *conduire par ordre* ... »

Le troisième précepte comporte essentiellement : 1º l'exigence absolue de l'ordre dans la pensée, par opposition à toute manière de penser au hasard, ce qui fut le vice, non seulement de la Scolastique, mais des géomètres grecs (*La géométrie*, liv. I, ch. VI, p. 376, l. 23-28) ; 2º la définition de ce qui caractérise l'ordre cartésien comme tel ; voir sur ce point la note suivante.

P. 18, l. 28 : « ... *les plus simples* ... »

La définition cartésienne de l'ordre substitue à la classification conceptuelle des notions et des choses sous les catégories d'Aristote, dont usait la Scolastique (cf. *Reg.*, VI ; t. X, p. 381, l. 7-16), une disposition fondée sur leur dépendance dans l'ordre de la déduction. Les vérités, idées, ou choses, se trouvent désormais ordonnées selon des séries linéaires, où chacune occupe la place qui lui revient, avant les idées qui dépendent d'elle en ce qu'elle permet de les déduire, après les idées dont elle dépend en ce qu'elles sont nécessairement requises pour que sa déduction soit possible.

Si l'on considère deux idées quelconques (ou choses) prélevées sur l'une de ces séries, celle des deux idées qui précède l'autre dans l'ordre de la déduction est dite *absolue*, ou *simple ;* celle qui suit l'autre dans l'ordre de la déduction est appelée *relative*, ou *composée*. Ce qui est absolu par rapport à une idée peut donc être relatif par rapport à une autre ; il n'y a d'absolument absolu que les *natures simples*, au sens propre de l'expression, c'est-à-dire les idées qui ne dépendent d'aucune autre et dont, au contraire, toutes les autres dépendent. Ces natures absolument simples sont peu nombreuses (*Reg.*, VI ; t. X, p. 383, l. 11) et saisies par un acte également simple d'intuition ; les autres ne peuvent être connues qu'à partir de ces natures absolument simples, au moyen de la déduction, et prennent dans la série à laquelle elles appartiennent la place qui leur revient selon le nombre de degrés qui les sépare de la nature simple dont sort la série tout entière (*Ibid.*, p. 383, l. 17-26).

Cette conception de la méthode suppose manifestement que l'on sait distinguer l'absolu ou simple du relatif ou composé dans les problèmes à résoudre. On y parvient en apprenant à pratiquer précisément le second précepte du *Discours*. Le sens en est inintelligible aussi longtemps que l'on y cherche une formule immédiatement applicable à partir du moment où on l'a apprise ; elle prend tout son sens, au contraire, lorsqu'on se souvient que Descartes n'enseigne pas la méthode, mais ce que nous devons faire pour parvenir à la maîtriser. En réalité, il n'existe aucune recette à priori pour discerner dans un problème donné le simple du composé, mais on peut en acquérir l'habitude par une sorte d'entraînement progressif dont les étapes principales sont les suivantes : commencer toujours l'étude d'une science par les questions les plus faciles et en recueillant d'abord au hasard ce qu'elle contient d'immédiatement évident ; s'exercer à déduire de ces évidences premières les conséquences qui en découlent ; réfléchir attentivement à ces conséquences afin de voir pourquoi nous avons pu découvrir certaines plus facilement que les autres et avant elles, ce qui nous rendra plus capables de juger, lorsque nous aborderons d'autres questions, si elles dépendent elles-mêmes de questions plus faciles, et quelles elles sont (*Reg.*, VI ; t. X, p. 384, l. 9-21).

Le troisième précepte de la méthode nous impose donc moins une vérité abstraite à admettre qu'une habitude intellectuelle à acquérir. Descartes donne comme exemple la considération attentive de quelque chose d'aussi simple que la série des nombres entiers lorsqu'on les range selon une progression arithmétique, et dont cependant on peut faire sortir sans peine toute la théorie des proportions, c'est-à-dire finalement toute l'Arithmétique (*Ibid.*, t. X, p. 384, l. 21-p. 387, l. 8). Il ne se dissimule d'ailleurs nullement que, dans les sciences de la nature, la réduction des problèmes complexes aux problèmes plus simples dont ils présupposent la solution ne soit chose difficile (*Reg.*, V ; t. X, p. 380, l. 18-20; et *Reg.*, XIV ; t. X, p. 451, l. 9-11) ; c'est cependant la condition première de toute science et le fil d'Ariane sans lequel on se perdra dans le Labyrinthe des choses, comme les philosophes qui prétendent résoudre les questions les plus hautes sans avoir étudié les plus simples, les astronomes qui veulent prédire les mouvements des astres sans les avoir observés, ou ceux qui croient pouvoir inventer dans l'ordre de la Mécanique sans connaître les lois de la Physique (*Reg.*, V ; t. X, p. 380, l. 2-16).

Pour l'application de cette méthode par Descartes lui-même, aux mathématiques, voir *Discours*, p. 19, l. 19-20. — A la métaphysique (l'existence de la pensée et celle de Dieu), *IIe Resp.*, t. VII, p. 155, l. 11-20. — A la physique (la matière étendue et le mouvement), *Princ. phil.*, II, 23 ; t. VIII, p. 52, l. 22-p. 53, l. 6.

P. **18**, l. **29** : « ... *plus aisés à connaître*, ... »

Texte latin : « et cognitu facillimis », t. VI, p. 550 (cf. *Princ. phil.*, I, 2).

Expression dérivée du terme technique : *notior*, ou *plus connu*, emprunté à la terminologie d'Aristote et de la scolastique. Le « plus connu », ou « plus aisé à connaître », n'est pas ce qui n'exige de la pensée que le minimum d'efforts pour être découvert (les premiers principes qui sont « plus aisés à connaître » ou « plus connus » que tout le reste sont, au contraire, fort malaisés à découvrir) ; c'est, exactement, ce dont la connaissance est requise pour la connaissance du reste (« Ea nobis notiora dicuntur, quorum cognitio ad aliorum intelligentiam requiritur ». *Conimbricenses*, Phys., I, 1, 2, 4, dans *Index scol.-cartésien*, texte 316, p. 203) ou, en langage cartésien : ce qui est antérieur dans l'ordre de la déduction.

L'expression « plus aisé à connaître » dérive naturellement de l'expression « plus connu ». Ce qui est *notior* dans l'ordre de la déduction présente, en effet, trois caractères distinctifs : 1° il est *antérieur* dans la série des idées, ainsi que nous venons de le dire ; 2° de ce qu'il est antérieur, il résulte qu'il est *plus évident*, puisque la connaissance que nous avons de sa vérité conditionne la connaissance que nous avons de la vérité de ses conséquences ; et comme on peut le connaître sans elles, mais non pas elles sans lui, il est plus aisé à connaître qu'elles ; 3° le « plus connu » est enfin *plus certain* que ce qui en découle, parce qu'étant antérieur dans l'ordre de la déduction il se rattache au principe premier dont elle dérive et participe à son évidence par un moindre nombre de degrés interposés. C'est ce qu'exprime la formule cartésienne : « Recte probatur unam rem esse alia notiorem ... ex eo quod illis, qui utramque, ut par est, cognoscunt, appareat esse cognitu prior, evidentior, et certior. » *V*ᵉ *Resp.*, t. VII, p. 384, l. 12-16.

P. **18**, l. **31** : « ... *et supposant même de l'ordre* ... »

L'ordre que nous devons observer dans la discussion des problèmes peut être double : naturel ou imaginaire. Lorsque le problème étudié relève des sciences de la nature, ou des mathématiques, ou de la métaphysique, en un mot d'une science proprement dite, il existe un ordre naturel des choses et des idées que notre pensée doit s'employer à retrouver. Lorsque le problème étudié n'est, au contraire, qu'un de ces jeux d'esprit artificiels, comme il est d'ailleurs utile d'en examiner pour s'accoutumer à découvrir l'ordre dans des matières plus difficiles, les données du problème ne se précèdent pas naturellement les unes les autres. Il n'y a donc alors aucune raison naturelle de commencer l'examen de la difficulté par un côté plutôt que l'autre ; mais on doit cependant, pour obéir au troisième précepte de la *Méthode*, se garder d'essayer de deviner la solution et de la trouver par hasard ; il faut donc imaginer un ordre et s'y tenir, afin d'être sûr de parcourir tous les éléments du problème, de noter tout ce qu'ils peuvent nous suggérer et de trouver tout ce que l'on peut en déduire. Exemple : déchiffrer une écriture secrète : « Monuimusque idcirco, quaerenda esse illa cum methodo, quae in istis levioribus non alia esse solet, quam ordinis, vel in ipsa re existentis, vel *subtiliter excogitati*, constans observatio : ut si velimus legere scripturam ignotis characteribus velatam, *nullus quidem ordo hic apparet, sed tamen aliquem fingimus*, tum ad examinanda omnia praejudicia, quae circa singulas notas, aut verba, aut sententias haberi possunt, tum etiam ad illa ita disponenda, ut per enumerationem cognoscamus quidquid ex illis potest deduci. » *Reg.*, X ;

14

t. X, p. 404, l. 22-p. 405, l. 2. Le troisième précepte pourrait donc s'énoncer ainsi : conduire toujours par ordre ses pensées, c'est-à-dire : suivre l'ordre naturel des idées là où il existe et inventer un ordre choisi pour les besoins de la cause là où cet ordre naturel n'existe pas.

Cf. comme exemples de questions artificielles à résoudre, l'énigme du Sphinx et autres semblables : *Reg.*, XIII ; t. X, p. 433, l. 4-14, et p. 435, l. 11-26. Le problème des « chiffres » pour correspondre a toujours intéressé Descartes (cf. *Princ. phil.*, IV, 205, t. VIII, p. 327-328) et il en avait proposé un à la princesse Élisabeth dont elle n'avait guère été satisfaite (voir t. IV, p. 524, l. 5-11).

P. 19, l. 3 : « ... *partout* ... »

« Partout », c'est-à-dire aussi bien dans l'application du deuxième précepte (division des difficultés) que dans celle du troisième précepte (les parcourir par ordre). C'est ce qu'indique la traduction latine en remplaçant « partout » par la glose suivante : « tum in quaerendis mediis, tum in difficultatum partibus percurrendis » (t. VI, p. 550). Il résulte immédiatement de ce texte que le quatrième précepte, dit de l'*énumération*, comporte deux applications différentes :

1° Après avoir divisé un problème en parties aussi petites que possible, vérifier que cette division est *complète* en dénombrant une à une ces diverses parties et en s'assurant qu'aucun élément du problème n'a été oublié (« des dénombrements si entiers et des revues si générales »). Envisagée sous cet aspect l'*énumération* n'est donc que la contre-épreuve de la *division;* et comme nous savons que les opérations définies par les préceptes de la méthode, bien que distinctes, sont cependant le plus souvent simultanées, on ne peut guère diviser un problème en ses parties sans les énumérer, ni les énumérer sans le diviser. D'où la formule de Descartes : « Si quaestionem perfecte intelligamus, illa est ... in quam minimas partes *cum enumeratione dividenda* » (*Reg.*, XIII ; t. X, p. 430, l. 7-10). Dans la mesure où la division des problèmes pourrait se compliquer au point d'engendrer une chaîne déductive trop longue pour tenir dans une seule intuition, elle se trouverait astreinte à observer les précautions que nous énumérons plus loin.

2° Après avoir ramené la difficulté proposée à la première de celles qu'il faut d'abord avoir résolues et conduit ses pensées en allant du plus simple au plus composé, on doit vérifier que la chaîne déductive est complète, en dénombrant un à un les anneaux qui la constituent et en s'assurant qu'aucun degré intermédiaire n'a été oublié.

Les conditions auxquelles une bonne énumération doit satisfaire ont été formulées par Descartes de la manière suivante : « Ad scientiae complementum oportet omnia et singula, quae ad institutum nostrum pertinent, continuo et nullibi interrupto cogitationis motu perlustrare, atque illa suffi-

cienti et ordinata enumeratione complecti » (*Reg.*, VII ; t. X, p. 387, l. 10-13).
Il résulte de là que l'énumération doit être : *a)* continue ; *b)* ininterrompue ;
c) suffisante ; *d)* ordonnée.

a) Continuité de l'énumération. — Toute connaissance vraie est obtenue par
une intuition, ou par une déduction immédiate qui équivaut à une intuition ;
mais le troisième précepte, en nous obligeant à conduire notre pensée du
simple au complexe, nous oblige à user d'une déduction médiate. Chacun des
moments de cette déduction est évident, parce qu'il consiste en une intuition
ou une déduction immédiate ; mais la chaîne prise dans son ensemble est
souvent trop longue pour tenir dans une seule intuition ; elle ne nous est
donc garantie comme telle que par le souvenir des évidences successives
dont l'ensemble la constitue. Or, la règle de l'évidence (premier précepte) ne
nous autorise pas à considérer que le souvenir d'une évidence équivaille à
cette évidence, et, d'ailleurs, lorsque la chaîne déductive est trop longue, la
mémoire elle-même nous fait défaut. C'est pour remédier à cette faiblesse
de la mémoire que l'énumération parcourt la série déductive d'un mouvement continu qui, devenant de plus en plus rapide, équivaut finalement à
une déduction simultanée : « Quamobrem illas (*scil.* magnitudines per diversas operationes cognitas) continuo quodam imaginationis motu singula
intuentis simul et ad alia transeuntis aliquoties percurram, donec a prima
ad ultimam tam celeriter transire didicerim, ut fere nullas memoriae partes
relinquendo, rem totam simul videar intueri ; hoc enim pacto, dum memoriae subvenitur, ingenii etiam tarditas emendatur, ejusque capacitas, quadam ratione extenditur ». *Reg.*, VII ; t. X, p. 388, l. 2-9, et p. 389, l. 8-25. Il
y a entre ce palliatif empirique apporté aux insuffisances de la mémoire sur
le plan de la pure méthode et le remède métaphysique qu'apportera plus
tard la garantie de l'évidence divine, la même distance qu'entre la constatation empirique de l'évidence propre aux mathématiques (premier précepte)
et le critérium métaphysique de l'évidence (qui se déduira du *Cogito*). Dans
les deux cas, la méthode trace le plan de l'édifice que la métaphysique seule
pourra fonder.

b) L'énumération est ininterrompue. — Il ne suffit pas que le mouvement
par lequel la pensée parcourt la chaîne déductive soit continu, il faut encore
que cette chaîne elle-même ne se trouve pas rompue par l'absence de l'un
quelconque des anneaux nécessaires pour que la déduction soit légitime :
« Addimus autem, nullibi interruptum debere esse hunc motum ; frequenter
enim illi, qui nimis celeriter et ex remotis principiis aliquid deducere conantur, non omnem conclusionum intermediarum catenationem tam accurate
percurrunt, quin multa inconsiderate transiliant. At certe, ubi vel minimum
quid est praetermissum, statim catena rupta est, et tota conclusionis labitur certitudo ». *Ibid.*, t. X, p. 388, l. 10-17. En un mot, l'énumération qui
résume la déduction doit contenir tous les moments de cette déduction ;

passer un des moments qui la constituent, c'est succomber au vice de Précipitation.

  c) *Suffisance de l'énumération.* — Dire qu'une énumération doit être ininterrompue, c'est dire par le fait même qu'elle doit être suffisante, c'est-à-dire ne rien oublier de ce qui èst requis pour que la déduction soit valable. L'épithète vague de *suffisante* est employée à dessein par Descartes pour signifier qu'il n'y a pas de règle générale déterminant à priori le degré de rigueur que doit présenter une énumération. Ce degré varie selon la nature du problème posé : s'il s'agit de dénombrer les individus qui rentrent sous une espèce, ou les espèces qui rentrent sous un genre, l'énumération n'est pas suffisante si elle n'est pas complète (exemple : combien y a-t-il de genres d'êtres corporels?) ; s'il s'agit de prouver qu'un être donné ne rentre pas dans un genre, il suffit de répartir les êtres qui rentrent sous ce genre en quelques espèces et de montrer qu'il n'appartient à aucune d'elles (exemple : l'âme raisonnable n'est pas un corps) ; s'il s'agit de prouver l'universalité d'un rapport géométrique, il suffit de le vérifier sur quelques cas particuliers, *ut per inductionem idem etiam de aliis omnibus concludatur* (exemple : l'aire du cercle est plus grande que les aires de toutes les autres figures dont la périphérie est égale à la sienne). *Reg.*, VII ; t. X p. 390, l. 6-24. Sur les défauts de l'*énumération*, voir plus loin, p. 19, l. 3-4.

  d) *Ordre dans l'énumération.* — De même que l'exigence d'une énumération ininterrompue nous a conduits à la vouloir suffisante, de même l'exigence d'une énumération suffisante nous a conduits à la vouloir ordonnée. Si l'on excepte, en effet, les cas relativement rares où l'énumération doit être complète, le problème se ramène toujours à constituer un certain nombre de classes, conçues de telle manière qu'elles contiennent intégralement tous les cas que l'énumération aurait en droit à parcourir pour être complète. L'*ordre* est précisément destiné à assurer la suffisance des énumérations que leur nature même condamne à demeurer incomplètes : « Addidi etiam, enumerationem debere esse ordinatam : tum quia ad jam enumeratos defectus (*scil.* caractère discontinu ou interrompu par précipitation de l'énumération) nullum remedium est, quam si ordine omnia perscrutemur ; tum etiam, quia saepe contingit ut, si singula, quae ad rem propositam spectant, essent separatim perlustranda, nullius hominis vita sufficeret, sive quia nimis multa sunt, sive quia saepius eadem occurrerent repetenda. Sed si omnia illa optimo ordine disponamus, ut plurimum, ad certas classes reducentur, ex quibus vel unicam exacte videre sufficiet, vel ex singulis aliquid, vel quasdam potius quam caeteras, vel saltem nihil unquam bis frustra percurremus ; quod adeo juvat, ut saepe multa propter ordinem bene institutum brevi tempore et facili negotio peragantur, quae prima fronte videbantur immensa. » *Reg.*, VII ; t. X, p. 390, l. 25-p. 391, l. 11.

  Exemples des ordres variables (« hic autem ordo rerum enumerandarum

plerumque varius esse potest, atque ex uniuscujusque arbitrio dependet » ;
Ibid., p. 391, l. 13-14) que l'on peut être amené à suivre pour assurer la suffisance de l'énumération : les raisons que nous pouvons avoir de douter de
tout (*Medit. I*ᵃ, t. VII, p. 18, l. 4 : « Ad hoc autem non erit necesse, ut omnes
esse falsas ostendam, quod nunquam fortassis assequi possem ; ... *etc.* ») ; le
dénombrement des passions de l'âme (*Des Passions*, IIᵉ partie, ch. LII, t. XI,
p. 372, l. 23 : « C'est pourquoi, afin de les dénombrer, il faut seulement examiner par ordre..., *etc.* ») ; la preuve que tous les phénomènes de la nature
sont expliqués par les *Principia philosophiae* (*op. cit.*, IVᵉ partie, ch. CXCVIII
et CXCIX, spécialement : « Atque ita facili enumeratione colligitur..., *etc.* »,
t. VIII, p. 323, l. 3). Cf. *Reg.*, III ; t. X, p. 368, l. 9 ; *Reg.*, VIII ; t. X, p. 395,
l. 25 ; *Reg.*, XII ; t. X, p. 411, l. 3, etc.

3º Il résulte de ce qui précède que le rôle général de l'énumération consiste
à utiliser le mouvement de la pensée en vue de conférer à un ensemble de
connaissances trop complexe pour tenir sous une seule intuition l'évidence
immédiate qui est le privilège de l'intuition et, du point de vue de la méthode, la garantie unique de la vérité (premier précepte). Ceci posé, on voit
aussitôt que l'énumération ne pouvait pas, en effet, ne pas avoir une portée
universelle et ne pas s'appliquer à la division (deuxième précepte) comme à
la simplification des problèmes (troisième précepte), car elle est la seule vérification concevable de tout ce qui excède les limites nécessairement res-
treintes de la pure et simple intuition : « Hic praetera enumerationem requiri
dicimus ad scientiae complementum : quoniam alia praecepta juvant quidem ad plurimas quaestiones resolvendas, sed solius enumerationis auxilio
fieri potest, ut ad quamcumque animum applicemus, de illa semper fera-
mus judicium verum et certum, ac proinde nihil nos plane effugiat, sed de
cunctis aliquid scire videamur. » *Reg.*, VII ; t. X, p. 388, l. 18-24.

Cf. L. Liard, *Descartes*, p. 26 et suiv. — O. Hamelin, *Le système de Descartes*, p. 72 et suiv. — R. Hubert, *La théorie cartésienne de l'énumération*,
Revue de métaphysique et de morale, mai 1916, t. XXIII, p. 489-516.

P. **19**, l. **3-4** : « *... si entiers ...* »

Texte latin : « tam perfecte *singula* enumerarem » ; c'est-à-dire : des
dénombrements qui n'embrassent pas simplement *tous* les éléments de la
déduction, mais qui les considèrent en outre *un à un*, de manière à nous donner de chacun une intuition distincte. Faute de satisfaire à cette dernière
condition, l'énumération pécherait par *insuffisance* : « Sufficientem hanc operationem (*scil.* enumerationem) esse debere dixi, quia saepe defectiva esse
potest, et per consequens errori obnoxia. Interdum enim, etiamsi multa quidem enumeratione perlustremus, quae valde evidentia sunt, si tamen vel
minimum quid omittamus, catena rupta est, et tota conclusionis labitur certitudo. Interdum etiam omnia certe enumeratione complectimur, *sed non*

singula inter se distinguimus, adeo ut omnia tantum confuse cognoscamus. »
Reg., VII ; t. X, p. 389, l. 26-p. 390, l. 5.

P. **19**, l. **6** : « *Ces longues chaînes* ... »

C'est-à-dire les déductions où, à la différence des simples intuitions, le mouvement de l'énumération permet seul d'embrasser à la fois la série entière des prémisses et de leurs conséquences. Cf. *Reg.,* III : « non aliter quam longae alicujus catenae..., *etc.* » T. X, p. 369, l. 26-p. 370, l. 15.

P. **19**, l. **6-7** : « ... *simples et faciles* ... »

A cause de leur caractère généralement linéaire, et par opposition à la complexité des démonstrations dialectiques, dont chaque moment suppose une discussion embarrassée par la multiplicité des distinctions.

P. **19**, l. **9-10** : « ... *que toutes les choses* ... »

Formule très discrète, mais qui marque en réalité le pas décisif accompli par la pensée cartésienne : tout ce qui est susceptible de connaissance vraie est, par définition, susceptible de connaissance mathématique. L'idée de l'unité du corps des sciences (voir plus haut, à p. 11, l. 13) est donc inséparable, chronologiquement et logiquement, de l'extension de la méthode mathématique à la totalité du domaine de la connaissance.

P. **19**, l. **11** : « ... *s'entre-suivent en même façon* ... »

La formule pouvait paraître supposer qu'il n'en fût pas de même pour les choses qui, comme le contenu de la foi, ne peuvent pas tomber sous la connaissance des hommes. D'où l'objection suivante de Burman et la réponse de Descartes :

Objection. — « Sed annon etiam in Theologia omnia ita se sequuntur et connexa sunt? »

Réponse. — « Imo procul dubio ; sed nos earum veritatum nexum ita consequi et intelligere non possumus, quia a revelatione dependent. Et certe Theologia nostris ratiociniis, quae in Mathesi et aliis veritatibus adhibemus, subjicienda non est, cum nos eam capere non possimus ; et quanto eam servamus simpliciorem, eo meliorem habemus... » *Entretien avec Burman,* 16 avril 1648, t. V, p. 176. Voir la fin du texte à p. 8, l. 9, n° 1.

P. **19**, l. **19** : « ... *les plus simples* ... »

En vertu du troisième précepte de la méthode, p. 18, l. 28-29.

P. **19**, l. **20** : « ... *les plus aisées à connaître ;* ... »

En vertu du même principe, et au sens défini plus haut, à p. 18, l. 29.

P. **19**, l. **22** : « ... *les seuls Mathématiciens* ... »

Parce que, aussi longtemps qu'on se tient sur le plan de la simple méthode, le fait que la certitude soit jusqu'ici le privilège des seules mathématiques suffit à légitimer leur choix comme norme de la vraie méthode, sans que nul recours à la métaphysique soit nécessaire pour le justifier. C'est l'étape de la pensée cartésienne représentée par les *Regulae* : « Verum, si hanc regulam bene servemus (*scil.* circa illa tantum objecta versari, ad quorum certam et indubitatam cognitionem nostra ingenia videntur sufficere), valde pauca occurrent, quibus addiscendis liceat incumbere... ; adeo ut, si bene calculum ponamus, solae supersint Arithmetica et Geometria ex scientiis jam inventis, ad quas hujus regulae observatio nos reducat ». *Reg.*, II ; t. X, p. 363, l. 17-20.

P. **19**, l. **25** : « ... *par les mêmes* ... »

C'est-à-dire : par les mêmes choses (voir plus haut, l. 10). La traduction latine est ici plus analytique et plus claire : « satis intelligebam illos (*scil.* Mathematicos) circa rem omnium facillimam fuisse versatos ; mihique idcirco illam eamdem primam esse examinandam » (t. VI, p. 550).

P. **19**, l. **27** : « ... *qu'elles accoutumeraient* ... »

Le texte latin ajoute : « paulatim ».

P. **19**, l. **28** : « ... *se repaître de vérités* ... »

C'est-à-dire s'accoutumer « peu à peu à concevoir plus nettement et plus distinctement ses objets » (p. 21, l. 23-24), ce qui le rend incapable de se contenter du vraisemblable. Voir, sur ce point, l'important commentaire de ce passage que nous a conservé Burman : « Ille usus ex Mathesi vulgari hauriri non potest ; ea enim constat sola fere historia seu explicatione terminorum et similibus, quae omnia facile per memoriam addisci possunt, quam etiam excolunt. Sed ingenium non item : ut autem illud excoli possit, opus est scientia mathematica, et ea non ex libris, sed ex ipso usu et arte hauriri debet. Auctor, quia libros nullos habebat secum, ideo eam ex sese ediscere opus habebat, quod ei etiam feliciter successit. Omnes autem homines ad eam apti non sunt, sed requiritur ad id ingenium mathematicum, quodque usu poliri debet. Ea autem haurienda est ex Algebra. Sed vix hic possumus nos expedire sine praeceptore, nisi velimus presso pede sequi auctoris vestigia in Geometria nobis exhibita, ut sic ad ipsam aptitudinem quaevis resolvendi et inveniendi perveniamus, ut Gallus quidam Parisiis fecit. Et sic Matheseos studio opus est ad nova invenienda, tum in Mathesi, tum in Philosophia. Ad ea autem quae auctor in Philosophia scripsit intelligenda, Mathesi non opus est, nisi forte pauca quaedam in Dioptrica, quae mathematica sunt, excipias. Quaestiones autem simplicissimae, in quibus auctor nos exerceri vult, sunt natura trianguli ejusque proprietates et similia quae considerari debent et perpendi. Assuefacit autem Mathesis ingenium veritati agnoscendae, quia in Mathesi reperiuntur recta ratiocinia, quae nullibi invenias alibi. Et proinde ille qui semel assuefecerit ingenium suum ratiociniis mathematicis, habebit etiam illud aptum ad investigandas alias veritates, cum sit ratiocinatio ubique una et eadem. Quod autem < sunt > quidam in Mathesi ingeniosi, qui tamen in physicis rebus et similibus infeliciores sunt, non contingit ex defectu ratiocinii, sed inde quod Mathesin tractarint non ratiocinando, sed imaginando, et omnia egerint per imaginationem ; quae cum in Physica locum non habeat, hinc contingit, quod adeo in Physica sint infelices. Tum etiam assuefacit Mathesis ingenium ad dignoscendum quaenam ratiocinationes sint verae et demonstrativae, quaenam probabiles et falsae. Nam si quis in ea solum probabilibus nitatur, decipietur et deducetur in absurdum, et sic videbit demonstrationem non procedere ex probabilibus, quae hic falsis aequipollent, sed ex solum certis. Philosophi autem, cum hoc non fecerint, non possunt unquam dignoscere demonstrationes in Philosophicis et Physicis ab argumentis probabilibus, ideoque semper fere probabilibus certant, quia etiam non credunt in realibus scientiis demonstrationes locum habere posse. Et hinc Sceptici, etc., crediderunt Dei existentiam demonstrari non posse, et multi adhuc illam pro indemonstrabili habent, cum contra maxime demonstrabilis sit, et firmius (ut et omnes veritates metaphysicae) demonstrari possit demonstrationibus mathematicis. Si enim apud Mathematicos in dubium revocarentur omnia illa, quae in dubium revocavit auctor in Metaphysicis, nulla certe mathematica demonstratio dari posset, cum nihilominus metaphysicas auctor tum dederit. Ergo hae illis certiores sunt. Et auctor ubique conatus est adhibere demonstrationes mathematicas (ut vulgo vocantur) in sua philosophia, quamvis eae ab illis, qui Mathesi assueti non sunt, ita capi non possint. » *Entretien avec Burman*, 16 avril 1648, t. V, p. 176-177.

P. **20**, l. **1** : « ... *leurs objets soient différents...* »

Conformément à sa méthode propre (voir plus haut, à p. 11, l. 13, 2°), la scolastique distinguait en effet plusieurs sciences mathématiques en se fondant sur la diversité de leurs objets : 1° *Mathématiques pures* (Mathematicae purae atque sincerae), se décomposant elles-mêmes en deux sciences : *a)* Arithmétique ; a pour objet le nombre, abstraction faite de toute matière sensible ou intelligible ; *b)* Géométrie ; a pour objet la grandeur, abstraction faite de toute matière sensible, mais non de toute matière intelligible. 2° *Mathématiques mixtes* (Mathematicae mixtae) ; portent sur des objets communs aux mathématiques pures et à quelque autre science. Leurs subdivisions principales sont les suivantes : *a)* Astronomie ; a pour objet la physique des astres étudiée mathématiquement ; *b)* Musique ; a pour objet le *nombre sonore*, c'est-à-dire le son physique interprété comme un nombre arithmétique ; *c)* Optique ; a pour objet le rayon de lumière physique, interprété comme une droite géométrique. Cf. *Conimbricenses*, Phys., I, 1, 4, et II, 2, 1, 2 ; textes reproduits dans *Index scol.-cartésien*, textes 269 et 271, p. 167-169. Descartes pense ici en particulier à l' « Astronomia etiam, Musica, Optica, Mechanica, aliaeque complures » ; *Reg.*, IV ; t. X, p. 377, l. 14-15.

P. 20, l. 3 : « ... *rapports* ... »

Texte latin : « relationes » (t. VI, p. 551). Il y a rapport, ou proportion, entre deux termes, chaque fois que l'un peut être dit égal à l'autre, plus grand que l'autre, ou plus petit que l'autre. Cf. la note de Florimond de Beaune : « Dicimus autem rationem (*seu* : proportionem) inter se habere duas res, cum homogenae seu ejusdem naturae existentes, aut aequales sunt, aut inaequales, et minor per sui ipsius continuam additionem, tandem major evadit, majoremque superans. Adeo ut haec Scientia non solum Algebram numerosam atque Veterum Analysin Geometricam comprehendat, sed etiam omne id quod relationem quamdam habet aut proportionem, ut refert D. des Cartes, in sua de Methodo dissertatione. » Florimondi de Beaune, *In Geometriam Renati des Cartes Notae breves*, dans la *Geometria a Renato des Cartes... edita*, publiée par Fr. Schooten, Amsterdam, Elzevier, 1659, p. 107. — On observera que cette note insiste sur la nécessité de considérer uniquement des rapports de grandeurs *homogènes*, d'accord avec la pensée de Descartes ; cf. *Reg.*, XIV ; t. X, p. 451, l. 7, texte cité dans la note suivante.

P. 20, l. 5-6 : « ... *ces proportions en général* ... »

Texte latin : « et quidem maxime generaliter spectatas (*scil.* proportiones) ». T. VI, p. 551.

Tous les rapports ou proportions sont de deux sortes : rapports d'ordre, rapports de mesure : « sciendum est omnes habitudines, quae inter entia ejusdem generis esse possunt, ad duo capita esse referendas : nempe ad ordinem, vel ad mensuram ». *Reg.*, XIV ; t. X, p. 451, l. 5-8. La décision de constituer une science de l'ordre et de la mesure, ou proportions, en général, suffit donc à fonder la Mathématique universelle : « Quod attentius consideranti tandem innotuit, illa omnia tantum, in quibus ordo vel mensura examinatur, ad Mathesim referri, nec interesse utrum in numeris, vel figuris, vel astris, vel sonis, aliove quovis objecto, talis mensura quaerenda sit ; ac proinde generalem quamdam esse debere scientiam, quae id omne explicet, quod circa ordinem et mensuram nulli speciali materiae addictam quaeri potest, eamdemque, nos ascititio vocabulo, sed jam inveterato atque usu recepto, Mathesim universalem nominari, quoniam in hac continetur illud omne, propter quod aliae scientiae Mathematicae partes appellantur. Quantum vero haec aliis sibi subditis et utilitate et facilitate antecellat, patet ex

eo quod ad eamdem omnia, ad quae illae, et insuper ad alia multa extenda-
tur, difficultatesque si quas contineat, eaedem etiam in illis existant, quibus
insuper et aliae insunt ex particularibus objectis, quas haec non habet. »
Reg., **IX** ; t. X, p. 377, l. 22-p. 378, l. 16.

P. **20**, l. **6** : « ... *dans les sujets* ... »

Texte latin : « ... in iisque tantum objectis ... » C'est-à-dire dans des lignes
(voir plus loin, même page, l. 16) qui deviennent alors comme les supports
matériels de ces proportions abstraites.

P. **20**, l. **8** : « ... *sans les y astreindre* ... »

C'est la résolution d'étudier les proportions en elles-mêmes, indépendamment de toute matière à laquelle elles puissent s'appliquer, qui conduira
Descartes à choisir des lignes comme symboles de toutes les grandeurs considérées. En voir la raison plus loin, l. 16.

P. **20**, l. **11** : « ... *pour les connaître* ... »

Texte latin : « ad ea quae circa istas proportiones quaeruntur agnoscen-
da... » (t. VI, p. 551).

P. **20**. l. **12** : « ... *chacune en particulier* ... »

Chaque fois qu'il s'agira de l'intuition simple d'un rapport ou d'une déduction immédiate.

P. **20**, l. **13** : « ... *de les retenir* ... »

C'est-à-dire de m'en souvenir. Cf. texte latin : « ... et memoria retinendas... » (t. VI, p. 551). Chaque fois que, en vertu du troisième précepte (simplification ; voir plus haut, p. 18, l. 28), la longueur excessive de la chaîne
déductive requiert le secours de l'énumération et qu'il y a lieu, par conséquent, de soulager la mémoire ou même, si faire se peut, de l'éliminer.

P. **20**, l. **13-14** : « ... *comprendre plusieurs ensemble* ... »

C'est-à-dire d'en considérer beaucoup à la fois. Cf. texte latin : « multas
simul comprehendendas », et, plus loin : « pluresque simul complectendae »
(t. VI, p. 551). S'applique plus particulièrement au cas où, en vertu de la division (voir plus haut, p. 18, l. 24-26) et de l'énumération qui doit la compléter
(voir à p. 19, l. 3, n° 1), nous sommes obligés de ramasser sous une intuition
unique les difficultés partielles en lesquelles nous avons divisé le problème.

P. **20**, l. **16** : « ... *en des lignes* ... »

Texte latin : « in lineis rectis » (t. VI, p. 551), Le choix des lignes comme

symboles de toutes les grandeurs possibles se légitime ici par deux raisons :
1° simplicité de ce symbole ; 2° facilité que nous éprouvons à l'imaginer.

P. **20**, l. **16-17** : « *... de plus simple ...* »

Une mathématique ne peut devenir universelle qu'à la condition de surmonter le dualisme de l'objet qui sépare encore les deux branches les plus
générales des mathématiques : l'arithmétique, dont l'objet est le nombre, ou
quantité discontinue ; la géométrie, dont l'objet est la grandeur, ou quantité
continue. Il faut donc réduire cette dualité en choisissant la plus simple de
ces deux quantités comme symbole de l'autre.

1° Or, on peut toujours exprimer des nombres par des grandeurs et les
comparer entre eux sous forme de grandeurs, alors qu'on ne peut pas toujours les comparer entre eux en tant que nombres. La quantité continue, ou
grandeur, est donc un mode de représentation des rapports plus simple que
la quantité discontinue, ou nombre. Exemple : on peut exprimer par des
lignes le rapport de grandeurs incommensurables entre elles, bien qu'on ne
puisse pas l'exprimer par des nombres. Cf. : « Optimum vero est, ad stabi-
lienda hujus Scientiae (*scil.* la mathématique universelle) praecepta et ad
cognitionem ejus assequendam, ut generaliter rationes hasce (*seu :* proportiones) in lineis consideremus : cum simplicissimae sint, et hoc sibi vindicent,
quod rationes omnes, quae inter quascumque alias res considerari possunt,
exprimant. Id quod numeri non efficiunt, qui relationes, quae inter incom-
mensurabiles quantitates reperiuntur, exprimere nequeunt ». Flor. de
Beaune, *In Geom. notae breves*, p. 107. En conséquence, il suffira toujours
pour résoudre un problème d'en réduire les termes à des lignes droites sur
lesquelles on effectuera ensuite les quatre opérations connues de l'arithmétique : addition, soustraction, multiplication et division, l'extraction des
racines n'étant elle-même qu'une espèce de division. Cf. la *Géométrie*, livre I,
t. VI, p. 369-370.

2° De ce que la quantité continue doive être choisie comme symbole de la
quantité discontinue, et non inversement, il n'en résulte pas immédiatement
que le genre de quantité continue adopté comme symbole doive être la ligne.
Quelle est la raison de ce choix ?

a) D'abord, il est possible. Il ne le serait pas du point de vue de la Scolastique où l'on distingue, avec Aristote, trois *espèces* de la quantité : la ligne, la
surface, le solide (cf. *Index scol.-cartésien*, texte 395, p. 254-255). En réalité,
il n'existe que des corps solides, dont on ne saurait distinguer réellement les
lignes ni les surfaces, pas plus qu'on ne saurait distinguer les lignes et les surfaces entre elles. La suppression de ces trois *espèces* rend donc légitime la
représentation de ces grandeurs les unes par les autres, notamment du solide
par des surfaces et des surfaces par des lignes (*Reg.*, XIV ; t. X, p. 448, l. 23-
p. 449, l. 25).

b) Ce choix n'est pas seulement possible, il s'impose nécessairement lorsqu'on vise à la plus parfaite simplicité. En effet, nous avons déjà noté que des lignes permettent d'exprimer aussi bien des quantités continues (grangeurs géométriques) que des quantités discontinues (nombres arithmétiques). En outre, parmi les quantités continues, et à partir du moment où l'on a décidé de ne plus considérer que les proportions en elles-mêmes, abstraction faite des objets, on peut aussi bien représenter par la proportion qui est entre deux lignes celle qui est entre deux surfaces ou entre deux solides, car la proportion ne change pas, quels que soient les objets entre lesquels elle s'établit. La proportion que l'on imagine entre deux droites est donc identique à ce qu'elle serait entre deux surfaces ou deux solides, et comme la ligne est la manière la plus simple de se représenter l'étendue, c'est par des lignes qu'il convient de représenter les rapports. Voir *Reg.,* XIV ; t. X, p. 452, l. 7-26. Florimond de Beaune ajoute cette importante remarque, qui est bien selon l'esprit de Descartes, que les mouvements eux-mêmes sont représentables par des lignes : « Accedit, quod iis (*scil.* lineis) ad omnes alias res, rationem vel proportionem quamdam inter se habentes, uti possimus. Etenim licet linea nullam cum superficie, aut cum alicujus motus velocitate rationem habeat (atque ita de aliis alterius naturae rebus), possumus tamen rationem, quae inter duas superficies, aut inter duas differentes velocitates, et id genus alia, quae inter se relationem aliquam habere statuimus, reperitur, exprimere per duas lineas. Id tantum cavendum est, ne permutata ratione utamur. » *Notae breves,* p. 107-108.

Sur la différence entre l'attitude du *Discours,* où il n'est plus question de raisonner que sur des longueurs, et les *Regulae,* qui prennent encore en considération les surfaces, consulter G. Milhaud, *Descartes savant,* p. 70, note 1, et *Reg.,* XV ; t. X, p. 453-454.

Sur l'usage que Descartes a pu faire en 1619 du procédé qui consiste à exprimer les propriétés caractéristiques des courbes en en rapportant les points à certaines droites, voir G. Milhaud, *op. cit.,* p. 78-79.

P. **20**, l. **18** : « ... *à mon imagination* ... »

Descartes conçoit sa méthode par opposition à celle des Grecs, qui donnaient l'imagination comme guide à l'entendement dans le raisonnement (voir plus haut, à p. 17, l. 30), mais il considérera toujours l'imagination comme une auxiliaire indispensable de l'entendement dans la recherche mathématique. Mise à la première place, elle retarde et même, à partir d'un certain moment, paralyse la marche du raisonnement ; subordonnée à l'entendement, et libérée de tout effort puisqu'elle n'aura jamais à se représenter que des lignes, elle facilite au contraire sa tâche ; de là vient la difficulté qu'éprouvent de bons géomètres à pratiquer la physique mathématique où le secours de l'imagination leur fait défaut. Cf. *Entretien avec Burmann,* t. V,

p. 177 ; cité plus haut, à p. 19, l. 28 : « Quod autem quidam ... ». — Sur la légitimité de prendre en considération des grandeurs particulières, au moins pour les premières démonstrations, voir *Reg.*, XII ; t. X, p. 411, l. 7-10 ; p. 413, l. 3-20. XIV ; t. X, p. 440, l. 28-p. 441, l. 3. — Sur la nécessité de restreindre cet usage de l'imagination à celle de l'étendue à trois dimensions : *Reg.*, XIV ; t. X, p. 440, l. 21-27 ; p. 441, l. 4-29 ; p. 446, l. 11 et suiv.

P. **20**, l. **20** : « *... je les expliquasse ...* »

« Expliquer » signifie ici « désigner ». Cf. texte latin : « designarem ».

P. **20**, l. **20** : « *... par quelques chiffres ...* »

« Chiffre ». au sens général de : procédé de notation. Texte latin : « characteribus sive notis quibusdam » (t. VI, p. 551). — Voir note suivante.

P. **20**, l. **21** : « *... les plus courts ...* »

Cette brièveté sera obtenue par l'emploi des lettres de l'alphabet ordinaire pour représenter toutes les grandeurs connues (a, b, etc.) ou inconnues (x, y). Quant aux obscurs caractères cossiques par lesquels Clavius et, jusqu'en 1619, Descartes représentaient les puissances des nombres, ils seront remplacés par les chiffres ordinaires écrits en exposants : a^2, b^2, etc. (cf. *Reg.*, XVI ; t. X, p. 455, l. 25-p. 456, l. 10). — L'écriture algébrique ainsi simplifiée est celle dont nous usons encore, mais nous l'interprétons différemment, parce que les lettres représentent toujours pour Descartes des lignes, au lieu qu'elles représentent pour nous des nombres. Descartes a bien noté que b^2, par exemple, ne représentait pas nécessairement la surface du carré de côté b, mais la grandeur que symbolise la ligne b, multipliée par elle-même (*La Géométrie*, livre I, t. VI, p. 371, l. 16-20. Sur l'illusion dont il a été lui-même longtemps victime sur ce point, voir *Reg.*, XVI ; t. X, p. 456, l. 11-p. 457, l. 12) ; il n'est cependant pas allé jusqu'à réduire la ligne elle-même au nombre qu'elle représente, et il ne le pouvait pas, puisque nous avons vu qu'à cause de l'incommensurabilité de certaines quantités discontinues (nombres), la quantité continue (lignes droites) est le moyen de représenter les grandeurs le plus simple qui se puisse concevoir. C'est ce qu'exprime à merveille Florimond de Beaune lorsqu'il montre l'avantage que l'on peut parfois trouver à remplacer des fractions arithmétiques par des sortes de fractions géométriques : « Cernitur praeterea illa in hac Methodo facilitas, quod etiam lineam aliquam hoc modo b/d, aliisve similibus, exprimere possimus ; aut quod eo item modo fractionem aliquam Arithmeticae communis, ut $1/2$. $2/3$, etc., denotare valeamus ; hoc sane compendio, quod litteris fractio exprimi possit, cujus numerator ad denominatorem non habeat rationem commensurabilem ; sed quae similis sit lineae ad lineam, quarum

una vicem gerat numeratoris, et altera vicem denominatoris ejusdem frac-
tionis. Id quod non exiguae est utilitatis, quemadmodum postea videbitur. »
Notae breves, p. 110-111. — Comment le calcul infinitésimal nous a accoutumés à la notion d'un nombre continu et, à la différence de Descartes,
nous dispense de construire une longueur pour nous le représenter : voir
G. Milhaud, *Descartes savant*, p. 73. — Sur la réforme cartésienne de la
notation algébrique, voir les remarques de Chasles et de Biot dans Bordas-
Demoulin, *Le cartésianisme*, 2ᵉ éd., p. 368-379 (Hamelin, *op. cit.*, p. 54).

P. **20**, l. **24** : « ... *de l'une par l'autre* ... »

La nouvelle méthode conservera de l'Analyse géométrique le secours que
celle-ci reçoit de l'imagination, puisqu'elle travaillera comme elle sur des
lignes, et elle conservera de l'Algèbre la brièveté que permet le symbolisme
de cette science, telle que Descartes vient de la simplifier. Du même coup,
Descartes corrige l'Analyse et l'Algèbre l'une par l'autre ; car, contrairement au calcul algébrique vulgaire, sa méthode s'adresse à l'esprit, puisqu'elle est une analyse, et, contrairement à la Géométrie des anciens, sa
méthode n'est plus asservie à la considération des figures, parce qu'elle est
une algèbre. — On observera combien la méthode, telle qu'elle se constitue
en 1619, est encore dominée par la préoccupation immédiate des mathématiques proprement dites, puisque, pour la transposer plus tard sur le plan
métaphysique, il faudra éliminer l'imagination qui fait ici partie intégrante
de sa description (les lignes).

P. **20**, l. **27** : « ... *telle facilité* ... »

Texte latin : « ... tantam facilitatem ... »

P. **20**, l. **28** : « ... *ces deux sciences* ... »

Descartes ne fait alors que mettre enfin à exécution le projet qu'il avait
communiqué, en 1618, à son ami Beeckman, de constituer sa Géométrie dès
qu'il aurait occasion de s'arrêter en un lieu où il en eût le loisir (voir plus
haut, à p. 10, l. 29). L'élargissement inattendu que vient de recevoir sa pensée en s'élevant, le 10 novembre, de l'idée d'une méthode géométrique universelle à l'idée d'une mathématique universelle, ne rompt pas la continuité
de son mouvement ; car c'est d'une réflexion sur les mathématiques qu'est
sorti cet élargissement, et ce sont les mathématiques elles-mêmes qui vont
les premières en bénéficier.

P. **20**, l. **28-29** : « ... *en deux ou trois mois* ... »

C'est-à-dire, si l'on suppose qu'il a fallu quelque temps après le 11 novembre pour que Descartes formule sa méthode (cf. plus haut, p. 17, l. 6 :

« que je n'eusse employé assez de temps ... à chercher la vraie méthode ... »),
environ les mois de décembre 1619, janvier et février 1620.

P. 20, l. 30 : « ... les plus générales ... »

Le texte latin ajoute : « ordinemque deinceps observarem », afin d'attirer
l'attention sur ce fait que, seule, l'observation de l'ordre, qui conduit la
pensée des objets les plus simples aux plus composés (troisième règle), fait de
chaque vérité une règle pour en découvrir de nouvelles.

P. 21, l. 2 : « ... de plusieurs ... »

De « beaucoup ». Texte latin : « Multas quaestiones » (t. VI, p. 551). Partant de l'Analyse géométrique des Anciens, Descartes a déjà étudié « les problèmes classiques de la trisection de l'angle, l'insertion de deux moyennes
proportionnelles entre deux longueurs données et la solution de ces problèmes par l'intersection de certaines courbes ». En comparant ce point de
départ, attesté par la correspondance avec Beeckman (1618), avec ce que
Descartes apprendra de ses découvertes à son ami en 1629, ce qu'il en fera
passer dans sa *Géométrie* (1637) et le témoignage de D. Lipstorp (*Specimina
philos. cartes.*, p. 80 ; *Œuvres de Descartes*, t. X, p. 253), G. Milhaud conclut
que Descartes découvrit d'abord, pendant l'hiver 1619-1620 : 1° « son procédé général de construction, à l'aide d'une parabole, de tous les problèmes
solides qui se ramènent à des équations du 3e ou du 4e degré » (*Descartes
savant*, p. 75 ; démonstration, p. 74-78 : *Les premiers travaux d'Analyse et de
Géométrie*), ce procédé n'impliquant d'ailleurs pas nécessairement que Descartes ait conçu dès ce moment la véritable géométrie analytique dans toute
sa généralité (*Ibid.*, p. 78-79) ; 2° une méthode simple pour la construction
des tangentes qui, au lieu de rester ce qu'elles étaient pour les Grecs : « la
droite, n'ayant qu'un point commun avec la courbe, devenait pour Descartes
la limite de la sécante tournant autour d'un premier point de rencontre avec
la courbe, de telle manière qu'un second vînt se confondre avec celui-là »
(d'après une lettre du 29 juin 1638, *à Mersenne*, t. II, p. 178, l. 8-12 ; démonstration, Milhaud, *op. cit.*, p. 80-82) ; 3° outre ces deux découvertes, qui
datent, la première certainement, la deuxième à peu près certainement, de
1619-1620, G. Milhaud suggère, à titre de conjecture, que certaines considérations du livre II de la *Géométrie*, touchant les courbes décrites au moyen
d'un certain compas (t. VI, p. 391, l. 1-p. 396, l. 17), pourraient également
remonter à cette époque et se rattacher à ce que Descartes écrivait en 1618
à Beeckman touchant l'invention de nouveaux compas (G. Milhaud, *op. cit.*,
p. 82-83).

P. 21, l. 4 : « ... que j'ignorais ... »

La vraie méthode confère simultanément à la pensée une double satis-

faction, car, lui permettant de connaître d'une question tout ce qu'il lui est
possible d'en connaître, elle lui permet d'affirmer par là même que ce qu'elle
n'en connaît pas ne saurait lui être connu, et cette deuxième certitude ne
contribue pas moins que la première à lui donner pleine satisfaction. Cf.
Reg., VIII ; celui qui aura appliqué la méthode : « sentiet omnino se nihil
amplius ignorare ingenii defectu vel artis, neque quidquam prorsus ab alio
homine sciri posse, cujus etiam non sit capax, modo tantum ad illud idem,
ut par est mentem applicet. Et quamvis multa saepe ipsi proponi possint,
a quibus quaerendis per hanc regulam prohibebitur : quia tamen clare percipiet, illa eadem omnem humani ingenii captum excedere, non se idcirco
magis ignarum esse arbitrabitur ; sed hoc ipsum, quod sciet rem quaesitam
a nemine sciri posse, si aequus est, curiositati sufficiet abunde. » T. X, p. 396,
l. 15-25. Cf. *Ibid.* : « quicumque priores (*scil.* regulas) exacte servaverit circa
alicujus difficultatis solutionem, et tamen alicubi sistere ab hac (*scil.* si in
serie rerum quaerendarum aliquid occurrat, quod intellectus noster nequeat
satis bene intueri, ibi sistendum est) jubebitur, tunc certo cognoscet se scientiam quaesitam nulla prorsus industria posse invenire, idque non ingenii
culpa sed quia obstat ipsius difficultatis natura, vel humana conditio. Quae
cognitio non minor scientia est, quam illa quae rei ipsius naturam exhibet ;
et non ille videretur sanae mentis, qui ulterius curiositatem extenderet. »
T. X, p. 393, l. 3-21. Et aussi p. 399, l. 22-p. 400, l. 11.

P. **21**, l. **5** : « ... *par quels moyens* ... »

Voir l'exemple, donné dans les *Regulae*, de la recherche de la ligne dite en
Dioptrique : *anaclastique* (où des rayons parallèles se réfractent de manière
à se rencontrer ensuite au même point), et qui conduit le mathématicien à
reconnaître que la détermination de cette ligne suppose connu le rapport de
l'angle de réfraction aux angles d'incidence. Or, la connaissance de ce rapport excède les ressources de la mathématique et dépend de la physique.
L'application de la méthode permet donc de savoir ici jusqu'où les mathématiques conduisent la solution de ce problème, et par quels moyens nous
pourrons en obtenir la solution. *Reg.*, VII ; t. X, p. 393, l. 22-p. 394, l. 18, et
p. 395, l. 17-p. 396, l. 25.

P. **21**, l. **5** : « ... *et jusques où* ... »

Voir une application de ce principe dans la *Géométrie*, livre III ; t. VI,
p. 475, l. 3-p. 476, l. 24. — Ce qui est, dans le *Discours*, simple conséquence de
la méthode, se présentait dans les *Regulae* comme une règle à part. Cf. *Reg.*,
VIII : « Si in serie rerum quaerendarum aliquid occurrat, quod intellectus
noster nequeat satis bene intueri, ibi sistendum est ; neque caetera quae
sequuntur examinanda sunt, sed a labore supervacuo est abstinendum...
Atque haec regula necessario sequitur ex rationibus allatis ad secundam

(*scil.* circa illa tantum objecta oportet versari, ad quorum certam et indubitatam cognitionem nostra ingenia videntur sufficere)... Sed illis qui praecedentes septem regulas perfecte noverint, ostendit qua ratione possint in qualibet scientia sibi ipsis ita satisfacere, ut nihil ultra cupiant ; nam quicumque priores exacte servaverit circa alicujus difficultatis solutionem, et tamen alicubi sistere ab hac jubebitur, tunc certo cognoscet se scientiam quaesitam nulla prorsus industria posse invenire, idque non ingenii culpa, sed quia obstat ipsius difficultatis natura, vel humana conditio. » T. X, p. 392, l. 10-p. 393, l. 21. Cf. p. 396, l. 19-24.

P. **21**, l. **5-6** : « ... *de les résoudre.* »

Texte latin : « ab humano ingenio solvi possint » (t. VI, p. 551). Cf. *Reg.*, VIII ; t. X, p. 392, l. 10-13. Voir plus loin, à p. 21, l. 18.

P. **21**, l. **10** : « ... *en l'Arithmétique* ... »

Texte latin : « puer, qui primas tantum Arithmeticae regulas in ludo didicit » (t. VI, p. 551).

P. **21**, l. **15** : « ... *dénombrer exactement* ... »

Pour ce qui concerne l'ordre, voir p. 18, l. 27 ; pour ce qui concerne l'énumération, voir p. 19, l. 3.

P. **21**, l.**15** : « ... *les circonstances* ... »

C'est-à-dire : toutes les données requises pour la solution du problème.

P. **21**, l. **17** : « ... *aux règles d'Arithmétique* ... »

Texte latin : « Methodus autem illa quae verum ordinem sequi et enumerationes accuratas facere docet, Arithmeticae certitudine non cedit » (t. VI, p. 551-552).

P. **21**, l. **18** : « ... *me contentait* ... »

C'est-à-dire : ce qui me satisfaisait le plus (cf. plus loin, p. 25, l. 30).

1º Le bonheur consiste, en effet, dans la satisfaction de tous les désirs raisonnables et dans la certitude corrélative que nos désirs non satisfaits sont impossibles à satisfaire, donc contraires à la raison (cf. p. 25, l. 28-30). Si l'on applique cette définition au domaine de la connaissance, la raison ne pourra être satisfaite (et par conséquent l'homme ne sera heureux) que si elle peut avoir la double certitude de connaître tout ce qu'elle est capable de connaître et de l'impossibilité absolue de connaître ce qu'elle ne connaît pas. Or, le droit usage de la raison, garanti par la méthode, peut seul donner cette certitude (voir plus haut, à p. 21, l. 4) ; la méthode est donc la condition néces-

saire de cette pleine satisfaction de la pensée sans laquelle il n'est pas de
bonheur.

2° On notera sur ce point comme une sorte de transposition du stoïcisme
qui le fait passer du plan de la pratique sur celui de la connaissance, l'acquisition de toute la vérité et de la seule vérité accessible à l'homme devenant
la condition principale de la Béatitude ; d'où l'importance capitale de la
méthode qui peut seule établir le départ, dans ce domaine, entre ce qui
dépend de nous et ce qui ne dépend pas de nous. Ainsi, dès le premier moment de la doctrine, l'exercice de la pensée théorique est déjà moralité. —
Sur les invitations que Descartes pouvait recevoir du stoïcisme à entrer
dans cette voie, cf. Sénèque, *De vita beata*, V, 1 et 3 ; commenté par Descartes, *à Élisabeth*, 10 août 1645, t. IV, p. 274, l. 17-22.

P. **21**, l. **22** : « ... *peu à peu* ... »

Le texte latin ajoute : « *ingenii mei tenebras dissipari*, et illud veritati ...,
etc. » (t. VI, p. 552).

P. **21**, l. **23** : « ... *plus nettement* ... »

Texte latin : « ... *clarius* ... »

P. **21**, l. **24-25** : « ... *à aucune matière particulière* ... »

Puisqu'elle considère les rapports en général, indépendamment de leurs
objets ; voir plus haut, à p. 20, l. 5-6.

P. **21**, l. **26** : « ... *aux difficultés* ... »

Voir plus haut, à p. 18, l. 24.

P. **21**, l. **26** : « ... *des autres sciences* ... »

Spécialement la physique, puisque dès avant 1619 Descartes se considère
comme « physico-mathematicus » ; voir t. X, p. 52.

P. **21**, l. **27** : « ... *de l'Algèbre.* »

Le texte latin ajoute : « *quam in Geometricis*, vel Algebraicis » (t. VI,
p. 552).

P. **21**, l. **30** : « ... *l'ordre qu'elle prescrit.* »

L'ordre que la méthode prescrit par le troisième précepte (voir plus haut,
p. 18, l. 31).

P. **21**, l. **31** : « ... *que leurs principes* ... »

Texte latin : « *sed quia videbam illarum* (*scil.* scientiarum) *cognitionem
principiis quibusdam quae ex Philosophia peti deberent dependere* » (t. VI,

p. 552). Tout problème de physique supposant, par exemple, une certaine conception de la matière, du mouvement, etc., et supposant, par conséquent, une discussion des notions scolastiques de forme substantielle, d'acte et de puissance, etc. Cette difficulté préalable n'avait pas empêché Descartes de s'occuper de physique-mathématique avant 1619 et ne l'empêchera pas de poursuivre au cours des années suivantes la solution de problèmes particuliers ; mais tout ce passage ne peut s'interpréter exactement si l'on ne tient compte de ce fait que Descartes pense ici par « sciences » complètes, non par problèmes particuliers. Dans la perspective qui est ici la sienne, et que nous devons adopter si nous voulons le comprendre, il vient d'achever virtuellement la Géométrie, comme il s'était proposé de le faire en quittant Beeckman ; il a conçu la possibilité d'achever de la même manière, à lui seul, le corps des sciences, et il pense d'abord à achever d'un seul coup la physique ; mais c'est alors qu'il se heurte à l'impossibilité de séparer la physique, considérée comme science constituée, du corps des sciences dont elle n'est qu'une partie, et notamment de la métaphysique, dont elle emprunte ses principes. Rien ne l'empêche donc de faire *de la physique* avant d'avoir constitué sa métaphysique, mais il ne peut pas commencer par constituer *la physique ;* et c'est pourquoi, effectivement, il construira sa Métaphysique en 1629 avant de se mettre à écrire *Le Monde,* vers la fin de la même année.

P. **22**, l. **1** : « ... *la Philosophie* ... »

C'est-à-dire : empruntés au corps des sciences que l'on enseignait sous ce nom dans les écoles, nommément à La Flèche (voir plus haut, p. 6, l. 8 ; p. 8, l. 31. Cf. *à* ***, 12 septembre 1638, t. II, p. 378, l. 6-16), et spécialement à la partie de ce corps qui reçoit le nom de métaphysique. La métaphysique est, en effet, la science des principes premiers et communs à toutes les autres sciences, d'où le nom de « Philosophie première » qu'on lui donnait dans l'École et que Descartes lui a conservé : *Meditationes de prima philosophia* (voir *Index scol.-cartésien,* texte 359, p. 228-229).

P. **22**, l. **1** : « ... *je n'en trouvais point* ... »

C'est-à-dire : je n'en trouvais point de certains qui fussent déjà établis. Cf. texte latin : « in Philosophia autem nulla hactenus satis certa principia fuisse inventa » (t. VI, p. 552).

P. **22**, l. **3** : « ... *d'y en établir* ... »

Les premiers projets de constituer une métaphysique destinée à servir de base à la physique prise comme science complète datent donc de l'hiver 1619-1620. Il est dès lors permis de croire que Descartes ne perdra plus jamais complètement de vue ce grand projet jusqu'en 1629, date à laquelle il le réalisera. C'est ce qui explique, entre autres choses, que les *Regulae* contiennent déjà d'importantes indications métaphysiques, bien qu'elles soient très probablement antérieures à la réflexion décisive de 1628-1629 dont les *Meditationes* devaient sortir (cf. *Reg.*, XII ; t. X, p. 421, l. 26-p. 422, l. 6).

P. **22**, l. **3** : « ... *cela* ... »

C'est-à-dire : la recherche de ces principes. Texte latin : « ... illorum disquisitionem ... »

P. **22**, l. **5** : « ... *et la Prévention* ... »

Voir plus haut, p. 18, l. 18-19.

P. **22**, l. **7** : « ... *bien plus mûr* ... »

Les formules dont use ici Descartes donnent un aspect peut-être excessivement délibéré et méthodique à ce qui ne fut sans doute pour lui qu'un extrême embarras devant l'ampleur d'une tâche à laquelle il était insuffisamment préparé. On peut du moins retenir de ce récit du *Discours* deux indications qui semblent précises et peuvent se rapporter aux dispositions qui furent alors les siennes : 1° gravité exceptionnelle de l'entreprise (cf. « cela étant la chose du monde la plus importante », l. 3-4) ; car Descartes savait que de la découverte des vrais principes dépendait le succès de sa réforme des sciences, et il ne pouvait en même temps ne pas pressentir que sa tentative le conduirait à réformer du même coup la théologie naturelle ; 2° impossibilité de construire à priori la physique et de l'achever comme il venait de constituer la Géométrie, la « matière » de ses raisonnements (l. 12-13) ne pouvant ici lui être fournie que par l'expérience, et du temps étant requis afin d'en amasser une provision suffisante pour permettre ensuite sa systématisation. — Cf. Bacon, *Nov. Org.*, I, 97.

P. **22**, l. **8** : « ... *vingt-trois ans* ... »

Descartes est né le 31 mars 1596 ; ses méditations dans le poêle prendront fin un peu avant l'achèvement de l'hiver 1619-1620, c'est-à-dire au cours de sa vingt-quatrième année.

P. **22**, l. **10-11** : « ... *les mauvaises opinions* ... »

C'est-à-dire : les opinions que m'avait laissées l'enseignement de la physique scolastique. Cf. plus loin, IIIᵉ Partie, p. 29, l. 16-17.

P. **22**, l. **12-13** : « ... *en m'exerçant toujours* ... »

Parce que la méthode est plutôt affaire de pratique que de théorie. Cf. plus haut, Titre, et plus loin, IIIᵉ Partie, p. 29, l. 20 et suiv.

TROISIÈME PARTIE

P. **22**, en marge : « *Troisième Partie.* »

Le texte latin donne comme titre : « Quaedam moralis scientiae regulae ex hac Methodo depromptae » (t. VI, p. 552). Cf. à p. 1, l. 6-7.

P. **22**, l. **18** : « ... *de l'abattre* ... »
Cf. IIe Partie, p. 13, l. 17.

P. **22**, l. **18** : « ... *faire provision* ... »
C'est-à-dire : se pourvoir de. Cf. plus loin, l. 21 : « s'être pourvu. »

P. **22**, l. **18** : « ... *de matériaux* ... »
Texte latin : « lapides, ligna, caementum, aliaque aedificanti utilia sibi comparant, ... » (t. VI, p. 552). Ce sont les « expériences » qui doivent fournir « la matière » de ses raisonnements (IIe Partie, p. 22, l. 12-13).

P. **22**, l. **18-19** : « ... *et d'Architectes* ... »
Texte latin : « Architectum consulunt ... » (t. VI, p. 552). C'est la méthode.

P. **22**, l. **19** : « ... *s'exercer soi-même* ... »
Cf. IIe Partie, p. 22, l. 14.

P. **22**, l. **20** : « ... *le dessein ;* ... »
Texte latin : « et exemplar domus faciendae accurrate describunt » (t. VI, p. 552). Cf. IIe Partie, p. 17, l. 7 : « faire le projet ... »

P. **22**, l. **24** : « ... *irrésolu* ... »
Texte latin : « dubius et anxius » (t. VI, p. 552) ; l'Irrésolution, qui est une passion dérivée de la Crainte, étant en effet une source de repentir (anxietas) et par conséquent de tristesse. Voir plus loin, p. 25, l. 15, et p. 25, l. 14-19.

P. **22**, l. **24** : « ... *en mes actions* ... »

Voir plus loin la note à p. 22, l. 27-28, *c*.

P. **22**, l. **25** : « ... *en mes jugements* ... »

Texte latin : « quamdiu ratio suaderet incertum esse circa ea de quibus debebam judicare » (t. VI, p. 552).

P. **22**, l. **26** : « ... *dès lors* ... »

C'est-à-dire : dès ce temps-là. Texte latin : « ab illo tempore » (t. VI, p. 552).

P. **22**, l. **26-27** : « ... *le plus heureusement* ... »

Texte latin : « quam felicissime ... » (t. VI, p. 552), au sens précis où *felicitas* se distingue de *beatitudo*. La distinction est importante pour interpréter la morale provisoire. Descartes reste en morale l'héritier de l'idéal grec transmis aux temps modernes par la scolastique médiévale et le stoïcisme chrétien du xvie siècle ; le but ultime de la morale est donc pour lui le Souverain Bien que peut seule nous donner la Sagesse (cf. *Principes*, Préface, t. IX, p. 4, l. 19-23). Nous donnant le Souverain Bien, la Sagesse nous met par là même en possession de la Béatitude ; d'où il résulte évidemment que la Béatitude, fruit de la Sagesse, présuppose l'achèvement de la philosophie et de la morale définitive qui la termine. Mais, à défaut d'une vie bienheureuse (*vivere beate*) à laquelle ne saurait nous conduire une morale imparfaite et provisoire, nous pouvons du moins essayer de vivre le plus heureusement possible (*quam felicissime*), c'est-à-dire de la manière la mieux adaptée à notre milieu naturel et social. La fonction propre de la morale provisoire sera donc, non de nous conduire jusqu'à la béatitude, mais d'assurer cette adaptation.

Le texte le plus important sur ce point est la lettre *à Élisabeth*, 4 août 1645 : « Mais il est besoin de savoir ce que c'est que *vivere beate ;* je dirais en français vivre heureusement, sinon qu'il y a de la différence entre l'heur et la béatitude, en ce que l'heur ne dépend que des choses qui sont hors de nous, d'où vient que ceux-là sont estimés plus heureux que sages auxquels il est arrivé quelque bien qu'ils ne se sont point procurés, au lieu que la béatitude consiste, ce me semble, en un parfait contentement d'esprit et une satisfaction intérieure, que n'ont pas ordinairement ceux qui sont le plus favorisés de la fortune, et que les sages acquièrent sans elle. Ainsi *vivere beate*, vivre en béatitude, ce n'est autre chose qu'avoir l'esprit parfaitement content et satisfait. » T. IV, p. 263, l. 17-p. 264, l. 13.

P. **22**, l. **27-28** : « ... *par provision* ... »

C'est-à-dire : en attendant ; texte latin : « ... *ad tempus* ... » (t. VI, p. 552).

Cf. « *Provision* signifie aussi : en attendant. *J'ai toujours pris cela par provision.* » Furetière, *Dictionnaire universel* (1690) ; Huguet, *Petit Glossaire* (4ᵉ édit.), p. 316. Descartes écrira dans le même sens : « une Morale imparfaite, qu'on peut suivre par provision pendant qu'on n'en sait point encore de meilleure. » *Principes*, Préface, t. IX, p. 15, l. 9-15.

Descartes ne s'est expliqué nulle part sur ce qui confère à la morale du *Discours* son caractère provisoire et sur ce qu'il pensait devoir en conserver dans une morale définitive. Les conclusions suivantes semblent cependant assez vraisemblables :

1º Nous n'avons pas la morale définitive de Descartes, et lui-même ne s'est jamais satisfait dans ce domaine, puisque « la plus haute et la plus parfaite morale..., présupposant une entière connaissance des autres sciences, est le dernier degré de la Sagesse » (*Principes*, Préface, t. IX, p. 14, l. 29-31). Sur ce point, comme en ce qui concerne la Médecine et la Mécanique, la philosophie cartésienne est demeurée inachevée.

2º Les règles de la morale proposées par le *Discours* comme provisoires ont été cependant invoquées plus tard par Descartes dans sa correspondance avec Élisabeth comme nécessaires et suffisantes pour conduire l'homme, non plus à un simple bonheur empirique, mais au Souverain Bien, et, par conséquent aussi, à la parfaite Béatitude (*à Élisabeth*, 4 août 1645, t. IV, p. 265, l. 7-p. 266, l. 21). D'où il semble résulter que, dans sa pensée, la morale provisoire devait se retrouver plus tard intégrée à la morale définitive.

3º Le problème consiste donc à discerner ce que les règles de la morale proposées par le *Discours* contiennent encore de provisoire, malgré leur caractère relativement définitif :

a) Premièrement, leur place est provisoire, point capital dans une doctrine où la vérité des idées est fonction de leur ordre. Même en admettant que la morale provisoire fût destinée à devenir telle quelle définitive, elle ne pouvait le devenir qu'après avoir été retrouvée par la raison comme conclusion dernière de la philosophie ; jusque-là, on ne sait pas si elle est vraie et, par conséquent, du point de vue de la raison, tout se passe comme si elle ne l'était pas.

b) Deuxièmement, la morale définitive est le fruit suprême de la Sagesse ; or, la Sagesse est fondée sur la science, puisqu' « on peut dire que les hommes ont plus ou moins de Sagesse, à raison de ce qu'ils ont plus ou moins de connaissance des vérités plus importantes » (*Principes*, Préface, t. IX, p. 3, l. 1-3). C'est pourquoi, bien qu'elle se réfère expressément au *Discours* (t. IV, p. 265, l. 11), la lettre du 4 août 1645 à Élisabeth met en avant une première règle dont on ne retrouve l'équivalent dans le *Discours* qu'à l'état diffus : « La première est qu'il tâche (*scil.* celui qui vise la Béatitude) toujours de se servir, le mieux qu'il lui est possible, de son esprit, pour connaître ce qu'il doit faire ou ne pas faire en toutes les occurrences de la vie » (*lettre citée*, t. IV, p. 265, l. 12-15). Or, cet usage de la raison ne peut être parfait que chez celui qui connaît déjà toutes les vérités dont la morale dépend ; le défaut du *De vita beata* de Sénèque est précisément d'avoir défini le Souverain Bien sans avoir enseigné « toutes les principales vérités, dont la connaissance est requise pour faciliter l'usage de la vertu, régler nos désirs et nos passions, et ainsi jouir de la béatitude naturelle ; ce qui aurait rendu son livre le meilleur et le plus utile qu'un philosophe païen eût su écrire » (*Ibid.*, t. IV, p. 267, l. 20-26). Il ne saurait être question de formuler ces vérités au moment où le philosophe, ignorant de tout sauf de sa méthode, se donne une morale en attendant de pouvoir démontrer la morale véritable ; nous revenons donc à la même conclusion que précédemment : la morale provisoire peut être définitive, mais nous ne savons pas encore si elle l'est.

c) Troisièmement, et par une suite nécessaire de ce qui précède, si la morale provisoire est valable, puisqu'elle l'est à un moment où nous ne savons pas encore si elle est vraie, sa validité doit se fonder sur autre chose que sa vérité. Là est le point essentiel qu'il faut comprendre si l'on veut interpréter correctement les règles du *Discours*. Il y a lieu de distinguer ici entre deux domaines très différents : l'usage de la vie et la contemplation de la vérité ; dans l'un et l'autre la volonté est appelée à prendre des décisions, mais Descartes considère qu'elle a le devoir de se décider sans attendre l'évidence lorsqu'il s'agit de l'usage de la vie, au lieu qu'elle a le devoir de ne pas se décider tant qu'elle n'a pas l'évidence lorsqu'il s'agit de la contemplation de la vérité : « Caeterum velim ut hic memineritis me, circa ea quae licet amplecti voluntati, accuratissime distinxisse inter usum vitae et contemplationem veritatis. Nam quod ad usum vitae attinet, tantum abest ut putem nullis nisi perspectis esse assentiendum, quin e contra nequidem verisimilia puto esse semper expectanda, sed interdum e multis plane ignotis unum eligendum, nec minus firmiter tenendum, postquam electum est, quamdiu nullae rationes in contrarium haberi possunt, quam si ob rationes valde perspicuas fuisset electum ut in Dissertatione de Methodo pag. 26 explicui. » *II*ᵃᵉ *Resp.*, t. VII, p. 149, l. 3-12.

Il résulte de ce texte qu'il existe un pouvoir de détermination intérieur à la volonté, et même, dans certains cas, un devoir de détermination, indépendamment de la connaissance intellectuelle. Normalement, la volonté se règle sur l'intellect et, dès qu'il y a connaissance, la liberté consiste à s'y soumettre ; mais dans un cas où il n'y aurait aucune (voir plus loin, p. 25, l. 2-13) connaissance de ce que nous devons faire, la volonté comme telle devrait encore prendre un parti et s'y tenir. Descartes a indiqué la raison de ce fait dans une lettre qui discute l'expérience, cruciale en la matière, de l'acte de foi. La question posée par Buitendijck est la suivante : est-il permis de mettre en doute l'existence de Dieu? Descartes répond en distinguant le

doute de l'intellect, purement spéculatif, du doute de la volonté, qui intéresse la foi, donc notre salut éternel, et qui concerne par conséquent au premier chef l'usage de la vie. Si l'on se place au point de vue de l'intellect,
faculté purement cognitive, la question ne se pose pas ; car il n'y a pas pour
lui de « permis » ou de « défendu » ; il sait ou il ne sait pas ; s'il sait, il ne doute
pas ; s'il ne sait pas, il se trouve en fait dans l'état de doute et d'incertitude,
mais aucun problème de « choix » ne se pose à son égard. Si l'on se place au
point de vue de la volonté, le cas est tout différent ; elle est par définition
une « facultas electiva » et son essence même l'oblige à choisir dès l'instant
où elle aperçoit un « bien ». Cf. *II*ᵃᵉ *Resp.*, art. 7, t. IX, p. 128. Par conséquent, la volonté d'un homme complètement ignorant de toute vérité s'abs-
tiendra ou devra s'abstenir dans un problème purement spéculatif, mais
elle devra prendre parti dans un problème pratique parce que, son essence
même étant de vouloir le bien, elle se doit à elle-même de vouloir quelque
chose dans toute circonstance où le bien se trouve impliqué. Ici, par exemple,
si l'intellect ne voit pas les preuves de l'existence de Dieu, il sera en fait dans
l'état d'incertitude, qu'il le veuille ou non ; mais comme la question intéresse notre salut, la volonté a toujours le devoir de ne pas rester dans le
doute et d'affirmer ce que l'intellect n'a pas démontré, ou même ce qu'il considère expressément comme douteux du point de vue purement spéculatif
qui est le sien : « Prima est utrum de Deo dubitare unquam liceat, hoc est
utrum naturaliter liceat de existentia Dei dubitare. Qua in re existimo distinguendum esse, in dubitatione, inter id quod ad intellectum, atque id
quod ad voluntatem pertinet. Nam quantum ad intellectum, quaeri non
debet utrum aliquid illi liceat, necne, quandoquidem non est facultas electiva, sed solum an possit. Et quidem certum est permultos esse quorum
intellectus de Deo dubitare potest ; et in hoc numero ii omnes qui existentiam ejus evidenter demonstrare nequeunt, quanquam alioqui vera fide
praediti sint ; fides enim ad voluntatem pertinet, qua separata, potest fide-
lis naturali ratione examinare an sit Deus aliquis, atque ita de Deo dubitare.
Quantum vero ad voluntatem, distinguendum est etiam inter dubitationem
quae finem, et eam quae spectat media. Si quis enim sibi pro scopo proponat,
dubitare de Deo, ut in hac dubitatione persistat, graviter peccat, dum vult
in re tanti momenti pendere in dubio, etc... » *A Buitendijck*, 1643, t. IV,
p. 62, l. 5-p. 63, l. 17.

S'il en est ainsi, la morale provisoire du *Discours* nous apparaît, non comme
un expédient, ni même comme une précaution facultative, mais comme une
stricte nécessité. Son fondement métaphysique premier est la distinction
entre l'ordre du vrai et l'ordre du bien ; l'homme est engagé dans la vie ; or,
vivre, c'est agir, et agir c'est poursuivre un bien. Mais la faculté de choisir
un bien n'est autre que la volonté. La vie met ainsi la volonté en demeure
d'exercer continuellement son choix, et c'est pourquoi nous la voyons se

décider dans l'ordre de l'action même sans le secours de l'intellect. La morale provisoire présentera donc un caractère nettement défini et ses principes, même s'ils ont le même contenu, différeront des principes théoriques comme l'ordre du bien diffère de celui du vrai. Le signe en est qu'il n'y a pas de probable dans le domaine de la connaissance, mais qu'il y en a un dans le domaine de l'action (cf. III° Partie, p. 25, l. 6 et 8). Là où l'usage de la vie n'est pas en jeu, rien ne nous oblige à devancer l'évidence et le probable ne vaut pas mieux que le faux ; là où l'usage de la vie est en jeu, refuser de vouloir le bien le plus probable serait nous condamner volontairement au malheur. Ainsi, toutes les règles de la morale provisoire présenteront ce double caractère : de n'être pas des vérités démontrées et d'être, par conséquent, sans valeur théorique, mais d'assurer pratiquement à l'homme qui ne connaît pas le bien avec certitude, ou même qui l'ignore complètement, les chances les plus nombreuses de le rencontrer.

P. **22**, l. **29** : « ... *je veux bien vous faire part* ... »

Texte latin : « ... non pigebit adscribere » (t. VI, p. 552). Ces expressions réticentes indiquent que l'exposé de la morale imparfaite présente le caractère d'une sorte de confidence ; en voici la raison secrète : « Auctor non libenter scribit ethica, sed propter paedagogos *et similes* coactus est has regulas adscribere, quia alias dicerent illum esse sine religione, fide, et per suam methodum haec evertere velle. » *Entretien avec Burman*, 16 avril 1648, t. V, p. 178. Il n'est pas absolument certain que ce commentaire tardif représente exactement l'état d'esprit dans lequel se trouvait Descartes au moment où il rédigeait cette partie du *Discours*, car, en 1648, Descartes est devenu d'une extrême méfiance par suite des attaques dont il a été l'objet de la part des Jésuites en France et de la part des ministres protestants en Hollande ; cependant, on doit reconnaître qu'il présente ailleurs sa prudence sur ce point comme permanente et fondée en raison : « Il est vrai que j'ai coutume de refuser d'écrire mes pensées touchant la Morale, et cela pour deux raisons : l'une, qu'il n'y a point de matière d'où les malins puissent plus aisément tirer des prétextes pour calomnier ; l'autre, que je crois qu'il n'appartient qu'aux Souverains, ou à ceux qui sont autorisés par eux, de se mêler de régler les mœurs des autres. » *A Chanut*, 20 novembre 1647, t. V, p. 86, l. 13-p. 87, l. 5. Ces remarques ne concernent d'ailleurs que la répugnance qu'éprouve Descartes à exposer publiquement ses conceptions morales ; elles ne diminuent en rien la nécessité de se donner réellement une morale provisoire en attendant que l'on soit parvenu jusqu'à la Sagesse. Cf. *Principes*, Préface, t. IX, p. 13, l. 17-23.

P. **22**, l. **30** : « ... *aux lois et aux coutumes.* »

Parce que, du point de vue pratique qui vient d'être défini (note précédente) et pour les raisons développées dans la IIe Partie du *Discours* (p. 14, l. 10 et suiv.), il est dangereux de prétendre réformer les lois et coutumes. On peut ajouter que, pour la tranquillité de l'individu lui-même, il est indispensable de se conformer aux règles de la société dans laquelle il est appelé à vivre. Ce conformisme pratique n'engage d'ailleurs aucunement l'adhésion de la pensée aux usages reçus et laisse intact le problème théorique de la vérité qui s'y rapporte.

« Or, l'avis que je donne à celui qui veut être sage est de garder et observer, de parole et de fait, les lois et coutumes que l'on trouve établies au pays où l'on est... En premier lieu, selon tous les sages, la règle des règles et la générale loi des lois est de suivre et observer les lois et coutumes du pays où l'on est : *sequi has leges indigenas honestum est.* Toutes façons de faire écartées et particulières sont suspectes de folie ou passion ambitieuse, heurtent et troublent le monde. » Pierre Charron, *De la Sagesse*, II, 8, 7. — « Finalement, c'est l'office de l'esprit généreux et de l'homme sage, que je tâche à peindre ici, d'examiner toutes choses, considérer à part et puis comparer ensemble toutes les lois et coutumes de l'univers qui lui viennent en connaissance, et les juger de bonne foi et sans passion, au niveau de la vérité, de la raison et nature universelle, à qui nous sommes premièrement obligés, sans se flatter et tacher son jugement de fausseté ; et se contenter de rendre l'observance et obéissance à celles auxquelles nous sommes secondement et particulièrement obligés, et ainsi aucun n'aura de quoi se plaindre de nous ». Pierre Charron, *Ibid.* — Cf. *à Huygens*, octobre 1639, t. II, p. 584, l. 12-p. 585, l. 15.

P. **23**, l. **1** : « ... *retenant* ... »
C'est-à-dire : conservant.

P. **23**, l. **1** : « ... *constamment* ... »
C'est-à-dire : avec constance et fermeté. Cf. texte latin : « firmiter », et Huguet, *Petit Glossaire* (4e édit.), p. 92-93.

P. **23**, l. **1** : « ... *la religion* ... »
Le texte latin ajoute : « quam optimam judicabam ... » (t. VI, p. 552). L'auteur de la traduction latine, Étienne de Courcelles, étant protestant, il n'est guère douteux que cette addition ne soit de la main de Descartes lui-même. — On observera que la religion est soustraite ici au doute par Descartes en raison du même caractère social et coutumier qui le conduit à mettre le respect des lois hors de conteste : la réforme religieuse, comme la réforme politique, est une source de trouble pour les États comme pour les individus. Descartes se souvient ici des guerres de religion qui venaient de déchirer la France et n'étaient pas encore apaisées. Ce caractère social, com-

mun au loyalisme monarchique de Descartes et à son loyalisme religieux,
s'exprime fort bien dans la double boutade par laquelle il se débarrassa du
ministre protestant Revius : « J'ai la religion de mon roi » ; puis : « J'ai la religion de ma nourrice » (Ch. Adam, *Vie de Descartes*, t. XII, p. 345, note *a*).
Ce traditionalisme est donc un aspect réel de la pensée religieuse de Descartes, mais ce n'en est qu'un aspect, et non le plus profond (cf. H. Gouhier,
La pensée religieuse de Descartes, Conclusions, ch. ι, 3, p. 280-286), car la
religion n'est pas seulement respectable comme tradition, elle est encore
vraie comme foi. Sur ce dernier point, voir plus loin, à p. 28, l. 17.

Cf. Montaigne, *Essais*, liv. II, ch. xii, Apologie de Raymond Sebond :
« Car, quelque apparence qu'il y ait en la nouvelleté, je ne change pas aisément, de peur que j'ai de perdre au change. Et, puisque je ne suis pas capable de choisir, je prends le choix d'autrui et me tiens en l'assiette où Dieu
m'a mis. Autrement je ne me saurais garder de rouler sans cesse. Ainsi me
suis-je, par la grâce de Dieu, conservé entier, sans agitation et trouble de
conscience, aux anciennes créances de notre religion, au travers de tant de
sectes et de divisions que notre siècle a produites. » Éd. Strowski, t. II,
p. 321, l. 20-27. Cf. *Ibid.* : « Un ancien à qui on reprochait qu'il faisait profession de la Philosophie, de laquelle pourtant en son jugement il ne tenait
pas grand compte, répondit que cela c'était vraiment philosopher. Ils ont
voulu considérer tout, balancer tout, et ont trouvé cette occupation propre
à la naturelle curiosité qui est en nous. Aucunes choses ils les ont écrites pour
l'utilité publique, comme les religions : car il n'est pas défendu de faire profit
de la mensonge même, s'il est besoin ; et a été raisonnable, pour cette considération, que plusieurs opinions qui étaient sans apparence ils n'aient voulu
les éplucher au vif, pour n'engendrer du trouble en l'obéissance des lois et
coutumes de leurs pays ». T. II, p. 240, l. 6-15.

P. **23**, l. **4** : « ... *les plus modérées* ... »
Voir plus loin, l. 24-31.

P. **23**, l. **5-6** : « ... *reçues en pratique* ... »
Par opposition à : simplement professées en théorie ; pour la raison développée plus loin, l. 14-24.

P. **23**, l. **6** : « ... *les mieux sensés* ... »
Texte latin : « prudentissimos » ; de même plus loin, l. 11 : « prudentio-
rum », et l. 12 : « prudentes » (t. VI, p. 553). — La suite des idées est celle-ci :
à partir du moment où je renonçais à régler mes actions sur une connaissance théorique du bien qui m'était alors inaccessible, il ne me restait plus
qu'à chercher provisoirement cette règle hors de moi-même ; or, du point de
vue des avantages pratiques, aucune ne pouvait l'emporter sur la résolution

de me conformer à la coutume reçue, et spécialement à la manière d'agir des « mieux sensés », c'est-à-dire des hommes les plus manifestement doués de prudence et de bon sens. — Pour passer de cette règle empirique de la morale provisoire à la règle théorique de la morale définitive qui lui correspond, il suffit de supposer la raison devenue maîtresse de la vérité ou des principes dont on peut la déduire ; elle est alors capable de régler elle-même sa propre conduite, sans recourir au critérium purement empirique et extrinsèque de la coutume suivie par les meilleurs. Voir la formule de cette transposition dans la lettre *à Élisabeth*, 4 août 1645 : « Or, il me semble qu'un chacun se peut rendre content de soi-même et sans rien attendre d'ailleurs, pourvu seulement qu'il observe trois choses, auxquelles se rapportent les trois règles de morale que j'ai mises dans le *Discours de la Méthode*. La première est qu'il tâche toujours de se servir, le mieux qu'il lui est possible, de son esprit, pour connaître ce qu'il dcit faire ou ne pas faire en toutes les occurrences de la vie ». T. IV, p. 265, l. 7-15. — Les deux formules que Descartes nous propose comme équivalentes ne sont donc pas identiques : ce qui est provisoire, c'est de régler sa conduite sur l'exemple des autres et la coutume ; ce qui est définitif, c'est de la régler sur sa propre raison. — Sur la nécessité, pour la morale définitive, de « s'assurer que les opinions qu'on a, touchant la morale, sont les meilleures qu'on puisse avoir », au lieu « de se laisser conduire aveuglément par l'exemple », voir la lettre *à Élisabeth*, 18 août 1645, t. IV, p. 272, l. 20-27. — Sur la nécessité qui subsistera néanmoins, même dans la morale définitive, de maintenir ce conformisme empirique dans certains cas particuliers, voir la lettre *à Élisabeth*, 15 septembre 1645, t. IV, p. 295, l. 11-21.

P. **23**, l. **7** : « ... *commençant dès lors* ... »

C'est-à-dire : mettant, à partir de ce moment, effectivement en pratique ma résolution de ne compter..., etc.

P. **23**, l. **10** : « ... *ne pouvoir mieux* ... »

Texte latin : « nihil melius *facere* me posse ... »

P. **23**, l. **13** : « ... *le plus utile* ... »

Car si, du point de vue de la vérité, qui sera celui de la morale définitive, tel usage persan ou chinois pourrait être aussi justifiable que le nôtre, du point de vue empirique de la commodité, qui est celui de la morale provisoire, il y a manifestement pour nous tout avantage à suivre l'usage du pays dans lequel nous vivons.

P. **23**, l. **21** : « ... *l'action de la pensée* ... »

Exactement commenté par Pierre-Silvain Régis : « Car il faut savoir que, selon M. Descartes, l'action de l'esprit par laquelle nous *jugeons* qu'une chose est bonne ou mauvaise est une fonction qui appartient à la volonté, et que l'action par laquelle nous *connaissons* que nous avons jugé ainsi est une fonction qui appartient à l'entendement. Or, ce n'est pas une grande merveille que deux fonctions, dont l'une appartient à l'entendement et l'autre à la volonté, soient différentes, et que l'une puisse être sans l'autre. » *Réponse au livre qui a pour titre P. D. Huet : ... Censura philosophiae cartesianae*, Paris, Jean Cusson, 1691, p. 44. — Cf. *ad Hyperaspistem*, août 1641 : « ... frequenter enim animadverti, ea quae homines judicabant ab iis quae intelligebant dissentire,... ac saepe aliis multis in rebus hominum judicia ab ipsorum perceptione dissentiunt. At quicunque nullum unquam judicium ferunt, nisi de rebus quas clare et distincte percipiunt (quod, quantum in me est, semper observo), non possunt uno tempore aliter quam alio de eadem re judicare » (t. III, p. 430, l. 13-p. 431, l. 5).

P. **23**, l. **24-25** : « ... *également reçues* ... »

Texte latin : « aequaliter *usu* receptis » (t. VI, p. 553).

P. **23**, l. **26-27** : « ... *les plus commodes* ... »

C'est-à-dire : les plus faciles à mettre en application. Texte latin : « ad executionem facillimae » (*ibid.*).

P. **23**, l. **27** : « ... *vraisemblablement* ... »

Texte latin : « ut plurimum ». Sur le rôle légitime du « vraisemblable » dans l'ordre pratique, voir plus haut, à p. 22, l. 27-28, *c*, vers la fin.

P. **23**, l. **28** : « ... *ayant coutume* ... »

C'est-à-dire : étant généralement mauvais. Ce latinisme (solere = avoir coutume) est d'un usage constant dans la langue de Descartes.

P. **23**, l. **30** : « ... *que je faillisse* ... »

C'est-à-dire : dans le cas où la manière d'agir qui me semble pratiquement la plus commode ne serait cependant pas, en fait, théoriquement la meilleure.

P. **24**, l. **1** : « ... *entre les excès* ... »

Le texte latin ajoute : « inter *extremas vias* sive (ut ita loquar) inter nimietates » (t. VI, p. 353) ; c'est-à-dire : entre les manières d'agir qui s'écartent du juste milieu.

P. **24**, l. **2-3** : « ... *de sa liberté* ... »

Le texte latin ajoute : « libertatem *mutandae postea voluntatis* » (t. VI, p. 553).

P. **24**, l. **3** : « ... *que je désapprouvasse ...* »

La phrase qui suit est embrouillée parce qu'elle porte simultanément sur les vœux religieux et les contrats commerciaux ; la traduction latine, qui distingue nettement les deux cas, est plus claire : « Non quod improbarem leges quae humanae fragilitati atque inconstantiae subvenientes, quoties bonum aliquod propositum habemus, permittunt ut nos ad semper in eodem perseverandum voto adstringamus ; vel etiam quae ob fidem commerciorum quaecumque aliis promisimus, modo ne bonis moribus adversentur, cogunt nos praestare » (t. VI, p. 553). C'est-à-dire : ici comme ailleurs, ma règle de conduite personnelle laisse intacte la légitimité de la loi religieuse (vœux) et de la loi civile (contrats commerciaux) ; elle n'est qu'une règle purement empirique et valable pour mon seul cas particulier.

P. **24**, l. **3** : « ... *les lois ...* »

Savoir : les lois religieuses lorsqu'il s'agit de vœux, les lois civiles lorsqu'il s'agit de contrats commerciaux.

P. **24**, l. **4** : « ... *à l'inconstance ...* »

Ce qui ne pouvait être le cas de Descartes, l' « inconstance » devant être éliminée par la seconde maxime ; voir p. 24, l. 18 et suiv. — Sur les difficultés que cette dépréciation du public appelé à faire des vœux pouvait attirer à Descartes, voir plus loin, à p. 24, l. 7.

P. **24**, l. **5** : « ... *quelque bon dessein ...* »

C'est le cas des vœux religieux, dont c'est l'essence même que d'être des engagements au meilleur : « ideo, proprie loquendo, votum dicitur esse de meliori bono. » S. Thomas d'Aquin, *Sum. Theol.*, IIᵃ-IIᵃᵉ, qu. 88, art. 2, ad *Resp.*

P. **24**, l. **6** : « ... *la sûreté du commerce ...* »

Nous interprétons (voir plus haut, à p. 24, l. 3) le terme *commerce* au sens de : négoce, trafic de marchandises. C'est le premier sens donné par le *Dictionnaire de l'Académie* (1694), t. II, p. 24 ; et c'est aussi le sens fondamental de son équivalent latin : « commercium, commercia » (t. VI, p. 553). Il n'est cependant pas impossible que Descartes l'ait entendu au sens plus général indiqué ensuite par l'Académie : « Communication et correspondance ordinaire avec quelqu'un, soit pour la société seulement, soit aussi pour quelques affaires » (*op. cit.*, t. II, p. 24). L'expression signifierait alors : pour la sécurité dans les relations sociales en général, comme c'est le cas dans les contrats de mariage, etc.

P. **24**, l. **7** : « ... *qu'indifférent ...* »

Texte latin : « ... quaecumque aliis promisimus, modo ne bonis moribus adversentur, ... » (t. VI, p. 553) ; le cas d'immoralité rend, en effet, caduc tout engagement de droit civil.

P. **24**, l. **7** : « ... *qu'on fasse des vœux ...* »

La manière dont Descartes croyait se mettre à l'abri de tout reproche en justifiant ainsi les vœux religieux était en réalité fort maladroite. Théologiquement, les vœux sont en eux-mêmes des actes de perfection, à tel point que la même action, accomplie en conséquence d'un vœu, est plus méritoire que si elle était accomplie sans vœu : « quia qui facit sine voto, implet tantum unum consilium, scilicet de faciendo ; qui autem facit cum voto, implet duo consilia, scilicet de vovendo, et faciendo » (S. Thomas, *Sum. Theol.*, II^a-II^{ae}, qu. 88, art. 6, ad *Resp.*). C'était donc singulièrement rabaisser la dignité des vœux religieux que de les réduire à un simple remède pour « l'inconstance des esprits faibles » ; car s'il est vrai que, sans la faiblesse humaine, les vœux n'auraient pas lieu d'exister, toutefois, cette faiblesse étant universelle, les vœux ne se trouvent plus être un remède à la faiblesse de certains esprits, ils sont au contraire les actes héroïques de certains esprits particulièrement forts. Les violentes attaques de la Réforme contre les vœux religieux avaient rendu les oreilles très sensibles à cet égard (cf. Luther, *De votis monasticis judicium*, 1521, dans l'édition de Weimar, t. VIII, p. 573 et suiv. ; dans celle d'Erlangen, t. VI, p. 238 et suiv. Pour Calvin, voir Jacques Pannier, *Recherches sur l'évolution religieuse de Calvin jusqu'à sa conversion*, Paris, 1924, p. 34 et suiv.) ; on s'inquiéta donc de cette formule du *Discours*, et Descartes se justifia en reconnaissant le caractère intrinsèquement vertueux du vœu, que paraissait ignorer la rédaction du *Discours* : « Ces gens montrent bien leur mauvaise volonté et leur impuissance, en disant des choses si hors d'apparence ; aussi bien que ceux qui s'offensent de ce que j'ai dit, que les vœux sont pour remédier à la faiblesse des hommes ; car, outre que j'ai très expressément excepté, en mon Discours, tout ce qui touche la Religion, je voudrais qu'ils m'apprissent à quoi les vœux seraient bons si les hommes étaient immuables et sans faiblesse. C'est une vertu de se confesser, aussi bien que de faire des vœux de Religieux ; mais pourtant cette vertu n'aurait jamais de lieu si les hommes ne péchaient point ». *A Mersenne*, 30 août 1640, t. III, p. 166, l. 21-p. 167, l. 8. Cf. *au même*, 18 novembre 1640, t. III, p. 244, l. 30-p. 245, l. 5. Cette dernière formule était correcte et Mersenne trouva des textes de saint Thomas pour la justifier (peut-être *Sum. Theol.*, II^a-II^{ae}, qu. 88, art. 4, ad 3^m, où il est établi que le Christ, étant parfait, ne pouvait faire de vœu) ; mais le texte du *Discours* subsistait, et sa rédaction, en semblant réserver les vœux à l'usage des médiocres alors qu'ils étaient définis comme des actes de vertu héroïque, devait continuer à soulever de vives oppositions. Cf. la longue et curieuse justification de ce passage dans P. Poisson, *ad loc.*

P. **24**, l. **8** : « *... obligent* ... »

Terme technique exprimant l'effet produit par le contrat ou le vœu sur la volonté de celui qui s'y est engagé. Cf. « Secundum honestatem, ex qualibet promissione homo homini obligatur ; et haec est obligatio juris naturalis : sed ad hoc quod aliquis obligetur ex aliqua promissione obligatione civili, quaedam alia requiruntur ; Deus autem, etsi bonis nostris non egeat, ei tamen maxime obligamur : et ita votum ei factum est maxime meritorium ». S. Thomas, *Sum. Theol.*, II^a-II^ae, qu. 88, art. 3, ad 1^m.

P. **24**, l. **10** : « *... pour mon particulier* ... »

C'est-à-dire : réserve faite de l'ordre établi, soit politique, soit religieux. — La suite des idées est celle-ci : j'admets qu'il y ait des raisons religieuses ou sociales d'autoriser les hommes à contracter des engagements irrévocables. Mais, d'abord, ma réforme ne concerne que moi et mon cas particulier. En outre, ce cas particulier est celui d'un homme qui veut réformer le système entier de ses connaissances et n'adopter provisoirement certains jugements pratiques, dont il n'est pas sûr, qu'en vue d'en découvrir d'autres dont il soit sûr. Ce serait donc transformer mes opinions provisoires en obstacles au dessein qui est leur seule raison d'être, que de les considérer comme définitives ; car je n'y conforme mon action que pour travailler commodément au progrès de ma pensée, qui m'obligera précisément à les modifier.

P. **24**, l. **13** : « *... contre le bon sens* ... »

C'est-à-dire : contre le bon usage de ma raison. Voir Ire Partie, p. 1, l. 17, sens n° 1.

P. **24**, l. **15** : « *... prendre pour bonne* ... »

Texte latin : « si ex eo quod tunc res quasdam ut bonas amplectebar, obligassem me ad easdem etiam postea amplectendas ... » (t. VI, p. 553).

P. **24**, l. **19** : « *... résolu* ... »

Résolu : celui qui tient ses résolutions. Texte latin : « tenax propositi » (t. VI, p. 553).

P. **24**, l. **20** : « *... constamment* ... »

Voir plus haut, à p. 23, l. 1.

16

P. **24**, l. **20-21** : « ... *les plus douteuses* ... »

Le texte latin ajoute : « quae ob rationes valde dubias *vel forte nullas* sus-
ceperam » (t. VI, p. 553).

P. **24**, l. **22** : « ... *que si elles eussent été très assurées* ... »

I. — *Objection* : « Premièrement, la deuxième règle de sa morale semble
être dangereuse, portant qu'il faut se tenir aux opinions qu'on a une fois
déterminé de suivre, quand elles seraient les plus douteuses, tout de même
que si elles étaient les plus assurées : car si elles sont fausses ou mauvaises,
plus on les suivra, plus on s'engagera dans l'erreur ou dans le vice. » *S. P.* ***
à *** *pour Descartes* (février, 1638?), t. I, p. 512, l. 8-p. 513, l. 6.

Réponse de Descartes : « Premièrement, il est vrai que, si j'avais dit absolument qu'il faut se tenir aux opinions qu'on a une fois déterminé de suivre,
encore qu'elles fussent douteuses, je ne serais pas moins répréhensible que
si j'avais dit qu'il faut être opiniâtre et obstiné ; à cause que se tenir à une
opinion, c'est le même que de persévérer dans le jugement qu'on en a fait.
Mais j'ai dit tout autre chose, à savoir qu'il faut être résolu en ses actions,
lors même qu'on demeure irrésolu en ses jugements (voir p. 24, l. 8 ; *scil.*
A. T., p. 22, l. 28), et ne suivre pas moins constamment les opinions les
plus douteuses, c'est-à-dire n'agir pas moins constamment suivant les opinions qu'on juge douteuses, lorsqu'on s'y est une fois déterminé, c'est-à-dire
lorsqu'on a considéré qu'il n'y en a point d'autres qu'on juge meilleures ou
plus certaines, que si on connaissait que celles-là fussent les meilleures ;
comme, en effet, elles le sont sous cette condition (voir p. 26, l. 15 ; *scil.* A. T.,
p. 25, l. 6). Et il n'est pas à craindre que cette fermeté en l'action nous engage
de plus en plus dans l'erreur ou dans le vice, d'autant que l'erreur ne peut
être que dans l'entendement, lequel je suppose, nonobstant cela, demeurer
libre et considérer comme douteux ce qui est douteux. Outre que je rapporte
principalement cette règle aux actions de la vie qui ne souffrent aucun délai,
et que je ne m'en sers que par provision (p. 24, l. 10 ; *scil.* A. T., p. 22,
l. 27-28), avec dessein de changer mes opinions, sitôt que j'en pourrais
trouver de meilleures, et de ne perdre aucune occasion d'en chercher
(p. 29, l. 8 ; *scil.* A. T., p. 27, l. 30-31). Au reste, j'ai été obligé de parler de
cette résolution et fermeté touchant les actions, tant à cause qu'elle est
nécessaire pour le repos de la conscience que pour empêcher qu'on ne me
blâmât de ce que j'avais écrit que, pour éviter la prévention, il faut une fois
en sa vie se défaire de toutes les opinions qu'on a reçues auparavant en sa
créance : car apparemment on m'eût objecté que ce doute si universel peut
produire une grande irrésolution et un grand dérèglement dans les mœurs.
De façon qu'il ne me semble pas avoir pu user de plus de circonspection que
j'ai fait, pour placer la résolution, en tant qu'elle est une vertu, entre les

deux vices qui lui sont contraires, à savoir l'indétermination et l'obstina-
tion. » A ***, mars 1638, t. II, p. 34, l. 10-p. 36, l. 2.

II. — La deuxième maxime de la morale provisoire se complète, comme
la première, par une règle correspondante de la morale définitive, que Descartes esquisse d'ailleurs à partir de « Et ceci fut capable ... », p. 25, l. 14.
Considérée du point de vue propre du *Discours*, elle n'est rien de plus qu'une
règle pratique, dont la réponse qui précède fait comprendre : 1º qu'elle n'est
qu'un procédé empirique, requis pour l'usage de la vie, et auquel on se résigne
en l'absence de certitude théorique ; 2º qu'elle ne préjuge en rien de la légitimité théorique du parti que nous avons ainsi embrassé ; 3º que nous conti-
nuons, pendant le temps même où nous adhérons pratiquement à un parti,
de chercher une certitude théorique destinée à prendre la place de cette résolution pratique. Considérée du point de vue de la morale définitive, la volonté d'être ferme et constant dans nos actions subsiste, mais, puisque nous
sommes alors censés capables de déterminer théoriquement ce qu'il faut
faire, elle devient la résolution de suivre inflexiblement les ordres de la raison sans nous laisser détourner par les passions. La constance toute pratique dans les résolutions une fois prises à laquelle nous accoutume la morale
provisoire prépare donc la « vertu », qui n'est autre chose que la subordina-
tion constante et habituelle de la volonté aux ordres de la raison : « La
seconde (*scil.* chose que chacun doit observer, est) qu'il ait une ferme et
constante résolution d'exécuter tout ce que la raison lui conseillera, sans que
ses passions ou ses appétits l'en détournent ; et c'est la fermeté de cette résolution que je crois devoir être prise pour la vertu, bien que je ne sache point
que personne l'ait jamais ainsi expliquée ; mais on l'a divisée en plusieurs
espèces, auxquelles on a donné divers noms, à cause des divers objets auxquels elle s'étend ». A *Élisabeth*, 4 août 1645, t. IV, p. 265, l. 16-24. Cf. *Les
passions de l'âme*, Ire Partie, art. 48, t. XI, p. 367, l. 1-16. Art. 49, p. 367,
l. 25-p. 368, l. 19. (On notera que cette unification cartésienne de la vertu du
point de vue de la volonté, par opposition à la spécification scolastique des
vertus du point de vue de leurs objets, correspond à l'unification cartésienne
de la science du point de vue de l'esprit, par opposition à la spécification
scolastique des sciences du point de vue de leurs objets ; la clarté et la distinction de la lumière naturelle assurent l'unité de la raison théorique,
comme la résolution de la volonté, ou vertu, assure l'unité de la raison pratique ; voir plus haut, p. 11, l. 13, 2º).

Sans doute, dès le moment où la volonté est ferme et constante dans ses
résolutions, elle est en possession de la vertu, et c'est même pour cela que la
morale provisoire est une garantie suffisante de bonheur. Mais il est, d'autre
part, certain que la substitution d'une certitude rationnelle à une simple
assurance morale comme régulatrice de la volonté en rend en quelque sorte
les déterminations infaillibles et confère, par conséquent, une stabilité

exceptionnelle au contentement ou bonheur que nous en recueillons. C'est
pourquoi, bien que dans la morale définitive comme dans la morale provisoire le bonheur soit lié à la vertu, il apparaît en fin de compte comme lié
surtout au droit usage de la raison, parce que c'est alors la raison qui, en
réglant les démarches de la volonté, devient régulatrice de la vertu : « Au
reste, toutes sortes de désirs ne sont pas incompatibles avec la béatitude ; il
n'y a que ceux qui sont accompagnés d'impatience et de tristesse. Il n'est
pas nécessaire aussi que notre raison ne se trompe point ; il suffit que notre
conscience nous témoigne que nous n'avons jamais manqué de résolution et
de vertu, pour exécuter toutes les choses que nous avons jugées être les
meilleures, et ainsi la vertu seule est suffisante pour nous rendre contents en
cette vie. Mais néanmoins pour ce que, lorsqu'elle n'est pas éclairée par l'entendement, elle peut être fausse, c'est-à-dire que la volonté et résolution de
bien faire nous peut porter à des choses mauvaises, quand nous les croyons
bonnes, le contentement qui en revient n'est pas solide ; et pour ce qu'on
oppose ordinairement cette vertu aux plaisirs, aux appétits et aux passions,
elle est très difficile à mettre en pratique, au lieu que le droit usage de la raison, donnant une vraie connaissance du bien, empêche que la vertu ne soit
fausse, et même, l'accordant avec les plaisirs licites, il en rend l'usage si aisé
et, nous faisant connaître la condition de notre nature, il borne tellement
nos désirs, qu'il faut avouer que la plus grande félicité de l'homme dépend
de ce droit usage de la raison, et par conséquent que l'étude qui sert à l'acquérir est la plus utile occupation qu'on puisse avoir, comme elle est aussi
sans doute la plus agréable et la plus douce » (*loc. cit.*, p. 266, l. 22-p. 267,
l. 19).

P. **24**, l. **23-24** : « ... *en quelque forêt* ... »

Le texte latin ajoute : « nec ullum iter ab aliis tritum, nec etiam versus
quam partem eundum sit agnoscant ... » ; ce qui réalise le cas visé par l'addition latine précédente et où nous n'avons *aucune* raison de nous décider.

P. **24**, l. **29** : « ... *que le hasard seul* ... »

Texte latin : « quamvis forte initio plane nullas (*scil.* rationes) habuerint,
propter quas illam potius quam aliam (*scil.* partem) quamlibet eligerent »
(t. VI, p. 554).

P. **25**, l. **2-3** : « *Et ainsi* ... »
C'est-à-dire : Et, de la même manière ...

P. **25**, l. **5** : « ... *les plus vraies* ... »
C'est-à-dire : celles qui seraient *absolument parlant* les meilleures. Cf. texte

latin : « quoties circa illa quid revera sit optimum agnoscere non possumus ... » (t. VI, p. 554).

P. **25**, l. **6** : « ... *les plus probables* ... »

La notion de probabilité, expulsée par Descartes de l'ordre théorique, se réintroduit donc provisoirement (et même, en un sens, définitivement, vu la faiblesse de notre entendement ; cf. *à Élisabeth*, 15 septembre 1645, t. IV, p. 295, l. 11-21) dans l'ordre pratique. Mais si nous avons alors plus que le droit, le devoir, de nous en tenir au probable, nous ne l'avons cependant qu'à ces deux conditions expresses : 1º que la nécessité de choisir soit urgente ; 2º qu'il nous soit réellement impossible, par aucun effort de la raison humaine méthodiquement conduite, de dépasser le probable pour atteindre la vérité. Cf. le texte cité plus haut, à p. 24, l. 22, où Descartes ajoute cette troisième condition : que notre entendement ne cesse pas de considérer l'opinion en question comme douteuse, même pendant que la volonté agit comme si elle était vraie.

P. **25**, l. **13** : « ... *se trouve telle* ... »

C'est-à-dire : se trouve très vraie et très certaine du point de vue pratique. Cf. le texte latin : « quia nempe ratio propter quam illam elegimus vera et certa est » (t. VI, p. 554). — Le sens de ce difficile passage est le suivant : l'opinion théoriquement la plus douteuse doit être suivie lorsque les exigences de la pratique requièrent une décision immédiate, pourvu seulement qu'on n'en connaisse pas de plus certaine. A partir du moment où nous l'adoptons, bien qu'elle reste pour notre entendement une opinion douteuse, notre volonté doit la suivre aussi inflexiblement que si c'était une opinion vraie et certaine. Et même on peut dire qu'elle est, en effet, très vraie et très certaine par rapport à notre volonté, puisque, notre entendement n'en pouvant découvrir aucune qui soit théoriquement meilleure, elle s'impose absolument au choix de notre volonté. — Cf. le commentaire de ce passage inclus dans la réponse de Descartes à *Hyperaspistes*, t. II, p. 34, l. 16-p. 35, l. 8 ; citée plus haut, à p. 24, l. 22 ; spécialement l'expression : « ... sous cette condition ... », dont y use Descartes.

P. **25**, l. **15** : « ... *les repentirs* ... »

Définition cartésienne du repentir : « Nous pouvons aussi considérer la cause du bien ou du mal, tant présent que passé. Et le bien qui a été fait par nous-mêmes nous donne une satisfaction intérieure, qui est la plus douce de toutes les passions ; au lieu que le mal excite le repentir, qui est la plus amère. » *Les passions de l'âme*, IIᵉ Partie, art. 63, t. XI, p. 377, l. 16-22. — Cf. « Et, bien que nous ne puissions avoir des démonstrations certaines de tout, nous devons néanmoins prendre parti et embrasser les opinions qui nous paraissent les plus vraisemblables, touchant toutes les choses qui viennent en usage, afin que, lorsqu'il est question d'agir, nous ne soyons jamais irrésolus. Car il n'y a que la seule irrésolution qui cause les regrets et les repentirs ». *A Élisabeth*, 15 septembre 1645, t. IV, p. 295, l. 11-21.

P. 25, l. 15 : « ... *et les remords* ... »

Le manque de fermeté et de constance dans les jugements se nomme l'Irrésolution, qui est une passion (voir note suivante). Or, « si on s'est déterminé à quelque action, avant que l'Irrésolution fût ôtée, cela fait naître le Remords de conscience : lequel ne regarde pas le temps à venir comme les passions précédentes (*scil.* Espérance, Crainte, etc.), mais le présent ou le passé. » *Les passions de l'âme*, IIᵉ Partie, art. 60, t. XI, p. 376, l. 11-15. En se délivrant de la passion fondamentale de l'Irrésolution, et la vertu nous en délivre, on se délivre donc des deux passions du Repentir et du Remords qui en dérivent, et, par là même, de la tristesse qui les accompagne. — Cf. *à Élisabeth*, 1ᵉʳ septembre 1645, t. IV, p. 284, l. 17-24.

P. 25, l. 17 : « ... *inconstamment* ... »
Texte latin : « vacillante judicio ».

P. 25 l. 20 : « ... *tâcher* ... *à* ... »
Texte latin : « ... studerem ... » (t. VI, p. 554).

P. 25, l. 22 : « ... *l'ordre du monde* ... »
Cf. Épictète, *Manuel*, VIII : « Ne demande pas que les choses arrivent comme tu le désires, mais désire qu'elles arrivent comme elles arrivent, et tu seras heureux ». Et Sénèque, *De Vita beata*, XV, 7.

P. 25, l. 23 : « ... *m'accoutumer à croire* ... »
Texte latin : « ... ut mihi firmiter persuaderem ... » (t. VI, p. 554).

P. 25, l. 24 : « ... *entièrement* ... »
Texte latin : « ... absolute ... » C'est-à-dire : seules, nos pensées sont entièrement en notre pouvoir, les événements extérieurs n'étant en notre pouvoir que dans la mesure où ils dépendent de notre pensée.
Cf. « Ce que vous me mandez de saint Augustin et de saint Ambroise, que notre cœur et nos pensées ne sont pas en notre pouvoir, et que *mentem confundunt alioque trahunt*, etc., ne s'entend que de la partie sensitive de l'âme, qui reçoit les impressions des objets, soit extérieurs, soit intérieurs, comme les tentations, etc. Et, en ceci, je suis bien d'accord avec eux, et je n'ai

jamais dit que toutes nos pensées fussent en notre pouvoir ; mais seulement que, *s'il y a quelque chose absolument en notre pouvoir, ce sont nos pensées*, à savoir celles qui viennent de la volonté et du libre arbitre, en quoi ils ne me contredisent aucunement ; et ce qui m'a fait écrire cela n'a été que pour faire entendre que la juridiction de notre libre arbitre n'était point absolue sur aucune chose corporelle, ce qui est vrai sans contredit. » *A Mersenne*, 3 décembre 1640, t. III, p. 248, l. 18-p. 249, l. 13.

P. **25**, l. **24** : « ... *que nos pensées ...* »

C'est-à-dire : toutes les opérations de l'âme, en y incluant les connaissances intellectuelles, les connaissances sensitives et les volontés.

I. — *Objection* : « La troisième règle est plutôt une fiction pour se flatter et se tromper qu'une résolution de Philosophe, qui doit mépriser les choses possibles, s'il lui est expédient, sans les feindre impossibles ; et un homme de sens commun ne se persuadera jamais que rien ne soit en son pouvoir que ses pensées ». *S. P. à *** pour Descartes* (février 1638), t. I, p. 513, l. 7-12.

Réponse de Descartes : « Il ne me semble point que ce soit une fiction, mais une vérité, qui ne doit point être niée de personne, qu'il n'y a rien qui soit entièrement en notre pouvoir que nos pensées ; au moins en prenant le mot de pensée comme je fais, pour toutes les opérations de l'âme, en sorte que non seulement les méditations et les volontés, mais même les fonctions de voir, d'ouïr, de se déterminer à un mouvement plutôt qu'à un autre, etc., en tant qu'elles dépendent d'elle, sont des pensées. Et il n'y a rien du tout que les choses qui sont comprises sous ce mot, qu'on attribue proprement à l'homme en langue de Philosophe : car, pour les fonctions qui appartiennent au corps seul, on dit qu'elles se font dans l'homme, et non par l'homme. Outre que par le mot *entièrement* (p. 27, l. 3 ; *scil.* A. T., *ad loc.*), et par ce qui suit, à savoir que, lorsque nous avons fait notre mieux touchant les choses extérieures, tout ce qui manque de nous réussir est au regard de nous *absolument* impossible ; je témoigne assez que je n'ai point voulu dire, pour cela, que les choses extérieures ne fussent point du tout en notre pouvoir, mais seulement qu'elles n'y sont qu'en tant qu'elles peuvent suivre de nos pensées, et non pas *absolument* ni *entièrement*, à cause qu'il y a d'autres puissances hors de nous, qui peuvent empêcher les effets de nos desseins. Même pour m'exprimer mieux, j'ai joint ensemble ces deux mots : *au regard de nous* et *absolument*, que les critiques pourraient reprendre comme se contredisant l'un à l'autre, n'était que l'intelligence du sens les accorde. Or, nonobstant qu'il soit très vrai qu'aucune chose extérieure n'est en notre pouvoir, qu'en tant qu'elle dépend de la direction de notre âme, et que rien n'y est absolument que nos pensées ; et qu'il n'y ait, ce me semble, personne qui puisse faire difficulté de l'accorder, lorsqu'il y pensera expressément ; j'ai dit néanmoins qu'il faut s'accoutumer à le croire, et même qu'il est besoin à cet effet d'un long exercice et d'une méditation souvent réitérée ; dont la raison est que nos appétits et nos passions nous dictent continuellement le contraire ; et que nous avons tant de fois éprouvé dès notre enfance qu'en pleurant, ou commandant, etc., nous nous sommes fait obéir par nos nourrices, et avons obtenu les choses que nous désirions, que nous nous sommes insensiblement persuadés que le monde n'était fait que pour nous, et que toutes choses nous étaient dues. En quoi ceux qui sont nés grands et heureux ont le plus d'occasion de se tromper ; et l'on voit aussi que ce sont ordinairement eux qui supportent le plus impatiemment les disgrâces de la fortune. Mais il n'y a point, ce me semble, de plus digne occupation pour un Philosophe que de s'accoutumer à croire ce que lui dicte la vraie raison, et à se garder des fausses opinions que ses appétits naturels lui persuadent. » *A ***, mars 1638, t. II, p. 36, l. 3-p. 37, l. 25.

II. — Cette conception, d'origine manifestement stoïcienne, recevra dans la morale définitive un développement très riche et de caractère proprement cartésien. Les données essentielles en seront les suivantes : 1° rien n'est entièrement en notre pouvoir que nos pensées, mais elles sont absolument en notre pouvoir parce qu'elles ne dépendent que de notre libre arbitre ; 2° or, ce libre arbitre, comme on le sait par la métaphysique une fois constituée, est indivisible, donc quasi infini, et la ressemblance la plus immédiate entre Dieu et nous (*Médit.*, IV ; t. VII, p. 56, l. 26-p. 57, l. 27). 3° D'où cette conséquence pour la morale définitive : le mérite et la dignité de l'homme se mesurent à l'usage qu'il sait faire de celle de ses facultés qui l'assimile le plus étroitement à Dieu. 4° L'estime que nous avons pour nous-mêmes, en tant que nous nous considérons comme usant bien de cette souveraine disposition qui nous est concédée sur nos volontés, est la vertu de Générosité ; et c'est aussi l'une des pièces essentielles de la parfaite sagesse. — Cf. *Des passions*, III, art. 152-153 ; t. XI, p. 445, l. 10-p. 446, l. 10.

P. **25**, l. **26** : « ... *extérieures* ... »

Cf. Épictète, *Manuel*, XXIII ; XXIX, 7 ; XXXIII, 12 ; XLVIII, 1 ; et les textes stoïciens rassemblés dans Juste Lipse, *Manuductio ad stoïc. philos.*, lib. II, dissert. 21 : « Non venire in Boni nomen externa. »

P. **25**, l. **28** : « ... *absolument impossible* ... »

C'est-à-dire, selon l'interprétation que Descartes a donnée de ce passage (cf. le texte cité à p. 25, l. 24 : « Outre que par le mot : entièrement ... », etc.) : nos pensées sont entièrement en notre pouvoir et les événements extérieurs ne le sont que dans la mesure où ils dépendent de nos pensées ; si donc on les considère en tant qu'ils n'en dépendent pas, ils sont absolument hors de notre pouvoir. En d'autres termes : ce qui n'est ni notre pensée, ni dépendant de notre pensée est pour nous absolument impossible.

P. 25, l. **30** : « ... *que je n'acquisse* ... »

Cf. Juste Lipse : « Mens igitur nunc Paradoxi (*scil.* Sapienti nihil praeter opinionem evenire), Sapientem destinatione sua nunquam excidere, semper illi successum, et Stoïcorum verbo, εὐροιαν esse : id est, fluere res ex voluntate. » *Manuductio ad stoïc. philos.*, lib. III, dissert. 9.

P. 25, l. **30** : « ... *pour me rendre content.* »

C'est-à-dire : satisfait (cf. *Dictionnaire de l'Académie*, 1694, t. I, p. 240). — Cette satisfaction des désirs, lorsqu'elle est totale, équivaut à la béatitude : « *vivere beate*, vivre en béatitude, ce n'est autre chose qu'avoir l'esprit parfaitement content et satisfait » (*à Élisabeth*, 4 août 1645, t. IV, p. 264, l. 11-13). Ainsi entendue, cette troisième maxime de la morale provisoire deviendra, telle quelle, la troisième règle de la morale définitive ; mais, si la formule même ne s'en trouve pas modifiée au cours de ce passage, sa signification se trouvera non moins profondément altérée que celle des deux précédentes par la substitution d'une certitude rationnelle à une simple probabilité pratique. Du point de vue de la morale provisoire, qui est celui du *Discours*, l'agent moral règle ses actions sur ce qu'il suppose être les limites de notre nature, d'où toute une série d'erreurs et, par conséquent, de déconvenues possibles, qui lui interdisent de compter avec une assurance parfaite sur la stabilité du bonheur auquel il est parvenu. Il n'en est plus ainsi du point de vue de la morale définitive. La raison permet de déterminer à coup sûr ce que nous devons considérer comme dépendant de nous et ne dépendant pas de nous ; elle ne laisse donc aucune place aux désirs, regrets ou remords qui pourraient seuls troubler le contentement du sage, et elle lui permet même, comme nous l'avons vu plus haut (à p. 24, l. 22), d'accueillir sans arrière-pensée des désirs et plaisirs qu'il devait s'interdire par prudence dans sa morale provisoire et qu'il sait désormais de source certaine compatibles avec le bonheur réglé par la raison : « La troisième (*scil.* règle que chacun doit observer, est) qu'il considère que, pendant qu'il se conduit ainsi, autant qu'il peut, selon la raison, tous les biens qu'il ne possède point sont aussi entièrement hors de son pouvoir les uns que les autres, et que, par ce moyen, il s'accoutume à ne les point désirer ; car il n'y a rien que le désir, et le regret ou le repentir, qui nous puissent empêcher d'être contents : mais, si nous faisons toujours tout ce que nous dicte notre raison, nous n'aurons jamais aucun sujet de nous repentir, encore que les événements nous fissent voir, par après, que nous nous sommes trompés, pour ce que ce n'est point par notre faute. Et ce qui fait que nous ne désirons point d'avoir, par exemple, plus de bras ou plus de langues que nous n'en avons, mais que nous désirons bien d'avoir plus de santé ou plus de richesses, c'est seulement que nous imaginons que ces choses ici pourraient être acquises par notre conduite, ou bien qu'elles sont dues à notre nature, et que ce n'est pas le même des autres : de laquelle opinion nous pourrons nous dépouiller, en considérant que, puisque nous avons toujours suivi le conseil de notre raison, nous n'avons rien omis de ce qui était en notre pouvoir, et que les maladies et les infortunes ne sont pas moins naturelles à l'homme que les prospérités et la santé. » *A Élisabeth*, 4 août 1645, t. IV, p. 265, l. 25-p. 266, l. 21. Cf. *à Élisabeth*, 18 août 1645, t. IV, p. 277, l. 15-25. La morale définitive conserve donc cette maxime de la morale provisoire, mais, supposant la philosophie et la science constituées, elle en transforme l'usage en lui ajoutant : « toutes les principales vérités, dont la connaissance est requise, pour faciliter l'usage de la vertu et régler nos désirs et nos passions, et ainsi jouir de la béatitude naturelle » (*loc. cit.*, p. 267, l. 20-24). — Sur les fondements ultimes de cette acceptation de l'ordre universel (amour de Dieu et confiance en lui) et de ce détachement de « tout ce qui est au pouvoir de la fortune » (supériorité de l'âme sur le corps), que la vraie métaphysique peut fournir à la morale définitive, voir la lettre capitale *à Élisabeth*, 15 septembre 1645, t. IV, p. 291, l. 20-p. 292, l. 12, et généralement toute la lettre.

P. **25**, l. **31** : « *... naturellement ...* »

Au sens fort : car la nature de notre volonté étant de ne se porter ..., etc. — Parce que la nature de notre volonté est de se porter vers le bien perçu par l'entendement, et que ce que l'entendement nous représente comme impossible ne peut nous apparaître comme un bien. Cf. plus loin, à p. 28, l. 9.

P. **26**, l. **4** : « *... hors de nous ...* »

Voir plus haut, à p. 25, l. 26.

P. **26**, l. **4-5** : « *... éloignés de notre pouvoir ...* »

Réminiscence de la célèbre distinction stoïcienne introduite par Épictète (*Manuel*, I, 1-2) entre ce qui dépend de nous et ce qui ne dépend pas de nous. — Descartes restera toujours fidèle, contre Aristote (cf. *à Élisabeth*, 18 août 1645, t. IV, p. 276, l. 3-8), à l'idéal stoïcien d'un Souverain Bien dont les conditions ne relèvent que de la pensée, pour qu'il puisse toujours se suffire à lui-même ; Descartes n'admet donc pas, et c'est ce qu'affirme ici le *Discours*, que quoi que ce soit d'extérieur à la pensée puisse être nécessairement requis pour atteindre la Béatitude. Toutefois, et en accord sur ce point avec la distinction de Zénon entre les προηγμένα et les ἀπροηγμένα (cf. Cicéron, *De finibus*, III, 17. Sénèque, *De vita beata*, XXII-XXIII, XXV. Juste Lipse, *Manuductio ad philosophiam stoïcam*, liv. II, diss. XXIII-XXIV), Descartes ne conteste pas que, si les biens extérieurs ne constituent pas le bonheur, certains d'entre eux y contribuent. Cf. *à Élisabeth*, 4 août 1645 : « Considérant, après cela, ce que c'est *quod beatam vitam efficiat*, c'est-à-dire quelles sont les choses qui nous peuvent donner ce souverain conten-

tement, je remarque qu'il y en a de deux sortes : à savoir, de celles qui
dépendent de nous, comme la vertu et la sagesse, et de celles qui n'en dépendent point, comme les honneurs, les richesses et la santé. Car il est certain qu'un homme bien né, qui n'est point malade, qui ne manque de rien,
et qui, avec cela, est aussi sage et aussi vertueux qu'un autre qui est pauvre,
malsain et contrefait, peut jouir d'un plus parfait contentement que lui.
Toutefois, comme un petit vaisseau peut être aussi plein qu'un grand, encore
qu'il contienne moins de liqueur, ainsi, prenant le contentement d'un chacun pour la plénitude et l'accomplissement de ses désirs réglés selon la raison, je ne doute point que les plus pauvres et les plus disgraciés de la fortune ou de la nature ne puissent être entièrement contents et satisfaits,
aussi bien que les autres, encore qu'ils ne jouissent pas de tant de biens.
Et ce n'est que de cette sorte de contentement de laquelle il est ici question ; car, puisque l'autre n'est aucunement en notre pouvoir, la recherche
en serait superflue. » T. IV, p. 264, l. 14-p. 265, l. 6.

P. **26**, l. **5** : « ... *de regret* ... »
Voir plus haut, à p. 25, l. 15.

P. **26**, l. **6-7** : « ... *à notre naissance* ... »
C'est-à-dire : qu'il nous semble que nous aurions dû posséder naturellement. Cf. *à Élisabeth*, 4 août 1645, t. IV, p. 266, l. 14 : « dues à notre nature. »

P. **26**, l. **7-8** : « ... *lorsque nous en serons privés sans notre faute* ... »
Supprimé dans le texte latin.

P. **26**, l. **10** : « ... *nous ne désirerons pas* ... »
Texte latin : « ... neque sanitatis desiderio torquebimur ... » (t. VI, p. 554-
555).

P. **26**, l. **12** : « ... *que nous faisons* ... »
C'est-à-dire : que nous ne désirons. Cf. Huguet, *Petit Glossaire* (4e édit.),
art. Faire, p. 158.

P. **26**, l. **15** : « ... *d'un long exercice* ... »
Voir plus haut, à p. 25, l. 24, I, le commentaire de Descartes. Cf. Juste
Lipse, *Manuductio ad stoïc. philos.*, lib. III, dissert. 24 : « Conclusio et ad
Exercitium adhortatio. »

P. **26**, l. **19** : « ... *ces Philosophes* ... »
C'est-à-dire : les philosophes stoïciens.

P. **26**, l. **20** : « ... *se soustraire* ... »

Cf. Sénèque, *Epist.* 65 : « Haec libertas ejus (*scil.* animi) est, haec evaga-
tio (*scil.* Philosophia) : subducit interim se custodiae in qua tenetur, et caelo
reficitur » ; dans Juste Lipse, *op. cit.*, lib. III, dissert. 12.

P. **26**, l. **20** : « ... *de la Fortune* ... »

Cf. Juste Lipse : « Sed et in Fortunam Sapiens attollit animum, et ab ea
se facit immunem. Qui ad omnem ejus motum casumque trepidat, suspensus vota facit, quidni servitutem, et quidem asperam anxiamque serviat?
At illa est vera Libertas, nulli rei servire, nulli necessitati, nullis casibus,
Fortunam in aequum deducere » (Sénèque, *Epist.* 51. *Op. cit.*, lib. III, dissert. 12).

P. **26**, l. **21** : « ... *les douleurs* ... »

Allusion au *paradoxe* stoïcien repris par Juste Lipse (*Manuductio ad
stoïc. philos.*, lib. III, dissert. 6) : « Sapientem vel in tormentis Beatum esse ; »
et peut-être aussi à certaines anecdotes connues, comme la patience d'Épictète (Origène, *Cont. Celsum*, VII, 53), ou la parole de Brutus : « Douleur, tu
n'es qu'un mot ! »

P. **26**, l. **21** : « ... *et la pauvreté* ... »

Cf. « Prodeat mihi ille Sapiens, et apud ipsos purpuratos et diadematos se
ostendat : profecto vereri, aut certe revereri videbis, illum pannosum et
saepe nudis scapulis... Vis in exemplo videre? Diogenes ille Cynicus, non
pauper solum ab opibus, sed a Fortunae injuria servus, vaenum a piratis
expositus, interrogatur : *Ecquid scire profiteretur? — Egone? Hominibus
imperare.* Et mox, cum praetereuntem Xeniadem vidisset, ore ac vultu
ingenuo : *Huic*, inquit, *me vende; nam hic Domino opus habet.* Et plane pro
verbis et professione sua se gessit : docens, monens, imperans, ipsi, liberis,
familiae toti. » Juste Lipse, *Manuductio ad stoïc. philos.*, lib. III, dissert. 13.

P. **26**, l. **22** : « ... *avec leurs Dieux* ... »

Allusion au paradoxe stoïcien qui affirme que le sage est aussi heureux que
Dieu lui-même ; cf. les textes dans Juste Lipse, *Manuductio ad stoïc. philos.*,
lib. III, dissert. 14 ; notamment : « Deus non vincit sapientem felicitate,
etiamsi vincat aetate. » Sénèque, *Epist.* 83.

P. **26**, l. **23-24** : « ... *par la Nature* ... »

C'est-à-dire : par l'ordre nécessaire des choses, tel qu'il a été établi par
Dieu. — Descartes interprétera particulièrement en ce sens l'expression :
rerum natura, telle que l'emploie Sénèque (cf. *De Vita beata*, III, 3). — Cf. :
« mais la suite de son (*scil.* de Sénèque) discours fait juger que, par *rerum*

naturam, il entend l'ordre établi de Dieu en toutes les choses qui sont au monde, et que, considérant cet ordre comme infaillible et indépendant de notre volonté, il dit que : *rerum naturae assentiri et ad illius legem exemplumque formari, sapientia est,* c'est-à-dire que c'est sagesse d'acquiescer à l'ordre des choses et de faire ce pourquoi nous croyons être nés ; ou bien, pour parler en Chrétien, que c'est sagesse de se soumettre à la volonté de Dieu et de la suivre en toutes nos actions ... » *A Élisabeth,* 18 août 1645, t. IV, p. 273, l. 16- p. 274, l. 3. — Et Sénèque : « Quidquid ex Universi (id est Naturae ; *note de Juste Lipse*) constitutione patiendum est, magno excipiatur animo. Ad hoc sacramentum adacti sumus, ferre mortalia, nec perturbari his, quae vitare nostrae potestatis non est. In regno nati sumus : Deo parere libertas est. » *De Vita beata,* XV, 7 ; dans Juste Lipse, *op. cit.,* lib. II, dissert. 15.

P. **26**, l. **25** : « ... *que leurs pensées* ... »
Le texte latin ajoute : « ... sibi persuadebant *nullam rem extra se positam,* sive nihil praeter suas cogitationes ... » (t. VI, p. 555). Voir plus haut, à p. 25, l. 24 ; et cf. Épictète, *Manuel,* I, 1.

P. **26**, l. **27** : « ... *affection* ... »
Probablement au sens technique et stoïcien : mouvement déréglé de l'âme. Sur cette signification d'*affectus,* voir Juste Lipse, *Manuductio ad stoïc. philos.,* lib. III, dissert. 7.

P. **26**, l. **28** : « ... *si absolument* ... »
Le texte latin ajoute : « in eas imperium *istius meditationis usu* acquirebant, *hoc est, cupiditatibus aliisque animi motibus regendis ita se assuefaciebant,* ut non sine ... » (t. VI, p. 555).

P. **26**, l. **29** : « ... *plus riches* ... »
Texte latin : « ... se solos divites ... » (t. VI, p. 555) ; rédaction littéralement conforme à la formule du *paradoxe* stoïcien : « Omnia sapientis, et solum divitem censendum. » Juste Lipse, *Manuductio ad stoïc. philos.,* lib. III, dissert. 11.

P. **26**, l. **29** : « ... *et plus puissants* ... »
Texte latin : « ... solos potentes ... » (t. VI, p. 555) ; même remarque. Cf. Juste Lipse, *op. cit.,* lib. III, dissert. 13 : « XI Parad. Solum Sapientem Regem esse. »

P. **26**, l. **30** : « ... *et plus libres* ... »
Texte latin : « ... solos liberos ... » (t. VI, p. 555) ; même remarque. Cf.

Juste Lipse, *op. cit.*, lib. III, dissert. 12 : « X Parad. Solum Sapientem liberum, ceteros omnes servos censeri. »

P. 26, l. **30** : « *... et plus heureux ...* »

Texte latin : « *... et solos felices ...* » (t. VI, p. 555) ; même remarque. Cf. Juste Lipse, *loc. cit.*, à p. 26, l. 22.

P. 27, l. **2** : « *... de tout ce qu'ils veulent.* »

C'est-à-dire : de tout ce que leur volonté désire. Cf. texte latin : « ut votorum omnium quemadmodum illi (*scil.* Philosophi) compos fiat. »

P. 27, l. **4** : « *... de faire une revue sur ...* »

Cf. *Dictionnaire de l'Académie* (1694) : « *Revue* : recherche, inspection exacte... Faire une revue de ses actions, de sa vie passée ; sur ses actions, sur sa vie passée. » T. II, p. 653. La phrase signifie donc : je m'avisai de soumettre à une inspection exacte les diverses occupations..., etc.

P. 27, l. **9** : « *... toute ma vie ...* »

Il est à peine besoin de faire observer que le seul commentaire de ces paroles qui convienne est la vie même de Descartes, intégralement vouée à la pensée et à la recherche de la vérité. Peut-être ne serait-il pas inutile, au contraire, de noter en quel sens absolu cette assertion de Descartes doit être entendue. Car non seulement il a voulu sacrifier la poursuite des biens extérieurs, des honneurs, des charges d'enseignement avec les avantages matériels et sociaux qu'elles rapportent, à la recherche de la vérité, mais encore il a joui si exclusivement du plaisir de « cultiver sa raison » et de découvrir, qu'il a parfois manqué de courage pour rédiger ou communiquer aux autres le résultat de ses efforts. Lui-même a noté à plusieurs reprises ce caractère jaloux, et en quelque sorte solitaire, des joies intellectuelles qu'il devait à sa Méthode (notamment *à Mersenne*, 15 avril 1630, t. I, p. 137, l. 2-5 et 22-26), et c'est aussi pourquoi nous l'en voyons parler ici avec une sorte de reconnaissance émue : assurant le droit usage de la raison, qui peut seul assurer le parfait contentement de l'esprit, elle est la source même de la Béatitude.

P. 27, l. **10** : « *... cultiver ma raison ...* »

Comment, en cultivant sa raison, on s'assure le bonheur : voir plus loin, à p. 27, l. 12-13.

P. 27, l. **10** : « *... et m'avancer ...* »

C'est-à-dire : progresser. — Cf. Ire Partie, p. 3, l. 11-24 ; et surtout le commentaire à p. 3, l. 9.

P. **27**, l. **11-12** : « ... *suivant la Méthode* ... »

Cf. le titre même du *Discours*, p. 1.

P. **27**, l. **12-13** : « ... *de si extrêmes contentements* ... »

Cf. *Dictionnaire de l'Académie* (1694) : « *Contentement* : joie, plaisir, satis-- faction ». T. I, p. 140. Cette expérience de la joie extrême éprouvée par Des- cartes dans la recherche et la découverte de la vérité est devenue l'un des fondements de sa morale définitive. C'est, en effet, pour faire droit à cette expérience que la morale cartésienne impliquera un eudémonisme, dont les traits caractéristiques sont les suivants :

1º La fin dernière de l'activité humaine consiste non dans le Souverain Bien pris à part, mais dans la béatitude ou jouissance de ce Souverain Bien. Cf. « Je remarque, premièrement, qu'il y a de la différence entre la béatitude, le souverain bien et la dernière fin ou le but auquel doivent tendre nos actions : car la béatitude n'est pas le souverain bien ; mais elle le présuppose, et elle est le contentement ou la satisfaction d'esprit qui vient de ce qu'on le possède. Mais, par la fin de nos actions, on peut entendre l'un et l'autre ; car le souverain bien est sans doute la chose que nous nous devons proposer pour but en toutes nos actions, et le contentement d'esprit qui en revient, étant l'attrait qui fait que nous le recherchons, est aussi à bon droit nommé notre fin. » *A Elisabeth*, 18 août 1645, t. IV, p. 275, l. 1-13. Cf. 1ᵉʳ septembre 1645, t. IV, p. 283, l. 27-p. 284, l. 6.

2º En ce sens, on a raison de dire avec Épicure que la volupté est non seu- lement la fin, mais encore le motif agissant qui nous met en mouvement vers le souverain bien. L'expérience de la joie éprouvée dans la recherche de la vérité a donc incité Descartes à faire de cette joie le ressort de la vie morale, et l'épicurisme est vrai pourvu qu'on joigne au plaisir de la vertu qu'il recommande une théorie de la vertu qui nous conférera ce plaisir : « Enfin Épicure n'a pas eu tort, considérant en quoi consiste la béatitude, et quel est le motif, ou la fin à laquelle tendent nos actions, de dire que c'est la volupté en général, c'est-à-dire le contentement de l'esprit ; car encore que la seule connaissance de notre devoir nous pourrait obliger à faire de bonnes actions, cela ne nous ferait toutefois jouir d'aucune béatitude, s'il ne nous en reve- nait aucun plaisir. Mais, pour ce qu'on attribue souvent le nom de volupté à de faux plaisirs, qui sont accompagnés ou suivis d'inquiétude, d'ennuis et de repentir, plusieurs ont cru que cette opinion d'Épicure enseignait le vice ; et, en effet, elle n'enseigne pas la vertu. Mais comme, lorsqu'il y a quelque part un prix pour tirer au blanc (*scil.* à la cible), on fait avoir envie d'y tirer à ceux à qui on montre ce prix, mais ils ne le peuvent gagner pour cela, s'ils ne voient le blanc, et ceux qui voient le blanc ne sont pas pour cela induits à tirer, s'ils ne savent qu'il y ait un prix à gagner : ainsi la vertu, qui est le blanc, ne se fait pas fort désirer lorsqu'on la voit toute seule ; et le

contentement, qui est le prix, ne peut être acquis, si ce n'est qu'on la suive. »
Ibid., p. 276, p. 20-p. 277, p. 14.

3º Par là même, il apparaît que la seule volupté su·' laquelle on puisse
fonder la béatitude est celle de l'esprit, comme d'ailleurs l'avait bien vu
Épicure, que l'on a calomnié sur ce point (Descartes parle ici d'après Sénèque, *De Vita beata*, XIII, 2, 4-6, auquel il se réfère expressément, t. IV,
p. 275, l. 14-21). Cf. « C'est pourquoi je crois pouvoir ici conclure que la béatitude ne consiste qu'au contentement de l'esprit, c'est-à-dire au contentement en général (*scil.* absolument parlant) ; car bien qu'il y ait des contentements qui dépendent du corps, et des autres qui n'en dépendent point, il
n'y en a toujours aucun que dans l'esprit : mais que, pour avoir un contentement qui soit solide, il est besoin de suivre la vertu, c'est-à-dire d'avoir une
volonté ferme et constante d'exécuter tout ce que nous jugerons être le meilleur, et d'employer toute la force de notre entendement à en bien juger. » *A
Élisabeth*, 18 août 1645, t. IV, p. 277, l. 15-25. Voir aussi l'importante lettre
du 4 août 1645, t. IV, p. 266, l. 22-p. 267, l. 19 ; citée plus haut, à p. 24, l. 22.
Et encore, *à Élisabeth*, 13 septembre 1645, t. IV, p. 285, l. 23-p. 286, l. 12.

P. **27**, l. **15** : « ... *de plus doux* ... »

Parce que seuls, et par opposition aux plaisirs du corps, les plaisirs de l'esprit ne sont pas « accompagnés ou suivis d'inquiétude, d'ennuis et de repentirs. » Cf. *à Élisabeth*, 18 août 1645, t. IV, p. 277, l. 1.

P. **27**, l. **15-16** : « ... *de plus innocents* ... »

Étant toujours, à la différence des plaisirs du corps, en accord avec les
exigences de la vraie vertu. Cf. *à Élisabeth*, 18 août 1645, t. IV p. 277,
l. 20-25.

P. **27**, l. **19** : « ... *la satisfaction* ... »

Au sens fort de : plein contentement. Cf. texte latin : « tanta delectatione
animus meus implebatur » (t. VI, p. 555).

P. **27**, l. **22** : « ... *fondées sur le dessein* ... »

C'est-à-dire : n'étaient *légitimes* que parce que le dessein de découvrir les
vraies règles de la conduite s'y joignait, et qu'elles en préparaient la réalisation. Puisque la recherche de la vérité requiert ces maximes provisoires
comme conditions pratiques de sa possibilité, elle les fonde ; et, inversement, elles ne sont légitimes que comme conditions préalables de la recherche
de la vérité. Cf. texte latin : « Ac praeterea tres regulae mox expositae satis
rectae mihi visae non fuissent, nisi in veritate per hanc Methodum investi-
ganda perseverare decrevissem » (t. VI, p. 555).

P. **27**, l. **23** : « ... *car Dieu* ... »

On observera combien la pensée de Descartes est pénétrée de métaphysique, même concernant les principes fondamentaux de la méthode. Penser par soi-même et ne régler sa conduite que sur le libre examen de la raison n'est pas seulement un droit, c'est un devoir ; à tel point que la morale provisoire, en tant qu'elle suppose une dérogation à cette règle, a besoin d'être excusée par la fin rationnelle qu'elle prépare. Mais ce devoir ne se fonde pas immédiatement sur l'essence de la raison ; sa justification complète suppose la preuve de l'existence de Dieu qui, nous apparaissant alors comme la source de notre raison individuelle, en garantit la valeur et nous fait une obligation de ne régler notre conduite que sur elle.

P. **27**, l. **24** : « ... *quelque lumière* ... »

C'est-à-dire : la lumière naturelle de la raison (voir plus haut, à p. 10, l. 17, n° 1). Cf. texte latin : « aliquod rationis lumen » (t. VI, p. 555).

P. **27**, l. **26** : « ... *contenter des opinions d'autrui* ... »

C'est-à-dire : je n'aurais pas cru pouvoir me contenter de régler ma conduite sur l'exemple et les opinions d'autrui (comme j'avais décidé de le faire par la première maxime de ma morale provisoire ; p. 23, l. 7-11), au lieu de la régler sur ma propre raison... Cf. texte latin : « non putassem me, vel per unam diem, totum alienis opinionibus regendum tradere debere, nisi ... » (t. VI, p. 555). — Cf. « Enfin, pour ceux qui vous ont demandé de quelle religion j'étais, s'ils avaient pris garde que j'ai écrit en la page 29, que je n'eusse pas cru me devoir contenter des opinions d'autrui un seul moment, si je ne me fusse proposé d'employer mon propre jugement à les examiner lorsqu'il serait temps, ils verraient qu'on ne peut inférer de mon discours, que les infidèles doivent demeurer en la religion de leurs parents. » *A Mersenne*, 27 avril 1637, t. I, p. 367, l. 5-13.

P. **27**, l. **28** : « ... *lorsqu'il serait temps* ... »

Texte latin : « statim atque me ad hoc recte faciendum satis parassem ... » (t. VI, p. 555).

P. **27**, l. **29** : « ... *m'exempter de scrupule* ... »

C'est-à-dire : m'affranchir de tout scrupule (*Dictionnaire de l'Académie*, 1694, t. I, p. 415). — Texte latin : « Nec ... absque errandi metu fuissem ... » (t. VI, p. 555).

P. **27**, l. **30-31** : « ... *aucune occasion* ... »

C'est-à-dire : de changer mes opinions provisoires chaque fois que j'en découvrirai de meilleures, même sans attendre la constitution de la morale définitive. En accord avec cette règle de la morale provisoire : « c'est une vérité très certaine que, lorsqu'il n'est pas en notre pouvoir de discerner les plus vraies opinions, nous devons suivre les plus probables » ; p. 25, l. 4-6.

P. **28**, l. **1** : « ... *borner mes désirs ...* »

Conformément à la troisième maxime, p. 25, l. 20 et suiv. C'est-à-dire : les maintenir dans les limites que leur impose l'ordre du monde.

P. **28**, l. **2** : « ... *être content ...* »

Texte latin : « ... ac rebus quae in potestate mea sunt contentus esse potuissem, ... » (t. VI, p. 555). Cette addition, qui affaiblit beaucoup le texte, s'explique en partie par l'intention de commenter : « borner mes désirs », et en partie aussi par l'impossibilité d'employer le latin *contentus* au sens absolu où Descartes emploie le français *content*, c'est-à-dire : en possession du bonheur. Cf. plus loin, p. 28, l. 14, l'addition : « ac beatus », qui s'explique par la même raison.

P. **28**, l. **2** : « ... *un chemin ...* »

C'est-à-dire : la méthode. Cf. Ire Partie, p. 3, l. 5-7.

P. **28**, l. **5** : « ... *tous les vrais biens ...* »

Parce que notre connaissance de ce que les choses valent dépend de notre connaissance de ce qu'elles sont. — En effet, les choses ne nous apparaissent pas avec leur valeur réelle, mais meilleures ou moins bonnes qu'elles ne sont, à cause de l'influence que nos passions exercent sur notre jugement. Une critique de la raison est dès lors nécessaire, qui nous fasse connaître les choses telles qu'elles sont et, par conséquent aussi, leur véritable valeur. Elle effectue donc la séparation entre les biens apparents et les vrais biens, nous évitant ainsi tout remords et tout regret dans l'avenir. — Cf. : « toutes les actions de notre âme qui nous acquièrent quelque perfection sont vertueuses, et tout notre contentement ne consiste qu'au témoignage intérieur que nous avons d'avoir quelque perfection... Mais souvent la passion nous fait croire certaines choses beaucoup meilleures et plus désirables qu'elles ne sont ; puis, quand nous avons pris bien de la peine à les acquérir, et perdu cependant l'occasion de posséder d'autres biens plus véritables, la jouissance nous en fait connaître les défauts, et de là viennent les dédains, les regrets et les repentirs. C'est pourquoi le vrai office de la raison est d'examiner la juste valeur de tous les biens dont l'acquisition semble dépendre en quelque façon de notre conduite, afin que nous ne manquions jamais d'employer tous nos soins à tâcher de nous procurer ceux qui sont, en effet, les plus désirables ; en quoi, si la fortune s'oppose à nos desseins et les empêche de réussir, nous aurons au moins la satisfaction de n'avoir rien perdu par notre faute, et ne lairrons pas de jouir de toute la béatitude naturelle dont l'acquisition aura été en notre pouvoir ». *A Élisabeth*, 1er septembre 1645, t. IV, p. 283, l. 23-p. 285, l. 4.

P. **28**, l. **8** : « ... *notre entendement lui* ... »

M. Ch. Adam note (t. VI, Avertissement, p. xi) : « Page 28, lignes 8-9, il semble qu'on devrait lire : selon que notre entendement *la* lui représente bonne ou mauvaise » ; ce qui est évidemment le sens ; mais il n'est pas certain que la langue de Descartes exigeât cette addition.

P. **28**, l. **9** : « ... *bonne ou mauvaise* ... »

Parce que, selon Aristote : « bonum est, quod omnia appetunt » (*Eth. à Nicom.*, I, 1, 1094, a, 3). Il faut donc qu'il y ait perception du bien, pour qu'il y ait appétit. Chez l'homme, cette perception est celle d'un entendement ; d'où la définition scolastique de la volonté : « voluntas est appetitus quidam rationalis » (S. Thomas, *Sum. Theol.*, Iᵃ-IIᵃᵉ, qu. 8, art. 1, *Sed contra*), et la conséquence immédiate qui découle de cette définition : la volonté ne se porte jamais que vers le bien, ou vers ce que l'entendement lui représente comme bien : « nihil autem inclinatur, nisi in aliquid simile, et conveniens : cum igitur omnis res, inquantum est ens, et substantia, sit quoddam bonum, necesse est ut omnis inclinatio sit in bonum. Et inde est, quod Philosophus dicit in *I Ethic.* quod bonum est quod omnia appetunt : sed considerandum est, quod cum omnis inclinatio consequatur aliquam formam, appetitus naturalis consequitur formam in natura existentem ; appetitus autem sensitivus, vel etiam intellectivus, seu rationalis, qui dicitur voluntas, sequitur formam apprehensam : sicut igitur id, in quod tendit appetitus naturalis, est bonum existens in re ; ita, id in quod tendit appetitus animalis, vel voluntarius, est bonum apprehensum. Ad hoc igitur quod voluntas in aliquid tendat, non requiritur quod sit bonum in rei veritate, sed quod apprehendatur in ratione boni » (S. Thomas, *Ibid.* Cf. É. Gilson, *Index scol.-cartésien*, texte 498, p. 327). — La notion scolastique d'appétit naturel ou d'appétit animal se trouve éliminée par le mécanisme cartésien, mais la notion d'une volonté réglée par l'appréhension intellectuelle du bien se trouve maintenue ; cf. *à Mersenne*, 27 avril 1637 : « Vous rejetez ce que j'ai dit, *qu'il suffit de bien juger pour bien faire ;* et toutefois il me semble que la doctrine ordinaire de l'École est que *voluntas non fertur in malum, nisi quatenus ei sub aliqua ratione boni repraesentatur ab intellectu,* d'où vient ce mot : *omnis peccans est ignorans ;* en sorte que si jamais l'entendement ... », etc. T. I, p. 366, l. 6-11. Cf. *Index scol.-cartésien, loc. cit.*, p. 327.

P. **28**, l. **9** : « *... de bien juger ...* »

C'est-à-dire : de porter un jugement dont la vérité soit assurée. En effet, il suffit de bien juger pour bien faire, mais il est nécessaire que le jugement soit évidemment vrai pour qu'il constitue la condition suffisante d'une bonne action. En d'autres termes, la philosophie cartésienne n'admet, en droit, la détermination absolue de la volonté par l'entendement que dans le cas où la connaissance de l'entendement sur laquelle la volonté se règle est évidente (cf. « Rei cogitantis voluntas fertur, voluntarie quidem et libere (hoc enim est de essentia voluntatis), sed nihilominus infallibiliter, in bonum sibi clare cognitum ». *II*ᵃᵉ *Resp.*, t. VII, p. 166, l. 3-7). D'autre part, cette détermination de la volonté par la connaissance claire et distincte étant posée, comme nous venons de voir qu'elle est infaillible, quoique libre, et même d'autant plus infaillible qu'elle est plus parfaitement libre, il suffit manifestement de bien juger (au sens fort de : porter un jugement dont la vérité soit évidente) pour bien faire. Cf. la lettre *à Mersenne*, citée au début de la note suivante. — Pour les cas où la vérité du jugement n'est pas évidente, voir la note suivante. — Pour la limitation de cette assertion au domaine philosophique, exclusion faite du domaine théologique où intervient la grâce, voir la lettre *à Mersenne*, 27 avril 1637, t. I, p. 366, l. 17- p. 367, l. 5.

P. **28**, l. **11** : « *... tout son mieux ...* »

Quoi qu'il puisse sembler d'après le texte présent du *Discours*, ce deuxième cas diffère du précédent. Il suffit, en effet, de bien juger pour bien faire, mais non de juger de son mieux pour faire de son mieux. Comme, en effet, Descartes lui-même l'a reconnu dans une lettre à Mersenne qui commente ce passage : « si jamais l'entendement ne représentait rien à la volonté comme bien, qui ne le fût, elle ne pourrait manquer en son élection. Mais il lui représente souvent diverses choses en même temps ; d'où vient le mot *video meliora proboque*, qui n'est que pour les esprits faibles, dont j'ai parlé à la page 26 » (lettre du 27 avril 1637, t. I, p. 366, l. 11-17). Si donc il est vrai qu'il suffise de bien juger pour bien faire, il n'est peut-être plus aussi exact de dire, du point de vue cartésien lui-même, qu'il suffise « de juger le mieux qu'on puisse pour faire aussi tout son mieux, c'est-à-dire pour acquérir toutes les vertus » (t. VI, p. 28, l. 10-12). Car le jugement évident constitue la raison suffisante de la détermination volontaire (c'est le cas précédent : *bien juger*), au lieu que le jugement qui n'est que probable laisse la volonté d'autant plus indifférente (et par conséquent moins libre) qu'il est moins évident. Il faut donc qu'une détermination supplémentaire vienne soumettre la volonté au jugement qui n'est que le meilleur sans être évidemment le bon. Cette détermination consiste précisément dans la vertu, ou ferme résolution prise par la volonté de suivre toujours ce que l'entendement lui représente comme le meilleur. L'exposé un peu rapide du *Discours* doit donc être complété comme suit : il suffit de bien juger pour bien faire et pour acquérir par là même la vertu avec tous les autres biens qui en découlent ; lorsqu'on n'est pas sûr de bien juger, il faut juger de son mieux et, si l'on possède en même temps la vertu, qui fait que la volonté se règle alors sur l'entendement et agit de son mieux, on acquiert du moins tous les biens qui nous sont accessibles. — Pour cette notion de la vertu comme détermination de la volonté à suivre le meilleur « encore que peut-être on juge très mal », voir le texte de la lettre *à Élisabeth*, 4 août 1645, t. IV, p. 265, l. 16-24, cité plus haut à p. 24, l. 22. Cf. également, à p. 25, l. 18-19. Et surtout la lettre *à Élisabeth*, 12 août 1645, t. IV, p. 277, l. 15-25, citée plus haut, à p. 27, l. 12-14, 3º.

P. **28**, l. **12** : « ... *tous les autres biens* ... »

Ensemble, c'est-à-dire : du même coup. *Les autres biens*, c'est-à-dire : les biens qui, ne dépendant que de la vertu, ne dépendent que de l'âme et sont, par conséquent, les vrais biens. — Sur la question de savoir pourquoi la vertu est la source unique et totale de tous les vrais biens, voir la lettre *à Élisabeth*, 18 août 1645, t. IV, p. 277, l. 15-25, citée plus haut, à p. 27, l. 12-14. 3º. — Cf. Juste Lipse : « Planissime hoc dictum, quod Comicus noster, voluit (Plaut, *Amphytr.*)

> Virtus omnia in se habet, omnia adsunt bona
> Quem penes est virtus. »

Manud. ad stoic. philos., lib. II, dissert. 20. Ces « autres biens » ne suivent nécessairement la vertu que parce que les vrais biens dépendent de l'âme seule. *Ibid.*, dissert. 20 : « In sola virtute Summum Bonum esse ... In sola dixi. Quidni? Summum bonum in animo constituamus, ... etc. »

P. **28**, l. **14** : « ... *d'être content.* »

Le texte latin ajoute : « ac beatus ». Cf. plus haut, à p. 28, l. 2.

P. **28**, l. **15** : « ... *m'être assuré de* ... »

C'est-à-dire : m'en être muni. Texte latin : « Postquam vero me his regulis instruxissem ... » (t. VI, p. 556).

P. **28**, l. **16** : « ... *mises à part* ... »

C'est-à-dire : après les avoir soustraites à la critique universelle du doute méthodique.

P. **28**, l. **16** : « ... *de la Foi* ... »

Cette déclaration constitue d'abord une précaution prise par Descartes pour qu'on ne l'accuse pas de ruiner la vérité religieuse par le doute méthodique (« ... quia alias dicerent illum (*scil.* Cartesium) esse sine religione, fide, et per suam methodum haec evertere velle ... » ; cité plus haut, à p. 22, l. 29). Elle pose néanmoins ce problème : des *croyances*, ou *vérités de foi*, peuvent-elles trouver place dans une philosophie des idées claires et distinctes? Selon la solution adoptée, la déclaration du *Discours* devra être, en effet, interprétée soit comme une parole intéressée, mais sincère, soit comme une profitable dissimulation.

1º Selon Descartes, le but de la religion, et de la théologie qui la formule, est de nous conduire au salut (cf. plus haut, Iʳᵉ Partie, à p. 6, l. 8). Par conséquent, la théologie et la foi concernent l'ordre pratique, dont nous savons qu'il n'exige pas nécessairement l'évidence de l'entendement et ne relève pas de la connaissance claire et distincte. Cette assimilation de l'ordre religieux à l'ordre pratique, que toute la doctrine de Descartes présuppose, est nettement affirmée dans les *VIIᵐᵉ Resp* : « Scrupulum etiam vult injicere de Deo, sed obiter tantum : forte ne qui norunt quam studiose omnia *quae ad pietatem, ac generaliter ad mores spectant*, ab hac abdicatione exceperim, ipsum (*scil.* Bourdin) calumniari arbitrentur. » T. VII, p. 476, l. 22-26. D'où résultent les conséquences suivantes : *a)* elles doivent donc ne contenir que les vérités nécessaires et suffisantes pour faire notre salut, à l'exclusion de toute spéculation inutile. Cf. texte cité plus haut, à p. 8, l. 9 ; la théologie scolastique a commis des excès et des imprudences en voulant savoir du surnaturel plus qu'il n'est nécessaire à notre salut. Cf. *à Morus*, août 1649, t. V, p. 402, l. 6-12 ; surtout *Entretien avec Burman*, 16 avril 1648, t. V, p. 157 ; *b)* ces vérités, ainsi justifiées par leur nécessité en vue du bonheur éternel, peuvent être vraies, bien que nous ne puissions pas les comprendre. Cf. « Il a raison aussi de dire que tout ce que nous ne concevons pas distinctement n'est pas faux pour cela, et il l'applique bien au mystère de la trinité, qui est de la Foi, et ne peut être connu par la seule raison naturelle. » *A Mersenne*, 28 octobre 1640, t. III, p. 215, l. 25-p. 216, l. 2.

2º Pour que la vérité de ces articles de foi soit possible, il faut qu'il n'y ait aucune contradiction entre eux et notre lumière naturelle. Descartes estime, en fait, qu'il n'existe aucune contradiction de ce genre : « car, croyant très fermement l'infaillibilité de l'Église, et ne doutant point aussi de mes raisons, je ne puis craindre qu'une vérité soit contraire à l'autre. » *A Mersenne*, décembre 1640, t. III, p. 259, l. 5-8. Cf. *Notae in programma*, t. VIII, p. 353, l. 26-p. 354, l. 1.

3º Pour que nous puissions accepter ces vérités comme articles de foi, il faut, en outre, que nous disposions de motifs de crédibilité, qui nous autorisent à affirmer qu'elles nous ont effectivement été révélées par Dieu (cf. *à Clerselier*, t. IX, p. 208, l. 19-22) ; mais, à partir du moment où nous pouvons affirmer leur origine divine, elles se trouvent appuyées sur un fondement « plus clair qu'aucune lumière naturelle » (*IIᵉ Réponses*, t. IX, p. 115 : « Car, encore qu'on dise que la foi a pour objet des choses obscures, néanmoins ce pourquoi nous les croyons n'est pas obscur ; mais il est plus clair qu'aucune lumière naturelle »), savoir : l'autorité de Dieu lui-même, source de la lumière naturelle.

4° Reste enfin à concevoir ce que peut bien être une raison suffisante d'affirmer les vérités de foi, alors que notre entendement, n'en comprenant pas le contenu, ne peut pas déterminer notre volonté à y adhérer : *a)* c'est que, d'abord, les motifs de crédibilité ne portent pas sur le contenu même de la révélation, mais sur les raisons que nous pouvons avoir de considérer les données de la foi comme révélées. Ils ne rendent donc pas la révélation intelligible, mais ils en attestent le fait. Or, puisque nous sommes ici dans l'ordre pratique (il y va de notre bonheur éternel), nous pouvons et devons nous décider d'après le plus vraisemblable, sans attendre une évidence que la nature même du problème posé rend inaccessible. — « M. Descartes a cru que c'était blesser la dignité de la foi si, pour confirmer ses mystères, qui ne peuvent être démontrés par des raisons naturelles, on se sert de raisons humaines et seulement probables. La raison de cela est que c'est contre le bon sens que de vouloir prouver ce qui ne peut être prouvé, et qu'il n'y a rien qui révolte tant la raison humaine que de la vouloir convaincre par de fausses raisons. M. Huet répond (*Censura philos. cartes.*, VIII, 3, 4, p. 373) que si la foi est blessée par ces arguments probables, tout ce que la raison lui pourrait fournir de secours lui sera contraire ; les similitudes, les comparaisons, les motifs de crédibilité lui nuiront ; cependant, les livres des Pères en sont tout remplis, et on ne trouve que cela dans tous les écrits des théologiens. M. Descartes réplique que les similitudes, les comparaisons, les motifs de crédibilité, etc., sont très utiles pour prouver que Dieu a révélé les mystères, mais qu'ils ne servent de rien pour expliquer les mystères que Dieu a révélés... Il y a donc une grande différence entre prouver les mystères et prouver les motifs de crédibilité. » Régis, *Réponse au livre ...*, p. 221-222.

b) Ensuite, et précisément parce que l'entendement ne peut en être la raison suffisante, l'acte de foi se trouve relever essentiellement de la volonté. Or, dans ces matières où il s'agit de nos intérêts surnaturels, Dieu vient à notre secours, en éclairant surnaturellement notre volonté par une lumière intérieure que l'on nomme la grâce, et qui remplace alors pour elle la connaissance défaillante de notre entendement : « Jam vero, etsi fides vulgo dicatur esse de obscuris, hoc tamen intelligitur tantum de re, sive de materia circa quam versatur, non autem quod ratio formalis, propter quam rebus fidei assentimur, sit obscura ; nam contra haec ratio formalis consistit in lumine quodam interno, quo a Deo supernaturaliter illustrati confidimus ea, quae credenda proponuntur, ab ipso esse revelata, et fieri plane non posse ut ille mentiatur, quod omni naturae lumine certius est, et saepe etiam, propter lumen gratiae, evidentius. » *II^{ae} Resp.*, t. VII, p. 147, l. 27-p. 148, l. 13. Cf.

Medit: V, t. VII, p. 58, l. 2-4, et *loc. cit.*, p. 148, l. 25-p. 149, l. 2. Le rôle que joue la lumière naturelle dans l'ordre naturel et philosophique est donc assumé par la grâce dans l'ordre surnaturel et religieux. Ainsi Descartes peut affirmer légitimement et de son propre point de vue, dans le *Discours*, que le doute méthodique laisse intactes les vérités de la foi, puisque ces dernières n'appartiennent pas au même ordre que les vérités de la philosophie, en ce qu'elles reçoivent de l'action surnaturelle de la grâce sur la volonté, non de l'action naturelle de l'entendement, leur ultime justification. — Consulter sur cette question : L. Laberthonnière, *La théorie de la foi chez Descartes. — La religion de Descartes*, juillet, août, septembre 1911. Annales de philosophie chrétienne, t. XII. Et l'étude très complète de M. Henri Gouhier, *La pensée religieuse de Descartes* (coll. Études de philosophie médiévale, t. VI), Paris, J. Vrin, 1924 ; spécialement IIᵉ Partie.

P. **28**, l. **17** : « ... *en ma créance* ... »

C'est-à-dire : croyance, opinion que l'on accepte pour vraie. Cf. Huguet, *Petit Glossaire* (4ᵉ édit.), p. 102.

P. **28**, l. **18** : « ... *de mes opinions* ... »

Texte latin : « quantum ad reliqua quibus olim fueram imbutus » (t. VI, p. 556).

P. **28**, l. **19** : « ... *librement entreprendre* ... »

C'est-à-dire : je pouvais me considérer comme libre de m'en défaire. Cf. le texte latin : « non dubitavi quin mihi liceret omnia ex animo meo delere » (t. VI, p. 556).

P. **28**, l. **20-21** : « ... *en conversant avec* ... »

C'est-à-dire : en fréquentant les hommes, en vivant dans leur société. Cf. plus haut, Iʳᵉ Partie, à p. 6, l. 20.

P. **28**, l. **22-23** : « ... *toutes ces pensées* ... »

C'est-à-dire que l'on peut faire remonter aux mois de janvier 1619-mars 1620 : la méthode ; une première élaboration de la Géométrie ; la morale provisoire (ce qui fait remonter aux années antérieures l'influence du stoïcisme sur la pensée de Descartes), et le projet de construire l'édifice entier des sciences en le fondant sur une métaphysique nouvelle dont il remet à plus tard l'élaboration.

P. **28**, l. **23** : « ... *bien achevé* ... »

C'est-à-dire : complètement achevé ; donc vers le mois de mars ou d'avril au plus tard.

P. 28, l. 24 : « *Et en toutes les neuf années suivantes ...* »

C'est-à-dire : pendant les années qui vont de 1619 à 1628. — Voir plus loin : « Toutefois ces neuf ans s'écoulèrent ... », p. 30, l. 10. M. G. Cohen (*op. cit.*, p. 430-431) observe que le *Journal* d'Isaac Beeckman permet d'interpréter exactement ces expressions. Cf. t. X, p. 331 : « Is dicebat mihi se in arithmeticis et geometricis nihil amplius optare : id est, se tantum in iis, *his novem annis*, profecisse, quantum humanum ingenium capere possit. » Du 10 novembre 1619, date de la grande découverte, au 8 octobre 1628, date de sa deuxième rencontre avec Beeckman, il s'est écoulé exactement neuf ans (« Is (*scil.* Cartesius), inquam, die 8º mensis octobris 1628, ad me visendum venit Dortrechtum, cum prius frustra ex Hollandia Middelburgum venisset, ut me ibi quaereret. » *Ibid.*, t. X, p. 331).

P. 28, l. 25 : « *... rouler çà et là ...* »

Nous en sommes réduits à quelques faits et à des hypothèses parfois invérifiables touchant les déplacements de Descartes pendant la période 1620-1628 :

1º Un peu après le 3 juillet 1620, date du traité d'Ulm, visite supposée de Descartes au mathématicien Faulhaber, à Ulm (d'après D. Lipstorp, *Specimina philos. cartes.*, Pars IIª, p. 78).

2º Présence supposée de Descartes à la bataille de la Montagne-Blanche, sous Prague, le 8 novembre 1620 (d'après P. Borel ; renseignement suspect ; cf. Ch. Adam, *Vie de Descartes*, p. 60-61). *t.*

3º Date mémorable du 11 novembre 1620 (*Cogit. privatae*, t. X, p. 216, l. 19-21. Cf. p. 175). Se rapporte à une invention dont nous ignorons la nature, mais dont E. Milhaud conjecture ce qui suit : « L'invention admirable dont parle la note marginale des *Olympica* ne serait autre que celle des lunettes destinées à l'observation des astres ; le 11 novembre 1620, Descartes, se trouvant à Prague et ayant eu l'occasion de parcourir les travaux de Kepler consacrés à l'Optique, y aurait vu tout à coup, avec la promptitude d'esprit que l'on note chez lui dans tant d'autres circonstances, l'indication de la voie à suivre pour édifier la théorie mathématique, fondement définitif à ses yeux de la merveilleuse découverte. » Pour la justification de cette conjecture, voir E. Milhaud, *Descartes savant*, ch. IV : *Ce que rappelait à Descartes la date du 11 novembre 1620*, p. 89-102.

4º Probablement, vers cette même date, recherches de Descartes relatives aux Rose-Croix. Cf. le texte du *Studium bonae mentis*, t. X, p. 193, et l'allusion des *Excerpta mathematica* : « ... ad imitationem Cabalae Germanorum », t. X, p. 297, l. 3-6 (cf. G. Cohen, *op. cit.*, p. 402-407).

5º Le 3 avril 1622, sa présence à Rennes est attestée de façon certaine par une obligation (*Descartes à son frère aîné*, t. I, p. 1) signée à cette date. Baillet affirme, d'autre part, que Descartes était revenu en France dès février 1622 et devait y rester jusqu'en septembre 1623 environ (Baillet, t. I, p. 116 ; Ch. Adam, *Vie de Descartes*, p. 62). En fait, il semble que Descartes se soit trouvé en Poitou le 22 mai 1622 (*Descartes à son père*, t. I, p. 2-3) et qu'il ait écrit de Paris le 21 mars 1623 (*Descartes à son frère aîné*, t. I, p. 3-4) ; d'où la conjecture qu'il aurait passé à Paris l'hiver de 1622-1623 (Ch. Adam, *Vie de Descartes*, p. 62).

6º Départ à peu près certain pour l'Italie, le 22 mars 1623 (voyage d'affaires et d'études). Cf. *Descartes à son frère aîné*, 21 mars 1623, t. I, p. 3. Sur l'itinéraire hypothétique de ce voyage et le pèlerinage à Lorette, par Venise, afin d'accomplir un vœu formé quatre ans auparavant, voir Ch. Adam, *Vie de Descartes*, p. 63-68. Son retour par le Mont-Cenis est à peu près certain (t. II, p. 636, l. 10-12. Cf. Ch. Adam, *op. cit.*, p. 68), et la date du mois de mai est également probable (t. VI, p. 316, l. 15-22 ; cf. Ch. Adam, *op. cit.*, p. 69) pour le passage des montagnes. L'absence de tout renseignement avant cette date fait conjecturer que Descartes revint en mai 1625.

7º Le 24 juin 1625, la présence de Descartes en Poitou est attestée par une lettre à son père (t. I, p. 4-5).

8º Le 16 juillet 1626 (lettre perdue, résumée par Baillet, t. I, p. 136), Descartes était à Paris (sans doute depuis le mois de juin), en relations avec Mydorge, Mersenne, de Gerzan, de Villebressieu, Jean-Baptiste Morin, et dans un logement que sa réputation grandissante avait déjà changé « en un rendez-vous de conférences » (t. I, p. 5). — L'étude de ce milieu scientifique parisien, à cette époque, serait d'un intérêt capital pour l'histoire de la formation scientifique de Descartes. Cf. les indications réunies par G. Cohen, *op. cit.*, p. 413-420.

9º Le 22 janvier 1628, Descartes est en Bretagne, parrain, à Elven, d'un fils de son frère aîné (Ch. Adam, *op. cit.*, p. 71). Il y est encore le 30 mars (t. I, p. 570, l. 21). Vers la fin de la même année nous trouvons Descartes en relations avec le P. Gibeuf et le milieu théologique de l'Oratoire (cf. sur ce point : Étienne Gilson, *La liberté chez Descartes et la théologie*, Paris, 1913, p. 156 et suiv.) où sa pensée métaphysique a subi l'influence de saint Augustin.

10º Départ en Hollande. Voir plus loin, à p. 31, l. 1.

P. **28**. l. **27** : « ... *qui s'y jouent* ... »

Le texte latin ajoute : « ... quotidie ... » (t. VI, p. 556).

P. **28**, l. **27-28** : « ... *faisant particulièrement réflexion* ... »

C'est-à-dire : m'attachant particulièrement à faire réflexion. Cf. texte latin : « cumque praecipue circa res singulas observarem », etc. (t. VI, p 556).

P. **28**, l. **28** : « *... en chaque matière ...* »
Texte latin : « circa res singulas ... » (t. VI, p. 556).

P. **28**, l. **29** : « *... rendre suspecte ...* »
Texte latin : « ... observarem ... quidnam posset in dubium revocari ... »
(t. VI, p. 551).

P. **28**, l. **30** : « *... je déracinais ...* »
Clauberg observe avec raison (*Defensio cartesiana*, c. XXI, éd. citée, p. 239)
que le passage s'explique par le développement correspondant de la Ire Partie, p. 10, l. 12-p. 11, l. 2.

P. **28**, l. **30** : « *... cependant ...* »
C'est-à-dire : pendant ce temps-là.

P. **29**, l. **2** : « *... les Sceptiques ...* »
Allusion aux philosophes de la Renaissance, qui reprenaient à leur compte
la doctrine et les arguments des sceptiques grecs (sur ce mouvement, voir
F. Strowski, *Pascal et son temps*, t. I : *De Montaigne à Pascal*, 3e édit., Paris,
1909), et aux sceptiques grecs eux-mêmes. Il est difficile de savoir à quel philosophe Descartes pense en particulier, et si même il pense effectivement à tel
ou tel d'entre eux. Le pyrrhonisme de Montaigne, grossièrement interprété,
pouvait à la rigueur passer pour le scepticisme d'un homme qui ne doute que
pour douter ; mais la formule s'appliquerait mieux au scepticisme de Sanchez († 1632), dont le *Quod nil scitur* (Lyon, 1581) était très répandu. On
notera, dans la préface de cet opuscule, un texte qui devait inviter Descartes
à marquer la différence entre son doute méthodique et le Scepticisme, à
cause du parallélisme frappant entre leurs deux expériences ainsi qu'entre les
conclusions que tous deux en avaient tirées : « Innatum homini velle scire ;
paucis concessum scire velle ; paucioribus scire. Nec mihi ab aliis diversa
fortuna successit. A prima vita, Naturae contemplationi addictus, minutim omnia inquirebam. Et quamvis initio avidus animus sciendi quocumque
oblato cibo contentus esset utcumque, post modicum tamen tempus indigestione praehensus revomere coepit omnia. Quaerebamque jam tunc quid
illi darem quod et perfecte amplecteretur, et frueretur absolute ; nec erat
qui desiderium expleret meum. Evolvebam praeteritorum dicta, tentabam
praesentium corda, idem respondebant ; quod tamen mihi satisfaceret,
omnino nihil. Umbras quasdam fateor veritatis referebant aliqui, nullum
tamen inveni, qui quid de rebus judicandum sincere absoluteque proferret.
Ad me proinde memetipsum retuli, omniaque in dubium revocans, ac si a
quopiam nil unquam dictum, res ipsas examinare coepi, qui verus est sciendi

modus. » *Op. cit.* Ad Lectorem. On voit par là : 1° pourquoi Descartes, commençant à la manière des sceptiques de son temps, devait être invité à marquer par quel trait essentiel il s'en distinguait ; 2° la généralité de l'expérience intellectuelle vécue par le jeune Descartes et de l'attente que la philosophie cartésienne allait combler.

P. **29**, l. **3** : « *... toujours irrésolus* ... »

Texte latin : « *... et praeter incertitudinem ipsam nihil quaerunt* » (t. VI, p. 556). — Allusion probable au scepticisme de Pyrrhon, tel que l'interprète et le décrit Montaigne : « De façon que la profession des pyrrhoniens est de branler, douter et enquérir, ne s'assurer de rien, de rien ne se répondre. » *Essais*, liv. II, ch. xii, *Apologie de R. Sebond*, éd. F. Strowski, t. II, p. 226, l. 14-15, « Leur effet, c'est une pure, entière et très parfaite surséance et suspension de jugement. Ils se servent de leur raison pour enquérir et pour débattre, mais non pas pour arrêter et choisir. » *Ibid.*, t. II, p. 230, l. 2-5. « Quand ils disent que le pesant va contre-bas, ils seraient bien marris qu'on les en crût, et cherchent qu'on les contredise, pour engendrer la dubitation et surséance de jugement, qui est leur fin. » *Ibid.*, t. II, p. 227, l. 7-10. — Sanchez, *Quod nil scitur*, init. Sur les intentions réelles des sceptiques, consulter V. Brochard, *Les sceptiques grecs*, 2ᵉ édit., p. 75 (Pyrrhon) ; p. 176-178 (Carnéade) ; p. 297 (Œnésidème), etc.

Cf. Fr. Bacon : « Occurret et illud, nos suspensionem quamdam judicii tueri atque ad acatalepsiam rem reducere. Nos vero non acatalepsiam, sed eucatalepsiam meditamur ... et intellectum non contemnimus, sed regimus » (*Nov. Org.*, I, 126). « Istam vero judicii suspensionem non est quod exhorreat quispiam, in doctrina, quae non simpliciter nihil sciri posse, sed nihil nisi certo ordine et certa via sciri posse asserit. » *Inst. magna*, Distributio operis, Ell. et Sp., t. I, p. 144. Textes cités par A. Lalande, *op. cit.*, p. 301-302.

P. **29**, l. **4** : « *... m'assurer* ... »

C'est-à-dire : conquérir la certitude. Texte latin : « *ut aliquid certi reperirem* » (t. VI, p. 556).

P. **29**, l. **5** : « *... la terre mouvante et le sable* ... »

Le Scepticisme est incapable de se dépasser soi-même tant qu'il considère la connaissance sensible comme le type même de la connaissance ; c'est pourquoi les philosophes de la Renaissance, qui se sont engagés dans le doute, n'ont pas été capables d'en sortir. Au contraire, lorsque le doute consiste à critiquer la connaissance sensible (*scil.* la terre et le sable) au nom d'un type supérieur de connaissance, qui est la connaissance par la pensée pure (*scil.* le roc ou l'argile), il devient un fécond instrument de progrès. — Cf. « J'avoue qu'il y aurait du danger, pour ceux qui ne connaissent pas le gué, de s'y hasarder sans conduite, et que plusieurs s'y sont perdus ; mais vous ne devez pas craindre d'y passer après moi. Car une semblable timidité a empêché la plupart des gens de lettres d'acquérir une doctrine qui fût assez solide et assurée pour mériter le nom de science, lorsque, s'étant imaginé qu'au delà des choses sensibles il n'y avait rien de plus ferme sur quoi appuyer leur créance, ils ont bâti sur ce sable, au lieu de creuser plus avant, pour trouver du roc ou de l'argile. » *Recherche de la Vérité*, t. X, p. 512, l. 21-p. 513, l. 7.

P. **29**, l. **5-6** : « ... *trouver le roc* ... »

Voir plus loin, IVe Partie, p. 31, l. 30.

P. **29**, l. **10** : « ... *clairs et assurés* ... »

Non seulement la fin du doute cartésien diffère de la fin du doute des sceptiques, mais encore sa méthode n'est pas la même que la leur. La critique des sceptiques ne tend, selon la parole de Montaigne, qu'à « vérifier l'ignorance » *(loc. cit.*, t. II, p. 229, l. 10) ; elle part donc du probable et douteux pour nous conduire à d'autres probables qui lui font équilibre. La critique cartésienne tend, au contraire, à vérifier la vérité ; elle ne part donc du douteux et probable que pour l'éliminer, et elle l'élimine en lui opposant du certain, qu'il s'agisse de la certitude de sa vérité ou de la certitude de sa fausseté, car cette dernière certitude est encore une vérité. On peut donc dire que le scepticisme pur viserait à entretenir le doute comme l'état normal de la pensée, au lieu que Descartes ne le considère que comme une maladie dont il entreprend de nous guérir (*III*ᵃᵉ *Resp.*, t. VII, p. 172, l. 8-10).

P. **29**, l. **14** : « ... *un vieux logis* ... »

Rappel de la comparaison développée dans la IIe Partie, p. 11, l. 17-21 ; p. 13, l. 16-20, et déjà reprise dans la IIIe Partie, p. 22, l. 16-20.

P. **29**, l. **18** : « ... *diverses observations* ... »

Texte latin : « *varias res observabam* ... » (t. VI, p. 556). — Par exemple : relatives aux cordes vibrantes (« Observavit Renatus Picto ... », etc., t. X, p. 52) et à l'interprétation de ces observations (« Idem (Cartésius) dicit Monachum (Mersenne) quem sibi notum Parisiis observasse ... », t. X, p. 337) ; au volume de la glace et à la forme de certaines aiguilles (*Cogit. privatae*, t. X, p. 225, l. 1-p. 226, l. 14) ; probablement aussi à la forme de l'arc-en-ciel (voir plus loin, à p. 29, l. 26).

P. **29**, l. **18-19** : « ... *plusieurs expériences* ... »

Texte latin : « ... et multa experimenta colligebam ... » (t. VI, p. 556). — Par exemple : relatives au son (« Dicit dictus Picto se expertum ... » ; t. X, p. 53. « Renatus Descartes Picto expertus est ... » ; t. X, p. 54) ; à l'optique

(*Cogit. privatae*, t. X, p. 215, l. 18-p. 216, l. 18) ; mais spécialement la vérification expérimentale de la loi des *sinus* (« ... toute l'expérience que j'aie
jamais faite en cette matière est que je fis tailler un verre, il y a environ cinq
ans ... » ; *à Golius*, 2 février 1632, t. I, p. 239). Cf. également : « Idem (Cartesius) explorat quantitatem anguli refractionis per vitreum triangulum ... »
(*Journal de Beeckman*, 1628-1629, t. X, p. 335-337. Descartes y livre à son
ami le résultat de recherches qui datent des années antérieures.)

P. 29, l. 19 : « ... *depuis* ... »

C'est-à-dire : lorsque j'ai composé le *Monde*, puis la *Dioptrique* et les
Météores.

P. 29, l. 20 : « ... *à m'exercer* ... »

Voir plus haut, à p. 22, l. 12-13.

P. 29, l. 22 : « ... *généralement* ... »

C'est-à-dire : de quelque matière qu'il s'agît.

P. 29, l. 25 : « ... *difficultés* ... »

Au sens précis de : problèmes de Mathématique. La persistance des préoccupations d'ordre mathématique pendant ces neuf années est confirmée
par le témoignage de Beeckman cité plus haut, à p. 28, l. 24.

P. 29, l. 26 : « ... *de quelques autres* ... »

C'est-à-dire : des problèmes relatifs à l'Optique et à la science des Météores.

1º Les préoccupations de Descartes relatives à l'optique remontent jusqu'aux années 1619-1621 (cf. *Cogit. privatae*, t. X, p. 215, l. 18-p. 216,
l. 18 : problèmes de perspective, illusions d'optique obtenues par l'emploi de
miroirs paraboliques), elles s'expliquent par le caractère « physico-mathé-
matique » de cette science que le jeune philosophe trouvait toute constituée.
On sait, en outre, avec une haute vraisemblance, par les fragments les plus
anciens des *Excerpta mathematica*, que Descartes s'est occupé très tôt de la
loi de réfraction pour le calcul des *sinus*, peut-être même avant l'hiver 1619-
1620 (cf. la note de P. Tannery, t. X, p. 281, et les fragments I-II, où sont
encore employés les caractères cossiques, t. X, p. 285-297. Voir ensuite l'important fragment sur les ovales : fragments X-XII, t. X, p. 310-324, dont
P. Tannery écrit : « j'estime même qu'il remonte avant 1629, et à l'époque
où Descartes, déjà en possession de la loi de la réfraction, étudiait mathématiquement la question de la forme des lunettes avant de passer à l'application » ; t. X, p. 281). — Cet examen direct des textes voit ses conclusions

confirmées par deux témoignages empruntés à la correspondance. On sait, en effet, par Descartes lui-même, qu'il fit tailler une lentille vers la fin de 1626 ou le début de 1627 pour vérifier expérimentalement sa loi des réfractions (à *Golius*, 2 février 1632, t. I, p. 239, note ; à *Huygens*, décembre 1635, t. I, p. 335, l. 29-p. 336, l. 10) ; ce qui supposait qu'il était, au moins depuis 1626, en possession de sa loi des *sinus* (cf. E. Milhaud, *Descartes savant*, ch. v : *Les travaux d'optique de 1620 à 1629*, p. 104 et 113-116, confirmé par t. X, p. 335-337 et 338) et permet d'affirmer sans erreur possible qu'il s'était occupé de problèmes relatifs à l'optique pendant les trois dernières de ces neuf années.

2o D'autre part, nous savons que l'attention de Descartes se tourna de bonne heure vers les phénomènes météorologiques. Il recueille auprès de Beeckman des observations sur le volume comparé de l'eau et de la glace et sur la forme de certaines aiguilles de glace (*Cogit. privatae*, 1619-1621, t. X, p. 225-226). En outre, la seule discussion des travaux d'optique poursuivis par Descartes de 1620 à 1629 a conduit E. Milhaud à conjecturer que « de l'étude des réfractions Descartes devait tout naturellement passer à l'explication de l'arc-en-ciel » (*op. cit.*, p. 118. Il ne peut d'ailleurs s'agir que de la forme de l'arc-en-ciel, non des couleurs : à *Mersenne*, 8 octobre 1629, t. I, p. 23, l. 8-12). E. Milhaud note avec raison que nous ne disposons d' « aucun renseignement positif » (p. 119) qui permette de trancher cette question, mais sa conjecture se trouve singulièrement renforcée lorsqu'on la rapproche de la lettre de Balzac déjà citée (voir plus haut, à p. 4, l. 14). Puisque avant 1628, date de cette lettre, Descartes avait déjà parlé de ses « aventures dans la moyenne et dans la plus haute région de l'air », c'est qu'il s'était occupé déjà des Météores, car la division de l'air en trois régions superposées était à la base de cette science (cf. « Infima (regio aeris) est ea quae nos ambit, porrigiturque ad eam partem quae jam radiorum repercussu non incalescit. Suprema dicitur quae inter cavum ignis (*scil.* la concavité de la sphère ignée) et paulo infra altissimorum montium fastigia intercepta est. Media, quae inter duas illas jacet. » Comm. Colleg. Conimbr., *Meteor.*, I, 2). La basse région de l'air étant écartée, restent les problèmes comme ceux que posent les vents, les nuages, la foudre, l'arc-en-ciel (moyenne région) ou les comètes (haute région). Nous retrouvons donc par cette voie l'arc-en-ciel, problème météorologique dont les attaches avec l'optique devaient, en effet, tenter l'esprit d'un physico-mathématicien.

3o Cette double conclusion se trouve enfin vérifiée par les lignes suivantes de Descartes (p. 29, l. 30-31) : « comme vous verrez que j'ai fait en plusieurs qui sont expliquées en ce volume ». Elles visent évidemment les deux traités qui, avec la Géométrie, constituent les « essais » de la méthode : la Dioptrique et les Météores. L'ensemble que forment ces ouvrages est donc aussi le témoin fidèle de l' « histoire de son esprit ».

P. **29**, l. **27** : « ... *quasi semblables* ... »

C'est-à-dire : aussi semblables que péuvent l'être des problèmes dont les données ne sont pas exclusivement arithmétiques et géométriques.

Les sciences telles que l'Optique, les Météores, etc., font appel à des notions qui ne se réduisent pas aux proportions numériques abstraites sur lesquelles travaille la mathématique universelle. En ce sens, la mathématisation totale de la physique est impossible, et elle l'est en quelque sorte par définition ; car, dès que les mathématiques cessent d'être pures, elles requièrent un donné auquel elles s'appliquent et qu'elles interprètent, mais qu'elles acceptent sans pouvoir elles-mêmes le justifier. Cf. le texte capital de Descartes sur ce point : « Vous demandez si je tiens que ce que j'ai écrit de la réfraction soit démonstration ; et je crois que oui, au moins autant qu'il est possible d'en donner en cette matière, sans avoir auparavant démontré les principes de la Physique par la Métaphysique (ce que j'espère faire quelque jour, mais qui ne l'a point été par ci-devant), et autant qu'aucune autre question de Mécanique, ou d'Optique, ou d'Astronomie, ou autre matière qui ne soit point purement géométrique ou arithmétique, ait jamais été démontrée. Mais d'exiger de moi des démonstrations géométriques en une matière qui dépend de la Physique, c'est vouloir que je fasse des choses impossibles. Et si on ne veut nommer démonstrations que les preuves des Géomètres, il faut donc dire qu'Archimède n'a jamais rien démontré dans les Mécaniques, ni Vitellion en l'Optique, ni Ptolémée en l'Astronomie, etc., ce qui toutefois ne se dit pas. Car on se contente, en telles matières, que les auteurs, ayant présupposé certaines choses qui ne sont point manifestement contraires à l'expérience, aient au reste parlé conséquemment et sans faire de paralogisme, encore même que leurs suppositions ne fussent pas exactement vraies. Comme je pourrais démontrer que même la définition du centre de gravité, qui a été donnée par Archimède, est fausse, et qu'il n'y a point de tel centre ; et les autres choses qu'il suppose ailleurs ne sont point non plus exactement vraies. Pour Ptolémée et Vitellion, ils ont des suppositions bien moins certaines, et toutefois on ne doit pas pour cela rejeter les démonstrations qu'ils en ont déduites » (à *Mersenne*, 27 mai 1638, t. II, p. 141, l. 22-p. 142, l. 26).

P. **29**, l. **28** : « ... *de tous les principes* ... »

C'est-à-dire : en traitant chaque problème uniquement selon les exigences de ma méthode, et abstraction faite des principes qui en commandaient la solution dans la philosophie scolastique.

Les résultats de cette critique de la scolastique, impliquée par les recherches scientifiques de Descartes de 1619 à 1628, peuvent être étudiés en détail, sous leur forme complète et systématisée, dans le *Monde*, ou *Traité de la Lumière ;* texte capital sur ce point, et dont aucun autre traité de Descartes ne nous donne l'équivalent. En voici les éléments principaux : Critique des qualités réelles, ch. ɪ ; t. XI, p. 1-6. Critique des formes substantielles, ch. ɪɪ ; t. XI, p. 7, l. 13-p. 8, l. 3. Cf. p. 9, l. 22. Critique de la notion scolastique du mouvement, p. 11, l. 16 et suiv ; p. 38, l. 22-p. 40, l. 5 ; p. 41, l. 9 et suiv. Critique de la notion scolastique de corps solide, t. XI, p. 13, l. 20-22 ; de la « crainte du vide », t. XI, p. 20, l. 10-13 ; des expériences invoquées par les scolastiques pour prouver que le monde est plein, t. XI, p. 20-21 ; de la notion scolastique des corps rares, t. XI, p. 23, l. 5. Critique de la doctrine scolastique des éléments, t. XI, p. 24, l. 3 et suiv. Critique de la notion de « forme des corps mixtes », t. XI, p. 26-30. Critique de la notion d'espaces imaginaires, t. XI, p. 31-32. Critique de la notion de matière première, t. XI, p. 33, l. 18 et suiv. ; p. 35, l. 18-p. 36, l. 14. Enfin, dans le *Traité de l'homme*, critique des notions d'âme végétative, sensitive, etc., t. XI, p. 201, l. 29-p. 202, l. 25. — Il va sans dire que l'on ne peut supposer cette critique systématique déjà élaborée en 1619-1628, puisqu'elle est liée à la constitution définitive de la physique cartésienne et postérieure à la métaphysique ; mais elle permet d'imaginer ce que furent les principes dont Descartes eut à « détacher » les problèmes qu'il abordait, même s'il n'entreprenait pas de réfuter ces principes et se contentait de les laisser de côté.

P. **29**, l. **28-29** : « ... *des autres sciences* ... »

C'est-à-dire : de la physique scolastique, de la météorologie scolastique, etc. Voir note précédente.

P. **29**, l. **31** : « ... *en ce volume* ... »

C'est-à-dire : la *Dioptrique* et les *Météores*. Voir plus haut, à p. 29, l. 26, 3º.

P. **30**, l. **2** : « ... *emploi* ... »

C'est-à-dire : aucune occupation. Cf. Huguet, *Petit Glossaire* (éd. citée), p. 137.

P. **30**, l. **2-3** : « ... *s'étudient à séparer* ... »

C'est-à-dire : prennent garde de ne pas confondre... Expliqué par : « usent de tous les divertissements qui sont honnêtes,... », l. 4-5.

P. **30**, l. **4** : « ... *sans s'ennuyer* ... »

C'est-à-dire : pour que l'absence d'occupation ne leur devienne pas à charge. — Cf. le texte latin : « ut otium sine taedio ferre possint ; ... » (t. VI, p. 557).

P. **30**, l. **5-6** : « ... *de poursuivre* ... »

C'est-à-dire : de persévérer.

18

P. 30, l. 6 : « ... *profiter en* ... »

C'est-à-dire : progresser dans. Cf. *Dictionnaire de l'Académie* (1694), t. II, p. 332.

P. 30, l. 6-7 : « ... *la connaissance de la vérité* ... »

Cette utilisation méthodique des voyages et de la vie en société, en vue d'acquérir des connaissances, a été parfois présentée comme une interprétation postérieure du philosophe, reconstruisant sa propre vie afin de lui donner une unité systématique qu'elle n'avait pas eue. Cette hypothèse est en contradiction avec un document exactement contemporain de la période même que décrit ici le *Discours*. Il s'agit d'une lettre de Descartes à son frère, du 21 mars 1623, actuellement perdue, mais dont Baillet (t. I, p. 118) nous a résumé ainsi le contenu : « et il devait partir en poste le 2e du même mois, après avoir mandé à ses parents qu'un voyage au delà des Alpes lui serait d'une grande utilité pour s'instruire des affaires, acquérir quelque expérience du monde et former des habitudes qu'il n'avait pas encore ; ajoutant que *s'il n'en revenait plus riche, au moins en reviendrait-il plus capable* » (t. I, p. 3). La dernière phrase, en italiques dans le texte, comme étant littéralement de Descartes ; l'historicité du *Discours* semble donc garantie sur ce point.

P. 30, l. 8 : « ... *fréquenter* ... »

Texte latin : « ... vel litteratorum sermonibus audiendis omne tempus consumpsissem » (t. VI, p. 557).

P. 30, l. 8 : « ... *des livres* ... »

Cf. Ire Partie, p. 11, l. 2.

P. 30, l. 11 : « ... *pris aucun parti* ... »

Texte latin : « ... determinate judicare ... » (t. VI, p. 557).

P. 30, l. 12 : « ... *entre les doctes* ... »

C'est-à-dire : je ne m'étais formé aucune opinion définitive touchant les problèmes classiques de la philosophie scolastique.

P. 30, l. 13 : « ... *commencé à chercher* ... »

Texte latin : « ... quaerere ausus fuissem » (t. VI, p. 557).

P. 30, l. 13 : « ... *les fondements* ... »

C'est-à-dire : les premiers principes. — En d'autres termes : je n'avais pas encore repris le problème par sa base, en cherchant des principes métaphysiques en accord avec les solutions de tous les problèmes physiques particuliers que je résolvais depuis plusieurs années. Cf. *Principes*, Préface, t. IX, p. 2, l. 15-18 : « pour étudier à l'acquérir (*scil.* la Sagesse), ce qui se nomme proprement philosopher, il faut commencer par la recherche de ces premières causes, c'est-à-dire des Principes ».

P. 30, l. 13-14 : « *... d'aucune Philosophie ...* »

C'est-à-dire : d'aucun système complet des connaissances humaines. Voir sens 2⁰.

Le terme *Philosophie* revêt chez Descartes les acceptions principales suivantes :

1⁰ Étude de la Sagesse, c'est-à-dire l'effort constant et méthodique d'une pensée qui travaille à l'acquérir. Cf. « ce mot Philosophie signifie l'étude de la Sagesse, ... » *Principes*, Préface, t. IX, p. 2, l. 7-8 et 15-17.

2⁰ Le système complet des principes premiers de la connaissance humaine et des vérités maîtresses qui s'en déduisent dans chaque ordre de sciences. C'est le sens du terme dans le titre même des *Principia philosophiae* (cf. t. I, p. 271, l. 28 ; t. II, p. 501, l. 18-19) ; mais il peut revêtir deux nuances particulières :

a) En ce qu'il désigne plus particulièrement l'étude ou la connaissance des principes dont le corps entier de la philosophie dépend ; c'est en ce sens que la philosophie est dite non plus le système des sciences (« Ainsi toute la Philosophie est comme un arbre, dont les racines sont la Métaphysique, le tronc est la Physique, et les branches qui sortent de ce tronc sont toutes les autres sciences, qui se réduisent à trois principales, à savoir la Médecine, la Mécanique et la Morale, ... » *Principes*, Préface, t. IX, p. 14, l. 23-28), mais la « clef des autres sciences » (t. II, p. 378, l. 6-9).

b) En ce que ce terme peut désigner plus particulièrement le caractère purement rationnel de la philosophie, l'opposant ainsi à la théologie qui se fonde sur la révélation (t. I, p. 455, l. 29-30).

3⁰ Une partie de la philosophie entendue au sens 2⁰. Il est alors généralement suivi d'un autre mot qui le détermine. Philosophie première, c'est-à-dire métaphysique : t. III, p. 235, l. 13-18 ; t. III, p. 503, l. 15. Philosophie morale et naturelle : t. I, p. 366, l. 18-19. Mécanique : t. I, p. 421, l. 11-12.

4⁰ L'ouvrage de Descartes qui contient l'exposé de sa philosophie : « ma philosophie ». Sens très fréquent ; par exemple : pour le *Monde*, t. I, p. 271, l. 11 ; pour les *Principia philosophiae*, t. III, p. 529, l. 15 ; t. III, p. 541, l. 13 ; t. III, p. 597, l. 7 ; t. III, p. 615, l. 1.

P. 30, l. 14 : « *... que la vulgaire ...* »

C'est-à-dire : que la philosophie scolastique. Cf. : « Miror ipsum non advertere illam, quae hactenus in usu fuit Mechanicam, nihil aliud esse quam verae Physicae particulam, quae cum apud vulgaris Philosophiae cultores nullum locum reperiret, apud Mathematicos se recepit. » *A Plempius*, 3 octobre 1637, t. I, p. 421, l. 7-11.

P. **30**, l. **15** : « ... *plusieurs excellents esprits ...* »

L'hostilité de Descartes contre les métaphysiciens de la Renaissance (Telesio, Cámpanella, Bruno) étant connue (t. I, p. 158, l. 20 ; t. II, p. 48, l. 7-17 ; t. II, p. 436, l. 15-18), on ne voit guère que Ramus (« ... cum enim occupet (*scil.* Roberval) cathedram Rami, tenetur ex officio ad ejusmodi quaestiones respondere, vel ista cathedra se indignum esse debet fateri. » T. V, p. 257, l. 4-8) et Francis Bacon (« A cela (*scil.* un moyen de faire des expériences utiles) je n'ai rien à dire, après ce que Verulamius en a écrit, ... » T. I, p. 195, l. 28-30), spécialement ce dernier, que Descartes ait pu considérer comme des prédécesseurs de sa tentative pour fonder la philosophie sur une nouvelle méthode. L'*Instauratio magna* de Bacon est assez connue ; pour ce qui concerne Pierre Ramus, voir G. Sortais, *La philosophie moderne depuis Bacon jusqu'à Leibniz*, Paris, 1920, t. I, p. 12-33.

P. **30**, l. **18** : « ... *en confessant ...* », et l. **25-26** : « ... *les raisons que j'avais ...* »

Un commentaire intéressant de ce passage nous est fourni par le récit de la dispute de Descartes contre le sieur de Chandoux, fait qui se place vers la fin de son séjour à Paris (sur la date, voir plus loin, à p. 31, l. 1), c'est-à-dire à l'époque visée par le passage du *Discours*. Le récit qu'en donne Baillet (liv. II, ch. xiv), après Borel (texte reproduit A. T., t. I, p. 217, note), nous montre Descartes établissant devant le nonce du Pape que la philosophie de Chandoux, quoique beaucoup plus vraisemblable que la scolastique, revenait finalement au même et ne valait pas mieux ; ensuite de quoi il aurait ajouté : « qu'il ne croyait pas qu'il fût impossible d'établir dans la Philosophie des principes plus clairs et plus certains, par lesquels il serait plus aisé de rendre raison de tous les effets de la nature » (voir le texte du récit dans Ch. Adam, *Vie de Descartes*, p. 96, note *a*). Ce récit laisse l'impression que Descartes s'était avancé publiquement plus loin que ne permettrait de le croire le texte du *Discours ;* or, il est confirmé par une lettre de Descartes lui-même *à Villebressieu*, 1631 : « Vous avez vu ces deux fruits (*scil.* faire voir si une proposition donnée était possible ou non ; résoudre infailliblement la difficulté de toute position possible) de ma belle règle ou Méthode naturelle au sujet de ce que je fus obligé de faire dans l'entretien que j'eus avec le nonce du Pape, le cardinal de Bérulle, le Père Mersenne, et toute cette grande et savante compagnie qui s'était assemblée chez le dit nonce pour entendre le discours de M. de Chandoux touchant sa nouvelle philosophie. Ce fut là que je fis confesser à toute la troupe ce que l'art de bien raisonner peut sur l'esprit de ceux qui sont médiocrement savants, et combien mes principes sont mieux établis, plus véritables et plus naturels qu'aucun des autres qui sont déjà reçus parmi les gens d'étude : vous en restâtes convaincu comme tous ceux qui prirent la peine de me conjurer de les écrire et de les enseigner au public » (t. I, p. 213, l. 1-15). — Si l'on joint à ce document la lettre de Balzac, qui rappelle à Descartes, le 30 mars 1628, sa promesse d'une *Histoire de mon esprit* et du récit qu'on attend de ses « prouesses contre les Géants de l'École ... », etc. (t. I, p. 570, l. 22-p. 571, l. 3), on excusera l'opinion de ceux qui le croyaient déjà « venu à bout » de sa Philosophie, et l'on estimera sans doute qu'il y avait réellement « contribué quelque chose par ses discours ».

P. 30, l. **19-20** : « ... *courre le bruit* ... »

Cf., exactement dans le même sens, les réflexions de la lettre *à Mersenne*, 15 avril 1630, t. I, p. 136, l. 15-18 : « ... car je vous jure que si je n'avais par ci-devant témoigné avoir ce dessein (*scil.* d'écrire), et qu'on pourrait dire que je n'en ai su venir à bout, je ne m'y résoudrais jamais. »

P. 30, l. **20** : « ... *venu à bout* ... »

Texte latin : « ... me hoc ipsum quod nondum aggressus fueram, perfecisse » (t. VI, p. 557).

P. 30, l. **24-25** : « ... *qui ont un peu étudié* ... »

Texte latin : « quam soleant alii ex iis qui docti haberi volunt ; ... » (t. VI, p. 557).

P. 30, l. **28** : « ... *d'aucune doctrine* ... »

C'est-à-dire : d'aucune science, d'aucun savoir en matière de philosophie proprement dite. Cf. « *Doctrine. Savoir, érudition... Cet homme a beaucoup de doctrine. Ce livre est plein de doctrine.* » *Dictionnaire de l'Académie* (1694), dans Huguet, *op. cit.*, p. 127. — Texte latin : « non autem quod me unquam audivissent de ullâ circa res Philosophicas scientiâ gloriantem » (t. VI, p. 557).

P. 30, l. **28** : « ... *le cœur assez bon* ... »

C'est-à-dire : assez fier. Cf. Huguet, *op. cit.*, p. 46 ; notamment :

> « Elle a le cœur trop bon pour se voir avec joie
> Le rebut du tyran dont elle fut la proie. »
>
> (Corneille, *Cinna*, II, 2.)

P. 30, l. **31** : « ... *de la réputation* ... »

Cf. le texte de Baillet (t. I, p. 136) : « Étant revenu à Paris vers le mois de juin (1626), il se logea au faubourg Saint-Germain, dans la rue du Four, aux

Trois-Chapelets. Mais il ne lui fut plus aussi facile qu'auparavant de jouir de son loisir. Ses anciens amis, et particulièrement M. Mydorge et le P. Mersenne, avaient tellement étendu sa réputation qu'il se trouva en peu de temps accablé de visites, ... », dans *Correspondance*, t. I, p. 5.

P. **31**, l. **1** : « *... justement ...* »

C'est-à-dire : exactement ; supprimé dans le texte latin.

P. **31**, l. **1** : « *... huit ans ...* »

Cf. le *Journal de Beeckman*, cité plus haut, à p. 28, l. 24. Ce texte suppose que Descartes est arrivé en Hollande un peu avant le 8 octobre 1628 ; or, le *Discours de la Méthode* a été achevé vers la fin de l'automne 1636, ce qui, en soustrayant huit ans, nous ramène bien à l'automne de 1628.

Il se peut que Descartes soit ensuite revenu en France (cf. *Beeckman à Mersenne*, août 1629 : « Is (*scil.* Descartes) nuper huc a vobis transivit, ac rursus (ut est peregrinandi cupidus) hinc a vos discessit », A. T., t. I, p. 30, note à p. 24, l. 10), ce qui rend possible sa présence chez le nonce du Pape en novembre 1628 (voir plus haut, à p. 30, l. 18), et retourné en Hollande vers février 1629 (t. X, p. 341). Cette hypothèse, soutenue par M. Ch. Adam (t. X, p. 35) et M. H. Gouhier (*op. cit.*, p. 61-62), est fort acceptable. Toutefois la valeur du renseignement que fournit la lettre de Beeckman est sujette à caution, car il semble croire en août 1629 que Descartes est déjà rentré en France, alors qu'une lettre de Descartes à Gibieuf atteste sa présence en Hollande le 13 juillet de la même année et qu'il est à Amsterdam le 8 octobre (A. T., t. I, p. 32). Si « peregrinandi cupidus » que Descartes ait été, on doit limiter le nombre de ces voyages hypothétiques. Quant à la conférence chez le nonce du Pape, si le fait est incontestable, la date fournie par Baillet est, au contraire, sujette à caution. Il la place « peu de jours après que M. Descartes fut arrivé à Paris », le 11 novembre 1628, revenant du siège de La Rochelle. Or, Baillet parle ici d'après Borel, qui envoie Descartes à La Rochelle en octobre 1628, date à laquelle nous sommes sûrs par le *Journal de Beeckman* que Descartes était en Hollande. Toute cette chronologie est donc fantaisiste et, jusqu'à ce qu'un document précis prouve le contraire, il est beaucoup plus simple d'admettre que Descartes, arrivé en Hollande à l'automne de 1628, y demeura. Cette interprétation, proposée par M. G. Cohen (*op. cit.*, p. 430-431), n'a contre elle aucun fait établi et s'accorde parfaitement, au contraire, avec la lettre même du *Discours*.

P. **31**, l. **3** : « *... avoir des connaissances ...* »

Cet amour du repos et de la liberté, qui s'exprime par l'horreur la plus vive des moindres contraintes sociales, est un des traits les plus caractéristiques de Descartes. On ne lui donne son vrai sens que si l'on se souvient du fondement de la morale cartésienne : être heureux, c'est vaquer à la recherche de la vérité et jouir de sa découverte (voir plus haut, à p. 3, l. 23). L'amour passionné de Descartes pour la vie de la pensée a comme contre-partie nécessaire la haine de tout ce qui peut la troubler ou en contrarier le cours. Il faut donc accepter sans réserve, mais entendre dans son sens le plus profond, la définition qu'il a un jour donnée de lui-même : « un homme qui aime si passionnément le repos, qu'il veut éviter même les ombres de tout ce qui pourrait le troubler » (à *Huygens*, octobre 1639, t. II, p. 586, l. 9-11). C'est là le motif le plus puissant de sa fuite hors de Paris, où il était fort connu, et de sa retraite dans un pays où il ne l'était que fort peu ; ce fut peut-être même, dans certains cas, la raison de ses changements de résidence, Descartes quittant l'endroit où il se trouvait dès que les liens de société qu'il ne pouvait manquer de lier menaçaient d'entraver sa liberté.

Sur ce vif désir d'être ignoré pour rester libre, voir, par exemple, la précaution qu'il prend, étant en Hollande, de dissimuler jusqu'à son adresse (t. I, p. 15, l. 9-10) ; de faire taire jusqu'au simple fait qu'il a écrit (*Ibid.*, l. 26-27). Cf., lorsqu'il se relâche de sa rigueur : « Je ne me soucie pas tant qu'on soupçonne où je suis, pourvu qu'on ne sache point l'endroit assurément ; et peut-être dans un mois ou deux quitterai-je tout à fait ce pays » (t. I, p. 125, l. 15-18). — « Je crains plus la réputation que je ne la désire, estimant qu'elle diminue toujours en quelque façon la liberté et le loisir de ceux qui l'acquièrent, lesquelles deux choses je possède si parfaitement, et les estime de telle sorte, qu'il n'y a point de monarque au monde qui fût assez riche pour les acheter de moi. » *A Mersenne*, 15 avril 1630, t. I, p. 136, l. 21-27. « Pour en parler entre nous, il n'y a rien qui fût plus contraire à mes desseins que l'air de Paris, à cause d'une infinité de divertissements qui y sont inévitables et, pendant qu'il me sera permis de vivre à ma mode, je demeurerai toujours à la campagne, en quelque pays où je ne puisse être importuné des visites de mes voisins, comme je fais ici maintenant en un coin de la Northollande, car c'est la seule raison qui m'a fait préférer ce pays au mien ; ... » (à *Mersenne*, 27 avril 1638, t. II, p. 151, l. 20-p. 152, l. 7. Et aussi *à Élisabeth*, 10 mai 1647, t. V, p. 15, l. 1-12). La devise choisie par Descartes : *bene vixit, bene qui latuit* (lettre *à Mersenne*, avril 1634, I, p. 285, l. 30-p. 286, l. 7), ne fait que symboliser la résolution première de « vivre en repos », à laquelle il a tout sacrifié parce que son repos était la condition nécessaire de sa pensée. — Voir sur ce point, É. Gilson, *Descartes en Hollande*, Revue de Métaphysique et de Morale, 1921, p. 548-550.

P. **31**, l. **4** : « *... en un pays ...* »

C'est-à-dire : la Hollande. — Dans le choix de son lieu de retraite, Descartes ne semble avoir hésité qu'entre l'Italie, qu'il connaissait déjà (voir plus haut, à p. 28, l. 25, 6°) pour y avoir longuement voyagé, et la Hollande.

L'Italie lui présentait l'avantage d'être un pays catholique et de lui épargner ainsi le reproche d'avoir choisi comme retraite un pays protestant ; plus
tard, lorsqu'on lui cherchera chicane sur ce point, Descartes exprimera le
regret de n'avoir pu opter pour ce pays (sur la persistance de cette préoccupation, voir A. T., t. III, p. 50, l. 17-20). Par contre, Descartes était bien loin
d'éprouver pour l'Italie et la science italienne l'admiration de son ami Mersenne (13 octobre 1642, t. III, p. 584, l. 6-10 : « Au reste, si vous m'en croyez,
vous ne désirerez point faire le voyage d'Italie ; car je ne crois pas que ce
soit un pays qui nous soit propre, et vous n'y trouverez assurément rien de
nouveau, ni qui égale l'opinion que peut-être vous en avez. » Se souvenir de
sa tiédeur à l'égard de Galilée), et il avait fort mauvaise opinion du climat
(« Votre voyage d'Italie me donne de l'inquiétude, car c'est un pays fort
malsain pour les Français ; surtout il y faut manger peu, car les viandes de là
nourrissent trop ; il est vrai que cela n'est pas tant considérable pour ceux de
votre profession. Je prie Dieu que vous en puissiez retourner heureusement.
Pour moi, sans la crainte des maladies que cause la chaleur de l'air, j'aurais
passé en Italie tout le temps que j'ai passé en ces quartiers (*scil.* la Hollande),
et ainsi je n'aurais pas été sujet à la calomnie de ceux qui disent que je vais
au Prêche ; mais je n'aurais peut-être pas vécu si sain que j'ai fait » (*à Mersenne*, 13 novembre 1639, t. II, p. 623, l. 22-p. 624, l. 2). En fait, même lorsqu'il envisagera la perspective de fuir la persécution des ministres de Hollande, jamais Descartes ne pensera à choisir l'Italie (« Je n'ai point du tout
ouï parler de ce que vous me mandez qu'on vous a écrit d'Angleterre, qu'on
était sur le point de m'y faire aller ; mais je vous dirai, entre nous, que c'est
un pays dont je préférerais la demeure à beaucoup d'autres ; et pour la Religion, on dit que le roi même est catholique de volonté : c'est pourquoi je
vous prie de ne point détourner leurs bonnes intentions. » *A Mersenne*,
1er avril 1640, t. III, p. 50, l. 13-20. Ces considérations de religion jouent en
1639-1640 un rôle qu'elles ne paraissent pas avoir joué en 1637 ; voir la raison A. T., t. II, p. 619, l. 26 et suiv.).

Quant aux raisons positives que Descartes avait de choisir la Hollande,
outre celles qu'il indique lui-même dans le *Discours* aux lignes suivantes, on
doit tenir compte du courant qui entraînait alors nombre d'étudiants et de
lettrés français vers les universités de ce pays (cf. G. Cohen, *Ecrivains français en Hollande dans la première moitié du XVIIe siècle*, spécialement
livre II : *Professeurs et étudiants français à l'Université de Leyde (1575 à
1648)*, p. 141-354). Par contre, la raison alléguée par M. Cohen (p. 427), que
la libre philosophie de Descartes ne pouvait fleurir sur le sol français, ne
semble pas confirmée, jusqu'à présent, par ce que l'on sait de la liberté philosophique en France à cette époque (cf. H. Gouhier, *op. cit.*, p. 64-65). Descartes ne paraît avoir éprouvé de craintes de ce genre que plus tard, à
l'époque des attaques du P. Bourdin (t. III, p. 229, B), et où le ministre hol-

landais Voetius ne l'inquiète pas moins que les Jésuites ; plus tard encore, Descartes en arrivera même à revendiquer la liberté de pensée comme catholique dans les Pays-Bas au nom de la liberté que le roi accorde aux protestants en France (*à Servien*, 12 mai 1647, t. V, p. 26, l. 13-18) et à se mettre sous la protection de la Sorbonne. Toutefois, on ne peut nier absolument que Descartes n'ait fui des controverses qu'il avait tout lieu de craindre et qui eussent troublé une tranquillité à laquelle il tenait plus qu'à tout au monde (voir plus loin, p. 31, l. 12-13) ; dans cette mesure restreinte, la raison en question ne saurait être contestée.

P. **31**, l. **4** : « ... *la longue durée de la guerre* ... »

Texte latin : « diuturni belli necessitas ... » (t. VI, p. 557). C'est-à-dire : la guerre de libération des Provinces-Unies contre l'Espagne qui, commencée par la révolte des Gueux en 1572, ne s'était interrompue que pendant la trêve de douze ans (1609-1621) et devait durer jusqu'au Congrès de Munster (1648).

P. **31**, l. **5** : « ... *de tels ordres* ... »

C'est-à-dire : de tels règlements, une telle discipline (*Dictionnaire de l'Académie*, 1694, t. II, p. 155). — Cf. texte latin : « ... invexit militarem disciplinam tam bonam ... » (t. VI, p. 557).

P. **31**, l. **7-8** : « ... *avec d'autant plus de sûreté* ... »

Il semble que, dans sa pensée, Descartes oppose ici la sécurité dont on jouissait en Hollande à l'insécurité dont on était menacé en Italie : « Quel autre pays où l'on puisse jouir d'une liberté si entière, où l'on puisse dormir avec moins d'inquiétude, où il y ait toujours des armées sur pied exprès pour nous garder, où les empoisonnements, les trahisons, les calomnies soient moins connus, et où il soit demeuré plus de reste de l'innocence de nos aïeuls? Je ne sais comment vous pouvez tant aimer l'air d'Italie, avec lequel on respire si souvent la peste, et où toujours la chaleur du jour est insupportable, la fraîcheur du soir malsaine, et où l'obscurité de la nuit couvre des larcins et des meurtres. » *A Balzac*, 5 mai 1631, t. I, p. 204, l. 11-22.

P. **31**, l. **8** : « ... *d'un grand peuple* ... »

C'est-à-dire : au sein d'une grande foule. Texte latin : « ... in magna negotiosorum hominum turba ... » (t. VI, p. 557). Cf. à p. 31, l. 12-13.

P. **31**, l. **10-11** : « ... *aucune des commodités* ... »

« Que s'il y a du plaisir à voir croître les fruits en nos vergers, et à y être dans l'abondance jusques aux yeux, pensez-vous qu'il n'y en ait pas autant à voir venir ici (*scil.* à Amsterdam) des vaisseaux qui nous apportent abondamment tout ce que produisent les Indes, et tout ce qu'il y a de rare en l'Europe? Quel autre lieu pourrait-on choisir au reste du monde, où toutes les commodités de la vie, et toutes les curiosités qui peuvent être souhaitées, soient si faciles à trouver qu'en celui-ci? » *A Balzac*, 5 mai 1631, t. I, p. 204, l. 2-11. Cf. : « Quelque accomplie que puisse être une maison des champs, il y manque toujours une infinité de commodités, qui ne se trouvent que dans les villes. » *Ibid.*, p. 203, l. 3-6.

P. **31**, l. **11-12** : « *... les plus fréquentées ...* »

C'est-à-dire : les plus peuplées. Texte latin : « *... in florentissimis et populosissimis urbibus ...* » (t. VI, p. 557).

P. **31**, l. **12-13** : « *... aussi solitaire et retiré ...* »

Texte latin : « *... nec interim minus solus vixi et quietus ...* » (t. VI, p. 557). — « Quelque accomplie que puisse être une maison des champs, il y manque toujours une infinité de commodités, qui ne se trouvent que dans les villes ; et la solitude même qu'on y espère ne s'y rencontre jamais toute parfaite. Je veux bien que vous y trouviez un canal, qui fasse rêver les plus grands parleurs, et une vallée si solitaire, qu'elle puisse leur inspirer du transport et de la joie ; mais malaisément se peut-il faire que vous n'ayez aussi quantité de petits voisins, qui vous vont quelquefois importuner, et de qui les visites sont encore plus incommodes que celles que vous recevez à Paris ; au lieu qu'en cette grande ville où je suis, n'y ayant aucun homme, excepté moi, qui n'exerce la marchandise, chacun y est tellement attentif à son profit, que j'y pourrais demeurer toute ma vie sans être jamais vu de personne. Je me vais promener tous les jours parmi la confusion d'un grand peuple, avec autant de liberté et de repos que vous sauriez faire dans vos allées, et je n'y considère pas autrement les hommes que j'y vois, que je ferais les arbres qui se rencontrent en vos forêts, ou les animaux qui y paissent. Le bruit même de leur tracas n'interrompt pas plus mes rêveries que ferait celui de quelque ruisseau. Que si je fais quelquefois réflexion sur leurs actions, j'en reçois le même plaisir que vous feriez de voir les paysans qui cultivent vos campagnes ; car je vois que tout leur travail sert à embellir le lieu de ma demeure et à faire que je n'y aie manque d'aucune chose. » *A Balzac*, 5 mai 1631, t. I, p. 203, l. 3-p. 204, l. 2.

QUATRIÈME PARTIE

Cum quid dicimus in alicujus rei natura, sive conceptu, contineri, idem est ac si diceremus id de eâ re verum esse, sive de ipsa posse affirmari.

(*II*ᵃᵉ *Resp.* Definit. IX.)

P. **31**, l. **14**, en marge : « *Quatrième partie.* »

Le texte latin ajoute en marge : « Rationes quibus existentia Dei et animae humanae probatur, quae sunt Metaphysicae fundamenta » (t. VI, p. 557-558). Cette addition est empruntée au résumé français, p. 1, l. 7-9.

P. **31**, l. **14** : « *Je ne sais si je dois* ... »

Texte latin : « Non libenter hîc refero primas cogitationes, quibus animum applicui postquam huc veni ; ... » (t. VI, p. 557).

P. **31**, l. **15-16** : « *... si métaphysiques* ... »

C'est-à-dire : si abstraites ; donc, si difficiles à concevoir pour ceux « qui n'élèvent jamais leur esprit au delà des choses sensibles,... » (p. 37, l. 1-9). — Cf. *Dictionnaire de l'Académie* (1694) : « Métaphysique : ... Il signifie quelquefois Abstrait. *Ce que vous nous dites là est bien métaphysique.* » T. II, p. 231.

P. **31**, l. **16** : « *... si peu communes* ... »

C'est-à-dire : si éloignées des préoccupations ordinaires. Texte latin : « ... tam Metaphysicae enim sunt et a communi usu remotae ... » (t. VI, p. 557-558). Cf. *Dictionnaire de l'Académie* (1694) : « Commun : ... Il signifie aussi Ordinaire, qui se pratique ordinairement. » T. I, p. 216.

P. **31**, l. **18** : « *... les fondements* ... »

Le texte latin ajoute : « *philosophiae meae* fundamenta ... » (t. VI, p. 558).

P. **31**, l. **19-20** : « *... contraint d'en parler* ... »

Il n'en parlera cependant pas sans avoir éliminé certains éléments dange-

reux, au risque de compromettre la solidité de ses preuves (cf. à p. 4, l. 18, et
à p. 15, l. 15), et se contentera d'en donner un résumé. D'où la nécessité de
chercher constamment dans les *Méditations* le commentaire du *Discours*.
Cf. « Ibi in *Methodo* continetur epitome harum *Meditationum*, quae per
eas exponi debet ; ... » *Entretien avec Burman*, 16 avril 1648, t. V, p. 153.
Et *Meditationes*, Praefatio ad Lectorem, t. VII, p. 7, l. 1-13.

P. **31**, l. **21** : « *... pour les mœurs* ... »

Texte latin : « ... opiniones ... quatenus ad usum vitae referuntur ... »
(t. VI, p. 558). Cf. *Principia philosophiae*, I, 3 ; t. VIII, p. 5, l. 15-21.

P. **31**, p. **23** : « *... tout de même que* ... »

Tout à fait de la même manière que...

P. **31**, l. **24** : « *... ci-dessus ;* ... »

Cf. IIIe Partie, p. 24, l. 18-p. 25, l. 19. C'est la seconde maxime de la morale provisoire.

P. **31**, l. **25** : « *... à la recherche de la vérité* ... »

En d'autres termes : nous avons de tout ce que Descartes va mettre en
doute une certitude morale suffisante pour l'usage de la vie, et même telle
qu'il serait insensé de notre part de nous comporter comme si elles étaient
pratiquement douteuses. Mais, appliquant ici la distinction introduite par la
morale provisoire, nous devons les considérer à la fois comme pratiquement
certaines et théoriquement douteuses ; et le sérieux de ce doute théorique
s'allie fort bien avec une inébranlable constance dans notre manière d'en
user : « Quod enim dixi, *omnia sensuum testimonia pro incertis, imo etiam
pro falsis, esse habenda*, omnino serium est, et ad meas Meditationes intelli-
gendas adeo necessarium, ut quisquis illud admittere non vult, aut non
potest, nihil in ipsas responsione dignum objiciendi sit capax. Sed advertenda est distinctio, variis in locis a me inculcata, inter actiones vitae et
inquisitionem veritatis ; cum enim de regenda vita quaestio est, ineptum
sane esset sensibus non credere, planeque ridendi fuerunt illi Sceptici qui
res humanas eo usque negligebant, ut, ne se in praecipitia conjicerent, ab
amicis deberent asservari ; atque idcirco alicubi admonui (*Medit.*, Synopsis,
t. VII, p. 16, l. 2-3), *neminem sanae mentis de talibus serio dubitare.* Cum
autem, quidnam certissime ab humano ingenio cognosci possit, inquiritur,
plane a ratione alienum est, eadem nolle ut dubia, imo etiam ut falsa, serio
rejicere, ad animadvertendum alia quaedam, quae sic rejici non possunt,
hoc ipso esse certiora, nobisque revera notiora. » *V*ae *Resp.*, t. VII, p. 350,
l. 16-p. 351, l. 11. Cf. *Ad Hyperaspistem*, août 1642, t. III, p. 422, l. 7-p. 423,

l. 10. — Sur la légende d'après laquelle Pyrrhon était obligé de se faire accompagner, voir V. Brochard, *Les sceptiques grecs*, 2ᵉ édit., Paris, J. Vrin, 1923, p. 65, note 1.

P. **31**, l. **27** : « ... *tout* ... »

Sur les restrictions apportées au domaine du doute, voir plus loin, à p. 31, l. 28.

P. **31**, l. **27** : « ... *comme absolument faux* ... »

La pensée de Descartes suppose ici deux moments qu'il importe de distinguer : 1º constatation du caractère douteux que présentent toutes nos connaissances, sauf une ; 2º décision de considérer comme fausses toutes les connaissances qui sont ou peuvent être rendues douteuses, cette décision ayant pour raison d'être de mettre en un meilleur jour le caractère évident du *Cogito*. — Cf. *Med. I*, t. VII, p. 18, l. 4-10 ; mais surtout *Principia philosophiae*, I, 1-2 ; t. VIII, p. 5, l. 5-14, où ce mouvement de pensée est excellemment marqué : « ... ; quibus (*scil.* praejudiciis) non aliter videmur posse liberari, quam si semel in vita de iis omnibus studeamus dubitare, in quibus vel minimam incertitudinis suspicionem reperiemus. Quin et illa etiam, de quibus tantum dubitabimus, utile erit habere pro falsis, ut tanto clarius, quidnam certissimum et cognitu facillimum sit, inveniamus. »

La légitimité de ce passage a été contestée par D. Huet, qui objecta contre Descartes qu'en réfutant comme fausses des propositions simplement douteuses il sortait du doute pur et simple, lequel se réduit à la simple suspension du jugement (Huet, *Censura philosophiae cartesianae*, Paris, Horthemels, 1689, I, 3, p. 11). A quoi Régis répondit « que la fausseté que M. Descartes attribue aux choses incertaines n'étant qu'hypothétique, elle ne peut empêcher qu'il ne doute de ces mêmes choses » (Pierre-Silvain Régis, *Réponse au livre qui a pour titre P. Danielis Huetii*, etc., Paris, Jean Cusson, 1691, p. 9). Réponse qui s'accorde avec celle que Descartes lui-même avait déjà dirigée contre Hobbes lorsque ce dernier, approuvant plus qu'il ne convenait les raisons cartésiennes de douter, les avait déclarées *vraies :* « Dubitandi rationes, quae hic a Philosopho (*scil.* Hobbes) admittuntur ut verae, non a me nisi tanquam verisimiles fuere propositae ; ... » *IIIᵃᵉ Resp.*, t. VII, p. 171, l. 18-20.

P. **31**, l. **28** : « ... *je pourrais imaginer* ... »

Expression qui marque le caractère libre et délibéré du doute cartésien. Cette interprétation se trouve confirmée par les expressions analogues dont use ensuite Descartes : « ... je voulus supposer ... » (p. 32, l. 1-2) ; « ... je me résolus de feindre ... » (p. 32, l. 12-13). C'est ce qui légitime d'avance un motif de douter tel que l'argument du « grand trompeur », dont le *Discours* ne parle pas, mais qui jouera un rôle important dans les *Méditations*. — Cf. *Obj. VII^{ae}*, t. VII, p. 468, l. 1-26.

Gassendi a contesté l'utilité d'un doute ainsi volontairement et artificiellement généralisé : *Obj. V^{ae}*, t. VII, p. 258, l. 2-19. A quoi Descartes a opposé cette réponse, qui met en évidence un aspect trop méconnu de sa pensée : « Nec magis miraretur Philosophus istius modi suppositionem, quam quod aliquando, ut baculum qui curvus est rectum reddamus, illum in contrariam partem recurvemus. Novit enim saepe falsa pro veris utiliter sic assumi ad veritatem illustrandam : ut Astronomi Aequatorem, Zodiacum, aliosque circulos in coelo imaginantur, cum Geometrae novas lineas datis figuris adjungunt, et saepe Philosophi multis in locis » (*V^{ae} Resp.*, t. VII, p. 349, l. 19-p. 350, l. 8). C'est que suivre la pensée de Descartes ne consiste pas seulement à comprendre l'ordre des idées qu'il propose, mais à faire effort sur sa propre pensée pour défaire de mauvaises habitudes de concevoir les choses qui sont invétérées en nous, et pouvoir en acquérir de nouvelles. De là cette décision de ployer notre pensée en sens contraire de sa courbure acquise, afin de la mieux redresser. Cf. IIe Partie, à p. 18, l. 20.

Ce rôle de la volonté qui confère au doute le caractère d'un libre décret a suscité deux interprétations opposées : celle de L. Liard (*Descartes*, p. 143-145), qui ne voit dans le doute qu'un parti pris de la volonté, et celle d'O. Hamelin (*Le système de Descartes*, p. 110), qui pense que Descartes « s'abandonne au doute aussi franchement qu'un sceptique », à tel point que « la réfutation du scepticisme résulte de l'épuisement même du scepticisme ». La pensée de Descartes est plus complexe que ne le pensent ses deux historiens, car elle englobe leurs deux interprétations : Descartes doute en sceptique de ce qui lui semble réellement douteux, et il étend volontairement ce scepticisme à ce dont il ne doute pas réellement, mais dont il conçoit la possibilité abstraite de douter pour les raisons qu'il imagine. C'est ce que Régis avait très fermement exprimé dans sa réponse à une objection de Huet (*Censura*, I, 1 ; p. 10) : « Il y a donc deux sortes de doutes : un doute véritable et un doute feint et de méthode. Le doute véritable procède, comme il a été dit, de la nature même des choses qui ne se découvrent pas assez à l'esprit pour paraître entièrement évidentes ; et le doute feint et de méthode procède non des choses mêmes, mais de la résolution que nous prenons de remettre à l'examen tous les jugements que nous avons faits » (Pierre-Silvain Régis, *Réponse au livre...*, p. 5. Cf. *Ibid.*, p. 3).

P. **31**, l. **28** : « ... *le moindre doute* ... »

Dans la rédaction du *Discours*, le doute paraît s'appliquer au domaine entier de la pensée ; or, il comprend en fait une importante restriction, qui allait sans doute de soi aux yeux de Descartes, puisque la *Ire Méditation* n'en parle pas davantage, mais que toute la *IIIe Méditation* suppose (surtout p. 37, l. 13-28), et qu'une *Instance* de Gassendi le conduisit à préciser : comme il ne peut y avoir d'erreur dans les idées (sinon indirectement, et en tant que matière de jugements possibles), mais seulement dans les jugements, le doute laisse intactes toutes nos idées en tant que telles : « Mais je n'ai nié que les préjugés, et non point les notions, comme celle-ci (*scil.* la notion de pensée), qui se connaissent sans aucune affirmation ni négation » (*Lettre de M. Descartes...*, t. IX, p. 206, l. 17-23). Par là, il laisse intacts les principes premiers sans lesquels le fonctionnement même de la pensée serait impossible, et qui ne sont que les notions dont nous venons de parler, mais développées sous forme de définitions ; ces définitions échappent donc au doute en raison de leur caractère abstrait, qui nous empêche aussi de les considérer comme des principes de la philosophie : « sed quia hae sunt simplicissimae notiones (*quid sit cogitatio, quid existentia, quid certitudo,* item, *quod fieri non possit, ut id quod cogitet non existat*) et quae solae nullius rei existentis notitiam praebent, idcirco non censui esse numerandas » (*Principia philosophiae*, I, 10 ; t. VIII, p. 8, l. 8-16. Cf. I, 48-49 ; t. VIII, p. 22, l. 27-p. 24, l. 6). Ainsi, selon une heureuse formule de M. L. Lévy-Bruhl (*Descartes*, Cours inédit) : « Le doute atteint toutes les propositions qui affirment quelque chose hors de notre pensée ; il ne porte donc pas sur les essences, mais seulement sur les existences » ; c'est ce que Descartes avait indiqué à Burman : « Hic praecipue de re existente agitur, an ea sit » (t. V, p. 146), et ce qu'implique sa réponse à Clerselier, citée plus loin, à p. 32, l. 22-23, 2°.

P. **31**, l. **29-30** : « *... en ma créance ...* »
Voir plus haut, à p. 13, l. 28.

P. **31**, l. **30** : « *... qui fut entièrement indubitable.* »
Parce que soustrait aux raisons de douter les plus hyperboliques ; voir plus loin, à p. 32, l. 7.

P. **32**, l **1** : « *... nos sens nous trompent quelquefois ...* »
Cf. plus loin le texte du *Discours*, p. 39, l. 23-26.
1° Descartes n'énumérera pas une à une les erreurs des sens, mais, appliquant ici la règle de l'énumération, il se contentera de miner les fondements sur lesquels toutes les erreurs reposent : « Nec ideo etiam singulae erunt percurrendae, quod operis esset infiniti ; sed quia, suffossis fundamentis, quidquid eis superaedificatum est sponte collabitur, aggrediar statim ipsa principia, quibus illud omne quod olim credidi nitebatur » (*Medit.* I, t. VII, p. 18, l. 4-14). Le premier de ces principes est la connaissance sensible, qui nous semble le type même de la vérité : « Nempe quidquid hactenus ut maxime

verum admisi, vel a sensibus, vel per sensus accepi » (*Ibid.*, p 18, l. 15-16).
Or, les sens nous trompent, comme on peut le prouver à l'occasion des sens
externes ou des sens internes. Erreurs des sens externes : prendre une tour
carrée pour une tour ronde quand on la voit de loin ; croire qu'une statue
placée au sommet d'une tour est petite parce qu'on l'aperçoit d'en bas ; voir
tous les objets jaunes parce qu'on a la jaunisse. Erreur de sens interne :
croire que l'on sent encore de la douleur dans une jambe ou dans un bras
dont on a été amputé (*VIe Medit.*, t. VII, p. 76, l. 21-p. 77, l. 7. *Dioptrique*,
discours VI, t. VI, p. 141, l. 3-p. 147, l. 12. *Traité de l'homme*, t. XI, p. 160,
l. 27-p. 163, l. 9, pour la théorie des illusions visuelles et tactiles. *Principia
philosophiae*, IV, 196 ; t. VIII, p. 320, l. 6-22, pour l'illusion des amputés). —
Cf. Malebranche, *De la recherche de la vérité*, liv. I, ch. VI-XX.

2º Ainsi que l'a montré M. Lévy-Bruhl (*Descartes*, Cours inédit), le doute
qui porte sur les connaissances sensibles remplit une fonction déterminée :
il détourne l'esprit des sens et nous libère des préjugés de notre enfance (cf.
« In prima (meditatione), causae exponuntur propter quas de rebus omnibus, praesertim materialibus, possumus dubitare ;... Etsi autem istius tantae dubitationis utilitas prima fronte non appareat, est tamen in eo maxima
quod ab omnibus praejudiciis nos liberet, viamque facillimam sternat ad
mentem a sensibus abducendam ;... » (*Medit.*, Synopsis ; t. VII, p. 12, l. 1-8).
Ce qui signifie : toute la physique mécaniste présuppose la négation des
formes substantielles ; or, l'idée de forme substantielle résulte d'une confusion invétérée de l'âme et du corps engendrée par les perceptions sensibles ;
il est donc nécessaire de jeter la suspicion sur la valeur cognitive des perceptions sensibles si l'on veut écarter cet obstacle. Cf. *III^ae Resp.*, t. VII, p. 171,
l. 21-p. 172, l. 3.

3º Enfin, Descartes lui-même nous a renseignés sur l'expérience personnelle qui lui fit comprendre la nécessité d'un tel doute. Le chemin suivi par
sa première réflexion métaphysique est celui que nous retracent les *Méditations II* à *VI*, c'est-à-dire celui qui va du *Cogito* à la distinction réelle de
l'âme et du corps, en passant par l'existence d'un Dieu véridique. Or, ayant
conclu par cette voie métaphysique la distinction réelle de l'âme et du corps,
qui devait entraîner *ipso facto* la dissolution des formes substantielles, Descartes fut surpris de constater que quelque chose en lui résistait encore à ses
propres conclusions : « cogebar quidem ad assensionem, quia nihil in ipsis
(rationibus) non cohaerens, atque ex evidentibus principiis juxta Logicae
regulas conclusum, advertebam. Sed fateor me non idcirco fuisse persua-
sum ... » (*VI^ae Resp.*, t. VII, p. 440, l. 1-6). Ce qui le retenait encore, c'étaient
ces jugements spontanés qui s'ajoutent à nos perceptions (*Ibid.*, p. 440,
l. 6-11) et s'y incorporent dès notre enfance, c'est-à dire à une époque où
notre âme, absorbée par nos besoins biologiques, juge que les choses sont
en elles-mêmes telles que nos perceptions sensibles nous les représentent. Le

mélange qui se produit alors entre nos idées, distinctes, en droit, de la pensée et de l'étendue, se traduit par les idées confuses de *formes substantielles* ou de *qualités réelles* qu'Aristote, les Scolastiques, et nous avec eux, nous représentons comme de petites âmes logées dans les corps (voir l'analyse de la pesanteur, dans *VI* *Resp.*, t. VII, p. 441, l. 23-p. 443, l. 13). Il ne suffit donc pas de démontrer abstraitement la distinction réelle de l'âme et du corps, fondement de la vraie physique, pour en persuader l'esprit ; il faut encore défaire les habitudes invétérées de penser en sens contraire qui se sont formées en nous dès l'enfance. Le remède spécifique contre cette confusion habituelle de la pensée et de l'étendue se trouve précisément dans le doute systématiquement appliqué à toutes nos connaissances sensibles, puisque ce sont elles qui sont responsables de notre erreur. Bien plus, comme une habitude invétérée ne se défait pas en un jour, il ne suffira même pas de redresser notre pensée par un effort volontaire en sens inverse, comme nous le faisons en imaginant des raisons hyperboliques de douter (« ... voluntate plane in contrarium versa ... »), il faudra encore créer en nous l'habitude de nous méfier des sens, afin d'ouvrir notre esprit aux preuves qui démontrent la distinction réelle de l'âme et du corps. D'où la nécessité de méditer longuement les raisons que nous avons de douter des sens (« sed nondum sufficit haec advertisse, curandum est ut recorder ; assidue enim recurrunt consuetae opiniones occupantque credulitatem meam... » (*I* *Medit.*, t. VII, p. 22, l. 3-5). « ... manebo obstinate in hac meditatione defixus... » (*Ibid.*, p. 23, l. 4). « ... obfirmata mente cavebo », *Ibid.*, p. 23, l. 8-9), et même la forme de *Méditations* sous laquelle Descartes a voulu présenter sa métaphysique (*II* *Resp.*, t. VII, p. 157, l. 6-26).

Inversement, comme le *Discours de la méthode* s'abstient systématiquement de préconiser un instrument aussi dangereux que le doute et de développer les raisons que nous avons de l'utiliser, cette préparation nécessaire n'y occupe pas la place à laquelle elle aurait droit (*VII* *Resp.*, t. VII, p. 247, l. 8-23) ; en conséquence, tout ce qui concerne la métaphysique s'y trouve dépourvu, non de force probante, mais de force persuasive, et réussit mal à se faire accepter. Cf. *à Mersenne*, mars 1637 : « Pour votre seconde objection, à savoir que je n'ai pas expliqué assez au long, d'où je connais que l'âme est une substance distincte du corps, et dont la nature n'est que de penser, qui est la seule chose qui rend obscure la démonstration touchant l'existence de Dieu, j'avoue que ce que vous en écrivez est très vrai, et aussi que cela rend ma démonstration de l'existence de Dieu malaisée à entendre. Mais je ne pouvais mieux traiter cette matière qu'en expliquant amplement la fausseté ou l'incertitude qui se trouve en tous les jugements qui dépendent du sens ou de l'imagination, afin de montrer ensuite quels sont ceux qui ne dépendent que de l'entendement pur, et combien ils

sont évidents et certains. Ce que j'ai omis tout à dessein, et par considération, et principalement à cause que j'ai écrit en langue vulgaire, de peur que
les esprits faibles, venant à embrasser d'abord avidement les doutes et scrupules qu'il m'eût fallu proposer, ne pussent après comprendre en même
façon les raisons par lesquelles j'eusse tâché de les ôter, et ainsi que je les
eusse engagés dans un mauvais pas, sans peut-être les en tirer ». T. I, p. 349,
l. 29-p. 351, l. 2 (cf. exactement dans le même sens : *au P. Vatier*, 22 février
1638, t. I, p. 560, l. 7-p. 561, l. 6 ; et le texte des *II*ᵃᵉ *Resp.*, t. VII, p. 130,
l. 23-29, où il demande que l'on consacre plusieurs mois, ou au moins plusieurs semaines, à l'étude de la *Première Méditation*).

P. **32**, l. **6** : « ... *des Paralogismes* ... »

On appelle *paralogisme*, dans la logique de l'École, tout raisonnement
erroné, soit dans sa matière, soit dans sa forme. Cf. Scipion du Pleix, *Corps
de Philosophie*, Genève, 1637, t. I, p. 227.

P. **32**, l. **7** : « ... *je rejetai comme fausses* ... »

En étendant ainsi le doute jusqu'aux raisons invoquées en faveur des
démonstrations géométriques, Descartes généralise de manière remarquable
les principes de critique utilisés dans les *Regulae ad directionem ingenii*. Du
point de vue qu'il avait adopté dans ce dernier ouvrage, la certitude des
mathématiques apparaissait comme à l'abri de toute suspicion ; désormais,
au contraire, ainsi que l'a fait remarquer M. Lévy-Bruhl (*Descartes*, Cours
inédit), il cherche le fondement de la certitude des mathématiques elles-
mêmes. Par là, Descartes passe du plan scientifique au plan proprement philosophique et substitue à une simple critique de nos connaissances une critique de nos moyens de connaître. Le fondement métaphysique ultime sur
lequel cette critique reposera dans les *Meditationes* (*Medit. I*, t. VII, p. 21,
l. 1-16) et dans les *Principia philosophiae* (I, 5, t. VIII, p. 6, l. 8-24) sera l'argument du malin génie ; Descartes ne l'a pas utilisé dans le *Discours*, soit
qu'il n'y eût pas encore songé, soit que le caractère excessif d'une telle hypothèse lui parut en rendre l'usage dangereux dans un écrit en langue vulgaire.
De toute façon, le doute ne porte pas ici sur l'intuition actuelle des démonstrations mathématiques, mais sur le souvenir des raisons qui nous ont autrefois semblé démonstratives ; c'est en effet la mémoire, et non l'intuition, que
Descartes jugera nécessaire de garantir.

Il semble que la raison qui conduisit Descartes à cette généralisation du
doute ait été le désir de mettre en évidence le caractère unique et privilégié
de la connaissance que le *Cogito* nous confère. Chaque fois, en effet, que Descartes décrit les fonctions du doute, il insiste principalement sur les deux
suivantes : 1º habituer la pensée à se détourner du corps, ce qui, nous l'avons
vu, constitue la raison d'être de la critique cartésienne des perceptions sen-

sibles ; 2º mettre en relief la certitude absolue des vérités qui suivent, et que le doute le plus hyperbolique n'atteint pas (« ... ; ac denique efficiat (*scil.* illa tanta dubitatio), ut de iis, quae postea vera esse comperiemus, non amplius dubitare possimus. » *Meditationes*, Synopsis, t. VII, p. 12, l. 8-9. Cf. *III*^ae *Resp.*, « ... iisque (rationibus dubitandi) usus sum ... partim ut ad ipsas in sequentibus Meditationibus responderem ; et partim etiam ut ostenderem quam firmae sint veritates quas postea propono, quandoquidem, ab istis Metaphysicis dubitationibus labefactari non possunt. » T. VII, p. 171, l. 20-p. 172, l. 7. Et aussi *V*^ae *Resp.*, t. VII, p. 351, l. 6-11) ; cette deuxième fonction incombe donc plus spécialement à la critique des mathématiques proposée ici par le *Discours* et que les *Meditationes* compléteront par l'hypothèse du malin génie.

P. **32**, l. **11-12** : « ... *sans qu'il y en ait aucune* ... »

Le texte latin ajoute : « cum tamen tunc semper *aut fere semper* sit falsa ; ... » (t. VI, p. 558).

P. **32**, l. **14-15** : « ... *que les illusions de mes songes* ... »

Dans la rédaction des *Meditationes*, Descartes confirme l'argument qui se fonde sur les erreurs des sens (voir plus haut, à p. 32, l. 1) par celui que les sceptiques tiraient des illusions des aliénés. Ce nouvel argument est, en effet, plus fort que le premier en ce qu'il met en doute non plus seulement nos perceptions des objets extérieurs, mais celles même de notre propre corps (« Manus vero has ipsas, totumque hoc corpus meum esse, qua ratione posset negari? nisi me forte comparem nescio quibus insanis,... », etc. *Medit. I*, t. VII, p. 18, l. 19-p. 19, l. 7). Et il introduit à son tour l'argument tiré de l'impossibilité où nous sommes de distinguer la veille du sommeil, puisque, dans les rêves, nos illusions ne sont pas moins complètes que ne le sont celles des aliénés (*Medit. I*, t. VII, p. 19, l. 8-22. Cf. *Recherche de la Vérité*, t. X, p. 511, l. 1-p. 512, l. 5, où les deux arguments se retrouvent dans le même rapport).

Descartes ne prétendait apporter rien de nouveau en alléguant les raisons de douter que nous propose le *Discours* ; il se réfère simplement à la tradition sceptique dont tant d'auteurs s'étaient inspirés au XVIe siècle (Montaigne, Charron, Sanchez, La Mothe le Vayer, etc.) et s'excuse même de s'être cru tenu de rappeler des choses si connues : elles jouent dans sa doctrine le rôle que joue, dans un traité de thérapeutique, la description de la maladie dont il s'agit d'enseigner la cure. Cf. *III*^ae *Resp.* : « iisque (rationibus dubitandi) usus sum, non ut pro novis venditarem,... sed non puto me magis ipsas omittere potuisse, quam medicinae scriptor morbi descriptionem, cujus curandi methodum vult docere » (t. VII, p. 171, l. 20-21, et p. 172, l. 8-10). Il dira même, plus énergiquement et plus nettement : « ..., encore que j'eusse vu il y

a longtemps plusieurs livres écrits par les Sceptiques et Académiciens touchant cette matière, et que ce ne fût pas sans quelque dégoût que je remâ-
chais une viande si commune, je n'ai pu toutefois me dispenser de lui donner
une Méditation tout entière ;... » (*II*es *Réponses*, t. IX, p. 103, ou t. VII,
p. 130, l. 17-29). Il semble donc que Descartes se soit inspiré des *Premiers
Académiques* de Cicéron (Erreurs des sens, II, 25, 79 ; d'où impossibilité de
discerner les représentations vraies des fausses, II, 26, 83. Illusions dont
nous sommes victimes pendant les rêves et dans la folie, II, 27, 88) dont les
arguments sont d'ailleurs discutés par saint Augustin (*Contra Academicos*,
III, cap. 10-12) qui, comme Descartes, s'en libérera par le *Cogito* (*De civit.
Dei*, XI, 26).

P. **32**, l. **16** : « ... *pendant que je voulais* ... »

C'est-à-dire : le doute impliquant d'abord le fait même de la pensée, il
implique par conséquent aussi le fait de mon existence, comme substance
pensante, aussi longtemps que je doute. — Cf. texte latin : « ... animadverti,
me, quia caetera omnia ut falsa sic rejiciebam, dubitare non posse quin ego
ipse interim essem ;... » (t. VI, p. 558). Et aussi *Princ. phil.*, I, 7 ; t. VIII, p. 7,
l. 5-7 : « repugnat enim, ut putemus id quod cogitat, eo ipso tempore quo
cogitat, non existere. » Pour le fondement métaphysique de cette assertion,
voir la lettre *à Mersenne*, juillet 1641, t. III, p. 394, l. 14-31.

P. **32**, l. **18-19** : « ... *cette vérité* ... »

Texte latin : « ... veritatem istius pronuntiati ... » (t. VI, p. 558).

P. **32**, l. **19** : « ... *je pense, donc je suis* ... »

1º Le texte latin précise : « *Ego* cogito, ergo sum, *sive existo* ... » L'addition, *existo*, s'explique par la difficulté d'employer le verbe latin *sum* au sens
absolu d'*exister* qu'il reçoit ici. Quant au pronom personnel *ego*, il convien-
drait peut-être mieux de le considérer comme une suppression de la rédaction française que comme une addition de la rédaction latine. On ne pouvait,
en effet, le transposer en français sans user d'une formule assez lourde, telle
que : *Moi qui pense, je suis*. C'est cependant le sens exact et complet que Descartes veut exprimer, comme on peut s'en assurer en rapprochant le *je pense*
de la phrase qui précède : je voulais penser que tout était faux, et il se pouvait bien en effet que tout fût faux (*scil.* le monde, Dieu, mon propre corps),
mais il ne se pouvait pas que moi, du moins, qui pensais cela, je ne fusse pas
quelque chose ; donc moi, qui pense, j'existe. Ce que le latin : « *ego* cogito »
traduit plus fermement que le *je pense*. — Cf. *Medit. I* : « Imo certe ego
eram, si quid mihi persuasi », t. VII, p. 25, l. 5. Et aussi : « Haud dubie igitur
ego etiam sum, si me fallit... Adeo ut,... denique statuendum sit hoc pro-

nuntiatum, *Ego sum, ego existo...* », etc. T. VII, p. 25, l. 7-13. Et surtout la rédaction des *Principes*. « ..., facile quidem supponimus nullum esse Deum nullum caelum, nulla corpora ; nosque etiam ipsos non habere... ullum corpus ; non autem ideo nos, qui talia cogitamus, nihil esse : ... Ac proinde haec cognitio, *ego cogito, ergo sum*, est omnium prima et certissima,... » Cf. *Princ. phil.*, I, 7 ; t. VIII, p. 6, l. 31-p. 7, l. 9.

2⁰ Pour le sens de *penser :* « *Cogitationis* nomine complector illud omne quod sic in nobis est, ut ejus immediate conscii simus. Ita omnes voluntatis, intellectus, imaginationis et sensuum operationes sunt cogitationes. Sed addidi *immediate*, ad excludenda ea quae ex iis consequuntur, ut motus voluntarius cogitationem quidem pro principio habet, sed ipse tamen non est cogitatio. » *IIᵃᵉ Resp.*, Définit. 1 ; t. VII, p. 160, l. 7-13. Synonymes : « perceptio, conscientia » ; cf. *IIIᵃᵉ Resp.*, t. VII, p. 176, l. 18-19. *Ad Hyperaspistem*, août 1641, t. III, p. 426, l. 23. — Pour l'introduction dans la langue philosophique française du terme technique *conscience*, comme synonyme de *pensée*, voir Pierre-Silvain Régis, *Cours entier de philosophie... selon les principes de M. Descartes*. La Métaphysique, liv. I, partie I, ch. ı, p. 2 (Amsterdam, 1691, t. I, p. 68). Il se justifie par la définition de la pensée que donnent les *Principes* : « Cogitationis nomine, intelligo illa omnia, quae nobis consciis in nobis fiunt, quatenus eorum in nobis conscientia est. » *Princ. phil.*, I, 9 ; t. VIII, p. 7, l. 20-22 ; bien que le terme *conscience* ait été évité dans la traduction (IX, 2, p. 28). — Cf. t. III,. p. 273, l. 11-15 ; t. III, p. 295, l. 22-27 ; t. III, p. 361, l. 9-15 ; t. III, p. 392, l. 24-p. 393, l. 2.

3⁰ Si, de la lettre du *Cogito*, nous passons au sens qu'il recèle, le problème capital est de savoir s'il convient de le considérer comme un raisonnement. Dans l'affirmative, le premier principe de la philosophie cartésienne deviendrait une partie de ce syllogisme : tout ce qui pense existe ; or je pense, donc je suis. Par le fait même, il dépendrait de la vérité de la majeure et cesserait d'être un principe véritablement premier (objection soulevée par Gassendi, dans ses *Instances*). A quoi Descartes oppose l'importante réponse suivante : « Contre la seconde Méditation vos amis remarquent six choses. La première est qu'en disant : je pense, donc je suis, l'Auteur des Instances veut que je suppose cette majeure : *celui qui pense est;* et ainsi que j'aie déjà épousé un préjugé. En quoi il abuse derechef du mot de *préjugé :* car, bien qu'on en puisse donner le nom à cette proposition, lorsqu'on la profère sans attention et qu'on croit seulement qu'elle est vraie à cause qu'on se souvient de l'avoir jugé auparavant, on ne peut pas dire toutefois qu'elle soit un préjugé lorsqu'on l'examine, à cause qu'elle paraît si évidente à l'entendement, qu'il ne se saurait empêcher de la croire, encore que ce soit peut-être la première fois de sa vie qu'il y pense, et que, par conséquent, il n'en ait aucun préjugé. Mais l'erreur qui est ici la plus considérable est que cet Auteur suppose que la connaissance des propositions particulières doit toujours être déduite des

universelles, suivant l'ordre des syllogismes de la dialectique : en quoi il
montre savoir bien peu de quelle façon la vérité se doit chercher ; car il est
certain que, pour la trouver, on doit toujours commencer par les notions particulières, pour venir après aux générales, bien qu'on puisse réciproquement,
ayant trouvé les générales, en déduire d'autres particulières. Ainsi quand on
enseigne à un enfant les éléments de la Géométrie, on ne lui fera point entendre en général que, *lorsque de deux quantités égales on ôte des parties égales,*
les restes demeurent égaux, ou que *le tout est plus grand que ses parties*, si on
ne lui en montre des exemples en des cas particuliers. » *Sur les Cinquièmes*
objections, t. IX, p. 205, l. 11-p. 206, l. 16. — Cf., dans le même sens,
II^ac Resp., t. VII, p. 140, l. 18-p. 141, l. 2 ; et, pour ce caractère intuitif du
Cogito, la lettre *au marquis de Newcastle*, mars ou avril 1648, t. V, p. 137,
l. 30-p. 138, l. 11 : « ... vous êtes moins assuré de la présence des objets que
vous voyez que de la vérité de cette proposition..., elle vous est pourtant une
preuve de la capacité de nos âmes à recevoir de Dieu une connaissance
intuitive. » Voir aussi l'interprétation très fidèle que donne Spinoza du
Cogito, dans les *Principia philosophiae cartesianae*, Pars I, Prolegomenon :
« Nullum vero aliud, quam hoc, scientiarum fundamentum esse posse,... » etc.

4º L'intention de Descartes n'est donc pas douteuse ; elle n'est généralement pas discutée. Mais ses critiques ou historiens ont souvent soutenu que,
quelle que fût l'intention de Descartes lui-même, le *Cogito* n'en était pas
moins, et ne pouvait pas ne pas être un raisonnement. Cf. Huet, *Censura*
philos. cartes., ch. ı, p. 11 : « Falsum est istud : ego cogito, ergo sum, nobis
cognitum esse per simplicem visionem, non per ratiocinationem ; » et la
réponse de Pierre-Silvain Regis, *Réponse au livre...*, p. 48-53 (Régis répond
que le *Cogito* est un *axiome*). Cf., du même, *Cours entier de philosophie...*
selon les principes de M. Descartes. La Métaphysique, liv. I, partie II, ch. xıı,
p. 2 (Amsterdam, 1691, t. I, p. 145). — Voir également les observations
d'O. Hamelin, *Le système de Descartes*, 2e édit., p. 131-135. (Elles s'expliquent
par les préoccupations idéalistes de l'auteur et comportent d'ailleurs de
telles atténuations qu'elle ne s'éloignent guère de la pensée de Descartes ;
les textes cités p. 131, note 1, ne justifient aucunement l'interprétation du
Cogito comme un raisonnement, car, là encore, le *Cogito* est antérieur au raisonnement qu'on en peut tirer.)

P. **32**, l. **19** : « ... *si ferme et si assurée*, ... »

Texte latin : « ... adeo certam esse atque evidentem,... » (t. VI, p. 558).

P. **32**, l. **20** : « ... *les plus extravagantes* ... »

Les plus éloignées de la manière normale de penser. Texte latin : « ... tam
enormis ... » (t. VI, p. 558).

P. **32**, l. **21** : « ... *des Sceptiques* ... »

1º On a songé de bonne heure à invoquer le témoignage de la pensée constatant sa propre existence contre les arguments des sceptiques. Certains
sceptiques reconnaissaient eux-mêmes que le doute échoue devant le fait de
la pensée (cf. Brochard, *Les sceptiques grecs*, 2ᵉ édit., p. 56). Saint Augustin en a déduit contre eux l'existence du sujet pensant : *De libero arbitrio*,
l. II, c. 3, n. 7 · « Quare prius abs te quaero, ut de manifestissimis capia-
mus exordium (*scil.* pour arriver à prouver l'existence de Dieu), utrum tu
ipse sis. An tu fortasse metuis, ne in hac interrogatione fallaris, cum utique
si non esses, falli omnino non posses? »; texte rapproché par Arnauld
(*IVᵃᵉ Obj.*, t. VII, p. 197, l. 24-p. 198, l. 11) du passage de la *Medit. IIᵃ*
(t. VII, p. 25, l. 5-10). : « Haud dubie igitur ego etiam sum, si me fallit ; et fal-
lat quantum potest... », etc. — *De civitate Dei*, l. XI, ch. 26 : « Nam et sumus
et nos esse novimus, et id esse ac nosse diligimus... Nulla in his veris Acade-
micorum argumenta formido, dicentium : Quid, si falleris? Si enim fallor,
sum. Nam qui non est, utique nec falli potest : ac per hoc sum si fallor. Quia
ergo sum si fallor, quomodo esse me fallor, quando certum est me esse, si fallor? Quia igitur essem qui fallerer, etiamsi fallerer ; procul dubio in eo quod
me novi esse, non fallor. »; texte signalé à Descartes par Mersenne dès la lecture du *Discours* (25 mai 1637, t. I, p. 376, l. 20) et dont Descartes renverra
plus tard la référence à Mersenne lui-même, qui l'avait entre temps oubliée
(*à Mersenne*, décembre 1640, t. III, p. 261, l. 9-13) ; également signalé à Descartes par un correspondant inconnu, t. III, p. 247, l. 1-p. 248, l. 16. — *De
Trinitate*, l. X, ch. 10, n. 14 : « Sed quoniam de natura mentis agitur, remo-
vamus a consideratione nostra omnes notitias quae capiuntur extrinsecus
per sensus corporis ; et ea quae posuimus, omnes mentes de seipsis nosse cer-
tasque esse, diligentius attendamus. Utrum enim aeris sit vis vivendi, remi-
niscendi, intelligendi, volendi, cogitandi, sciendi, judicandi ; an ignis, an
cerebri, an sanguinis, an atomorum, an praeter usitata quatuor elementa
quinti nescio cujus corporis, an ipsius carnis nostrae compago vel tempe-
ramentum haec efficere valeat, dubitaverunt homines : et alius hoc, alius
aliud affirmare conatus est. Vivere se tamen et meminisse, et intelligere, et
velle, et cogitare, et scire, et judicare quis dubitet? Quandoquidem etiam si
dubitat, vivit ; si dubitat unde dubitet, meminit ; si dubitat, dubitare se
intelligit ; si dubitat certus esse vult ; si dubitat, cogitat ; si dubitat, scit se
nescire ; si dubitat, judicat non se temere consentire opportere. Quisquis
igitur aliunde dubitat, de his omnibus dubitare non debet : quae si non
essent, de ulla re dubitare non posset. » Et plus loin : « Nullo modo autem
recte dicitur sciri aliqua res, dum ejus ignoratur substantia. Quapropter,
cum se mens novit, substantiam suam novit ; et cum de se certa est, de substantia sua certa est. Certa est autem de se ... nec omnino certa est, utrum
aer, an ignis sit, an aliquod corpus, vel aliquod corporis. Non est igitur ali-

quid eorum : ... » (*Ibid.*, n. 16). Indiqué à Descartes par Arnauld, qui lui fait observer que toute sa distinction de l'âme et du corps s'y retrouve à peu près littéralement (*à Descartes*, 3 juin 1648, t. V, p. 186, l. 9-13. Cf., en effet, *Medit. II*[a] : « non sum compages illa membrorum, quae corpus humanum appellatur ; non sum etiam tenuis aliquis aer istis membris infusus, non ventus, non ignis, non vapor, non halitus... », etc. T. VII, p. 27, l. 18 et suiv.).

2° Ajoutons que cette doctrine augustinienne n'avait jamais été oubliée au moyen âge et qu'une tradition continue la relie au xviie siècle, notamment : Scot Erigène, dans le *De divisione naturae* (ixe siècle), suivi par Heiric d'Auxerre (ixe siècle) ; textes dans B. Hauréau, *De la philosophie scolastique*, Paris, Pagnerre, t. I, ch. vi, p. 132 et suiv., et dans L. Blanchet, *ouvr. cité* plus loin, p. 121. — Hugues de Saint-Victor (xiie siècle) : « Non enim, ut id loquamur quod primum occurrit, ... seipsam esse aliquid ignorare potest (*scil.* anima), cum ex his omnibus quae in se, hoc est in corpore suo, visibilia videt nihil se esse vel esse posse videt. Secernit ergo et dividit se per se ab eo toto quod visibile videt in se ;... Cum ergo de se dubitare non possit quoniam est, quia se ignorare non potest, cogitur ex se et hoc credere quod aliquando se coepisse meminit... Ut ergo inciperet quod non erat, ab alio factum est, qui erat... », etc. *De Sacramentis*, l. I, pars 3, c. 6-9, dans Migne, *Pat. lat.*, t. CLXXVI, col. 219. Par là, dit-il ailleurs : « janua contemplationis homini aperitur ». *Didascal.*, l. VII, c. 17 ; Ibid., col. 825. — Duns Scot (?), *Qu. disput de rerum principio*, qu. 15, edit. Quaracchi, 1910, p. 395 et suiv. : « Ideo conjectura de aliis per actus certitudo haec non habetur ; de me autem experimento intrinseco et infallibili sensu interiori, hoc est, in intellectu experior actus tales meos esse, utpote me velle, deliberare, et similia. Et ideo talis cognitio arguitiva de anima mea est certissima, sicut dicit Augustinus in auctoritate supra citata ; imo est principium certitudinis quam de omni alio habeo, et centrum immobile veritatis, circa quod volvitur et cui innititur mobilitas et fluxus omnium aliorum quae aestimantur vel opinantur, et etiam eorum quae creduntur, quantum est ex parte nostra ; non enim aliunde scio me credere, nec certus sum me velle credere, et velle articulis assentire » ; *op. cit.*, p. 397. (Le texte allégué dans ce passage est le pseudo-Augustin (xiie siècle). *De spiritu et anima*, cap. 32 : « nihil tam novit mens quam id quod sibi praesto est, nec magis menti quidquam praesto est, quam ipsa sibi »). Cf. « In notitia quam acquirit de se anima et de suis habitibus, oportet quod incipiat a priori, evidentiori et notiori. Actus autem nostri interiores sunt hujusmodi respectu animae et habitus, quia certius intueor me velle et intelligere, quam cognoscam voluntatem meam et intellectum, et ideo cognitio ipsorum praecedit omnem cognitionem », *Ibid.*, p. 411. C'est une connaissance immédiate qui s'obtient *sola mentis experimentatione*, p. 414. — Dans la même tradition, Occam (xive siècle), *In IV lib. Sent.*, I, Prolog., qu. 1, se réfère à saint Augustin. — Pierre d'Ailly (xive siècle), *In IV Sent.*,

I, qu. 1, a. 1 ; référence donnée par M. Baumgartner, *Ueberwegs Grundriss...*, 10e édit., t. III, p. 628. — Pic de la Mirandole, dans Blanchet, *ouvr. cité* plus loin, p. 122. — Gomez Pereira, *Antoniana Margarita :* « Nosco me aliquid noscere, et quidquid noscit est ; ergo ego sum », cité par Blanco Soto, dans Festgabe Cl. Baeumker, Münster, 1913, p. 371. — Silhon (xviie siècle), dans Espinas, *Pour l'histoire du cartésianisme*, Rev. de Métaph. et de Morale, mai 1906, p. 284-293.

Sur l'ensemble de la question, voir L. Blanchet, *Les antécédents historiques du « Je pense, donc je suis »*, Paris, 1920, Ire Partie.

3o Il est difficile de savoir dans quelle mesure Descartes a été touché par cette tradition. Deux curieux textes des *Regulae*, qui nous montrent le *Cogito* pour ainsi dire en voie de formation, semblent faire remonter jusqu'à Socrate (*scil.* Je sais une chose, c'est que je ne sais rien) l'appel à la conscience pour se libérer du doute : « Neque tantum in sensibilibus haec necessitas reperitur, sed etiam, ex. gr., si Socrates dicit se dubitare de omnibus, hinc necessario sequitur : ergo hoc saltem intelligit, quod dubitat ; item, ergo cognoscit aliquid posse esse verum vel falsum, etc., ista enim naturae dubitationis necessario annexa sunt. » *Reg.*, XII ; t. X, p. 421, l. 17-23. Et aussi : « ... de ipsa ignorantia, sive potius dubitatione Socratis quaestio fuit, cum primum ad illam conversus Socrates coepit inquirere, an verum esset se de omnibus dubitare, atque hoc ipsum asseruit. » *Reg.*, XIV ; t. X, p. 432, l. 22-27. Ces textes se rapprochent sensiblement des preuves de saint Augustin en faveur de l'existence de la vérité et, chez les deux philosophes, elles sont apparentées au *Cogito*. — Quant à prouver que Descartes a connu les textes de saint Augustin lui-même, c'est ce qui demeure impossible ; car l'analogie des textes n'est pas une preuve, et Descartes n'a jamais affirmé ni nié qu'il eût connu les passages de saint Augustin que l'on a rapprochés des siens. A propos du texte du *De libero arbitrio*, signalé par Arnauld, Descartes remercie en passant son contradicteur de l'appui qu'il lui apporte (*IVᵃᵉ Resp.*, t. VII, p. 219, l. 6-9). A propos du texte du *De civitate Dei*, Descartes se déclare bien aise d'être désormais garanti par une telle autorité, mais note que saint Augustin use du *Cogito* pour des fins très différentes des siennes (*loc. cit.*, t. I, p. 376, l. 20 ; t. III, p. 247, l. 1-p. 248, l. 7). A propos du texte du *De Trinitate*, nous n'avons aucune réponse de Descartes.

On ne peut donc répondre à la question que par des probabilités, et en tenant compte d'une infinité de nuances :

A. *Différences.* — La formule même : *Cogito, ergo sum*, ne se rencontre littéralement que chez Descartes. Quant à son usage, elle a perdu la signification théologique sur laquelle insistait Augustin (preuve de la Trinité), et elle en reçoit une nouvelle, puisqu'elle devient l'unique principe de toute la philosophie, y compris la physique (voir le texte de Pascal cité plus loin, à p. 32 l. 22-23, 1o).

B. *Ressemblances*. — Il existe, depuis saint Augustin, une tradition ininterrompue, qui fait de la connaissance immédiate de l'âme par elle-même la première et la plus évidente de nos connaissances ; et qui use de cette certitude : 1º pour réfuter le scepticisme ; 2º pour prouver l'immatérialité de l'âme ; 3º pour prouver l'existence de Dieu. Or, c'est là, de l'aveu commun d'Augustin et de Descartes, l'essentiel de la métaphysique (cf. Augustin, « *Ratio*. Quid ergo scire vis? — *Anima*. Deum et animam scire cupio. *Ratio*. — Nihilne plus? — *Anima*. Nihil omnino. » *Soliloq.*, l. I, ch. 2, n. 7. Migne, *Pat. lat.*, t. XXXII, col. 872. C'est d'ailleurs le célèbre *Noverim te, noverim me*! Et Descartes : « Semper existimavi duas quaestiones, de Deo et anima, praecipuas esse ex iis quae Philosophiae potius quam Theologiae ope sunt demonstrandae : ... » *Medit.*, Épître dédicatoire à la Sorbonne, t. VII, p. 1, l. 7-9). Il semble donc d'abord difficile de nier que Descartes ait été touché par cette tradition. Il est, en outre, probable qu'il le fut par l'intermédiaire de l'Oratoire, et notamment de l'augustinien Gibieuf (cf. Ét. Gilson, *La liberté chez Descartes et la théologie*, p. 203, et surtout à *Gibieuf*, 18 juillet 1629, t. I, p. 17, l. 10-11), avec qui il s'entretint de sa métaphysique avant de la rédiger. Il est enfin possible que, comme le veut L. Blanchet, Descartes ait lu saint Augustin lui-même (*op. cit.*, p. 56-63), bien que rien ne permette de l'assurer.

Ajoutons que la filiation augustinienne du *Cogito*, une fois admise, n'autoriserait pas à parler, sans plus, d'un *augustinisme* de Descartes ; car Descartes reste opposé à saint Augustin sur le point le plus essentiel de l'augustinisme : les rapports de la raison avec la foi et, généralement parlant, son idée de la Philosophie même. Descartes intègre donc à sa doctrine toute une série de thèses augustiniennes, bien que ce ne soit pas l'esprit de saint Augustin qui l'anime (sur ce point, voir les remarques de H. Gouhier, *La pensée religieuse de Descartes*, p. 287-294 ; et de M. E. Baudin sur « les deux augustinismes », Revue des sciences religieuses, 1923, p. 132, et 1924, p. 345), et c'est ce qui explique pourquoi, malgré tout, les partisans de sa philosophie se plurent à en souligner l'accord avec les principes de saint Augustin (Clerselier, Préface de *L'homme de René Descartes*, Paris, 1644. Malebranche, *De la recherche de la vérité*, Préface. Arnauld, textes cités dans le présent article, 1º. Pierre-Silvain Régis, *Cours entier de philosophie... selon les principes de M. Descartes*. La Métaphysique, liv. I, Partie II, ch. xii : Conformité des sentiments de saint Augustin avec les nôtres, touchant la nature de l'esprit et de l'âme ; Amsterdam, 1691, t. I, p. 148-153, etc.).

P. **32**, l. **22** : « ... *la recevoir* ... »

C'est-à-dire : l'accepter.

P. **32**, l. **22** : « ..., *sans scrupule*, ... »

C'est-à-dire : sans crainte d'erreur. Texte latin : « ... tuto ... » (t. VI, p. 558).

P. **32**, l. **22-23** : « ... *pour le premier principe* ... »

C'est-à-dire : le point ferme et immobile sur lequel s'appuiera la Philosophie, et semblable à celui que réclamait Archimède pour soulever la terre (*Medit. II*ᵃ, t. VII, p. 24, l. 9-13).

1º Le *Cogito* est le premier principe de la philosophie tout entière, physique comprise. En effet : puisque je doute, je suis ; mais la constatation de cette imperfection qu'est le doute présuppose en moi l'idée de parfait, et par conséquent l'existence de Dieu, qui en est la seule cause concevable ; elle présuppose même l'existence d'un Dieu parfait, donc véridique, et qui, garantissant mes idées claires et distinctes, garantit la distinction réelle de l'âme et du corps, par où l'on aboutit à la physique mécaniste de l'étendue et du mouvement, ainsi qu'à toutes les sciences qui en découlent. La nécessité de faire tenir dans l'intuition du *Cogito* la série entière de ses conséquences pour comprendre dans sa profondeur et son originalité la pensée de Descartes a été marquée par Pascal avec une force incomparable : « En vérité, je suis bien éloigné de dire que Descartes n'en soit pas le véritable auteur (*scil.* du *Cogito*), quand même il ne l'aurait appris que dans la lecture de ce grand saint (*scil.* saint Augustin) ; car je sais combien il y a de différence entre écrire un mot à l'aventure, sans y faire une réflexion plus longue et plus étendue, et apercevoir dans ce mot une suite admirable de conséquences, qui prouve la distinction des natures matérielle et spirituelle, et en faire un principe ferme et soutenu d'une physique entière, comme Descartes a prétendu faire. Car, sans examiner s'il a réussi efficacement dans sa prétention, je suppose qu'il l'ait fait, et c'est dans cette supposition que je dis que ce mot est aussi différent dans ses écrits d'avec le même mot dans les autres qui l'ont dit en passant, qu'un homme plein de vie et de force d'avec un homme mort. » Blaise Pascal, *Pensées et opuscules*, éd. min. L. Brunschvicg, 4ᵉ édit., 1907, *De l'esprit géométrique*, p. 193.

2º Ce caractère de premier principe, attribué par Descartes au *Cogito*, ne pouvait manquer d'être contesté par les philosophes scolastiques, qui revendiquaient ce privilège pour le principe de contradiction (Aristote, *Métaphysique*, Γ. 3. 1005 b, 11-16. Eustachius a Sancto Paulo, *Sum. phil.*, IV, 26-31, dans *Index scol.-cartésien*, texte 377, p. 243). Cette objection, rapportée à Descartes par Clerselier, le conduisit à préciser ainsi sa pensée : « J'ajoute seulement que le mot de *principe* se peut prendre en divers sens, et que c'est autre chose de chercher une *notion commune*, qui soit si claire et si générale, qu'elle puisse servir de principe pour prouver l'existence de tous les Êtres, les *Entia*, qu'on connaîtra par après ; et autre chose de chercher *un Être*, l'existence duquel nous soit plus connue que celle d'aucuns autres, en sorte qu'elle nous puisse servir de *principe* pour les connaître.

« Au premier sens, on peut dire que *impossibile est idem simul esse et non esse* est un principe, et qu'il peut généralement servir, non pas proprement à faire connaître l'existence d'aucune chose,- mais seulement à faire que, lorsqu'on la connaît, on en confirme la vérité par un tel raisonnement : *Il est impossible que ce qui est ne soit pas; or, je connais que telle chose est; donc je connais qu'il est impossible qu'elle ne soit pas.* Ce qui est de bien peu d'importance, et ne nous rend de rien plus savants.

« En l'autre sens, le premier principe est *que notre Ame existe,* à cause qu'il n'y a rien dont l'existence nous soit plus notoire.

« J'ajoute aussi que ce n'est pas une condition qu'on doive requérir au premier principe, que d'être tel que toutes les autres propositions se puissent réduire et prouver par lui ; c'est assez qu'il puisse servir à en trouver plusieurs, et qu'il n'y en ait point d'autre dont il dépende, ni qu'on puisse plus tôt trouver que lui. Car il se peut faire qu'il n'y ait point au monde aucun principe auquel, seul, toutes les choses se puissent réduire ; et la façon dont on réduit les autres propositions à celle-ci : *impossibile est idem simul esse et non esse,* est superflue et de nul usage ; au lieu que c'est avec une très grande utilité qu'on commence à s'assurer de l'*existence de Dieu,* et ensuite de celle de toutes les créatures, *par la considération de sa propre existence.* » *A Clerselier,* juin-juillet 1646. t. IV. p. 443, l. 6-p. 445, l. 8.

3º Une objection différente. encore qu'animée du même esprit, fut souvent adressée à Descartes. C'est que le *Cogito* ne saurait être le premier principe, puisqu'il présuppose une majeure telle que : *tout ce qui pense existe.* La réponse de Descartes a été notée plus haut (à p. 32, !. 19, 3º), lorsque nous avons rappelé le caractère intuitif du *Cogito.*

4º On a enfin objecté à Descartes qu'un très grand nombre de propositions différentes, encore que de contenu analogue, pouvaient jouer le même rôle que le *Cogito* et possédaient, par conséquent, un droit égal à se voir choisies comme principes : « Le premier principe de sa philosophie est : *Je pense, donc je suis.* Il n'est pas plus certain que tant d'autres, comme celui-ci : *je respire, donc je suis;* ou cet autre . *toute action présuppose l'existence.* Dire que l'on ne peut respirer sans corps, mais qu'on peut bien penser sans lui, c'est ce qu'il faudrait montrer par une claire démonstration ; car, bien qu'on se puisse imaginer qu'on n'a point de corps (quoique cela soit assez difficile), et qu'on vit sans respirer, il ne s'ensuit pas que cela soit en effet. et qu'on puisse vivre sans respirer. » *S. P*** à *** pour Descartes,* février 1638, t. I, p. 513, l. 13-23.

Réponse de Descartes : « Lorsqu'on dit : *Je respire, donc je suis,* si l'on veut conclure son existence de ce que la respiration ne peut être sans elle, on ne conclut rien, à cause qu'il faudrait auparavant avoir prouvé qu'il est vrai qu'on respire, et cela est impossible. si ce n'est qu'on ait aussi prouvé qu'on existe. Mais si l'on veut conclure son existence du sentiment ou de l'opinion qu'on a qu'on respire, en sorte qu'encore même que cette opinion ne fût pas vraie, on juge toutefois qu'il est impossible qu'on l'eût, si on n'existait, on conclut fort bien ; à cause que cette pensée de respirer se présente alors à notre esprit avant celle de notre existence, et que nous ne pouvons douter que nous ne l'ayons pendant que nous l'avons (voir p. 36, l. 22 ; *scil.* A. T., p. 35, l. 19-22). Et ce n'est autre chose à dire en ce sens-là : *Je respire, donc je suis*, sinon *Je pense, donc je suis*. Et, si l'on y prend garde, on trouvera que toutes les autres propositions desquelles nous pouvons ainsi conclure notre existence reviennent à cela même ; en sorte que, par elles, on ne prouve point l'existence du corps, c'est-à-dire celle d'une nature qui occupe de l'espace, etc., mais seulement celle de l'âme, c'est-à-dire d'une nature qui pense ; et bien qu'on puisse douter si ce n'est point une même nature qui pense et qui occupe de l'espace, c'est-à-dire qui est ensemble intellectuelle et corporelle, toutefois on ne la connaît, par le chemin que j'ai proposé, que comme intellectuelle. » *Descartes à* ***, mars 1638, t. II, p. 37, l. 26-p. 38, l. 21.

5º On a pu légitimement se demander si le *Cogito* n'était pas un premier pas sur la voie de l'idéalisme, qui, par Malebranche et Berkeley, devait aboutir à Kant. L'influence exercée par le cartésianisme en ce sens paraît difficilement contestable, bien qu'elle n'ait pu se produire qu'au prix d'une déformation de la pensée de Descartes lui-même, dont l'inspiration réaliste est évidente (cf. plus loin, à p. 34, l. 13, II). M. Lévy-Bruhl observait justement (*Descartes*, Cours inédit) : « Le *Cogito* est la première vérité d'existence par ordre, en ce sens que les autres viennent après ; mais Descartes n'en a jamais fait la condition de la possibilité des autres vérités ; il n'en a fait que la condition de tous les autres jugements d'existence, en ce sens que le *Cogito* les accompagne, et que, par conséquent, ceux-ci le présupposent (cf. *à Mersenne*, juillet 1641 t. III, p. 394, l. 14-19 : « il est impossible que nous puissions jamais penser à aucune chose, que nous n'ayons en même temps l'idée de notre âme, comme d'une chose capable de penser à tout ce que nous pensons »). Si donc on veut rapprocher ici Descartes de Kant, la seule analogie que l'on puisse légitimement établir est celle du *Cogito* avec le : *Je pense*, accompagne toutes mes représentations. » — Cf. Kant, *Kritik der reinen Vernunft.* Transscendentale Analytik, I B., 2 Hauptstück, § 16.

P. **32**, l. **23** : « *... que je cherchais.* »

Que, c'est-à-dire : la Philosophie. Texte latin « ..., ut primum ejus, quam quaerebam, Philosophiae fundamentum admittere » (t. VI, p. 558).

P. **32**, l. **29** : « *... que je pensais à douter ...* »

C'est, en effet, dans l'acte même de douter que la pensée saisit son exis-

tence ; d'où la formule que la *Recherche de la Vérité* nous donne du *Cogito* :
« *Dubito, ergo sum*, vel, quod idem est : *cogito, ergo sum*,... », t. X, p. 523.

P. **33**, l. **1** : « *... cessé de penser ...* »

Ce passage est souvent mal interprété, parce qu'on laisse le souvenir du
problème idéaliste se mêler aux intentions de Descartes. En réalité, le problème ici posé n'est pas de savoir si l'affirmation de la pensée est ou non la
condition de l'affirmation du monde extérieur, mais de savoir si l'affirmation du monde extérieur est ou non la condition de celle de ma pensée.
L'orientation du développement de Descartes est donc toute différente, et
son argumentation revient à ceci : mettre en doute l'existence du monde
extérieur, c'est penser, et par conséquent c'est prouver mon existence en tant
que substance pensante ; au lieu que l'hypothèse de l'existence du monde
extérieur jointe à l'anéantissement de ma pensée équivaut à celle de l'anéantissement de ma propre existence. Donc, l'affirmation de ma propre existence, en tant que pensée, est indépendante de celle du monde extérieur.

P. **33**, l. **1** : « *... tout le reste ...* »

Le texte latin ajoute : « Quamvis *interim et meum corpus, et mundus*, et caetera omnia,... etc. » (t. VI, p. 558).

P. **33**, l. **3** : « *... que j'eusse été ...* »

C'est-à-dire : que j'eusse continué d'exister pendant ce temps-là. Cf. le
texte latin : « ..., nullam ideo esse rationem cur credam me durante illo tempore debere existere ;... (t. VI, p. 558).

P. **33**, l. **3** : « *... de là ...* »

C'est-à-dire : je compris par là. Texte latin : « inde intellexi ... » (t. VI,
p. 558). C'est en effet le *Cogito*, ou, mieux encore, la méditation assidue du
Cogito, qui constitue la voie la plus sûre pour concevoir la distinction de
l'âme et du corps. Cf. *Princ. phil.*, I, 8 ; t. VIII, p. 7, l. 10-19, et surtout l'important commentaire des *II^ae Resp.*, t. VII, p. 130, l. 30-p. 131, l. 18.

P. **33**, l. **4** : « *... une substance ...* »

1° Le texte latin ajoute : « me esse *rem quamdam sive* substantiam... » (t. VI,
p. 558). La substance se définit, selon Descartes : le sujet immédiat de tout
attribut dont nous avons une idée réelle. — Cf. « Omnis res cui inest immediate, ut in subjecto, sive per quam existit aliquid quod percipimus, hoc est
aliqua proprietas, sive qualitas, sive attributum, cujus realis idea in nobis
est, vocatur *substantia*. Neque enim ipsius substantiae praecise sumptae
aliam habemus ideam, quam quod sit res, in qua formaliter vel eminenter
existit illud aliquid quod percipimus, sive quod est objective in aliqua ex

nostris ideis, quia naturali lumine notum est, nullum esse posse nihili reale attributum. » *II*ᵃᵉ *Resp.*, Définit. 5 ; t. VII, p. 161, l. 14-23. Cf. *III*ᵃᵉ *Resp.*, t. VII, p. 174, l. 4-9, et p. 176, l. 19-20. *Entretien avec Burman*, 16 avril 1648, t. V, p. 156.

2° En conséquence de cette définition, il est impossible de concevoir la pensée, dans le cartésianisme, autrement que comme le sujet substantiel de toutes nos pensées particulières. On observera donc :

a) Que, le néant n'ayant pas de propriétés, le fait de la pensée implique l'existence d'une chose qui pense. Cf. « Per cogitationem igitur, non intelligo universale quid, omnes cogitandi modos comprehendens, sed naturam particularem, quae recipit omnes illos modos ... ». *A Arnauld*, 29 juillet 1648, t. V, p. 221, l. 10-25. — *Princ. phil.*, I, 63-64 ; t. VIII, p. 30, l. 26-p. 31, l. 31, cité à l'article suivant. — Régis, *Cours entier de philosophie...* Amsterdam. 1691, t. I, p. 71.

b) Que la substance ne nous est connue que par ses accidents (*III*ᵃᵉ *Resp.*, t. VII, p. 176, l. 1-3. *IV*ᵃᵉ *Resp.*, t. VII, p. 222, l. 5-14. *V*ᵃᵉ *Resp.*, t. VII, p. 360, l. 2-6. *Princ. phil.*, I, 11 ; t. VIII, p. 8, l. 17-24) et que, par conséquent, nous ne savons de la substance pensante qu'une chose : elle est le sujet de la pensée.

c) Que cependant (contrairement aux observations de V. Brochard, *Discours... Éclaircissements*, p. 101) on ne peut pas dire de la substance pensante affirmée par Descartes que « cette chose, aveugle et inconnue, est pour lui à peu près comme si elle n'était pas ». Car, d'abord, si nous ne la connaissons que par son attribut, qui est la pensée, nous la connaissons fort bien par lui, puisque la chose qui pense ne penserait pas si elle n'était elle-même de la pensée. Au fond, il n'y a entre l'Ame et la pensée qu'une distinction de raison (« ... distinctio rationis est inter substantiam et aliquod ejus attributum, sine quo ipsa intelligi non potest ... ». *Princ. phil.*, I, 62 ; t. VIII, p. 30, l. 7-10) ; plus encore, la substance pensante, ou Ame, n'est pas faite, dans sa nature, d'autre chose que de la pensée même (« Cogitatio et extensio ... », etc. *Princ. phil.*, I, 63 ; texte cité article suivant), et c'est pourquoi le sujet de la *Cogitatio* se nomme *Mens*, que nous traduisons aujourd'hui par *Pensée*, et que Descartes traduisait par *Esprit*. On ne risquera donc guère d'être infidèle à l'intention profonde du philosophe en considérant son substantialisme comme un simple réalisme de la pensée. Une pensée est nécessairement pour lui la pensée de quelque chose, parce qu'il lui semblerait absurde qu'elle fût la pensée de rien ; mais elle est la pensée d' « une substance dont toute l'essence ou la nature n'est que de penser ». C'est précisément parce que la pensée saisie par le *Cogito* est une chose, que le jugement d'existence : *ergo sum*, présente une signification. Et c'est aussi pourquoi, le premier principe de la philosophie étant un jugement d'existence, la déduction qui nous conduit de là à Dieu et au monde des corps ne nous fait pas atteindre des mots, mais

véritablement des choses. Pour ne pas mettre dans le *Cogito* tout le réalisme
qu'il comporte, on est obligé d'introduire dans la suite de la pensée de Descartes, quitte à le lui reprocher, un ontologisme qu'il n'y a lui-même jamais mis.

3⁰ Quant aux rapports de la conception cartésienne avec la conception
thomiste de la substance, on peut les résumer ainsi (L. Lévy-Bruhl, *Descartes*, Cours inédit) :

a) Descartes conserve de la philosophie qui lui avait été enseignée à La
Flèche le principe même de substance : tout attribut est l'attribut d'une
substance. Cette substance est soit le sujet d'inhérence, soit la cause de ses
attributs. Les attributs ne doivent donc pas être confondus avec elle. Ainsi,
les attributs ne pouvant subsister sans leur substance, au lieu que la substance subsiste par elle-même, la substance n'a besoin que de soi (et du concours divin) pour subsister. Par contre, si nous nous plaçons au point de vue
de la connaissance, la substance ne peut être connue, soit quant à son existence, soit quant à son essence, qu'à partir de ses attributs ; si bien que plus
nous connaissons d'attributs d'une substance, mieux nous la connaissons
(sur tous ces points, cf. *Index scol.-cartésien*, p. 275-281).

b) Descartes s'éloigne de la conception scolastique, d'abord en ce qu'il ne
pose pas le problème de la substance pour lui-même et sous sa forme abstraite. Ce qui l'intéresse, ce n'est pas ce qu'est la substance en général, mais
quelles substances réelles on peut connaître en particulier ; il veut surtout
déterminer les caractères propres de la substance pensante et de la substance étendue, afin d'assurer leur distinction. — De là résulte une modification profonde de la doctrine traditionnelle : la scolastique connaissait des
attributs inséparables (cf. *Index scol.-cartésien*, texte 2, p. 2) des substances ;
Descartes, allant beaucoup plus loin, assigne à chaque substance un attribut
en quelque sorte essentiel, qui seul permet d'en affirmer l'existence, et qui en
définit du même coup l'essence, puisque la substance n'est que cet attribut
substantialisé. Par là, Descartes s'assure le bénéfice du réalisme substantia-
liste, tout en expulsant de la notion de substance ce qu'elle pouvait recéler
d'obscur et d'imperméable à la pensée distincte. Cette opposition (et par conséquent l'originalité de Descartes) se marque fort bien dans le passage des
II^{ae} Object., où l'auteur scolastique objecte à Descartes : « Hactenus agnoscis
te esse rem cogitantem ; sed quid sit res illa cogitans, nescis. » (t. VII, p. 122,
l. 24-26). A quoi Descartes répond que, puisqu'il connaît les propriétés de la
chose pensante, il connaît la chose pensante elle-même, et d'autant mieux
qu'il en connaît plus de propriétés (*II^{ae} Resp.*, t. VII, p. 129, l. 18 et suiv. :
« Et quia multas [proprietates] ibi animadverti, non queo sine distinctione
admittere id quod postea subjungitis, me tamen nescire quid sit res cogitans »). Il use donc ici d'une formule ancienne en un sens nouveau, car, au
contraire de la scolastique, le cartésianisme voit, dans cette connaissance des
propriétés, une connaissance de la substance même.

P. **33**, l. **4-5** : « ... *l'essence ou la nature* ... »

1º Deux termes fréquemment accouplés par Descartes et qui sont pratiquement synonymes. Cf. *ad Hyperaspistem*, août 1641, t. III, p. 423, l. 19-20. *Dioptrique*, Discours X ; t. VI, p. 227, l. 3-4. *Meditationes*, Praefatio, t. VII, p. 8, l. 2. *Medit. V*ª, t. VII, p. 64, l. 15-16 : « ... natura, sive essentia, sive forma, ... ». *Medit. VI*ª, p. 78, l. 9-10 : « ... ad naturam sive essentiam meam pertinere ... » *IV*ᵃᵉ *Resp.*, t. VII, p. 240, l. 25 : « ... alicujus rei natura sive essentia ... » *Le Monde*, t. XI, p. 36, l. 6-7 : « sa vraie Forme et son Essence ... ».

Descartes n'a pas défini spécialement ce qu'il entend par essence ; mais il emploie constamment ce terme pour désigner : ce qui constitue la chose en elle-même et la fait être ce qu'elle est. C'est pourquoi, selon lui, l'essence de la chose en est inséparable. Cf. « Neque enim ulla res potest unquam propria essentia privari ». *Ad Hyperaspistem*, août 1641, t. III, p. 423, l. 22. « Quod aliquando verum est de alicujus rei essentia vel natura, semper est verum. » *Notae in programma quoddam*, t. VIII, 2ª, p. 355, l. 8-10. — Cf. P.-S. Régis, *op. cit.* La Métaphysique, I, 1. Secondes réflexions, t. I, p. 72.

2º Sur le rapport de la *nature* à la *substance* et au *mode*, voir la lettre *à Arnauld*, 29 juillet 1648, t. V, p. 221, l. 14-15 ; et surtout : « Cogitatio et extensio spectari possunt ut constituentes naturas substantiae intelligentis et corporeae ; tuncque non aliter concipi debent quam ipsa substantia cogitans et substantia extensa, hoc est, quam mens et corpus ; quo pacto clarissime ac distinctissime intelliguntur... Cogitatio et extensio sumi etiam possunt pro modis substantiae, quatenus scilicet una et eadem mens plures diversas cogitationes habere potest ; atque unum et idem corpus, retinendo suam eamdem quantitatem, pluribus diversis modis potest extendi : ... Tuncque modaliter a substantia distinguuntur, et non minus clare ac distincte quam ipsa possunt intelligi : modo non ut substantiae, sive res quaedam ab aliis separatae, sed tantummodo ut modi rerum spectentur. Per hoc enim, quod ipsas in substantiis quarum sunt modi consideramus, eas ab his substantiis distinguimus, et quales revera sunt agnoscimus. At e contra, si easdem absque substantiis, quibus insunt, vellemus considerare, hoc ipso illas ut res subsistentes spectaremus, atque ita ideas modi et substantiae confunderemus. » *Princ. phil.*, I, 63 et 64 ; t. VIII, p. 30, l. 26-p. 31, l. 31.

P. **33**, l. **5** : « ... *n'est que de* ... »

C'est-à-dire : consiste seulement à... Texte latin : « ... in eo tantum consistit ut cogitem ... » (t. VI, p. 558).

P. **33**, l. **5** : « ... *pour être* ... »

Texte latin : « ... ut existat ... » (t. VI, p. 558). Ce sens, évident pour nous, semble avoir fait question au xviiᵉ siècle. Cf. Pierre-Silvain Régis, *Cours entier de philosophie... selon les principes de M. Descartes*. La Métaphysique, liv. I, Partie I, ch. i : Premières réflexions, p. 1 (édit. Amsterdam, 1691, t. I, p. 69).

P. **33**, l. **5-6** : « ... *n'a besoin d'aucun lieu* ... »

1º Traduction française de la formule bien connue par laquelle les Scolastiques opposaient la substance à l'accident : « Ratione quidem seu definitione et natura differunt (*scil.* substantia et accidens), quod substantia definiatur « Ens per se », accidens vero definiatur « Ens per aliud », sive « in alio », quod illa nullo, hoc vero semper aliquo subjecto *indigeat* in quo existat, et quo sublato pereat necesse est ». E. a Sancto Paulo, dans *Index scol.-cartésien*, texte 429, p. 277. En effet, ce qui peut se définir à part peut exister à part (la vérité étant une même chose avec l'être. *Index scol.-cartésien*, p. 317) et, par conséquent, toute substance est indépendante de toute autre substance dans son être comme dans sa définition (c'est pourquoi le propre des substances est de s'exclure, t. VII, p. 227, l. 9-10). Descartes utilise donc la définition scolastique de la substance contre la notion scolastique de l'âme, puisqu'il présente cette dernière comme supposant la confusion de deux substances distinctes : la pensée et l'étendue.

2º Les intentions de Descartes sont ici parfaitement claires. Dire que la pensée « ... n'a besoin d'aucun lieu » pour subsister, c'est indiquer nettement que cette suffisance, ou « perséité » de la pensée, n'est invoquée en sa faveur que pour la séparer de l'étendue. Toutefois, l'aisance avec laquelle Spinoza devait trouver le panthéisme et la thèse de l'unicité de la substance dans la définition même de la substance acceptée par Descartes, a suggéré l'hypothèse d'un panthéisme latent au sein de la philosophie cartésienne. L'hypothèse est insoutenable (comme l'a bien montré Hamelin, *Le système de Descartes*, 2ᵉ édit., p. 305-309), car la distinction entre le sens absolu du terme substance, qui s'applique à Dieu seul, et son sens relatif, qui vaut pour les créatures seules, était classique chez les scolastiques, et fut expressément acceptée par Descartes : « Lorsque nous concevons la substance, nous concevons seulement une chose qui existe en telle façon qu'elle *n'a besoin que de soi-même* pour exister. En quoi il peut y avoir de l'obscurité touchant l'explication de ce mot : *n'avoir besoin que de soi-même ;* car, à proprement parler, il n'y a que Dieu qui soit tel, et il n'y a aucune chose créée qui puisse exister un seul moment sans être soutenue et conservée par sa puissance. C'est pourquoi on a raison dans l'École de dire que le nom de substance n'est pas univoque au regard de Dieu et des créatures, c'est-à-dire qu'il n'y a aucune signification de ce mot que nous concevions distinctement, laquelle convienne en même sens à lui et à elles ; mais parce qu'entre les choses créées quelques-unes sont de telle nature qu'elles ne peuvent exister sans quelques autres, nous les distinguons d'avec celles qui n'ont besoin que du concours ordinaire de Dieu, en nommant celles-ci des substances et celles-là des qualités ou des attributs de ces substances » (*Princ. phil.*, I, 51 ; t. IX, p. 47). Pour passer de cette conception de la substance au spinozisme, il ne fallait pas la développer, mais la nier. On se conformera donc toujours aux intentions de Descartes en donnant à l'expression *n'avoir besoin que de soi-même* le sens suivant : ne pas avoir besoin de l'étendue pour subsister.

P. **33**, l. **6** : « ... *d'aucune chose matérielle* ... »

Objection : « Il faudrait donc prouver que l'âme peut penser sans le corps ; Aristote le présuppose à la vérité en un sien axiome, mais il ne le prouve point. Il veut que l'âme puisse agir sans organes, d'où il conclut qu'elle peut être sans eux : mais il ne prouve pas le premier, qui est contredit par l'expérience, car on voit que ceux qui ont la fantaisie malade ne pensent pas bien ; et, s'ils n'avaient ni fantaisie ni mémoire, ils ne penseraient point du tout. » *S. P*** à *** pour Descartes* (février 1638?), t. I, p. 513, l. 24-p. 514, l. 3.

Réponse de Descartes : « De cela seul qu'on conçoit clairement et distinctement les deux natures de l'âme et du corps comme diverses, on connaît que véritablement elles sont diverses et, par conséquent, que l'âme peut penser sans le corps, nonobstant que, lorsqu'elle lui est jointe, elle puisse être troublée par la mauvaise disposition des organes. » *Descartes à *** (mars 1638), t. II, p. 38, l. 22-28.

Objection reprise dans la suite ; notamment par Huet (*Censura philos.-cartes.*, III, 5, p. 79 et suiv.), et résolue d'une manière analogue par P.-Silvain Régis (*Réponse au livre...*, p. 156). Voir plus loin, à p. 33, l. 10, pour le fondement métaphysique de la doctrine.

P. **33**, l. **7** : « ... *ce Moi* ... »

L'identification du Moi à la pensée résulte, en effet, immédiatement du développement qui précède (voir à p. 33, l. 1), puisque l'affirmation ou la négation de notre pensée entraîne *ipso facto* l'affirmation ou la négation de notre existence.

P. **33**, l. **7** : « ..., *c'est-à-dire l'Ame* ... »

Texte latin : « Adeo ut, Ego, hoc est, mens ... » (t. VI, p. 558).

Descartes a certainement voulu la traduction d'*âme* par *mens*, au lieu d'*anima*, que l'on pourrait attendre. *Ame* n'est employé par lui en français que comme un pis aller ; ce terme évoque en effet l'*anima* scolastique, avec toutes les fonctions végétatives, locomotrices, etc., que la physique mécaniste de Descartes va précisément éliminer. Lorsqu'il écrit en latin, il préfère donc le terme *mens*, qui désignait, dans la scolastique, la portion supé-

rieure de l'âme, c'est-à-dire la pensée pure, sans participation du corps, telle
que l'avait conçue saint Augustin. Cf. « Substantia, cui inest immediate
cogitatio, vocatur *Mens ;* loquor autem hic de mente potius quam de anima,
quoniam animae nomen est aequivocum, et saepe pro re corporea usurpa-
tur » (*II*ᵃᵉ *Resp.*, Définit. 6 ; t. VII, p. 161, l. 24-27). Le traducteur français
retrouvait une difficulté double, puisqu'il fallait opposer un terme à *anima*,
et se tira d'affaire en adoptant *Esprit*, qui n'était à son tour qu'un pis aller :
« La substance dans laquelle réside immédiatement la pensée est ici appelée
Esprit. Et, toutefois, ce nom est équivoque, en ce qu'on l'attribue aussi quelquefois au vent et aux liqueurs fort subtiles ; mais je n'en sache point de plus
propre. » T. IX, p. 125. — Pour l'opposition à la scolastique : « Itaque dicam
tantum nomina rebus ut plurimum imposita fuisse ab imperitis, ideoque non
semper satis apte rebus respondere ; nostrum autem non esse illa mutare,
postquam usu recepta sunt, sed tantum licere ipsorum significationes emendare, cum advertimus illas ab aliis non recte intelligi. Sic, quia forte primi
homines non distinxerunt in nobis illud principium quo nutrimur, cresci-
mus, et reliqua omnia nobiscum brutis communia sine ulla cogitatione pera-
gimus, ab eo quo cogitamus, utrumque unico *animae* nomine appellarunt ;
ac deinde animadvertentes cogitationem a nutritione esse distinctam, id
quod cogitat vocarunt *mentem*, hancque animae praecipuam partem esse
crediderunt. Ego vero, animadvertens principium quo nutrimur toto genere
distingui ab eo quo cogitamus, dixi *animae* nomen, cum pro utroque sumi-
tur, esse aequivocum ; atque ut specialiter sumatur pro *actu primo* sive
praecipua hominis forma, intelligendum tantum esse de principio quo cogitamus, hocque nomine mentis ut plurimum appellari ad vitandam aequivo-
cationem ; *mentem* enim non ut animae partem, sed ut totam illam animam
quae cogitat considero. » *V*ᵃʳ *Resp.*, t. VII, p. 355, l. 27-p. 356, l. 22. Par cet
emploi du terme *mens*, Descartes s'oppose à l'aristotélisme thomiste (S. Thomas, *Qu. disput. de Veritate*, qu. 10, art. 1, *Resp.*) et conduit à son terme une
tendance déjà nettement perceptible chez saint Augustin. (« Quo nomine
(*scil.* mens) nonnulli auctores linguae latinae, id quod excellit in homine,
et non est in pecore, ab anima quae inest et pecori, suo quodam loquendi
more distinguunt. » *De Trinitate*, XV, 1, 1.)

P. **33**, l. **8** : « ... *est entièrement distincte* ... »

Le *Cogito* prouve à lui seul l'existence d'une âme *entièrement* distincte du
corps ; mais suffit-il à prouver que l'*âme* soit *réellement* distincte du corps ?
La réponse varie selon que l'on considère l'exposé partiel du *Discours* ou
l'exposé complet des *Meditationes* et des *Principia philosophiae*.

1º Dans le *Discours*, les raisons de douter alléguées par Descartes sont
conçues en termes assez vagues pour qu'on ne sache pas si elles mettent ou
non en question l'*existence* même des choses extérieures. Elles semblent

plutôt porter sur la véracité du témoignage rendu par les sens touchant la *nature* des choses extérieures (« ... aucune chose qui fût telle ... », p. 32, l. 2-3 ; « ... les choses ... n'étaient non plus vraies ... », l. 14-15). En outre, la raison hyperbolique de douter, qui permet de mettre en question l'existence de notre propre corps dans la *I*re *Medit.*, c'est-à-dire le malin génie (t. VII, p. 22, l. 23-p. 23, l. 9), n'apparaît pas dans le *Discours*, conformément à la préoccupation déjà plusieurs fois constatée d'atténuer le doute dans cet écrit en langue vulgaire. Cette interprétation du texte est confirmée par le fait qu'il n'y a pas de preuve de l'existence du monde extérieur dans le *Discours ;* et, en effet, il n'y a pas lieu de prouver ce que l'on n'a pas mis en doute. Dans ces conditions, la démonstration que l'Ame est une substance *entièrement* distincte du corps équivaut à la démonstration que l'Ame est *réellement* distincte du corps.

2º Tout autre est la perspective des *Méditations.* Une distinction réelle implique la réalité des choses distinguées. Si donc nous mettons en doute l'existence du corps, il ne nous suffit plus d'avoir prouvé l'existence de la pensée, ni même son indépendance entière à l'égard du corps, pour avoir prouvé la distinction réelle de l'âme et du corps ; il faut encore lever le doute qui plane sur l'existence du corps en prouvant la réalité du monde extérieur. C'est parce que les deux thèses sont indissociables que la *VIe Méditation* s'intitule : *De rerum materialium existentia, et reali mentis a corpore distinctione* (t. VII, p. 71, l. 11-12).

Cf. « Ideoque, nisi certitudinem vulgari majorem quaesivissem, contentus fuissem ostendisse, in secunda Meditatione, *Mentem*, ut rem subsistentem intelligi, quamvis nihil plane illi tribuatur quod pertineat ad corpus, et vice versa etiam *Corpus* intelligi ut rem subsistentem, etsi nihil illi tribuatur quod pertineat ad mentem. Nihilque amplius addidissem ad demonstrandum mentem realiter a corpore distingui : quia vulgo res omnes eodem modo se habere judicamus in ordine ad ipsam veritatem, quo se habent in ordine ad nostram perceptionem. Sed, quia inter hyperbolicas illas dubitationes, quas in prima Meditatione proposui, una eousque processit ut de hoc ipso (nempe quod res juxta veritatem sint tales quales ipsas percipimus) certus esse non possem, quandiu authorem meae originis ignorare me supponebam, idcirco omnia quae de Deo et de veritate in tertia, quarta et quinta Meditatione scripsi, conferunt ad conclusionem de reali *mentis a corpore* distinctione, quam demum in sexta Meditatione perfeci. » *IV*ae *Resp.*, t. VII, p. 226, l. 8-26. — « ..., quia nesciebam (*scil.* in *II Medit.*) essetne corpus idem quod mens necne, nihil de ea re assumpsi (*scil.* de reali mentis a corpore distinctione), sed solam mentem consideravi, donec postea, in 6 Meditatione, illam realiter a corpore distingui, non assumpsi, sed demonstravi. » *V*ae *Resp.*, t. VII, p. 357, l. 7-20.

P. **33**, l. **9** : « ... *plus aisée à connaître* ... »

Au sens marqué plus haut (à p. 18, l. 29) : la connaissance de l'âme est la *condition* de celle du corps ; elle est donc logiquement *antérieure* à celle du corps ; elle est *plus certaine* que celle du corps : « mentem nostram non modo prius et certius, sed etiam evidentius cognosci ... » *Princ. phil.*, I, 11 ; t. VIII, p. 8, l. 17-p. 9, l. 13.

Cette conclusion résulte immédiatement du caractère de premier principe attribué au *Cogito*, et de la définition de l'âme comme substance pensante. En effet, toute autre affirmation présuppose le *Cogito*, et lui-même n'est présupposé par aucune ; or, par définition, l'affirmation du *Cogito* est équivalente à celle de l'âme ; on ne peut donc connaître l'existence d'aucune chose sans connaître d'abord celle de l'âme, au lieu qu'on peut connaître l'existence de l'âme avant celle d'aucune autre chose. Ainsi la connaissance de l'âme précède celle du corps, en ce sens qu'elle en est la condition. Cf. : « Pour ce qui est de l'âme, c'est encore une chose plus claire. Car, n'étant, comme j'ai démontré, qu'une chose qui pense, il est impossible que nous puissions jamais penser à aucune chose, que nous n'ayons en même temps l'idée de notre Ame, comme d'une chose capable de penser à tout ce que nous pensons. Il est vrai qu'une chose de cette nature ne se saurait imaginer, c'est-à-dire ne se saurait représenter par une image corporelle. Mais il ne s'en faut pas étonner, car notre imagination n'est propre qu'à se représenter des choses qui tombent sous les sens ; et pour ce que notre Ame n'a ni couleur, ni odeur, ni saveur, ni rien de tout ce qui appartient au corps, il n'est pas possible de se l'imaginer, ou d'en former l'image. Mais elle n'est pas pour cela moins concevable ; au contraire, comme c'est par elle que nous concevons toutes choses, elle est aussi elle seule plus concevable que toutes les autres choses ensemble. » *A Mersenne*, juillet 1641, t. III, p. 394, l. 14-31. — Cf. *Medit. II*ᵃ, titre, t. VII, p. 23, l. 20-21, et p. 34, l. 5-6. *Princ. phil.*, *loc. cit.*

P. **33**, l. **10** : « ... *encore qu'il ne fût point*, ... »

1º La conclusion est valable, en vertu de ce principe que les substances dont nous concevons clairement et distinctement les idées comme distinctes sont elles-mêmes réellement distinctes (voir plus haut, à p. 33, l. 6, la réponse de Descartes). Descartes maintient en cela l'essentiel du réalisme scolastique (la vérité est une même chose avec l'être, ou, comme dira Spinoza, *ordo et connexio idearum idem est ac ordo et connexio rerum*), mais, en vertu du principe des idées claires et distinctes qui lui est propre, il considère en outre que le monde est constitué par des substances qui s'excluent, comme s'excluent les idées de ces substances. D'où cette conclusion : « Realis (*scil.* distinctio) proprie tantum est inter duas vel plures substantias : et has percipimus a se mutuo realiter esse distinctas, ex hoc solo quod unam absque altera clare et distincte intelligere possimus. » *Princ. phil.*, 1, 60 ; t. VIII, p. 28, l. 18-23. Le principe s'applique à la distinction des individualités entre elles : « Itemque ex hoc solo quod unusquisque intelligat se esse rem cogitantem, et possit cogitatione excludere a se ipso omnem aliam substantiam, tam cogitantem quam extensam, certum est unumquemque, sic spectatum, ab omni alia substantia cogitante, atque ab omni substantia corporea realiter distingui », p. 29, l. 1-6.

2° On notera, en outre, que Descartes a conçu les rapports de l'âme et du corps conformément aux exigences de la distinction réelle ainsi posée. Il est pour lui littéralement vrai que l'âme serait exactement ce qu'elle est si le corps n'existait pas. Le fait de leur union voulue par Dieu n'a pas la signification qu'on lui prête. Le corps n'est pour l'âme qu'un instrument ; or l'âme elle-même. étant spirituelle, n'est pas susceptible d'augmentation ni de diminution quantitative, et par conséquent elle n'est pas susceptible de croissance ; elle est donc toujours tout ce qu'elle est, à tel point que l'âme de l'embryon, si elle était libérée brusquement de son corps, trouverait immédiatement en soi toutes ses idées claires et distinctes. Au contraire, le corps, formé de parties de la substance étendue, résulte d'une croissance progressive et fait que l'âme, en conséquence de son union avec lui, participe indirectement à l'histoire de sa croissance et subit le contre-coup de ses accidents. L'objection, maintes fois dirigée contre Descartes, que la pensée dépend *en fait* du corps, n'a donc aucune force contre lui : « nam ex eo quod non tam perfecte agat (*scil.* anima) in corpore infantis quam adulti, ac saepe a vino aliisque rebus corporeis ejus actiones possint impediri, sequitur tantum illam, quandiu corpori est adjuncta, ipso uti ut instrumento ad eas operationes, quibus ut plurimum occupatur, non autem perfectiorem vel imperfectiorem reddi a corpore : nec melius hoc inde infers (*scil.* Gassendi), quam si, ex eo quod artifex non recte operetur quoties malo utitur instrumento, inferres ipsum artis suae peritiam ab instrumenti bonitate nancisci. » V^{ae} *Resp.*, t. VII, p. 354, l. 1-10. Cf. également la curieuse réponse *ad Hyperaspistem*, août 1641, t. III, p. 423, l. 11-p. 425, l. 17, où l'on observe le lien étroit qui unit cette question à celle de savoir si l'âme pense toujours.

3° Enfin, c'est le caractère de pur *fait* (exclusif de tout droit) ainsi attribué à la dépendance présente de l'âme à l'égard du corps, qui explique les textes où Descartes fait intervenir la puissance absolue de Dieu pour garantir leur distinction. Cette considération est inutile pour ceux qui tournent leur esprit uniquement vers les idées claires et distinctes de la pensée et de l'étendue ; elle est utile pour ceux que l'union de l'âme et du corps préoccupe au point de leur en dissimuler la distinction. La puissance absolue de Dieu ne garantit pas la distinction réelle de l'âme et du corps (qui se fonde proprement sur la distinction de leurs idées), mais elle garantit que Dieu qui a pu unir en fait ces substances réellement distinctes pourra dissoudre cette union et

les conserver à part lorsqu'il le voudra : « Ac etiamsi supponamus, Deum alicui tali substantiae cogitanti substantiam aliquam corpoream tam arcte
conjunxisse, ut arctius jungi non possint, et ita ex illis duabus unum quid
conflavisse, manent nihilominus realiter distinctae : quia, quantumvis arcte
ipsas univerit, potentiâ, quam ante habebat ad eas separandas, sive ad
unam absque alia conservandam, seipsum exuère non potuit et quae vel a
Deo possunt separari, vel sejunctim conservari, realiter sunt distincta. »
Princ. phil., I, 60 ; t. VIII, p. 29, l. 6-15.

P. **33**, l. **11** : « *... tout ce qu'elle est.* »

Texte latin : « ... quae plane eadem, quae nunc est, esse posset, ... » (t. VI,
p. 559).

P. **33**, l. **12** : « *... en général ...* »

C'est-à-dire : non plus ce qui rendait vraie cette proposition particulière
qu'est le *Cogito*, mais ce qui fait qu'une proposition quelconque est vraie.

P. **33**, l. **13** : « *... requis à ...* »

Pour : requis *d'une* proposition.

P. **33**, l. **13** : « *... pour être vraie ...* »

Texte latin : « ut aliqua enuntiatio tanquam vera et certa cognosca-
tur : ... » (t. VI, p. 559).

P. **33**, l. **15** : « *... aussi savoir ...* »

Texte latin : « putavi me posse etiam inde percipere ... » (t. VI, p. 559).

P. **33**, l. **19** : « *..., pour penser, ...* »

Texte latin : « ... viderem fieri non posse ut quis cogitet nisi existat, ... »
(t. VI, p. 559).

P. **33**, l. **20** : « *... pour règle générale ...* »

Cf., dans le même sens, *Medit. III*ᵃ, t. VII, p. 35, l. 3-15.

1º Huet objecte contre Descartes qu'il était contraire au bon sens de prétendre chercher une vérité pour en tirer la règle de la vérité, au lieu de chercher d'abord cette règle pour découvrir la vérité par son moyen : « atque ita
ad aedificii sui legem, normam parat, non ad normae legem, aedificium »
(*Censura philos.-cartes.*, II, 1 ; p. 47). A quoi Régis répondit excellemment :
« Ce qui a trompé l'Auteur (*scil.* Huet) dans cet article est qu'il a cru que la
règle de la vérité était quelque chose de différent de la vérité même » (*Réponse au livre...*, p. 78). Ainsi donc : « M. Descartes réplique que la règle de

la vérité est elle-même une vérité, et partant qu'il a été obligé d'admettre la vérité dans laquelle cette règle consiste, avant que de se servir de cette règle. Et, pour se servir de l'exemple même de l'auteur, M. Descartes dira que, comme celui qui se propose de faire un bâtiment prépare une règle, qui est une quantité connue par elle-même, qui sert à mesurer toutes les autres quantités inconnues, il a dû aussi, avant que d'entreprendre l'édifice de la Philosophie, qui consiste à découvrir la vérité, trouver une vérité connue par elle-même, qui servit de règle pour mesurer toutes les autres vérités inconnues. Ainsi quand M. Descartes se sert de cette vérité : *Je pense, donc je suis*, comme de règle pour mesurer les autres vérités, il ne se sert point du bâtiment pour mesurer la règle, mais, au contraire, il se sert fort sagement de la règle pour mesurer le bâtiment » (*Ibid.*, p. 77).

2° Frappé par le parallélisme entre ce passage et le premier précepte de la méthode (IIᵉ Partie, p. 18, l. 16-18), Hamelin s'est efforcé de supprimer ce double emploi qui gênait son souci d' « amener à leur place » les notions philosophiques. Il suppose donc que le principe des idées claires, considéré dans la méthode, n'a qu'une valeur provisoire, et se trouve justifié, d'une manière à la fois rétrospective et définitive, à partir du *Cogito* (*Le système de Descartes*, 2ᵉ édit., p. 102-106). L'embarras d'Hamelin tient sans doute à ce qu'il prête à la pensée de Descartes les exigences de sa propre pensée, en ne reconnaissant pas l'antériorité et l'indépendance du plan de la méthode par rapport à celui de la métaphysique. La méthode n'est pas autre chose que la description des mathématiques, et l'on apprend la méthode en pratiquant les mathématiques, dont c'est là le principal usage : elles nous enseignent à penser. (« Mais je ne m'arrête point à expliquer ceci plus en détail, à cause que je vous ôterais ... l'utilité de cultiver votre esprit en vous y exerçant, qui est, à mon avis, la principale qu'on puisse tirer de cette science. » *La Géométrie*, liv. I, t. VI, p. 374, l. 5-10). Or, cette culture de l'esprit consiste surtout en ce qu'il s'accoutume à se « repaître de vérités » (IIᵉ Partie, p. 19, l. 27-29 ; et p. 21, l. 18-24), ce qui suppose le premier précepte de la méthode, et son entière validité précisément en tant que premier précepte de la méthode. Si maintenant nous nous transportons de ce plan préparatoire sur celui de la Philosophie que construit un esprit ainsi préparé, le premier précepte de la méthode reste certes entièrement valable ; car, selon la remarque de Régis : « toute évidence est également évidence, et partant toute évidence est également la règle de la vérité » (*Réponse au livre...*, p. 106) ; mais l'évidence des vérités mathématiques n'est plus la première que nous puissions légitimement affirmer en philosophant par ordre, puisque celle du *Cogito*, et même, à la rigueur, celle de Dieu, la précède (cf. *Medit. III*ᵃ, t. VII, p. 35, l. 30- p. 36, l. 8). La métaphysique nous apprend donc que la même évidence, au nom de laquelle nous avons affirmé la vérité des mathématiques, se rencontre déjà dans plusieurs vérités qui leur sont antérieures et qui, par conséquent, du point de vue propre de la métaphysique, en conditionnent l'affirmation. — Cf. à p. 18, l. 21, II.

Sur le problème, identique quant au fond, de savoir si un athée peut être certain des vérités mathématiques, voir plus loin, à p. 36, l. 30-31, 2°.

Sur le « cercle cartésien » qui irait de l'évidence à Dieu pour revenir de Dieu à l'évidence, voir plus loin, à p. 38, l. 18-19.

P. **33**, l. **23** : « ... *à bien remarquer* ... »

Texte latin : « ... ad recte advertendum ... » (t. VI, p. 559).

P. **33**, l. **25** : « *Ensuite de* ... »

C'est-à-dire : *après*, ce qui est le sens usuel au xviie siècle (cf. Huguet, *Petit Glossaire*, 4e édit., p. 141). Expression adverbiale analogue à toutes celles par lesquelles Descartes s'efforce de marquer l'ordre de succession des idées : « Puis, ... » (p. 32, l. 24) ; « Après cela ... » (p. 33, l. 12) ; « ... après cela ... » (p. 36, l. 4). — Le sens fort de : *en conséquence*, dérive d'ailleurs immédiatement du précédent.

P. **33**, l. **25-26** : « ... *sur ce que je doutais* ... »

Objection : « Il ne s'ensuit pas de ce que nous doutons des choses qui sont autour de nous qu'il y ait quelque être plus parfait que le nôtre. La plupart des Philosophes ont douté de beaucoup de choses, comme les Pyrrhoniens, et ils n'ont pas de là conclu qu'il y eût une Divinité ; il y a d'autres preuves pour en faire avoir la pensée et pour la prouver. » *S. P*** à *** pour Descartes*, février 1638? t. I, p. 514, l. 4-10...

Réponse de Descartes : « Bien que les Pyrrhoniens n'aient rien conclu de certain en suite de leurs doutes, ce n'est pas à dire qu'on ne le puisse. Et je tâcherais ici de faire voir comment on s'en peut servir pour prouver l'existence de Dieu, en éclaircissant les difficultés que j'ai laissées en ce que j'en ai écrit ; mais on m'a promis de m'envoyer bientôt un recueil de tout ce qui peut être mis en doute sur ce sujet, ce qui me donnera peut-être occasion de le mieux faire : c'est pourquoi je supplie celui qui a fait ces remarques de me permettre que je diffère jusqu'à ce que je l'aie reçu. » *Descartes à ***, mars 1638, t. II, p. 38, l. 29-p. 39, l. 8.

P. **33**, l. **28** : « ... *une plus grande perfection* ... »

Texte latin : « ...evidentissime enim intelligebam dubitationem non esse argumentum tantae perfectionis quam cognitionem » (t. VI, p. 559).

1° Aucun texte ne met plus heureusement en évidence le caractère intuitif de la métaphysique cartésienne tout entière que celui du *Discours*. On sait, par la *Recherche de la Vérité* (t. X, p. 523), que la formule : *Cogito, ergo sum* est équivalente à la formule : *Dubito, ergo sum*. D'autre part, un texte vraisemblablement antérieur à l'élaboration des *Meditationes*, celui des *Regulae*, présente déjà comme type de proposition métaphysique nécessaire la formule suivante : *Sum, ergo Deus est* (*Reg.*, XII ; t. X, p. 421, l. 29). Le texte du *Discours* semble donc constater simplement que ces propositions s'impliquent réciproquement, en procédant à une déduction dont la formule pourrait être : *Dubito, ergo Deus est.* Ainsi, trouvant par le doute même, dans lequel elle saisit son existence, l'idée de parfait qui implique l'existence de Dieu, la pensée découvre cette double existence dans une seule intuition. — Cf. *Medit. III*[a] : « Nec putare debeo me non percipere infinitum per veram ideam, sed tantum per negationem finiti, ut percipio quietem et tenebras per negationem motus et lucis ; nam contra manifeste intelligo plus realitatis esse in substantia infinita quam in finita, ac proinde priorem quodammodo in me esse perceptionem infiniti quam finiti, hoc est Dei quam mei ipsius. Qua enim ratione intelligerem me dubitare, me cupere, hoc est, aliquid mihi deesse, et me non esse omnino perfectum, si nulla idea entis perfectioris in me esset, ex cujus comparatione defectus meos agnoscerem? » T. VII, p. 45, l. 23-p. 46, l. 4.

2º Pour que le *Cogito* saisisse immédiatement l'être de la pensée comme enveloppé dans sa raison suffisante, il faut que, selon l'expression de ce texte des *Meditationes*, l'idée de Dieu soit en quelque sorte antérieure à celle de notre propre imperfection. C'est à quoi correspond l'expression : « d'où j'avais appris à penser ... » dont use ici le *Discours*, et ce qu'explique plus complètement une réponse de Descartes à Burman :

[O.] — Sed. METH. 31, dicit se evidentissime intellexisse dubitationem non esse argumentum tantae perfectionis. Ergo id cognovit sine relatione ad ens perfectum, et non cognovit prius Deum quam se.

R. — Ibi in Methodo continetur epitome harum *Meditationum*, quae per eas exponi debet ; ibi ergo cognovit suam imperfectionem per Dei perfectionem. Et quamvis hoc non fecerit explicite, fecit tamen implicite. Nam explicite possumus prius cognoscere nostram imperfectionem, quam Dei perfectionem, quia possumus prius ad nos attendere quam ad Deum, et prius concludere nostram finitatem, quam illius infinitatem ; sed tamen implicite semper praecedere debet cognitio Dei et ejus perfectionum, quam nostri et nostrarum imperfectionum. Nam in re ipsa prior est Dei infinita perfectio, quam nostra imperfectio, quoniam nostra imperfectio est defectus et negatio perfectionis Dei ; omnis autem defectus et negatio praesupponit eam rem a qua deficit, et quam negat. *Entretien avec Burman*, 16 avril 1648, t. V, p. 153.

3º Cette notion de l'antériorité de l'idée de parfait par rapport à l'idée de l'imparfait s'apparente à la tradition augustinienne. « Neque enim in his omnibus bonis ... diceremus aliud alio melius cum vere judicamus, nisi esset nobis impressa notio ipsius boni, secundum quod et probaremus aliquid, et aliud alii praeponeremus. Sic amandus est Deus, non hoc et illud bonum, sed ipsum bonum. » *De Trinitate*, lib. VIII, cap. 3, n. 4 ; *Pat. lat.*, t. XLII, col. 949. Cf. *In Psalm.*, 61, 21 ; t. XXXVI, col. 744. Elle n'avait jamais été oubliée au moyen âge et s'y formule même parfois d'une manière plus proche encore de celle de Descartes que chez saint Augustin. Cf. S. Bonaventure : « Quomodo autem sciret intellectus, hoc esse ens defectivum et incompletum, si nullam haberet cognitionem entis absque omni defectu ? » *Itinerarium mentis in Deum*, cap. III, 3 ; edit. minor, Quaracchi, 1911, p. 317. — Mais la puissante intuition qui fait apercevoir Dieu dans la conscience même du doute ne se rencontre nulle part ailleurs, sous la forme que Descartes lui a donnée.

P. **33**, l. **29** : « ... *d'où* ... »

Texte latin : « ... a quonam ... » (t. VI, p. 559). Cf. plus loin, à p. 34, l. 5.

P. **34**, l. **1** : « ... *de quelque nature* ... »

C'est-à-dire : d'un être dont la nature. Cf. texte latin : « ... nisi ab eo cujus natura esset revera perfectior » (t. VI, p. 559).

P. **34**, l. **1** : « ... *en effet* ... »

Au sens fort de : en réalité, réellement. Cf. Huguet, *Petit Glossaire* (4e édit.) p. 133. Et le texte latin : « ... revera ... » (t. VI, p. 559).

P. **34**, l. **2** : « ... *des pensées* ... »

Sur le sens de : *pensées*, ou *cogitationes*, voir plus haut, à p. 32, l. 19, 2º.

P. **34**, l. **3** : « ... *hors de moi* ... »

Texte latin : « ... de variis rebus extra me positis ... » (t. VI, p. 559).
Dans la *IIIe Medit.*, Descartes classera les idées en idées adventices, factices, innées (t. VII, p. 37, l. 29-p. 38, l. 10. Cf. lettre *à Mersenne*, 16 juin 1641, t. III, p. 382, l. 7-p. 383, l. 20. Cette classification est d'ailleurs expressément voulue en vue de mettre en évidence la réalité de l'idée de Dieu ; *à Clerselier*, 23 avril 1640, t. V, p. 354, l. 8-p. 355, l. 3 : « ... ayant dessein de tirer une preuve de l'existence de Dieu de l'idée ou de la pensée que nous avons de lui, j'ai cru être obligé de distinguer ... », etc). Les idées des choses « hors de moi » correspondent aux *idées adventices*.

P. **34**, l. **4-5** : « ... *je n'étais point tant en peine* ... »

C'est-à-dire : je n'avais pas la même raison de me préoccuper ... Texte latin : « ... non eadem ratione quaerendum esse putabam ... » (t. VI, p. 559).

P. **34**, l. **5** : « … *d'où* … »

Texte latin : « … *a quonam* … » (t. VI, p. 559).

P. **34**, l. **7** : « … *supérieures à moi* … »

Parce que la seule réflexion sur le contenu de ma propre pensée me permet d'y découvrir la cause formelle ou éminente de ces idées. Je puis, en
effet, tirer de moi-même les idées de substance, durée, nombre ; et même
concevoir la possibilité de l'étendue, figure, situation et mouvement, ce qui
me suffit pour composer ensuite les idées de tous les corps. Cf. « Ex iis vero
quae in ideis rerum corporalium clara et distincta sunt, quaedam ab idea
mihi ipsius videor mutuari potuisse, nempe substantiam, durationem, numerum, et si quae alia sint ejusmodi ;… Caetera autem omnia ex quibus rerum
corporearum ideae conflantur, nempe extensio, figura, situs, et motus, in me
quidem, cum nihil aliud sim quam res cogitans, formaliter non continentur ;
sed quia sunt tantum modi quidam substantiae, ego autem substantia,
videntur in me contineri posse eminenter. » *Medit. III*ᵃ, t. VII, p. 44, l. 18-
p. 45, l. 8.

P. **34**, l. **8** : « … *si elles étaient vraies* … »

Cf. plus loin : « … ce qui est en nous de réel et de vrai … », p. 39, l. 4.

1º Toute cette argumentation repose sur un principe latent : tout ce qui
est vrai est quelque chose (« … : patet enim illud omne quod verum est esse
aliquid ; … ». *Medit. V*ᵃ, t. VII, p. 65, l. 4-5), ou encore : « la vérité consiste
en l'*être*, et la fausseté au *non-être* seulement ». *A Clerselier*, 23 avril 1649,
t. V, p. 356, l. 16). Dès lors, le raisonnement de Descartes revient à ceci : supposé que mes idées des choses extérieures soient vraies ; en tant que vraies,
elles sont de l'être, et leur être ne peut s'expliquer que par un autre être qui
en soit la cause. Si donc c'est moi qui en suis cause, c'est parce que je suis, et
non par ce qui me manque que je dois les expliquer.

2º L'origine de ces formules se trouve dans la doctrine scolastique des
Transcendentaux, ou théorie des propriétés qui appartiennent à l'être en
tant qu'être et lui sont équivalentes : *unum, verum, bonum, cum ente conver-
tuntur* (cf. *Index scol.-cartésien*, texte 192, p. 111, et texte 484, p. 317). D'où
résulte inversement que l'absence de vérité ou de bien n'est qu'une absence
d'être, qui ne requiert aucune cause positive pour se trouver expliquée.

P. **34**, l. **9-10** : « … *quelque perfection* … »

Une perfection est un bien que l'on doit naturellement posséder ; or, le
bien est de l'être ; une perfection est donc de l'être. D'où l'expression dont
use ailleurs Descartes : « … nos idées … ne peuvent représenter aucune réalité ou perfection … » (texte cité à p. 34, l. 14, 1º). Dès lors, ce passage signifie
simplement ceci : étant de l'être, les idées vraies dont je suis la cause ne

peuvent s'expliquer que par ce que je possède de réalité positive et d'être.

P. **34**, l. **11** : « ... *tenais du néant* ... »

C'est-à-dire : je n'avais besoin d'imaginer en moi aucune cause positive pour les expliquer. En effet, de même que la vérité est équivalente à l'être, l'erreur est équivalente au non-être : « ... non ens, sive non bonum, sive non verum ; haec enim tria idem sunt » (*à Clerselier*, 23 avril 1649, t. V, p. 357, l. 12-14) ; un néant de vérité s'explique donc suffisamment par un néant d'être.

P. **34**, l. **12** : « ... *pour ce que* ... »

C'est-à-dire : parce que.

P. **34**, l. **12-13** : « ... *j'avais du défaut.* »

Texte latin : «..., hoc est, non aliam ob causam in me esse quam quia deerat aliquid naturae meae, nec erat plane perfecta » (t. VI, p. 559).

C'est donc d'un *défaut d'être* qu'il s'agit, et la phrase signifie simplement : si mes idées des choses extérieures étaient fausses, l'imperfection seule de ma nature finie suffisait à les expliquer. En d'autres termes : la vérité étant une même chose avec l'être, une vérité ne peut avoir pour cause qu'un être ; l'erreur étant une même chose avec le non-être, ce qui me manque d'être suffit à expliquer mes erreurs. Voir plus haut, à p. 34, l. 11.

P. **34**, l. **12** : « *Mais ce ne pouvait être le même* ... »

C'est-à-dire : mais je ne pouvais juger de même de... Cf. texte latin : « Sed non idem judicare poteram ... » (t. VI, p. 559).

P. **34**, l. **13** : « ... *de l'idée* ... »

Texte latin : « ... de cogitatione, sive idea ... » (t. VI, p. 559). Cf. « ... de l'idée ou de la pensée ... » (*à Clerselier*, 23 avril 1649, t. V, p. 354, l. 10-11). Les deux termes sont pratiquement équivalents, toute idée étant une pensée, et nulle pensée n'étant consciente de son contenu que sous forme d'idée.

I. — *Définition de l'idée.*

1º Descartes définit l'idée : la forme d'une pensée, par la perception immédiate de laquelle nous devenons conscients de cette pensée. — Il ajoute généralement cette précision : une idée peut être, mais n'est pas nécessairement une image ; même lorsqu'il s'agit d'une image, l'idée ne consiste jamais dans la modification cérébrale dont cette image dépend.

Cf. « Ideae nomine intelligo cujuslibet cogitationis formam illam, per cujus immediatam perceptionem ipsius ejusdem cogitationis conscius sum ; adeo ut nihil possim verbis exprimere, intelligendo id quod dico, quin ex hoc ipso certum sit, in me esse ideam ejus quod verbis illis significatur. Atque ita non solas imagines in phantasia depictas ideas voco ; imo ipsas hic nullo· modo voco ideas, quatenus sunt in phantasia corporea, hoc est in parte ali- qua cerebri depictae, sed tantum quatenus mentem ipsam in illam cerebri partem conversam informant. » *II*ᵃᵉ *Resp.*, Définit. 2 ; t. VII, p. 160, l. 14- p. 161, l. 3. Cf. aussi lettre *à Mersenne*, juillet 1641, t. III, p. 392, l. 20- p. 393, l. 2. — C'est cette définition que Régis résumait, en disant que Descartes distingue trois choses dans les idées : « la faculté de penser, la pensée et l'idée proprement dite qui est la forme de la pensée. » *Réponse au livre...*, p. 182.

2⁰ Le terme de *forme*, qui est le plus caractéristique de cette définition, peut prêter à confusion. C'est un terme scolastique, mais il n'a retenu, en passant dans le cartésianisme, qu'une partie de son sens primitif. Il ne désigne plus ici la forme sensible de la chose même, qui, rendue intelligible par la pensée, devient le principe de notre connaissance de cette chose ; car Des- cartes nous transporte sur un plan de la pensée considéré comme antérieur à celui des choses. Mais l'idée cartésienne conserve cependant de la *forme* scolastique son caractère *représentatif*, en ce qu'elle reste, lorsque du moins elle est une idée vraie, une similitude représentative de l'objet et, par con- séquent, le principe de la connaissance que nous en avons. Cf. « ... istius rei similitudinem cogitatione complector ... » *III*ᵃᵉ *Resp.*, t. VII, p. 181, l. 24. « Quaedam ex his (cogitationibus) tanquam rerum imagines sunt, quibus solis proprie convenit ideae nomen : ..., etc. ». *Medit. III*ᵃ, t. VII, p. 37, l. 3-6. « Adeo ut lumine naturali mihi sit perspicuum ideas in me esse veluti quasdam imagines ... » *Ibid.*, t. VII, p. 42, l. 11-13. D'où le terme de *forme* conservé par Descartes : « Cum ipsae ideae sint formae quaedam, nec ex ma- teria ulla componantur, quoties considerantur quatenus aliquid repraesen- tant, non *materialiter*, sed *formaliter* sumuntur ; si vero spectarentur, non prout hoc vel illud repraesentant, sed tantummodo prout sunt operationes intellectus, dici quidem posset materialiter illas sumi, sed tunc nullo modo veritatem vel falsitatem objectorum respicerent. » *IV*ᵃᵉ *Resp.*, t. VII, p. 232, l. 12-19.

3⁰ Quant à l'emploi même du terme *idée* pour désigner le contenu de la pensée humaine, il était entièrement nouveau et devait susciter de nombreux malentendus. La scolastique réservait habituellement ce terme pour dési- gner les archétypes éternels dans lesquels Dieu pense les choses. Or, lorsque Dieu connaît les choses en pensant sa propre essence comme imitable par elles (cf. saint Thomas, *Sum. Theol.*, I, 15, 1 et 3 ; et *Index scol.- cartés.*, p. 136-137), il en possède une connaissance *représentative*, quoique dépour- vue de tout élément sensible, et par conséquent *purement intelligible*. C'est précisément ce qui convenait à Descartes dans ce terme, puisqu'il veut nous conduire à penser nos trois idées : celle de Dieu, celle de l'âme, celle même du corps (exemple du *morceau de cire*), comme des connaissances de la pure raison, sans intervention de l'imagination. Il a eu claire conscience de cette transposition : « Atqui ego passim ubique, ac praecipue hoc ipso in loco (*scil.* à propos de l'idée de Dieu), ostendo me nomen ideae sumere pro omni eo quod immediate a mente percipitur, ... Ususque sum hoc nomine, quia jam tritum erat a Philosophis ad formas perceptionum mentis divinae significandas quamvis nullam in Deo phantasiam agnoscamus ; et nullum aptius habebam. » *III^{ae} Resp.*, t. VII, p. 181, l. 5-14.

II. — *Réalité de l'idée.*

Étant une forme *représentative*, l'idée est une chose pensée et, à ce titre, une *réalité*. C'est ce que l'édition latine du *Discours* rappelle en ajoutant au texte la note marginale suivante : « Nota hoc in loco et ubique in sequentibus, nomen Ideae generaliter sumi pro omni re cogitata, quatenus habet tantum esse quoddam objectivum in intellectu » (t. VI, p. 559).

1º Il convient de noter d'abord dans cette définition que l'idée cartésienne se présente comme une chose : *res cogitata*. Ce qui signifie que la pensée, lorsqu'elle perçoit son contenu sous forme d'idée, atteint une réalité intelligible *sui generis*. Cette réalité consiste dans le sens du mot par lequel nous la signifions, si bien que tout mot compris implique la présence d'une idée (voir plus haut. I, 1 ; et lettre *à Mersenne* juillet 1641, t. III, p. 393, l. 15-19), et d'une idée dont la réalité est indépendante du mot, puisqu'un Français et un Allemand, bien que n'usant pas des mêmes mots, peuvent raisonner sur les mêmes choses. (« Est autem in ratiocinatione copulatio, non nominum, sed rerum nominibus significatarum ; ... quis enim dubitat quin Gallus et Germanus eadem plane iisdem de rebus possint ratiocinari, cum tamen verba concipiant plane diversa? » *III^{ae} Resp.*, t. VII, p. 178, l. 24-p. 179, l. 2.) Les idées sont précisément ces choses, et leur réalité s'atteste par la résistance qu'elles opposent à notre pensée lorsque nous prétendons altérer arbitrairement leur définition (*Ibid.*, p. 179, l. 5-10).

2º Cette réalité de l'idée est double : sa réalité en tant que mode de notre substance pensante ; sa réalité en tant que représentative d'un objet, ou *réalité objective*. Considérées en elles-mêmes, c'est-à-dire comme de simples modes de la pensée, toutes nos idées sont d'un degré de perfection sensiblement égal, et qui n'est que celui-là même de notre pensée. Considérées dans leur réalité objective, c'est-à-dire en tant que représentatives d'objets, nos idées diffèrent au contraire les unes des autres proportionnellement aux degrés de perfection des objets qu'elles représentent ; la plus parfaite est alors celle de Dieu, la moins parfaite est celle du néant, toutes les autres se répartissant selon leur degré hiérarchique entre ces deux extrêmes.

Cf. « Per *realitatem objectivam ideae* intelligo entitatem rei representatae per ideam, quatenus est in idea ; eodemque modo dici potest perfectio objectiva, vel artificium objectivum [cf., sur ce point, *Princ. phil.*, I, 17 ; t. VIII, p. 11, l. 5-22], etc. Nam quaecumque percipimus tanquam in idearum objectis, ea sunt in ipsis ideïs objective. » *II^{ae} Resp.*, Définit. 3 ; t. VII, p. 161, l. 4-9. — « Nempe, quatenus ideae istae cogitandi quidam modi tantum sunt, non agnosco ullam inter ipsas inaequalitatem, et omnes a me eodem modo procedere videntur ; sed quatenus una unam rem, alia aliam repraesentat, patet easdem esse ab invicem valde diversas. Nam proculdubio illae quae substantias mihi exhibent, majus aliquid sunt, atque, ut ita loquar, plus realitatis objectivae in se continent, quam illae quae tantum modos, sive accidentiâ repraesentant ; ... » *Medit. III*ª, t. VII, p. 40, l. 7-15. — *A Regius*, juin 1642, t. III, p. 566, l. 25-p. 567, l. 1. *Meditat.*, Praefatio, t. VII, p. 8, l. 19-25 ; et *Synopsis*, t. VII, p. 14, l. 24-p. 15, l. 2. *I^{ae} Resp.*, t. VII, p. 102, l. 3-p. 106, l. 5.

3º L'origine scolastique de l'expression *realitas objectiva* est évidente (cf. Occam, *I Sent.*, dist. 2, qu. 8 ; résumé par Gab. Biel, *Collectorium*, I, dist. 2, qu. 8 : « esse subjectivum, id est esse reale sive actuale ... ; esse objectivum in anima, cujus esse non est aliud nisi cogitari vel intelligi ab intellectu »). Est également scolastique la distinction entre le concept pris dans sa réalité même comme acte de la pensée, et le concept pris dans sa fonction objective, c'est-à-dire représentative de l'objet : « Cum hominem concipimus, ille actus quem in mente efficimus ad concipiendum hominem vocatur conceptus formalis, homo autem cognitus et repraesentatus illo actu dicitur conceptus objectivus ; conceptus quidem per denominationem extrinsecam a conceptu formali, per quem objectum ejus concipi dicitur ; et ideo recte dicitur objectivus, quia non est conceptus, ut forma intrinsece terminans conceptionem, sed ut objectum et materia circa quam versatur formalis conceptio ». Suarez, *Met. Disp.*, II 1. 1 ; dans *Index scol.-cartésien*, texte 80, p. 49.

Il ne faut cependant pas se laisser illusionner par le caractère scolastique de cette terminologie, car la conception qu'elle recouvre ne l'est pas. Dans la scolastique, l'*être objectif* n'est pas un être réel, mais un être de raison ; il n'y a donc pas besoin d'une cause spéciale pour en rendre raison. Dans le cartésianisme, l'être objectif est un être moindre que l'être actuel de la chose, mais il est cependant un être réel et requiert par conséquent une cause de son existence. Sur ce point, voir plus loin, à p. 34, l. 14, 2º.

P. **34**, l. **14** : « ... *de la tenir du néant* ... »

Sur le sens de cette expression, voir plus haut, à p. 34, l. 11.

1º Toute cette argumentation suppose un principe que Descartes a regretté ensuite de n'avoir pu expliciter plus complètement dans le *Discours :* « J'avoue aussi que cette obscurité (*scil.* de la preuve de l'existence de Dieu) vient en partie, comme vous avez fort bien remarqué, de ce que j'ai supposé que certaines notions, que l'habitude de penser m'a rendu familières et évi-

dentes, le doivent être aussi à un chacun ; comme, par exemple, que nos
idées ne pouvant recevoir leurs formes ni leur être que de quelques objets
extérieurs, ou de nous-mêmes, ne peuvent représenter aucune réalité ou perfection, qui ne soit en ces objets, ou bien en nous, et semblables ; sur quoi je
me suis proposé de donner quelque éclaircissement dans une seconde impression. » *Au P. Vatier*, 22 février 1638, t. I, p. 560, l. 27-p. 561, l. 6. *A Mersenne*,
1ᵉʳ mars 1638, t. II, p. 28, l. 10-25. — Les éclaircissements annoncés ont, en
réalité, trouvé place dans la *IIIᵉ Méditation ;* quant au *Discours*, Descartes
·s'est contenté de la note marginale ajoutée à la tradition latine et que nous
avons reproduite plus haut, à p. 34, l. 13, IIᵒ.

2ᵒ L'étonnement du P. Vatier nous montre que Descartes apportait quelque
chose de nouveau en faisant du principe de causalité cet usage inconnu de la
scolastique. Et, en effet, il n'y avait pas de problème spécial de la cause du
contenu des idées dans la philosophie de l'École, parce que ce contenu, n'y
étant pas considéré comme de l'être, ne requérait aucune cause propre. Ce
désaccord fait le fond de toute une partie des objections de Caterus (*Iᵃᶜ Obj.*,
t. VII, p. 92, l. 9-p. 94, l. 4 : « Et tamen quia [quod distincte concipitur] solum concipitur et actu non est, concipi quidem, at causari minime potest ») ;
et, en effet, du point de vue de l'École, une pierre est une réalité ; mon intellect est une réalité ; l'acte par lequel je conçois cette pierre est une réalité ;
mais si je me donne la forme sensible de la pierre, et mon intellect qui s'en
empare pour la rendre intelligible, il va de soi que mon concept de la pierre
représente cette pierre : il n'y a donc pas de réalité de ma représentation
entre celle de la forme de l'objet et celle de l'acte par lequel je la pense (cf.
Index scol.-cartésien, texte 182, p. 107. Et aussi : saint Thomas (?), *Summa
logicae*, II, 1). Dans ces conditions, l'être formel de mon concept requiert une
cause (l'intellect appréhendant la forme de la pierre), mais l'*être objectif* de
mon concept n'en requiert pas. — Toute différente est la position adoptée
par Descartes. Au lieu de partir, comme la scolastique, du contact entre la
pensée et l'objet, d'où naît le concept, il part de la pensée pure, avec le *Cogito*. Dès lors, la ressemblance entre le concept et l'objet, que la Scolastique
trouve déjà expliquée par l'objet lui-même dès le premier moment où elle la
constate, est encore inexpliquée pour Descartes, et ne peut même être que
postulée par lui lorsqu'il la rencontre. Bien loin, en effet, de pouvoir en rendre
raison par l'objet, c'est sur elle qu'il doit nécessairement s'appuyer pour
poser cet objet ; il affirmera donc, contrairement à l'École, que « du connaître
à l'être la conséquence est bonne » (*VIIᵃᵉ Resp.*, t. VII, p. 520, l. 5), et se pla-
cera dans les conditions requises pour que le passage de l'idée à l'être puisse
légitimement s'effectuer :

a) Descartes supposera donc d'abord que l'*être objectif* de l'idée est un être,
inférieur sans doute à celui de la chose dont il n'est qu'un reflet, mais réel
cependant. Voir texte suivant.

b) Que cet être, dès lors qu'il est réel, requiert une cause suffisante, en vertu du principe de causalité. Cf. « Si enim ponamus aliquid in idea reperiri, quod non fuerit in ejus causa, hoc igitur habet a nihilo ; atqui quantumvis imperfectus sit iste modus, quo res est objective in intellectu per ideam, non tamen profecto plane nihil est, nec proinde a nihilo esse potest. » *Medit. III*ª, t. VII, p. 41, l. 24-29. *III*ᵃᵉ *Resp.*, Axioma III ; t. VII, p. 165, l. 7-9.

c) En vertu de ce même principe, il faut que la cause du contenu d'une idée, prise en tant qu'idée, soit dans autre chose qu'une idée (sans quoi l'on aboutirait à expliquer la pensée par elle-même, ce qui reviendrait à ne pas lui attribuer de cause). *Ibid.*, t. VII, p. 41, l. 30-p. 42, l. 11. Le principe de causalité exige donc qu'à l'origine de l'être représentatif d'une idée se trouve toujours l'être d'une chose représentée.

d) Enfin, c'est une conséquence immédiate de ce même principe qu'il ne peut pas y avoir dans l'effet plus que dans la cause (car ce que l'effet aurait en plus serait sans cause. Cf. *II*ᵃᵉ *Resp.*, t. VII, p. 135, l. 11-18) ; une idée peut donc contenir moins que son objet, mais jamais davantage. *Ibid.*, t. VII, p. 42, l. 11-15. Lorsque l'objet contient autant que l'idée, et le contient sous la même forme, il en est la *cause formelle ;* lorsqu'il contient plus que l'idée, et le contient sous un mode d'être supérieur, il en est la *cause éminente.* C'est le cas de l'idée de Dieu. Cf. « Eadem dicuntur esse *formaliter* in idearum objectis, quando talia sunt in ipsis qualia illa percipimus ; et *eminenter*, quando non quidem talia sunt, sed tanta, ut talium vicem supplere possint. » *II*ᵃᵉ *Resp.*, Définit. 4 ; t. VII, p. 161, l. 10-13.

3° On observera que toute la métaphysique de Descartes postule ce minimum d'être pour la *réalité objective* de nos idées, car elle consiste tout entière à rendre raison suffisante du contenu réel de la pensée au moyen du principe de causalité. Il n'y a pas, dans le cartésianisme, d'autre preuve de l'existence de Dieu par ses effets, ni d'autre preuve de l'existence du monde extérieur : « Unde etiam sequitur, realitatem objectivam idearum nostrarum requirere causam, in qua eadem ipsa realitas, non tantum objective, sed formaliter vel eminenter contineatur. Notandumque hoc axioma tam necessario esse admittendum, ut ab ipso uno omnium rerum, tam sensibilium quam insensibilium, cognitio dependeat..., etc. » *II*ᵃᵉ *Resp.*, Axioma V ; t. VII, p. 165, l. 13-27. Cf. *II*ᵃᵉ *Resp.*, t. VII, p. 135, l. 19-26.

P. **34**, l. **15** : « ... *pour ce qu'il* ... »

C'est-à-dire : parce qu'il. Voir à p. 34, l. 12.

P. **34**, l. **15-16** : « ... *de répugnance* ... »

C'est-à-dire : de contradiction. En d'autres termes : parce qu'il n'est pas moins contradictoire.

P. **34**, l. **16** : « *... soit une suite ...* »

C'est-à-dire : résulte et procède de ... Texte latin : « ... a minus perfecto procedere ... » (t. VI, p. 559). — En effet, ce ne sont là que deux formules différentes du même principe de causalité. Cf. « Quod enim *nihil sit in effectu, quod non vel simili vel eminentiori aliquo modo praeextiterit in causa*, prima notio est, qua nulla clarior habetur ; haecque vulgaris, *a nihilo nihil fit*, ab eo non differt ; quia si concedatur aliquid esse in effectu, quod non fuerit in causa, concedendum etiam est hoc aliquid a nihilo factum esse ; nec patet cur nihil non potest esse rei causa, nisi ex eo quod in tali causa non esset idem quod in effectu. » *II*[ae] *Resp.*, t. VII, p. 135, l. 11-18. Ce que l'effet aurait de plus que sa cause serait sans cause. — Cf. *II*[ae] *Resp.*, Axioma IV ; t. VII, p. 165, l. 10-12.

P. **34**, l. **19** : « *... de moi-même ...* »

Parce que la réalité objective de cette idée étant supérieure à ma réalité formelle, je ne puis me dire la cause de cette idée sans supposer un effet supérieur à sa cause et violer par là même le principe de causalité. Voir plus loin, à p. 34, l. 24.

P. **34**, l. **17-18** : « *... de rien procède quelque chose ...* »

En vertu du principe de causalité, dont c'est la formule même : « Nulla res, nec ulla rei perfectio actu existens, potest habere *nihil*, sive rem non existentem, pro causa suae existentiae. » *II*[ae] *Resp.*, Axioma III ; t. VII, p. 165, l. 7-9.

Même argumentation dans *Medit. III*[a], t. VII, p. 40, l. 21-p. 47, l. 23. *Princ. phil.*, I, 17-18 ; t. VIII, p. 11, l. 5-p. 12, l. 9. En voici les éléments essentiels :

1° Descartes estime, conformément à la tradition thomiste (elle-même fondée sur les paroles de la *Sagesse*, XIII, 8-9, et de saint Paul, *Rom.*, I, 20 ; alléguées par Descartes, *Meditationes*, Epistola, t. VII, p. 2, l. 20-25) que la voie la plus accessible pour démontrer l'existence de Dieu est celle qui se fonde sur ses effets et met, par conséquent, en œuvre le principe de causalité : « Atqui considerationem causae efficientis esse primum et praecipuum medium, ne dicam unicum, quod habeamus ad existentiam Dei probandam, puto omnibus esse manifestum » (*IV*[ae] *Resp.*, t. VII, p. 238, l. 11-14). Mais la preuve par la cause efficiente ne peut trouver place dans le cartésianisme qu'en se transformant et revêtant des caractères nouveaux.

a) La voie suivie par saint Thomas consistait à partir d'un effet quelconque, *pourvu qu'il fût sensible*, et à lui assigner Dieu comme cause. Or, Descartes part de la pensée. Le *Cogito* l'oblige donc à chercher à l'intérieur de la pensée même l'effet dont l'existence postulera Dieu comme cause. C'est ce qu'il exprime en disant que l'existence de Dieu est plus évidente que celle du monde extérieur (puisqu'elle en conditionne l'affirmation) et que, par conséquent, on ne saurait partir du monde extérieur pour prouver Dieu (*I*ᵃᵉ *Resp.*, t. VII, p. 106, l. 14-18).

b) En second lieu, la preuve de saint Thomas, acceptée par la majorité des scolastiques, supposait le principe aristotélicien : il est impossible de remonter à l'infini dans une série de causes *essentiellement ordonnées*. Or, dans le monde matériel, les essences des choses et, par conséquent, les causes diffèrent selon les degrés de perfection de leurs formes. Il est donc impossible de remonter à l'infini dans la série de ces causes, mais il faut arriver à une première, qui est Dieu (cf. Étienne Gilson, *Le Thomisme*, 2ᵉ édit., 1923, p. 46-68). — Descartes admet ce principe, mais, comme la physique mécaniste a pour effet de supprimer les formes substantielles, le monde cartésien ne comporte plus la structure hiérarchique sur laquelle la preuve thomiste s'appuyait ; il n'y a plus que des causes *accidentellement ordonnées* et, par conséquent, dans lesquelles un progrès à l'infini reste toujours possible. C'est ce que prouve la divisibilité indéfinie de la matière dans la physique cartésienne (*I*ᵃᵉ *Resp.*, t. VII, p. 106, l. 23-p. 107, l. 2 ; à commenter par la lettre à *Mesland*, 2 mai 1644, t. IV, p. 112, l. 26-p. 113, l. 4), et aussi l'étendue indéfinie de l'univers cartésien qui, contrairement à l'univers fini du thomisme, ne comporte pas un nombre fini de degrés entre le mouvement sublunaire et Dieu.

c) En troisième lieu, même en supposant qu'il fût correct de partir du sensible et qu'un univers fini, composé d'essences hiérarchiquement ordonnées, fournît une base à la preuve, elle n'aboutirait encore qu'à l'existence d'un *auteur de l'univers*, et non pas à l'existence de *Dieu*. Car l'univers est contingent et imparfait ; prouver son auteur n'est donc pas prouver l'existence d'un être parfait, mais seulement d'un démiurge assez puissant pour le créer. D'où résulte :

α) Que la seule preuve qui aboutisse réellement à l'existence de Dieu est celle qui cherche la cause de l'idée d'être parfait et infini qui est en nous ; car cette cause d'une réalité objective parfaite et infinie ne peut être elle-même que parfaite et infinie (*Medit. III*ᵃ, t. VII, p. 51, l. 29-p. 52, l. 9. *I*ᵃᵉ *Resp.*, t. VII, p. 105, l. 24-p. 106, l. 2).

β) Que, dans ce cas unique, la régression à l'infini dans la série des causes est impossible puisque l'idée de Dieu est en quelque sorte antérieure à celle de tout le reste : « ac proinde priorem quodammodo in me esse perceptionem infiniti quam finiti, hoc est Dei quam mei ipsius » (*Medit. III*ᵃ, t. VII, p. 45, l. 27-29. Et plus loin, à p. 36, l. 23-24).

γ) Que c'est même cette antériorité de l'idée de Dieu par rapport à celle de ses effets qui explique l'illusion de saint Thomas ; car jamais il n'eût imaginé la possibilité de rejoindre Dieu à partir du sensible s'il n'avait eu déjà l'idée de Dieu, c'est-à-dire s'il n'était parti du terme où sa preuve prétendait

aboutir. Seule la présence latente de l'idée de Dieu dans sa pensée lui permet de postuler qu'une série de causes sensibles ne peut pas être infinie ; il
n'arrête la série à Dieu que parce qu'il a déjà l'idée de Dieu. (« Car mon âme
étant finie, je ne puis connaître que l'ordre des causes n'est pas infini, sinon
en tant que j'ai en moi cette idée de la première cause ; ... » *A Mesland*, 2 mai
1644, t. IV, p. 112, l. 20-23).

δ) Qu'enfin nous avons ici de quoi donner son sens vrai à l'argument du
malin génie. L'argument du grand trompeur est la suspicion qui plane sur la
valeur du souvenir de nos évidences, dans un système où l'évidence actuelle
est seule une garantie suffisante de vérité, lorsque :

1° On ignore l'existence d'un auteur de notre nature ;

2° Lorsqu'on ignore que cet auteur est Dieu ;

3° Et même lorsqu'on croit avoir prouvé son existence, bien qu'on ne se
soit pas appuyé sur l'idée de Dieu pour la prouver. C'est ce que font les thomistes, et, en fait, le troisième cas revient au second, car tant que l'on
prouve une première cause sans s'appuyer sur l'idée de Dieu, on ignore que
cette cause est Dieu.

Le grand trompeur est donc le doute hyperbolique que peut seule éliminer,
non pas simplement la preuve, mais la preuve cartésienne de l'existence de
Dieu. Mais sa seule présence l'élimine, car prouver Dieu comme infini, c'est
le prouver comme parfait, donc véridique. Le malin génie, au contraire, est
ce que peut encore être supposé l'auteur de notre nature lorsqu'on le prouve,
comme les scolastiques, par le sensible et qu'on ne prouve par conséquent
pas qu'il soit Dieu. Cette hypothèse concrétise donc le « verum Deum, sed
neque a se neque ab aliis, ... satis clare cognitum » (*à Buitendijck*, 1643,
t. IV, p. 64, l. 18-21) et que, par conséquent, rien ne nous interdit de supposer trompeur ; la preuve cartésienne nous livre, au contraire, immédiatement une cause première parfaite, donc qui est Dieu, et dont la véracité ne
saurait être mise en doute. Le seul créateur qui garantisse la vérité de nos
connaissances est celui que prouve la preuve cartésienne par la cause de
l'idée de parfait, car il est le seul qui soit parfait lui-même et, par conséquent, le seul qui soit Dieu (cf. *à Mesland*, 2 mai 1644 : « ... et encore qu'on
admette une première cause, qui me conserve, je ne puis dire qu'elle soit
Dieu, si je n'ai véritablement l'idée de Dieu »). La vraie preuve de l'existence
de Dieu est la seule preuve que nos idées claires et distinctes soient vraies.

2° Indépendamment de ces modifications profondes que Descartes impose
à la preuve classique par les effets de Dieu, il faut remarquer celle qu'une
nouvelle interprétation de ce principe introduit jusque dans l'idée de Dieu
lui-même. Du point de vue scolastique, le principe de causalité postule une
cause première qui, pour être première, doit être elle-même soustraite à la
causalité. Du point de vue de Descartes, un principe qui souffre ne serait-ce
qu'une seule exception n'est pas un principe. Il faut donc prendre parti : ou

bien renoncer à la preuve de Dieu par la cause efficiente, que tout le monde reconnaît comme la principale ; ou bien ne rien soustraire, pas même Dieu, au domaine du principe de causalité. Si tout a une cause, Dieu a une cause ; si Dieu n'a pas de cause, on ne peut dire que tout ait une cause, et l'on ne saurait, par conséquent, prouver l'existence de Dieu par le principe de causalité. C'est pourquoi la preuve cartésienne, au lieu d'être la preuve d'une cause première qui n'a pas de cause, est la preuve d'une cause première qui est cause de soi-même ; au Dieu *acte pur* de la scolastique se substitue le Dieu *causa sui* que va recueillir Spinoza (*I^{ae} Resp.*, t. VII, p. 108, l. 18-p. 109, l. 3. Et aussi : « Illud autem accurate persequi non possumus [*scil.* existentiam Dei probare] nisi licentiam demus animo nostro in rerum omnium, etiam ipsius Dei, causas efficientes inquirendi : quo enim jure Deum inde exciperemus, priusquam illum existere sit probatum ..., etc. » *IV^{ae} Resp.*, t. VII, p. 238, l. 11 et suiv. ; et p. 241, l. 16 et suiv.).

P. **34**, l. **20** : « ... *mise en moi* ... »

C'est-à-dire : que l'idée de Dieu fût en moi une idée innée dont Dieu seul pût être l'origine.

1° Pour comprendre quelle place exacte Descartes assigne à l'idée de Dieu dans notre pensée, il faut d'abord concevoir la manière dont il se représente l'origine de nos idées en général. La célèbre classification des *Méditations*, qui n'a de sens que par rapport à la preuve de l'existence de Dieu (idées adventices, factices, innées ; voir plus haut, à p. 34, l. 3), risque d'induire en erreur sur ce point.

a) En un premier sens, *toutes nos idées sont innées.* Cette assertion découle immédiatement de la distinction réelle de l'âme et du corps. Puisque ces deux substances sont telles que rien de ce qui est corps ne peut passer dans l'âme, il faut nécessairement que tout ce que l'âme contient lui vienne du dedans : « Et, enfin, je tiens que toutes celles (*scil.* les idées) qui n'enveloppent aucune affirmation ni négation nous sont *innatae ;* car les organes des sens ne nous rapportent rien qui soit tel que l'idée qui se réveille en nous à leur occasion, et ainsi cette idée a dû être en nous auparavant. » *A Mersenne*, 22 juillet 1641, t. III, p. 418, l. 3-8. Par là Descartes s'oppose au thomisme et rejoint la théorie augustinienne de la sensation, cet accord résultant de leur *mentalisme* initial (cf. saint Augustin, *De Trinitate*, X, 5, 7 ; *Pat. lat.*, t. XLII, col. 977. *De Genesi ad litteram*, XII, 16, 33 ; *Pat. lat.*, t. XXXIV, col. 467 ; et V, 24 ; t. XXXIV, col. 228. Doctrine que résume la brève formule des *Retract.*, I, 2 ; t. XXXII, col. 586 : « Est enim sensus et mentis ») et conduisant Descartes à une sorte de perceptionnisme occasionnaliste où l'âme forme en elle-même ses perceptions, à l'occasion de l'action réelle, quoique non transitive, exercée sur elle par le corps. Cf. *Notae in programma quoddam*, t. VIII, 2 ; p. 358, l. 20-p. 359, l. 26.

b) Ce premier point une fois admis, nous pouvons distinguer entre deux sortes d'idées innées : celles que la pensée forme en soi à l'occasion des impressions sensibles (idées dites *adventices*) et celles que la pensée trouve en soi sans que nulle impression sensible soit nécessaire pour expliquer leur formation (idées *innées* proprement dites). L'idée de Dieu vient alors prendre place dans cette deuxième classe : « Par le mot *Idea*, j'entends tout ce qui peut être en notre pensée, et ... j'en ai distingué trois sortes (cf. *Medit. III*ᵃ, t. VII, p. 37, l. 29-p. 38, l. 10) : à savoir *quaedam sunt adventitiae*, comme l'idée qu'on a vulgairement du Soleil ; *aliae factae vel factitiae*, au rang desquelles on peut mettre celles que les Astronomes font du Soleil par leur raisonnement ; *et aliae innatae, ut Idea Dei, Mentis, Corporis, Trianguli, et generaliter omnes quae aliquas Essentias Veras, Immutabiles et Aeternas repraesentant.* » *A Mersenne,* 16 juin 1641, t. III, p. 383, l. 2-10. — L'idée innée proprement dite se distingue donc de l'idée qui n'est innée qu'au premier sens, en ce qu'elle nous livre une « vraie et immuable nature », c'est-à-dire une essence, dont la définition s'impose nécessairement à notre pensée.

c) Parmi les idées innées proprement dites, il convient d'introduire encore une distinction. Certaines appartiennent à ma pensée en quelque sorte de droit, et du seul fait qu'elle est une substance pensante. Elle suffit donc à en rendre compte, ainsi que nous l'avons constaté plus haut (à p. 34, l. 7) ; c'est le cas des idées de pensée, de substance, de corps, de triangle, etc. Mais il en est une qui se trouve en moi sans que je puisse découvrir dans mon être la raison suffisante de sa présence dans ma pensée : c'est l'idée de Dieu. Idée d'un être supérieur à l'être de celui qui la conçoit, l'idée de Dieu n'est pas seulement « en moi », elle est « mise en moi » ; cette expression du *Discours* signifie donc que l'idée de Dieu se présente immédiatement avec la marque de son origine transcendante, et comme quelque chose en nous qui n'est pas de nous.

2º Il peut dès lors sembler que l'innéité de l'idée de Dieu, telle que Descartes la conçoit, nous dispense de toute preuve de l'existence de Dieu, et que cette dernière vérité devienne immédiatement évidente (Objection de saint Thomas contre saint Anselme : *Sum. Theol.*, I, 2, 1 ; reprise par Caterus contre Descartes : *Iᵃᵉ Object.*, t. VII, p. 96, l. 21-p. 97, l. 16). — Descartes déclare, au contraire, que l'innéité de l'idée de Dieu ne dispense pas de prouver son existence et qu'il considère avec saint Thomas que cette vérité a besoin d'être démontrée (*Iᵃᵉ Resp.*, t. VII, p. 115, l. 3-12). Ce qui est vrai, c'est que l'innéité de l'idée de Dieu est d'un ordre tel dans le cartésianisme que « c'est presque la même chose de concevoir Dieu et de concevoir qu'il existe » *(à Mersenne,* juillet 1641, t. III, p. 396, l. 9-10). Mais ce n'est que *presque* la même chose, et c'est précisément pour passer de l'idée de Dieu à son existence que les preuves sont nécessaires.

a) D'abord il faut que l'idée de Dieu sur laquelle les preuves s'appuieront soit la véritable. Cette idée, encore qu'inséparable de notre pensée, **exige**, pour être découverte sous sa forme distincte, un effort d'attention dont beaucoup se dispensent : « Car, encore que l'idée de Dieu soit tellement empreinte en l'esprit humain qu'il n'y ait personne qui n'ait en soi la faculté de le connaître, cela n'empêche pas que plusieurs personnes n'aient pu passer toute leur vie sans jamais se représenter distinctement cette idée. Et, en effet, ceux qui la pensent avoir de plusieurs dieux ne l'ont du tout point ; car il implique contradiction d'en concevoir plusieurs souverainement parfaits, comme vous avez très bien remarqué ; et quand les Anciens nommaient plusieurs dieux, ils n'entendaient pas plusieurs tout-puissants, mais seulement plusieurs fort puissants, au-dessus desquels ils imaginaient un seul Jupiter comme souverain, et auquel seul, par conséquent, ils appliquaient l'idée du vrai Dieu, qui se présentait confusément à eux » (*à Clerselier*, 17 février 1645, t. IV, p. 187, l. 18-p. 188, l. 12).

b) Ensuite, l'idée innée de Dieu n'est pas en nous comme une définition toute faite dont le contenu représenterait son essence. Elle est en nous comme la marque de l'ouvrier laissée par le Créateur sur son ouvrage, sans que cette marque soit un signe représentatif de Dieu surajouté par lui à son ouvrage ; elle consiste en ceci que le contenu de la pensée humaine ne peut être expliqué sans l'existence d'un être parfait qui est Dieu, puisque l'intelligence de l'être imparfait et fini que nous sommes connaît le parfait et que sa volonté y aspire. Cf. « Et sane non mirum est Deum, me creando, ideam illam mihi indidisse, ut esset tanquam nota artificis operi suo impressa ; nec etiam opus est ut nota illa sit aliqua res ab opere ipso diversa. Sed ex hoc uno quod Deus me creavit, valde credibile est me quodammodo ad imaginem et similitudinem ejus factum esse, illamque similitudinem, in qua Dei idea continetur, a me percipi per eamdem facultatem, per quam ego ipse a me percipior » (*Medit. III*ᵃ, t. VII, p. 51, l. 15-23. Sur le sens de *valde credibile* : tout à fait certain, cf. t. I, p. 450, l. 7-p. 451, l. 2. Cf. *Entretien avec Burman*, 16 juillet 1648, t. V, p. 156). « Hoc est, dum in meipsum mentis aciem converto, non modo intelligo me esse rem incompletam, et ab alio dependentem, remque ad majora sive meliora indefinite aspirantem ... » (*Medit. III*ᵃ, t. VII, p. 51, l. 24-26. Cf. *à Mersenne*, 25 décembre 1639, t. II, p. 628, l. 3-9, cité à p. 35, l. 2. De même pour notre aptitude à concevoir la possibilité d'un accroissement indéfini : *V*ᵃᵉ *Resp.*, t. VII, p. 365, l. 9-18, p. 370, l. 13-p. 371, l. 7. *III*ᵃᵉ *Resp*, t. VII, p. 139, l. 5-p. 140, l. 1. Et *ad Hyperaspistem*, août 1641, t. III, p. 427, l. 21-p. 428, l. 5). L'idée de Dieu nous est donc innée en ce sens que notre insuffisance et notre dépendance à son égard est inscrite dans la substance même de notre pensée, mais il reste à prouver que la seule cause possible de l'idée innée de Dieu soit Dieu.

c) D'où résulte enfin que l'idée de Dieu n'est en nous qu'à l'état implicite et qu'il nous incombe de l'expliciter « ... quamvis non dubitem quin omnes

ideam Dei, saltem implicitam, hoc est aptitudinem ad ipsam explicite perci-
piendam, in se habeant, non mirer tamen quod illam se habere non sentiant,
sive non advertant, nec forte etiam post millesimam mearum Meditationum
lectionem sint adversuri » (*ad Hyperaspistem*, août 1641, t. III, p. 430, l. 13-
p. 431, l. 13) ; et qu'en outre, une fois cette idée explicitée comme elle doit
l'être grâce au doute et au *Cogito*, il reste à s'en servir comme d'un moyen
pour prouver l'existence de Dieu : « J'ai tiré la preuve de l'existence de Dieu
de l'idée que je trouve en moi d'un Être souverainement parfait, qui est la
notion ordinaire que l'on en a. Et il est vrai que la simple considération d'un
tel Être nous conduit si aisément à la connaissance de son existence que c'est
presque la même chose de concevoir Dieu et de concevoir qu'il existe ; mais
cela n'empêche pas que l'idée que nous avons de Dieu, ou d'un Être souverainement parfait, ne soit fort différente de cette proposition : *Dieu existe*, et
que l'un ne puisse servir de moyen ou d'antécédent pour prouver l'autre » (*à
Mersenne*, juillet 1641, t. III, p. 395, l. 26-p. 396, l. 15). — C'est ce que Descartes fait, soit en appliquant ici même au contenu de l'idée de parfait le
principe de causalité, soit en montrant l'existence nécessairement incluse
dans cette essence (voir à p. 36, l. 23-24).

P. **34**, l. **20** : « ... *par une nature* ... »

C'est-à-dire : par un être dont la nature... Cf. texte latin : « ... a re, cujus
natura esset perfectior, ... » (t. VI, p. 559).

P. **34**, l. **22-23** : « ... *avoir quelque idée* ... »

Parce qu'en effet la présence de l'idée de chacune de ces perfections dans
un être imparfait ne peut s'expliquer que par l'existence d'un être parfait,
notre capacité de les concevoir constituant précisément cette marque laissée
par Dieu sur son ouvrage. Cf. plus loin, à p. 35, l. 5-6 ; et p. 35, l. 7.

P. **34**, l. **24** : « ... *qui fût Dieu* ... »

Du point de vue cartésien, l'idée de Dieu est une idée innée, la même chez
tous les hommes, et qui nous représente « une vraie et immuable nature »
dont la définition s'impose avec une nécessité contraignante à notre pensée.
Or, cette définition n'est autre que la suivante : Dieu est l'être absolument
parfait. C'est donc une seule et même chose que de prouver l'existence d'un
être parfait ou de prouver l'existence de Dieu.

Cf. « ... quaedamque idea entis perfectissimi, hoc est Dei ... » (*Medit. III*[a],
t. VII, p. 51, l. 3-4). — « ... quoties tamen de ente primo et summo libet cogitare, atque ejus ideam tanquam ex mentis meae thesauro depromere, necesse
est ut illi omnes perfectiones attribuam, ... » (*Medit. V*[a], t. VII, p. 67,
l. 19-24). — « Substantia, quam summe perfectam esse intelligimus, et in

qua nihil plane concipimus quod aliquem defectum sive perfectionis limitationem involvat, *Deus* vocatur » (*II^{ae} Resp.*, t. VII, p. 162, l. 4-7).

Sur le caractère nécessaire du contenu de cette idée, voir plus loin, à p. 35, l. 5-6.

P. **34**, l. **24** : « *A quoi j'ajoutai …* »

Ici commence un deuxième exposé de la première preuve de l'existence de Dieu (« Ideoque ulterius inquisivi, *an ego possem existere, si Deus non existeret,* non tam ut diversam a praecedenti rationem afferrem, quam ut eamdem ipsam absolutius explicarem. » *I^{ae} Resp.*, t. VII, p. 106, l. 2-5). Dès le temps même de Descartes, on s'est cependant demandé si c'était là une preuve distincte de la première? A quoi Descartes répondit que peu lui importait, à condition de bien comprendre que ce qui prouve l'existence de Dieu n'est pas l'existence de l'homme, mais l'existence d'*un homme qui a l'idée de Dieu.* C'est donc bien sur l'idée de Dieu présente en l'homme que porte la preuve, et elle ne se distingue pas de la première. Cf. « Il importe peu que ma seconde démonstration, fondée sur notre propre existence, soit considérée comme différente de la première, ou seulement comme une explication de cette première. Mais, ainsi que c'est un effet de Dieu de m'avoir créé, aussi en est-ce un d'avoir mis en moi son idée ; et il n'y a aucun effet venant de lui, par lequel on ne puisse démontrer son existence. Toutefois, il me semble que toutes ces démonstrations, prises des effets, reviennent à une ; et même qu'elles ne sont pas accomplies, si ces effets ne nous sont évidents (c'est pourquoi j'ai plutôt considéré ma propre existence que celle du ciel et de la terre, de laquelle je ne suis pas si certain), et si nous n'y joignons l'idée que nous avons de Dieu » (*à Mesland,* 2 mai 1644, t. IV, p. 112, l. 7-20).

On peut dès lors se demander en quoi ce deuxième exposé de la preuve pouvait sembler à Descartes capable de compléter le premier? C'est que prouver Dieu comme cause d'une idée risquait de paraître fort abstrait à un public accoutumé aux preuves par le sensible ; l'être lui-même qui a cette idée, surtout si c'est le nôtre, est au contraire beaucoup plus concret et aisé à concevoir ; c'est donc pour rendre sa preuve plus accessible que Descartes lui donne cette nouvelle forme. Elle présente en effet la commodité : 1º de ne pas exclure les images sensibles comme faisait la précédente (*Medit. III^a*, t. VII, p. 47, l. 26-p. 48, l. 2. Cf. *II^{ae} Resp.*, t. VII, p. 136, l. 3-10) ; 2º de permettre l'usage du principe thomiste que l'on ne peut remonter à l'infini dans la série des causes ; et de donner par là même à la preuve un aspect tout à fait traditionnel qui devait en faciliter l'acceptation (*Medit. III^{ae}*, t. VII, p. 50, l. 7-10. *V^{ae} Resp.*, t. VII, p. 370, l. 13-18). On n'oubliera pas toutefois que le seul cas auquel ce principe s'applique est celui d'un être ayant l'idée de Dieu.

P. **34**, l. **27** : « ... *des mots de l'École* ... »

C'est-à-dire : d'expressions scolastiques non encore consacrées par l'usage français, comme *avoir de soi-même, participer de*, etc.

P. **34**, l. **30** : « ... *tout ce que j'avais* ... »

Texte latin : « ... quidquid in me erat ... » (t. VI, p. 559).

P. **35**, l. **1** : « ... *tout ce peu* ... »

C'est-à-dire : tout ce peu de perfection. Cf. le texte latin : « ... totum id, quantulumcumque sit, *perfectionis* cujus particeps eram, ... » (t. VI, p. 560).

P. **35**, l. **1** : « ... *je participais de* ... »

Participer s'oppose à *être par essence*. Ce qui est par essence est totalement ce qu'il est, et il est par là même cause de ce qui n'est tel que par participation. Descartes veut donc dire : n'étant pas parfaitement bon, je ne pouvais pas être parfait par essence, mais je ne pouvais l'être que par participation à la perfection de l'être qui est parfait par essence, c'est-à-dire Dieu. — On se souviendra d'ailleurs que, en vertu de cette définition même, participer d'une chose c'est tenir d'elle ce que l'on est, mais aussi ne pas l'être.

Pour les origines scolastiques de la doctrine, cf. saint Thomas d'Aquin : « Quod per essentiam dicitur est causa omnium quae per participationem dicuntur... Deus autem est ens per essentiam suam, quia est ipsum esse ; omne autem aliud ens est per participationem,... Deus igitur est causa essendi omnibus aliis. » *Cont. gent.*, II, 15. « Sic autem se habet omnis creatura ad Deum, sicut aer ad solem illuminantem. Sicut enim sol est lucens per suam naturam ; aer autem fit luminosus participando lumen a sole, non tamen participando naturam solis ; ita solus Deus est ens per essentiam suam quia ejus essentia est suum esse ; omnis autem creatura est ens participative, non quod sua essentia sit ejus esse. » *Sum. Theol.*, I, 104, 1. Concl.

P. **35**, l. **2** : « .. *avoir de moi* ... »

C'est-à-dire : j'aurais pu me donner moi-même. Cf. le texte latin : « ... per me acquirere potuissem ... » (t. VI, p. 560).

Même argumentation dans *Medit. III*ᵉ, t. VII, p. 48, l. 7-24. *IV*ᵉ *Resp.*, t. VII, p. 240, l. 14 et suiv. *Princ. phil.*, I, 20 ; t. VIII, p. 12, l. 26-31.

Cette deuxième formule de la preuve par la cause efficiente n'est intelligible qu'à partir de la doctrine thomiste qui définit la volonté comme un appétit nécessaire du bien (*Sum. Theol.*, I, qu. 82, art. 1 et 2. Cf. les textes d'Eustache de Saint-Paul, dans *Index scol.-cartésien*, textes 496-498, p. 326-327). Descartes considère cette définition comme une évidence naturelle (« est lumine naturali notissimum ... » ; « ... eodem enim lumine naturali quo percipio ... » ; *loc. cit.*) et il en fait même un axiome dont voici la formule :

« Rei cogitantis voluntas fertur, voluntarie quidem et libere (hoc enim est de essentia voluntatis) sed nihilominus infallibiliter, in bonum sibi clare cognitum ; ideoque, si norit aliquas perfectiones quibus careat, sibi statim ipsas dabit, si sint in sua potestate » (*IIe Resp.*, Axioma VII ; t. VII, p. 166, l. 3-7). Mais l'usage qu'en fait Descartes est nouveau, le thomisme n'ayant jamais fait appel à ce principe pour prouver l'existence de Dieu. Et cette différence capitale s'explique. En effet, la scolastique n'a jamais envisagé, même à propos de Dieu, l'hypothèse d'une essence qui serait *causa sui ;* elle connaît donc des êtres qui possèdent ou ne possèdent pas certaines perfections, mais non des êtres qui se les donnent ou ne se les donnent pas. En outre, Descartes attribue à l'homme, essence finie, une volonté infinie comme celle de Dieu ; l'homme devient donc, dans sa doctrine, un être qui, en droit, se veut toutes les perfections que Dieu, *causa sui*, se veut et se donne ; il a la volonté d'un être par soi (« le désir que chacun a d'avoir toutes les perfections qu'il peut concevoir et, par conséquent, toutes celles que nous croyons être en Dieu vient de ce que Dieu nous a donné une volonté qui n'a point de bornes. Et c'est principalement à cause de cette volonté infinie qui est en nous qu'on peut dire qu'il nous a créés à son image. » *A Mersenne*, 25 décembre 1639, t. II, p. 628, l. 3-9), mais il n'en a pas la puissance. Descartes peut donc s'appuyer sur le désir et l'aspiration de l'homme au meilleur pour prouver l'existence de Dieu (« ... rem incompletam et ab alio dependentem, remque ad majora sive meliora indefinite aspirantem ... ». *Medit. III^a*, t. VII, p. 51, l. 24-26) ; et ce n'est pas là, quoique l'on en ait dit, un aspect des choses qu'il signale en passant, mais, au contraire, le fond même de sa métaphysique de l'être : dans une doctrine où être par soi consiste à se causer soi-même, le désir d'un bien que l'on n'a pas est la marque évidente que l'on n'est pas par soi.

Cf. plus loin, à p. 35, l. 13-14, 2°, *c*.

P. **35**, l. **4** : « ... *infini* ... »

C'est-à-dire : ne manquer d'être sous aucun rapport.

1° L'idée de Dieu infini n'est autre que l'idée de l'être conçu sans aucune limitation. Cf. « Ut enim sufficit intelligere figuram tribus lineis contentam, ad habendam ideam totius trianguli ; sic quoque sufficit intelligere rem nullis limitibus comprehensam, ut vera et integra idea totius infiniti habeatur. » *Ve Resp.*, t. VII, p. 368, l. 16-20.

2° Cette idée, malgré le terme négatif qui la désigne, est une idée positive, et même la plus positive de toutes. Si Descartes n'avait craint de heurter trop directement l'usage, il eût désigné cet attribut de Dieu par le terme d'*Amplitude*, qui présente l'avantage d'être une dénomination positive : « ... id, quo infinitum differt a finito, est reale ac positivum ; contra autem limitatio, qua finitum differt ab infinito, est non ens sive negatio entis ; non autem potest id quod non est, nos adducere in cognitionem ejus quod est ; sed contra ex-rei cognitione percipi debet ejus negatio. Et cum dixi … suffi-cere quod intelligamus rem nullis limitibus comprehensam, ad intelligen-dum infinitum, secutus sum modum loquendi quam maxime usitatum ; ut etiam cum retinui nomen *infiniti*, quod rectius vocari posset *ens amplissi-mum*, si nomina omnia naturis rerum vellemus esse conformia ; … » (*ad Hype-raspistem*, août 1641, t. III, p. 426, l. 27-p. 427, l. 20. Sans doute un souve-nir de ses conversations de 1628 avec le P. Gibieuf ; voir Étienne Gilson, *La liberté chez Descartes et la théologie*, p. 197, note 2, et surtout p. 187, note 1).

P. **35**, l. **4** : « … *éternel* … »

L'éternité est un attribut qui dérive immédiatement de la notion d'être par soi. En effet, si l'on admet qu'un Dieu existe, il est nécessaire d'admettre qu'il a existé et existera de toute éternité, car, ne dépendant que de soi, il ne peut avoir commencé d'être, ni finir d'être en vertu d'un autre. Cf. *Medit. V*ᵃ, t. VII, p. 68, l. 16-18. Et *I*ᵃᵉ *Resp.*, t. VII, p. 119, l. 15-18 : « … hinc conclu-demus ipsum revera existere, atque ab aeterno extitisse ; est enim lumine naturali notissimum, id, quod propria sua vi potest existere, semper exis-tere. » — Voir aussi *Princ. phil.*, I, 14 ; t. VIII, p. 10, l. 16, où *existence éter-nelle* est équivalent à *existence nécessaire*. — Sur la conception particulière que Descartes semble s'être faite de l'éternité, et qui ne nous est connue que par un texte dont la rédaction n'est pas de lui, voir *Entretien avec Burman*, t. V, p. 148-149.

P. **35**, l. **4** : « … *immuable* … »

Parce que tout changement suppose un manque d'être et un mouvement pour acquérir ce qui manque. Or, l'être par soi, se donnant à soi-même toutes les perfections en même temps que l'être, ne manque de rien. — Descartes présente toujours l'immutabilité de Dieu comme une évidence naturelle ; cf. *Princ. phil.*, II, 36 ; t. VIII, p. 61, l. 21-24. *Le Monde*, t. XI, p. 43, l. 6-14.

P. **35**, l. **5-6** : « … *tout connaissant* … »

Attribut immédiatement évident, puisque la connaissance comme telle (le doute exclu, parce que c'est un manque de connaissance) est une perfec-tion. L'expression de *substance pensante* est donc inclue dans la définition même de Dieu : « … ideam claram et distinctam substantiae cogitantis increa-tae et independentis, id est Dei : … » (*Princ. phil.*, I, 54 ; t. VIII, p. 26, l. 1-3).

P. **35**, l. **5** : « … *tout puissant* … »

Parce que la puissance est une perfection, et que la puissance d'un être par soi (au sens éminemment positif de *a se tanquam a causa*) est coextensive à l'être. De ce principe découlent les conséquences suivantes :

1° Tout ce que l'on conçoit clairement et distinctement est de l'être possible, la vérité étant une même chose avec l'être, et pouvant être, par conséquent, réalisée par Dieu : « Potest Deus efficere quidquid possumus clare intelligere … » (à *Regius*, juin 1642, t. III, p. 567, l. 17-19). « Non enim dubium est quin Deus sit capax ea omnia efficiendi quae ego sic percipiendi (*scil.* clare et distincte) sum capax ; … » (*Medit. VI*ᵃ, t. VII, p. 71, l. 16-18. S'applique généralement à la distinction de l'âme et du corps).

2⁰ Mais la réciproque n'est pas vraie ; car ce qui est impossible du point de vue d'un être fini n'est peut-être pas impossible du point de vue de l'être infini et par soi. Tout ce qui n'est pas contradictoire est donc possible, mais rien de ce qui est contradictoire pour nous ne doit être considéré comme impossible pour Dieu. Cf. « … sa puissance est incompréhensible ; et généralement nous pouvons bien assurer que Dieu peut faire tout ce que nous pouvons comprendre, mais non pas qu'il ne peut faire tout ce que nous ne pouvons pas comprendre ; car ce serait témérité de penser que notre imagination a autant d'étendue que sa puissance » (à *Mersenne*, 15 avril 1630, t. I, p. 146, l. 4-10. D'où la curieuse expression dont use Descartes : *un ange même ne pourrait faire*, au lieu de celle dont usaient les théologiens pour qui le contradictoire est impossible à Dieu : *Dieu même ne pourrait faire ;* cf. à *Beeckman*, 17 octobre 1630, t. I, p. 165, l. 12-29).

3⁰ Cette conséquence en entraîne à son tour deux autres :

a) L'importante doctrine de la création par Dieu des vérités éternelles ; car nous les comprenons, donc elles sont finies ; et comme tout ce qui est fini est librement créé par la puissance de Dieu, ces vérités sont des créations contingentes de sa libre volonté. Descartes ne veut donc pas donner comme infini ce qui n'est évidemment que fini. Voir à p. 41, l. 12.

b) Et il ne veut même pas donner comme infini ce qu'il ne peut penser que comme tel, mais qui pourrait n'être pas tel aux yeux de Dieu ; par exemple : le nombre, l'espace. D'où le nom d'indéfini qu'il leur réserve. Cf. *à Morus*, 5 février 1649, t. V, p. 273, l. 27-p. 274, l. 4. A *Chanut*, 6 juin 1647, t. V, p. 52, l. 19-25. — Cf. à p. 36, l. 6-7.

4⁰ Les seuls cas où l'on puisse affirmer que quelque chose qui nous semble impossible est impossible même pour Dieu sont ceux : 1⁰ d'une action qui dérogerait à la perfection de l'essence divine elle-même ; mais alors ces actions n'ont de positif que l'apparence ; elles se réduisent en réalité à du non-être, et leur privation se réduit pour Dieu à la privation d'un défaut. C'est en ce sens, par exemple, que Dieu ne peut mentir (voir plus loin, p. 38, l. 30 et suiv.) ni créer des créatures dont l'être serait ensuite indépendant du sien (*ad Hyperaspistem*, août 1641, t. III, p. 429, l. 20-24). 2⁰ D'une contradiction purement formelle, qui ne porte pas sur le contenu d'une essence définie, comme « ut quod factum est sit infectum ». A *Morus*, 5 février 1649 ; t. V, p. 273, l. 7-26.

P. **35**, l. **5-6** : « ... *toutes les perfections* ... »

L'énumération des perfections dont l'ensemble constitue les attributs de Dieu n'est pas arbitraire ; elle ne fait qu'expliciter le contenu nécessaire de l'idée de Dieu : « Neque tam constanter ab omnibus eodem modo conciperetur [*scil.* ista idea si nihil aliud esset in nobis quam figmentum]. Est enim notatu valde dignum, quod omnes Metaphysici in Dei attributis (iis scilicet quae per solam humanam rationem cognosci possunt) describendis unanimiter consentiant, adeo ut nulla sit res physica, nulla sensibilis, nulla cujus ideam quammaxime crassam et palpabilem habeamus, de cujus natura non major opinionum diversitas apud Philosophos reperiatur. » *II*^ae *Resp.*, t. VII, p. 138, l. 2-10. — Pour la détermination de ces perfections, voir plus loin, à p. 35, l. 13-14.

P. **35**, l. **7** : « *Car, suivant les raisonnements* ... »

C'est-à-dire : en conséquence des raisonnements par lesquels j'ai prouvé l'existence de Dieu. Cf. texte latin : « Etenim ut naturam Dei (ejus nempe quem rationes modo allatae probant existere), ... agnoscerem, ... » (t. VI, p. 560).

Descartes passe ici brusquement des preuves de l'existence de Dieu à la définition de ses attributs ; l'absence de transition s'explique par le raisonnement implicite que ces expressions suggèrent. Après avoir prouvé l'existence de Dieu par la nécessité d'un être « qui eût toutes les perfections dont je pouvais avoir quelque idée » (p. 34, l. 21), on peut se former une idée de ses attributs ; ce serait, au contraire, impossible pour qui suivrait les preuves thomistes par le sensible, puisque l'auteur de la nature dont elles permettent d'affirmer l'existence n'est pas nécessairement Dieu. C'est donc seulement si l'on prouve Dieu suivant le raisonnement que Descartes vient de faire qu'on peut ensuite en connaître la véritable nature. — Cf. *Princ. phil.*, I, 22 : « Magna autem in hoc existentiam Dei probandi modo, per ejus scilicet ideam, est praerogativa : quod simul quisnam sit, quantum quidem naturae nostrae fert infirmitas, agnoscamus..., etc. » T. VIII, p. 13, l. 14-23.

P. **35**, l. **8-9** : « ... *autant que la mienne en était capable,* ... »

C'est-à-dire : pour connaître les attributs de Dieu qui sont connaissables par la seule raison naturelle, abstraction faite de ceux que la Révélation nous enseigne (la Trinité, par exemple). — Cf. texte latin : « Etenim ut Naturam Dei ..., quantum a me naturaliter agnosci potest, agnoscerem, ... » (t. VI, p. 560).

P. **35**, l. **13-14** : « ... *toutes les autres y étaient* ... »

C'est-à-dire : je pouvais attribuer à Dieu toutes les perfections dont je trouvais en moi quelque vestige, car *ce qui existe par soi possède toutes les perfections*. Cf. *IV*[ae] *Resp.*, t. VII, p. 240, l. 27-p. 241, l. 8.

1º Le discernement entre ce qui peut être et ce qui ne peut pas être attribué à Dieu comme perfection comporte plusieurs moments :

a) D'abord, nous attribuons à Dieu, en les portant à l'infini, toutes les perfections dont nous trouvons en nous-mêmes quelques vestiges : intelligence, volonté, etc. « Fateor enim ultro et libenter ideam quam habemus, exempli gratia, intellectus divini, non differre ab illa quam habemus nostri intellectus, nisi tantum ut idea numeri infiniti differt ab idea quaternarii aut binarii ; atque idem esse de singulis Dei attributis, quorum aliquod in nobis vestigium agnoscimus. » *II*[ae] *Resp.*, t. VII, p. 137, l. 8-14.

b) Ensuite, nous attribuons à Dieu des perfections dont nous ne trouvons aucun vestige en notre nature et qui sont, par conséquent, en nous comme les traces laissées par Dieu sur son ouvrage : immensité, simplicité, unité. Le résultat de cette attribution est que nous ne pouvons plus rien attribuer à Dieu dans le même sens qu'à nous ; il n'y a plus *univocité* entre les perfections de Dieu et les nôtres, mais simple analogie. Cf. « Sed praeterea in Deo intelligimus absolutam immensitatem, simplicitatem, unitatem omnia alia attributa complectentem, quae nullum plane exemplum habet, sed est, ut ante dixi, *tanquam nota artificis operi suo impressa*, ratione cujus agnoscimus nihil eorum quae particulatim, ut in nobis ea percipimus, ita etiam in Deo propter defectum intellectus nostri consideramus, univoce illi et nobis convenire ; ... » *II*[ae] *Resp.*, t. VII, p. 137, l. 15-22.

c) Enfin, même parmi les idées des perfections infinies qui sont ainsi propres à Dieu nous effectuons un discernement entre ce qui lui appartient *formellement* (c'est-à-dire ce qui est réellement en lui) et ce qui lui appartient *éminemment* (c'est-à-dire en ce sens seulement qu'il en est la cause). En effet, l'idée même de l'infini comme d'une immensité qui est en même temps une et simple (« unitatem omnia alia attributa complectantem ») permet de lui attribuer formellement certaines perfections et interdit de lui en attribuer ainsi certaines autres. Tous les attributs qui correspondent à une perfection d'ordre *spirituel* sont en Dieu formellement (connaissance, volonté, puissance, etc.), parce que le spirituel n'occupe aucun lieu et que son infinité, n'entraînant aucune extension dans l'espace, est compatible avec la parfaite simplicité. Au contraire, tous les attributs qui consisteraient dans une infinité *matérielle* (nombre, longueur, étendue) ne peuvent être en Dieu qu'éminemment, parce que l'étendue, ayant *partes extra partes*, entraîne la multiplicité et exclut la simplicité qui caractérise Dieu. Cf. *Ibid.*, t. VII, p. 137, l. 22-p. 138, l. 1. Et *Princ. phil.*, I, 23 ; t. VIII, p. 13, l. 24-p. 14, l. 8.

2º Cette théologie naturelle (cf. p. 35, l. 8-9) des attributs de Dieu est manifestement inspirée de celle de saint Thomas, dont Descartes conserve les éléments traditionnels (méthode affirmative, méthode négative, valeur analo-

22

gique des attributs. Cf. *Index scol.-cartésien*, textes 131-135, p. 79-81. Saint Thomas, *Sum. Theol.*, I, qu. 13, art. 3-6. Ét. Gilson, *Le Thomisme*, ch. VI, 2e édit., p. 69 et suiv.). Mais elle est animée d'un esprit nouveau.

a) D'abord, en vertu du *Cogito*, Descartes s'astreint à partir de la pensée ; il ne saurait donc plus s'élever, comme le thomisme s'astreignait au contraire à le faire, du sensible à Dieu. Et comme de plus la matière cartésienne, dépouillée de formes substantielles par la distinction réelle de l'âme et du corps, ne contient plus aucun élément de pensée ; elle est devenue aussi dissemblable que possible du pur intelligible qu'est Dieu. D'où une double raison pour Descartes de ne chercher aucune analogie entre Dieu et le sensible, alors que ç'avait été la méthode propre de saint Thomas. Cf. « Quod vero hic admiscetis, eam (*scil.* Dei ideam) posse efformari ex praevia rerum corporalium inspectione, non verisimilius mihi videtur, quam si diceretis nullam nos audiendi habere facultatem, sed ex sola colorum visione in sonorum notitiam devenire : plus enim analogiae sive paritatis fingi potest inter colores et sonos, quam inter res corporeas et Deum. » *II^{ae} Resp.*, t. VII, p. 136, l. 19-25. La doctrine des attributs de Dieu se développe donc dans le cartésianisme sur le seul plan de la pensée.

b) En outre, l'inversion initiale du mouvement qui oppose radicalement deux doctrines, dont l'une part du sensible et l'autre de la pensée, développe ici encore ses conséquences. Le thomisme construit l'idée de Dieu au moyen des preuves de l'existence de Dieu (le *an est* avant que le *quid est*), si bien que l'analogie entre notre concept de Dieu et Dieu y est le résultat des preuves. Chez Descartes, au contraire, nous avons vu que l'idée de Dieu est le seul moyen par lequel s'obtiennent les preuves de son existence (le *quid est* avant le *an est*) ; c'est pourquoi l'analogie, au lieu d'être un résultat, est nécessairement le moyen même de l'élaboration de l'idée et sa véritable cause. C'est la marque laissée sur nous par Dieu que notre aptitude à porter certaines de nos idées à l'infini, et à discerner entre les perfections simples qui lui conviennent formellement ou les perfections composées qui ne lui conviennent qu'éminemment. Le rôle actif de critérium qu'elle joue atteste que l'idée d'infini ou de parfait n'est pas une idée factice, mais qu'elle est en nous le témoin même de l'existence et de la nature de Dieu.

c) Enfin, tous les attributs que le thomisme reconnaît à Dieu en vertu de la nécessité de son être sont des perfections qu'il possède, étant acte pur et par soi au sens négatif d'être sans cause. Tous les attributs que Descartes reconnaît à Dieu sont des perfections qu'il se donne, étant par soi au sens positif de *causa sui*. Les deux philosophies sont donc d'accord pour admettre que l'existence par soi est la source de toutes les perfections, mais elles sont en désaccord sur ce genre d'existence. D'où la formule que donne Descartes de ce principe et de la manière dont les attributs divins s'en déduisent : « ... lumine naturali percipimus illud cujus essentia tam immensa est ut

causa efficiente non indigeat ad existendum, hac etiam non indigere ad
habendas omnes perfectiones quas cognoscit, propriamque essentiam dare
ipsi eminenter illud omne quod possumus cogitare aliquibus aliis rebus a
causa efficiente dari posse » (*IV*ᵃᵉ *Resp.*, t. VII, p. 240, l. 27-p. 241, l. 8). On
rejoint par là, dans leur sens le plus profond, tous les textes où Descartes
déclare qu'un être à qui manquent des perfections ne peut pas être cause de
son être ; si, en effet, l'être par soi est celui qui se pose lui-même dans l'existence, l'imperfection, qui n'est qu'un manque d'être, est la marque même de
ce qui n'est pas par soi (sur ce point, voir à p. 35, l. 2).

P. **35**, l. **16-17** : « ... *moi-même bien aise* ... »

Corollaire du principe posé plus haut, à p. 35, l. 2. — En effet, de même
qu'il est évident que ma volonté se donnerait d'elle-même tout le bien possible si j'étais une nature indépendante, de même il est évident que tout ce
dont ma volonté tendrait à me délivrer si elle en était capable est un mal.

P. **35**, l. **18** : « ... *des idées* ... »
Au sens général défini, à p. 34, l. 13, 1°.

P. **35**, l. **20** : « ... *était faux* ... »
En raison des objections soulevées par le doute méthodique, p. 31, l. 30-
p. 32, l. 15.

P. **35**, l. **22-23** : « ... *j'avais déjà connu* ... »
Voir plus haut, à p. 33, l. 8.

P. **35**, l. **25** : « ... *témoigne de la dépendance* ... »
Parce que les parties d'un composé dépendent nécessairement les unes des
autres et que le tout lui-même dépend à son tour des parties qui le composent. — Cf. la glose du texte latin : « ..., in omni autem compositione
unam partem ab altera, totumque a partibus pendere advertebam, ... »
(t. VI, p. 560). Et aussi *à Morus*, 5 février 1649, t. V, p. 274, l. 20-26.

P. **35**, l. **29** : « ... *s'il y avait* ... »
Descartes emploie cette formule hypothétique parce que, au point de sa
démonstration où il en est arrivé, la nature réelle de tels êtres est encore
soumise au doute.

P. **35**, l. **30-31** : « ... *quelques intelligences* ... »
C'est-à-dire : des anges ou des hommes.

P. 36, l. **3** : « ... *un seul moment* ... »

Allusion à la doctrine de la création continuée. Pour sa signification relativement au problème de l'existence de Dieu, voir *Medit. III*[a], t. VII, p. 48, l. 25-p. 49, l. 11. *Princ. phil.*, I, 21 ; t. VIII, p. 13, l. 1-13. Et surtout *III*[ae] *Resp.* Propos. III ; t. VII, p. 168, l. 1-p. 169, l. 4.

1° La doctrine cartésienne de la création continuée suppose la conjonction de deux conceptions distinctes : la discontinuité radicale du temps, la conservation du monde par le concours divin.

a) Descartes considère d'abord comme une évidence naturelle que le temps est radicalement discontinu, c'est-à-dire que le moment présent ne dépend en rien du moment précédent. Par conséquent, l'existence ou l'état d'une chose en un moment quelconque ne rendent pas raison suffisante de l'existence ou de l'état de cette chose au moment suivant.

b) S'il en est ainsi, la durée des choses ne s'explique pas par les choses elles-mêmes ; mais, en chacun des moments de leur existence, elles requièrent un Dieu qui les crée pour leur conférer l'être. Cette création continuelle du monde en chacun des instants du temps constitue l'action même par laquelle Dieu le conserve (« ... sumendo conservationem pro continua rei productione ... » *IV*[ae] *Resp.*, t. VII, p. 243, l. 5) ; d'où résulte que si Dieu venait à soustraire un seul instant aux choses le concours qu'il leur prête, elles retomberaient par là même dans le néant (*ad Hyperaspistem*, août 1641, t. III, p. 429, l. 24-p. 430, l. 2) ; et qu'enfin la permanence des choses dans l'être, c'est-à-dire leur existence dans chacun des moments dont la succession constitue leur durée, postule l'existence d'un Dieu créateur.

Cf. « Tempus praesens a proxime praecedenti non pendet, ideoque non minor causa requiritur ad rem conservandam, quam ad ipsam primum producendam. » *II*[ae] *Resp.*, Axioma II ; t. VII, p. 165, l. 4-6. « Nihilque hujus demonstrationis evidentiam potest obscurare, modo attendamus ad temporis sive rerum durationis naturam ; quae talis est ut ejus partes a se mutuo non pendeant, nec unquam simul existant ; atque ideo ex hoc quod jam simus, non sequitur nos in tempore proxime sequenti etiam futuros, nisi aliqua causa, nempe eadem illa quae nos primum produxit, continuo veluti reproducat, hoc est conservet. » *Princ. phil.*, I, 21 ; t. VIII, p. 13, l. 1-13. — Sur l'ensemble de la question, voir Jean Wahl, *Du rôle de l'idée d'instant dans la philosophie de Descartes*, Paris, 1920.

2° L'origine scolastique de cette doctrine est affirmée par Descartes lui-même (voir plus loin, Ve Partie, p. 45, l. 4-11), et plusieurs historiens ont noté le fait (F. Bouillier, O. Hamelin). Il importe cependant de préciser ce que Descartes doit à ses prédécesseurs et ce qu'il leur ajoute :

a) Descartes emprunte aux théologiens cette idée que la conservation du monde n'est qu'une création continuée (S. Thomas d'Aquin : « Conservatio rerum a Deo non est per aliquam novam actionem, sed per continuationem actionis qua dat esse ; ... » *Sum. Theol.*, I, qu. 104, art. 1, ad 4^m. « Deus non alia operatione producit res in esse et eas in esse conservat ... » *Qu. disp. de Potentia*, V, 1, 2. « Porro mundum non a seipso, sed ab aliqua efficiente causa esse, multis rationibus colligitur. Primo ex rerum omnium conservatione, quae nihil aliud videtur esse quam continua rei productio. » E. a Sancto Paulo, dans *Index scol.-cartésien*, texte 112, p. 64). — Il leur emprunte, par conséquent, cette idée corrélative que la cessation de cette action divine entraînerait l'annihilation des choses (« Dependet enim esse cujuslibet creaturae a Deo, ita quod nec ad momentum subsistere possint, sed in nihilum redigerentur, nisi operatione divinae virtutis conservarentur in esse. » Saint Thomas d'Aquin, *loc. cit.*, Concl. Cf. *Cont. Gent.*, III, 65 : « Aut igitur nunquam (res) a Deo productae sunt, aut semper a Deo esse eorum procedit quamdiu sunt. »

b) Par contre, l'être des choses que conserve le Dieu de Descartes est si différent de celui que conserve le Dieu de saint Thomas qu'une différence profonde s'introduit entre leurs deux notions de la création continuée. Ce que conserve le Dieu thomiste, c'est l'être d'un monde de formes substantielles et d'essences. Ces essences définissent des êtres en mouvement, et le mouvement dont ces êtres sont le siège est une réalité concrète (bien que d'ordre imparfait) qui constitue la substance même de la durée. Cette durée est donc de même nature que le mouvement même de l'être qui dure ; aussi le temps scolastique ne se compose-t-il pas d'instants (« Non ergo ... componitur ... tempus ex nunc. » S. Thomas, *In Physic.*, VI, 1, 1, 5), mais est un continu au même titre que le mouvement (« Tempus est quoddam continuum. Licet enim non habeat continuitatem ex eo quod est numerus, habet tamen continuitatem ex eo cujus est numerus : quia est numerus continui, scilicet motus. » *Ibid.*, IV, 12, 19, 2). Ainsi, l'instant du temps scolastique n'est pas une réalité isolable de celui qui le précède et de celui qui le suit. Il est bien plutôt comparable à la permanence d'un même mobile qui traverse les points successifs d'une ligne : « sic igitur se habet nunc ad tempus sicut mobile ad motum » (*Ibid.*, IV, 11, 18, 4), si bien que c'est lui qui confère au temps sa continuité (« ... mobile dat unitatem motui, quae est ejus continuitas. » *Ibid.*, 9) et qu'il suffirait d'en ôter la durée pour obtenir l'unité permanente d'une chose éternelle (*Ibid.*, 5). — Dans le cartésianisme, au contraire, il n'y a plus de formes substantielles ; Dieu n'y conserve donc plus des essences qui, grâce à son concours, développeraient dans le temps la continuité de leur durée ; il conserve simplement des états successifs d'un monde où nulle réalité substantielle permanente ne s'interpose entre l'action de Dieu et l'état actuel de chaque être. En d'autres termes, du point de vue thomiste, Dieu conserve l'homme, et la permanence substantielle de l'homme assure la continuité de sa pensée ; du point de vue cartésien, Dieu conserve en chaque instant une pensée dont l'être ne peut franchir l'instant présent sans que la création continuée ne le renouvelle : « ..., atqui perspicue intelligimus fieri posse ut existam hoc momento, quo unum quid cogito, et tamen ut non existam momento proxime sequenti, quo aliud quid potero cogitare, si me existere contingat » (*Lettre pour Arnauld*, 4 juin 1648, t. V, p. 193, l. 15-21). La suppression des formes substantielles par le mécanisme cartésien, plus complète encore dans le domaine de l'étendue que dans celui de la pensée, a pour résultat que chaque état successif du monde se trouve désormais immédiatement suspendu à Dieu et à Dieu seul, sans rien devoir à ce qu'il était lui-même pendant l'instant précédent : « Neque enim (Deus) illum (mundum) conservat, nisi praecise qualis est eo temporis momento quo conservat, nulla habita ratione ejus qui forte fuit paulo ante » (*Princ. phil.*, II, 39 ; t. VIII, p. 63, l. 29-p. 64, l. 2). On conçoit dès lors la raison d'un fait paradoxal qui aurait dû retenir l'attention des historiens non moins que l'origine scolastique de la doctrine : c'est que la création continuée, dont la formule est la même chez Descartes et chez saint Thomas, joue dans les deux philosophies un rôle très différent, parce qu'elle s'applique chez Descartes aux moments discontinus d'un univers sans formes substantielles, au lieu qu'il s'applique chez saint Thomas à la durée continue du mouvement de substances permanentes. C'est pourquoi, notamment, la doctrine de la création continuée joue dans les preuves cartésiennes de l'existence de Dieu un rôle important (surtout *II*^ac *Resp.*, Prop. III ; t. VII, p. 168-169), au lieu qu'elle n'en joue aucun dans les preuves de saint Thomas, un univers doué d'une durée intrinsèque et d'une permanence réelle ne postulant pas Dieu, une fois créé, dans le même sens qu'un univers d'états successifs discontinus tel que l'univers cartésien.

Cet aspect de la métaphysique cartésienne s'éclaire du jour le plus vif lorsqu'on voit quel développement il reçoit chez Malebranche, dont l'occasionalisme est la formule intégrale d'un univers sans formes substantielles interposées entre le monde et Dieu. Sur son accord profond avec la métaphysique religieuse de Descartes, voir le texte capital, *à Regius*, janvier 1642, t. III, p. 505, l. 8-25.

P. **36**, l. **4** : « ... *après cela* ... »

Même ordre indiqué dans *Medit. V*^a, t. VII, p. 65, l. 16 et suiv. Dans les *Princ. phil.*, I, 14, la preuve par l'idée de Dieu précède celle par les effets (t. VIII, p. 10, l. 5-18 ; et I, 17 ; t. VIII, p. 11, l. 5-22).

Cet ordre est caractéristique de la méthode analytique, où l'ordre d'exposition est l'ordre même de l'invention. C'est pourquoi, selon l'heureuse expression de M. Lévy-Bruhl (*Descartes*, Cours inédit) : « Descartes dispose les idées comme font les géomètres, non par ordre de matières, mais par ordre de raisons. » Ayant démontré l'existence de Dieu par ses effets et défini son idée, il passe à l'existence du monde extérieur. Or, pour démontrer cette existence, il doit considérer d'abord l'idée même de corps dans ce qu'elle a de clair et de distinct, c'est-à-dire l'étendue géométrique. Il rappelle donc à sa mémoire quelques démonstrations géométriques élémentaires, et c'est à ce propos qu'il conçoit sa deuxième preuve de l'existence de Dieu. On peut répéter sur l'ordre suivi par le *Discours* les deux remarques d'Hamelin sur l'ordre identique suivi par les *Méditations* : 1º Descartes s'exprime dans les deux cas comme s'il s'agissait d'un récit historique, et il est en effet très probable que les preuves ont été inventées dans cet ordre. 2º « La Vᵉ Méditation, c'est la VIᵉ commencée, et s'arrêtant pour faire place à un épisode, si important que cet épisode soit » (*Le système de Descartes*, p. 200-202). Inversement, les *Princ. phil.* intervertiront l'ordre des preuves parce que Descartes n'y suit plus l'ordre analytique d'invention, mais l'ordre synthétique d'enseignement (cf. *Entretien avec Burman*, 16 avril 1648, t. V, p. 153) ; et c'est ce qu'avaient déjà fait les *IIᵃ⁵ Resp.* (Rationes ... more geometrico dispositae, t. VII, p. 166-167), exactement pour la même raison.

P. **36**, l. **4** : « ... *d'autres vérités* ... »

C'est-à-dire : les vérités relatives à la substance corporelle et, par conséquent, au monde extérieur. — Cf. « ..., jamque nihil magis urgere videtur ..., quam ut ex dubiis, in quae superioribus diebus incidi, coner emergere, videamque an aliquid certi de rebus materialibus haberi possit. » *Medit. Vᵃ*, t. VII, p. 63, l. 1-11.

P. **36**, l. **5** : « ... *l'objet des Géomètres* ... »

Texte latin : « ... illam rem circa quam Geometria versatur ... » (t. VI, p. 560). La méthode exige, en effet (le *quid est* avant le *an est*), que l'on définisse d'abord clairement et distinctement la chose dont on veut prouver l'existence ; or, il n'y a de clair et de distinct dans l'idée de chose matérielle que l'idée d'étendue ; c'est donc l'existence de l'étendue (et de l'étendue seule) qu'il s'agira de prouver. D'où la nécessité d'en considérer d'abord l'idée. — Cf. « Et quidem, priusquam inquiram an aliquae tales res extra me existant, considerare debeo illarum ideas, quatenus sunt in mea cogitatione, et videre quaenam ex iis sint distinctae, quaenam confusae. » *Medit. Vᵃ*, t. VII, p. 63, l. 12-15.

P. **36**, l. **6** : « ... *un corps continu* ... »

C'est-à-dire : un corps dont les parties ne soient séparées les unes des autres par aucun vide ; donc un corps absolument plein. La continuité de la matière résulte immédiatement de sa définition par l'étendue, puisque, le corps n'étant que de l'étendue, l'étendue qui séparerait deux parties de matière serait elle-même un corps. — Cf. « Vacuum autem philosophico more sumptum, hoc est, in quo nulla plane sit substantia, dari non posse manifestum est, ex eo quod extensio spatii, vel loci interni, non differat ab extensione corporis. Nam cum ex hoc solo quod corpus sit extensum in longum, latum et profundum, recte concludamus illud esse substantiam, quia omnino repugnat ut nihili sit aliqua extensio, idem etiam de spatio, quod vacuum supponitur, est concludendum : quod nempe, cum in eo sit extensio, necessario etiam in ipso sit substantia. » *Princ. phil.*, II, 16 ; t. VIII, p. 49, l. 4-14.

P. **36**, l. **6** : « ... *un espace* ... »

Ce terme est choisi par Descartes à dessein. Notre imagination se représente, en effet, malaisément le corps comme une pure étendue, dépouillée de toutes les qualités sensibles que nous lui attribuons ; par contre, nous imaginons habituellement comme une pure étendue à trois dimensions l'espace même où le corps nous semble logé. En usant de ce terme, Descartes nous invite donc à nous représenter le corps tel que nous nous représentons habituellement l'espace même.

Cf. « Si examinemus quodnam sit illud ens extensum a me descriptum, inveniemus plane idem esse cum spatio eo quod vulgus aliquando plenum, aliquando vacuum, aliquando reale, aliquando imaginarium esse putat. In spatio enim, quantumvis imaginario et vacuo, facile omnes imaginantur varias partes determinatae magnitudinis et figurae, possuntque unas in locum aliarum imaginatione transferre, sed nullo modo duas simul se mutuo penetrantes in uno et eodem loco concipere, quoniam implicat contradictionem ut hoc fiat, et spatii pars nulla tollatur. Cum autem ego considerarem tam reales proprietates non nisi in reali corpore esse posse, ausus sum affirmare, nullum dari spatium prorsus vacuum, atque omne ens extensum esse verum corpus. » *A Morus*, 5 février 1649, t. V, p. 271, l. 1-16.

P. **36**, l. **6-7** : « ... *indéfiniment étendu* ... »

C'est-à-dire : 1º un espace dont toute la nature se réduit à celle de l'étendue géométrique, exclusion faite des qualités sensibles que la scolastique lui attribue. Cf. « ... percipiemus naturam materiae, sive corporis in universum spectati, non consistere in eo quod sit res dura, vel ponderosa, vel colorata, vel alio aliquo modo sensus afficiens : sed tantum in eo quod sit res extensa in longum latum et profundum. » *Princ. phil.*, II, 4 ; t. VIII, p. 42, l. 4-8. « Extensio in longum, latum et profundum, substantiae corporeae naturam constituit ;... Nam omne aliud quod corpori tribui potest, extensionem praesupponit, estque tantum modus quidam rei extensae. » *Princ. phil.*, I, 53 ; t. VIII, p. 25, l. 15-20. Cf. note précédente.

2º Un espace dont l'étendue soit conçue comme indéfinie, puisque, par définition, il ne pourrait être limité que par un autre espace, et par conséquent par un corps. Cf. « Cognoscimus praeterea hunc mundum, sive subs-

tantiae corporeae universitatem, nullos extensionis suae fines habere. Ubicumque enim fines illos esse fingamus, semper ultra ipsos aliqua spatia indefinite extensa non modo imaginamur, sed etiam vere imaginabilia (ceci contre
les espaces dits *imaginaires*), hoc est realia esse percipimus ; ac proinde,
etiam substantiam corpoream indefinite extensam in iis contineri, quia, ut
jam fuse ostensum est, idea ejus extensionis, quam in spatio qualicumque
concipimus, eadem plane est cum idea substantiae corporeae. » *Princ. phil.*,
II, 21 ; t. VIII, p. 52, l. 3-12. Cf. *à Chanut*, 6 juin 1647, t. V, p. 51, l. 18-25.
A Morus, 15 avril 1649, t. V, p. 344, l. 6-14.

3° Un espace que nous qualifions d'*indéfini*, et non pas d'*infini* (voir, sur
ce point, la juste observation de Burman, t. V, p. 167 : « Distinctio illa ab
auctore primum est inventa »), parce que le nom d'*infini* désigne proprement
ce qui ne possède en aucun sens aucune espèce de limites, c'est-à-dire Dieu
seul, au lieu que le nom d'*indéfini* s'applique à ce qui n'est illimité qu'en un
ou plusieurs sens seulement. Cf. « Et quidem hic distinguo inter *indefinitum*
et *infinitum*, illudque tantum proprie *infinitum* appello, in quo nulla ex
parte limites inveniuntur : quo sensu solus Deus est infinitus ; illa autem, in
quibus sub aliqua tantum ratione finem non agnosco, ut extensio spatii ima-
ginarii, multitudo numerorum, divisibilitas partium quantitatis, et similia,
indefinita quidem appello, non autem *infinita*, quia non omni ex parte fine
carent. » *Ire Resp.*, t. VII, p. 113, l. 1-8. Et *à Mersenne*, 31 décembre 1640,
t. III, p. 273, l. 24-p. 274, l. 2. *Entretien avec Burman*, 16 avril 1648, t. V,
p. 154 et 167. — Les principaux textes sont rassemblés par O. Hamelin, *Le
système de Descartes*, 2e édit., p. 228-229.

P. **36**, l. **8** : « ... *divisible en plusieurs parties* ... »

1° La divisibilité est une propriété inséparable de l'étendue. En effet, on
peut toujours affirmer d'une chose ce que l'on en conçoit clairement ; or, on
ne peut penser une étendue quelconque sans la concevoir comme divisible ;
l'étendue est donc divisible. Cf. « Advertantque illa omnia quae in iis (*scil.*
ideis) contineri percipimus, vere de ipsis posse affirmari. Ut, quia ... in natura
Corporis, sive rei extensae, continetur divisibilitas (nullam enim rem extensam tam exiguam concipimus, quin illam saltem cogitatione dividere possimus), verum est dicere ... omne corpus esse divisibile. » *II^ae Resp.*, Postu-
lata, t. VII, p. 163, l. 8-21.

2° Il résulte immédiatement de cette définition de la divisibilité que la
matière est divisible à l'infini ; ou plutôt, c'est la définition même de sa divisibilité que d'être indéfinie, puisque la divisibilité est une propriété inséparable de la matière. Descartes ne le fait cependant pas observer dans le *Discours;* il ne précisera sa pensée sur ce point que dans les *Météores* (Discours I, fin ; t. VI, p. 238, l. 28-p. 239, l. 5), afin de distinguer sa doctrine de
l'atomisme d'Épicure et de Lucrèce. Si l'on met à part le *Monde*, qui n'a pas

été publié (t. XI, p. 12, l. 10-19), Descartes n'a indiqué sa pensée touchant la divisibilité indéfinie de la matière que dans ce texte des *Météores*, puis dans le quatrième Postulat des *II^{ae} Resp.*, où elle est à l'état enveloppé (voir 1º), et enfin dans une allusion des *I^{ae} Resp.* (t. VII, p. 106, l. 23-p. 107, l. 2) qui nous ouvre le secret de cette discrétion : la divisibilité indéfinie de la matière contredit le principe scolastique *non datur progressus in infinitum* sur lequel reposent les preuves thomistes de l'existence de Dieu (*à Mesland*, 2 mai 1644, t. IV, p. 112, l. 20-p. 113, l. 4). De fait, cette importante doctrine, sans laquelle la conception cartésienne du mouvement dans un monde plein reste inintelligible, ne sera ouvertement développée que dans les *Princ. phil.*, I, 26 ; t. VIII, p. 14, l. 26-p. 15, l. 17. II, 34 ; t. VIII, p. 59, l. 27-p. 60, l. 29.

P. **36**, l. **9** : « ... *diverses figures et grandeurs* ... »

Ce sont les différences de figures et de grandeurs qui distingueront les uns des autres les trois Éléments cartésiens, qui sont la matière subtile (Soleil, Étoiles fixes), la matière ronde (les Cieux), la matière cannelée (Planètes, Comètes et Terre). Cf. *Le Monde*, t. XI, p. 23, l. 15-p. 25, l. 24. *Princ. phil.*, III, 52 ; t. VIII, p. 105, l. 11-31. — Des différences ultérieures de figure et de grandeur distingueront ensuite les différents corps les uns des autres, ce que Descartes doit annoncer dès à présent, afin de préparer son lecteur aux hypothèses fondamentales des *Météores* : « Je suppose, premièrement, que l'eau, la terre, l'air, et tous les autres tels corps qui nous environnent sont composés de plusieurs petites parties de diverses figures et grosseurs... Puis, en particulier, je suppose que les petites parties dont l'eau est composée sont longues, unies et glissantes, ainsi que de petites anguilles, ..., et, au contraire, que presque toutes celles, tant de la terre que même de l'air et de la plupart des autres corps, ont des figures fort irrégulières et inégales ; en sorte qu'elles ne peuvent être si peu entrelacées qu'elles ne s'accrochent et se lient les unes aux autres, ainsi que font les diverses branches des arbrisseaux qui croissent ensemble dans une haie ... », etc. » (Discours I, t. VI, p. 233, l. 10 et suiv.).

P. **36**, l. **10** : « ... *ou transposées* ... »

C'est-à-dire : être transportées les unes à la place des autres de toutes sortes de façons. Cf. texte latin : « moveri sive transponi omnibus modis ... » (t. VI, p. 560). — La phrase entière signifie : la matière est divisible en parties qui n'ont d'autres propriétés réelles que la figure et le mouvement.

P. **36**, l. **11** : « ... *je parcourus* ... »

Texte latin : « ... in memoriam mihi revocavi ... » (t. VI, p. 560).

P. **36**, l. **13** : « ... *ayant pris garde* ... »

Texte latin : « ... notavi ... » (t. VI, p. 560). Même traduction plus loin, l. 16.

P. **36**, l. **16** : « ... *tantôt* ... »

C'est-à-dire : précédemment. Texte latin : « ... juxta regulam paulo ante traditam ... » (t. VI, p. 560). — Pour cette règle, voir plus haut, à p. 33, l. 20.

P. **36**, l. **18** : « ... *de leur objet* ... »

C'est-à-dire : le corps étendu et mobile, objet des démonstrations géométriques.

P. **36**, l. **18-19** : « ... *supposant un triangle* ... »

C'est-à-dire : la supposition qu'un triangle soit donné, qu'il existe réellement ou non (texte latin : « ... si, exempli causa, supponamus dari aliquod triangulum, ... », t. VI, p. 560), suffit pour que l'on en déduise l'essence, mais non l'existence. — Contre cette assertion, voir l'objection de Hobbes et la brève réponse de Descartes, *III*[ae] *Obj.*, XIV ; t. VII, p. 193, l. 1-p. 194, l. 15.

P. **36**, l. **23** : « ... *je trouvais* ... »

Texte latin : « ... statim intellexi ... » (t. VI, p. 560).

P. **36**, l. **23-24** : « ... *l'existence y était comprise* ... »

C'est l'argument improprement nommé, depuis Kant, l'argument ontologique. — Même exposé dans *Medit. V*[a], t. VII, p. 65, l. 16-p. 66, l. 1. *II*[ae] *Resp.*, Propos. I ; t. VII, p. 166, l. 20-p. 167, l. 9. *Princ. phil.*, I, 14 ; t. VIII, p. 10, l. 5-18.

Principales objections et réponses : Caterus, *I*[ae] *Obj.*, t. VII, p. 98, l. 2-p. 100, l. 12. *I*[ae] *Resp.*, t. VII, p. 115, l. 3-p. 120, l. 14. — Divers théologiens : *II*[ae] *Obj.*, t. VII, p. 127, l. 3-29. *II*[ae] *Resp.*, p. 149, l. 22-p. 152, l. 26. — Gassendi, *V*[ae] *Obj.*, t. VII, p. 320, l. 30-326, l. 15. *V*[ae] *Resp.*, t. VII, p. 382, l. 25-p. 384, l. 7. Cf. Ch. Adam, *Index général*, p. 177, Dieu ; 3e preuve. *Index scol.-cartésien*, p. 72.

1º *Place de l'argument dans le système*. — Descartes ayant déjà démontré l'existence de Dieu *a posteriori*, comme le faisaient les thomistes, découvre une autre manière de la démontrer, *a priori*, comme l'avaient fait saint Anselme et, après lui, d'autres augustiniens. Il introduira donc la preuve dans son système, afin de montrer que sa métaphysique présente l'avantage d'utiliser simultanément les deux seules voies par lesquelles on puisse parvenir à l'existence de Dieu. « Sed, quia duae tantum sunt viae per quas possit probari Deum esse, una nempe per effectus, et altera per ipsam ejus essentiam sive naturam, prioremque in Meditatione tertia pro viribus explanavi, non credidi alteram esse postea praetermittendam. » *I*[ae] *Resp.*, t. VII, p. 120, l. 9-14. — Sur l'indépendance des deux preuves, voir les judicieuses remarques d'O. Hamelin, *Le système de Descartes*, p. 201.

2º *Universalité de l'idée de Dieu*. — L'argument suppose en outre : que l'idée de Dieu se confond avec l'idée d'être parfait et que tout homme a cette idée de Dieu. Il suppose, par conséquent, le *Dubito, ergo sum* avec l'idée de parfait que la constatation du doute implique (voir plus haut, à p. 33, l. 28) ; mais si quelqu'un s'obstine à nier qu'il possède une telle idée, afin d'échapper à la preuve qui se fonde sur elle, Descartes n'hésite pas à se réclamer de toutes les raisons qui rendent impossible une telle ignorance, révélation comprise. Peu importe l'origine de l'idée ; il suffit qu'elle soit là, et elle ne peut pas ne pas y être, pour que la preuve de l'existence de Dieu soit possible. Ajoutons que, dans le système de Descartes, l'idée de Dieu étant le point de départ des deux preuves, on ne peut aucunement prouver l'existence de Dieu si l'on ne possède cette idée. — Sur ce point, voir *Sur les Cinquièmes objections*, t. IX, p. 209, l. 15-p. 210, l. 8. V^{ae} *Resp.*, t. VII, p. 364, l. 19-24.

3º *Possibilité de l'idée de Dieu.* — Cette idée de Dieu, ainsi présente dans la pensée, est logiquement possible, c'est-à-dire qu'elle n'implique aucune contradiction interne. Elle est donc apte à devenir la base d'une preuve de l'existence de son objet. Cette possibilité de l'idée de Dieu n'avait pas été affirmée par Descartes dans les *Méditations*, car elle lui semblait aller de soi ; la preuve en ayant été réclamée par les auteurs des II^{ae} *Obj.* (t. VII, p. 127, l. 3-29), Descartes fit observer qu'une impossibilité (au sens de contradiction interne entraînant *ipso facto* le non-être) ne pouvait s'introduire que dans notre concept de Dieu, ou dans la nature même de Dieu supposée différente de notre concept. Or : *a)* il ne peut pas y avoir impossibilité dans le concept de Dieu, puisqu'il n'a été constitué que d'idées claires et distinctes (ce que nous avons observé en ne lui attribuant que les perfections requises par l'idée d'un être infini ; pour la méthode suivie dans cette constitution de l'idée de Dieu, voir plus haut, à p. 35, l. 13-14) ; *b)* il serait illégitime d'attribuer à la nature réelle de Dieu un contenu contradictoire avec celui du concept que nous en avons, dans un système qui part de la pensée, et pour qui la conséquence du connaître à l'être est la seule bonne. Bien loin donc de pouvoir être contradictoire, la nature de Dieu, telle qu'elle ressort d'une idée formée comme celle que nous en avons formée, est le type de l'évidence et de la nécessité. Douter de sa validité, c'est mettre en doute la validité de la pensée même. Cf. « Vel enim, ut vulgo omnes, per *possibile* intelligitis, illud omne quod non repugnat humano conceptui ; quo sensu manifestum est Dei naturam, prout ipsam descripsi, esse possibilem, quia nihil in ipsa supposui nisi quod clare et distincte perciperemus debere ad illam pertinere, adeo ut conceptui repugnare non possit. Vel certe fingitis aliquam aliam possibilitatem ex parte ipsius objecti, quae, nisi cum praecedente conveniat, nunquam ab humano intellectu cognosci potest, ideoque non plus habet virium ad negandam Dei naturam sive existentiam, quam ad reliqua omnia, quae ab hominibus cognoscuntur, evertenda. Etc. ... » II^{ae} *Resp.*, t. VII, p. 150, l. 14, p. 151, l. 13.

Sur la même critique reprise par Leibniz, voir A. Hannequin, *La preuve ontologique cartésienne défendue contre la critique de Leibniz*, Rev. de Métaph. et de Morale, juillet 1896.

4º *L'existence, comme attribut*. — La présence dans la pensée de l'idée de parfait une fois admise, il faut encore admettre que l'existence puisse être considérée comme un attribut. Ce que Gassendi a nié (*V*ᵃᵉ *Obj.*, t. VII, p. 323, l. 12-17), en soutenant contre Descartes que l'existence n'est une perfection ni en Dieu ni en aucune autre chose, mais la condition *sine qua non* des perfections. Cette objection, qui sera reprise par Kant (« Sein ist offenbar kein reales Prädicat, d. i. ein Begriff von irgend etwas, was zu dem Begriffe eines Dinges hinzukommen könne. Es ist bloss die Position eines Dinges oder gewisser Bestimmungen an sich selbst. » *Kritik der reinen Vernunft*, Unmöglichkeit eines ontol. Beweises), est inopérante du point de vue de la philosophie cartésienne. Pour Descartes, en effet, l'être n'est pas une donnée empirique d'origine sensible, mais une donnée de la pensée. Une philosophie qui part du *Cogito*, et par conséquent de la pensée pure, suppose que c'est la réalité du sensible qui a besoin d'être garantie par la pensée (ainsi les qualités réelles, étant des idées confuses, n'*existent pas*), et non pas la réalité de l'objet de la pensée qui aurait besoin d'être attestée par l'expérience sensible. C'est donc toujours la pensée qui juge de l'existence, et il serait paradoxal de faire exception pour la seule idée de Dieu, puisqu'elle est, au contraire, le seul cas où l'affirmation de l'existence s'impose à nous comme nécessaire. Cf. « Hic non video cujus generis rerum velis esse existentiam, nec quare non aeque proprietas atque omnipotentia dici possit, sumendo scilicet nomen proprietatis pro quolibet attributo, sive pro omni eo quod de re potest praedicari, ut hic omnino sumi debet. Quin etiam existentia necessaria est revera in Deo proprietas strictissimo modo sumpta, quia illi soli competit, et in eo solo essentiae partem facit. *V*ᵃᵉ *Resp.*, t. VII, p. 382, l. 25-p. 383, l. 12.

5º *L'existence, attribut nécessaire*. — Reste enfin le nerf même de la preuve : l'affirmation de l'existence de Dieu, fondée sur l'attribution nécessaire de l'existence à son idée. Pour comprendre ce qui fait aux yeux de Descartes l'évidence d'une telle preuve, il faut observer :

a) Que c'est la démarche même de la pensée cartésienne que de conclure du connaître à l'être. Si donc on veut lui interdire de conclure d'une idée à une nature pour l'obliger à ne conclure d'une idée qu'à une idée, ce n'est pas seulement la deuxième preuve de l'existence de Dieu, c'est le cartésianisme même qui se trouve mis en question. Cf. « Ubi reprehenditis conclusionem syllogismi a me facti, videmini ipsimet in ea aberrare. Ad conclusionem enim quam vultis, major propositio sic enuntiari debuisset : *quod clare intelligimus pertinere ad alicujus rei naturam, id potest cum veritate affirmari ad ejus naturam pertinere;* atque ita nihil in ipsa, praeter inutilem tautologiam, contineretur. Major autem mea fuit talis : *Quod clare intelligimus pertinere ad alicujus rei naturam, id potest de ea re cum veritate affirmari.* Hoc est, ... si existere pertinet ad naturam Dei, potest affirmari Deum existere, etc. » *II^ae Resp.*, t. VII, p. 149, l. 22-p. 150, l. 13. « Car, étant assuré que je ne puis avoir aucune connaissance de ce qui est hors de moi, que par l'entremise des idées que j'en ai eues en moi, je me garde bien de rapporter mes jugements immédiatement aux choses et de leur rien attribuer de positif que je ne l'aperçoive auparavant en leurs idées ; mais je crois aussi que tout ce qui se trouve en ces idées est nécessairement dans les choses. » *A Gibieuf*, 19 janvier 1642, t. III, p. 474, l. 13-10. C'est ce que définit enfin la formule suivante : « Cum quid dicimus in alicujus rei natura, sive conceptu, contineri, idem est ac si diceremus id de ea re verum esse, sive de ipsa posse affirmari. » *II^ae Resp.*, Definit. 9 ; t. VII, p. 162, l. 8-10.

b) Qu'en outre, en lui contestant la légitimité d'une telle conclusion, on lui conteste ce qui est à ses yeux le seul usage légitime de la pensée, dans celui de tous les cas où il s'impose à lui de la manière la plus absolument nécessaire. En effet, une philosophie qui part de la pensée n'y découvre le réel que sous l'aspect de la nécessité. C'en est l'indice même ; car la pensée se heurte au réel et s'y soumet chaque fois qu'elle se heurte à une « vraie et immuable nature », c'est-à-dire à une essence dont le contenu s'impose nécessairement à son acceptation. Telles sont les idées du Triangle ou de la Sphère ; telle est aussi l'idée de Dieu ; et comme c'est l'existence nécessaire qui se trouve incluse dans cette dernière, la pensée ne fait, en l'affirmant, que se soumettre à la plus impérieuse des nécessités. Cf. « Atqui ex eo quod non possim cogitare Deum nisi existentem, sequitur existentiam a Deo esse inseparabilem, ac proinde illum revera existere ; non quod mea cogitatio hoc efficiat, sive aliquam necessitatem ulli rei imponat, sed contra quia ipsius rei, nempe existentiae Dei, necessitas me determinat ad hoc cogitandum : neque enim mihi liberum est Deum absque existentia (hoc est ens summe perfectum absque summa perfectione) cogitare, ut liberum est equum vel cum alis vel sine alis imaginari. » *Medit. V^a*, t. VII, p. 66, l. 26-p. 67, l. 11.

6° *Origines de la preuve.* — L'analogie entre cette preuve et l'argument de saint Anselme est manifeste (cf. S. Anselme, *Proslogion*, cap. II-IV ; *Pat. lat.*, t. CLVIII, col. 227-229. *Liber Apologeticus contra Gaunilonem* ; *Ibid.*, col. 247-260) ; il est, par contre, difficile de dire comment s'est établie leur filiation. — Voir, sur ce point, Ch. Filliâtre, *La philosophie de saint Anselme*, Paris, 1920, p. 329-335. A. Koyré, *Essai sur l'idée de Dieu et sur les preuves de son existence chez Descartes*, Paris, 1922, p. 185-197. Du même auteur, *L'idée de Dieu dans la philosophie de saint Anselme*, Paris, 1923, p. 231 et suiv.

a) De l'argument de saint Anselme, Descartes conserve : l'idée de Dieu sur laquelle il se fonde (S. Anselme : « Deus est id quo majus cogitari non potest. » *Proslogion*, cap. III ; *Pat. lat.*, t. CLVIII, col. 228. Descartes : « la chose la plus parfaite que nous puissions concevoir ; car c'est ce que tous les

hommes appellent Dieu. » *Sur les V^es Obj.*, t. IX, p. 209, l. 21-23). Le caractère inné de cette idée et l'impossibilité qu'elle soit ignorée de qui que ce soit,
puisqu'elle est attestée par la raison et par la révélation (S. Anselme, *Liber
Apologeticus*, cap. VIII ; col. 258. Descartes : « Si vero a Deo revelante, ergo
Deus existit. » *V^ac Resp.*, t. VII, p. 364, l. 24 ; et surtout t. IX, p. 209, l. 23-
p. 210, l. 8). L'impossibilité de penser sans contradiction l'être parfait sans le
penser comme existant, et l'affirmation de son existence qui en découle
(S. Anselme, *Proslogion*, cap. III ; *loc. cit.* Descartes, *loc. cit.*). L'affirmation
que le cas de l'idée de Dieu est un cas unique, parce qu'il est le seul être dont
l'existence soit nécessaire (S. Anselme, *Liber Apologeticus*, cap. III : Descartes, *Discours*, p. 36, l. 18-22. Et *II^ac Resp.*, Postulat. V ; t. VII, p. 163,
l. 22-26). — Par contre, Descartes confère à cette preuve un sens nouveau
parce qu'elle s'applique désormais à l'essence positive d'un Dieu *causa sui*,
la nécessité en quelque sorte statique du Dieu anselmien, qui est un Dieu
sans cause, faisant place à la nécessité active du Dieu cartésien, qui se pose
soi-même dans l'être en raison de sa toute-puissance : « propter exsuperan-
tiam potestatis, quam in uno Deo esse posse facillime demonstratur. »
(*I^ac Resp.*, t. VII, p. 112, l. 3-11. Cf. Hamelin, *Le système de Descartes*, p. 214-
215). Or, envisagée de ce point de vue, toute l'économie des preuves cartésiennes de l'existence de Dieu s'éclaire d'un jour nouveau. La nécessité
d'exister qui fonde la deuxième preuve est celle qui dérive d'une essence
dont la surabondance d'être se pose soi-même dans l'existence et qui est *a se
tanquam a causa* (*Ibid.*, t. VII, p. 112, l. 4) ; bien plus, qui, sans être une cause
efficiente de soi distincte de soi-même, ce qui serait absurde, se comporte en
quelque sorte à l'égard de soi-même comme une cause efficiente (*Ibid.*, t. VII,
p. 111, l. 5-8). C'est donc, lorsqu'on va au fond des choses, une preuve par la
cause efficiente que cette preuve par l'idée d'un être dont l'essence est assez
puissante pour se causer elle-même (« … attendentesque ad immensam et
incomprehensibilem potentiam quae in ejus idea continetur, tam exsupe-
rantem illam agnovimus, ut plane sit causa cur ille esse perseveret nec alia
praeter ipsam esse possit, dicimus Deum a se esse, non amplius negative, sed
quammaxime positive. » *Ibid.*, t. VII, p. 110, l. 21-31), mais c'est une preuve
où l'efficace du principe de causalité se trouve en quelque sorte ramassée à
l'intérieur de l'essence divine ; et c'est en ce sens que Descartes a pu écrire :
« la considération de la cause efficiente est le premier et principal moyen,
pour ne pas dire le seul et l'unique, que nous ayons pour prouver l'existence
de Dieu » (*IV Rép.*, t. IX, p. 184). Inversement, la preuve par la cause efficiente n'est opérante que si l'on porte jusqu'au sein de l'essence divine elle-
même le principe de causalité, faute de quoi l'on ruine ce principe et, avec
lui, toute preuve par la cause efficiente ; mais alors elle nous conduit à l'idée
du Dieu qui fait « en quelque façon la même chose à l'égard de soi-même que
la cause efficiente à l'égard de son effet », et qui par conséquent existe. —

Ainsi, il y a un centre où les preuves se rejoignent, et c'est l'idée de Dieu. S'il fallait assigner dans le cartésianisme la place de cette intuition originelle dont M. Bergson a montré que toute philosophie découle, c'est probablement là qu'il faudrait la chercher : une pensée qui n'atteint son intuition la plus immédiate, celle de son existence contingente, qu'enveloppée dans l'intuition d'une cause nécessaire de soi-même qui est Dieu.

b) Reste à savoir comment le schéma de la preuve que Descartes devait renouveler est parvenu jusqu'à lui. Il n'existe aucune preuve positive qu'il ait jamais lu saint Anselme, et l'on sait du moins qu'il avait exposé sa preuve avant de l'avoir lu (« Je verrai S. Anselme à la première occasion. » T. III, p. 261, l. 9. La lettre est de décembre 1640). Mais Leibnitz, fort au courant de la littérature scolastique, a formulé une hypothèse qui nous semble la vérité même, en disant que l'argument de saint Anselme : « passim examinatur a scholasticis theologiae scriptoribus, ipsoque Aquinate, unde videtur hausisse Cartesius, ejus studio non expers » (*Animadv. in part. gen. Princ. Cart.*, édit. Gehrardt, t. IV, p. 358) ; Leibnitz précise même davantage en ajoutant : « postquam apud Jesuitas Flexiae hausit » (cf. *ibid.*, note). Or, il est certain que l'examen des textes confirme cette hypothèse, car Descartes semble n'avoir connu l'argument de saint Anselme que par saint Thomas. Saint Thomas ne l'expose, en effet, que pour le réfuter (*Sum. Theol.*, I, qu. 2, art. I) et, suivant les règles du genre, il commence par l'interpréter en donnant aux expressions de saint Anselme le sens qu'elles auraient dans son propre système : une preuve par l'idée innée de Dieu cesse d'en être une si cette *idée* est un *concept* thomiste, d'où saint Thomas conclut que saint Anselme supprime la preuve, en réduisant l'affirmation de l'existence de Dieu à l'inclusion évidente d'un prédicat dans son sujet ; mais, en outre, une preuve qui se fonde sur le contenu d'une idée cesse d'en être une si l'on substitue au contenu réel de cette idée la définition nominale d'un concept, d'où saint Thomas conclut que saint Anselme déduit l'être à partir d'un simple nom. C'est donc en présence d'un argument rendu absurde et méconnaissable que l'enseignement de La Flèche avait placé le jeune Descartes, et c'est ce même argument, ainsi défiguré, que Caterus, en bon thomiste, devait critiquer à son tour à la place du sien. Rien d'étonnant, dès lors, que Descartes ait cru inventer une preuve nouvelle de l'existence de Dieu, alors qu'il ne faisait précisément que retrouver le véritable argument de saint Anselme sous la critique de saint Thomas ; ce qu'ils avaient en commun d'augustinisme et les rapports nécessaires que nouent entre elles les idées ne lui laissaient pas d'autre issue. En répondant à Caterus (*loc. cit.*, t. VII, p. 114, l. 12-14, et p. 115, l. 9-12) qu'il est d'accord avec saint Thomas sur la nécessité de ne pas considérer l'être de Dieu comme « per se notum quoad nos », mais d'en démontrer l'existence, il est bien d'accord avec saint Anselme, qui, s'il eût cru que l'existence de Dieu était évidente, n'eût pas pris tant de peine pour la démontrer (cf. *Proslogion*, Prooem., col. 223. C'est Descartes, au contraire, qui donnera cette vérité pour un axiome « non minus per se notum, quam numerum binarium esse parem, ... ». *II*ᵃᵉ *Resp.*, t. VII, p. 163, l. 22-p. 164, l. 4). Et lorsqu'il déclare plus loin que l'argument critiqué par saint Thomas présente le vice de porter sur un mot, « *hoc nomen, Deus* », au lieu que le sien porte sur une idée, la « vraie et immuable nature » de Dieu, il retrouve ce que saint Anselme reprochait à l'*Insipiens* ; car si l'Insensé a pu dire dans son cœur « : Non est Deus », c'est précisément parce qu'il parle sans penser aux idées que les mots dont il use représentent (« Ita igitur nemo intelligens id quod Deus est, potest cogitare quia Deus non est..., Deus enim est id quo majus cogitari non potest. » *Proslogion*, cap. IV ; col. 229. Et aussi : « aliter enim cogitatur res, cum vox eam significans cogitatur ; aliter cum idipsum, quod res est, intelligitur. Illo itaque modo potest cogitari Deus non esse ; isto vero, minime. » *Ibid.*).

Ainsi, au moment où Descartes se déclare d'accord avec saint Thomas contre l'argument attribué à saint Anselme, c'est avec le véritable argument de saint Anselme qu'il se met d'accord contre la critique de saint Thomas. Il ne l'a donc ni emprunté à saint Anselme, ni inventé ; mais il l'a en quelque sorte restauré et réinventé à l'occasion de la critique qu'en fait saint Thomas, non d'ailleurs, ainsi que nous l'avons indiqué, sans l'avoir fait sien en l'approfondissant.

P. **36**, l. **30-31** : « *... aucune démonstration de Géométrie ...* »

Cette expression : « pour le moins aussi certain, ... qu'aucune démonstration de Géométrie le saurait être », exprime, sous une forme volontairement discrète, la conviction de Descartes que cette démonstration est *plus certaine* que les démonstrations géométriques. Descartes n'a jamais hésité que sur la question de savoir s'il réussirait à faire partager sa conviction aux autres. Cf. « Pour moi, j'ose bien me vanter d'en avoir trouvé une (*scil.* preuve de l'existence de Dieu) qui me satisfait entièrement et qui me fait savoir plus certainement que Dieu est, que je ne sais la vérité d'aucune proposition de Géométrie ; mais je ne sais pas si je serais capable de la faire entendre à tout le monde, en la même façon que je l'entends » (*à Mersenne*, 25 novembre 1630, t. I, p. 181, l. 30-p. 182, l. 6). Descartes pense d'ailleurs la même chose de toutes les vérités métaphysiques en général (*au même*, 15 avril 1630, t. I, p. 144, l. 14-18). Cf. à p. 37, l. 4-5.

1º Pour donner à ces expressions leur sens vrai, il faut d'abord ne pas les interpréter comme si Descartes comparait l'impression d'évidence que produisent ses preuves métaphysiques à celle que laissent dans l'esprit des preuves mathématiques. C'est de leur évidence intrinsèque qu'il s'agit, et il faut donc l'entendre au sens où nous avons compris que l'âme est plus évidente que le corps ; en d'autres termes : pour qui n'admet comme évidente qu'une proposition satisfaisant à toutes les conditions exigibles pour qu'elle soit vraie, on sait que Dieu existe avant de savoir que les vérités mathématiques sont vraies. On peut donc être sûr de l'existence de Dieu sans être sûr de la vérité des mathématiques, au lieu qu'on ne peut être sûr de la vérité des mathématiques sans l'être de l'existence de Dieu ; la démonstration de l'existence de Dieu est donc plus certaine (en tant que *notior;* voir plus haut, à p. 18, l. 29) que ne l'est aucune démonstration de Géométrie. — Le signe en est que la métaphysique se libère du doute par ses propres moyens, ce que la mathématique ne saurait faire. Cf. « Et hinc sceptici, etc., crediderunt Dei existentiam demonstrari non posse, et multi adhuc illam pro indemonstrabili habent, cum contra maxime demonstrabilis sit, et firmius (ut et omnes veritates metaphysicae) demonstrari possit demonstrationibus mathematicis. Si enim apud Mathematicos in dubium revocarentur omnia illa, quae in dubium revocavit auctor in Metaphysicis, nulla certe mathematica demonstratio dari posset, cum nihilominus Metaphysicas auctor tum dederit. Ergo hae illis certiores sunt. » *Entretien avec Burman,* 16 avril 1648, t. V, p. 177. Cf. *V*ᵃᶜ *Resp.,* t. VII, p. 384, l. 8-16.

2º On comprend par là même comment Descartes a résolu l'objection qui lui fut plusieurs fois adressée, de *la science de l'athée,* car c'est exactement la même question. Un athée peut comprendre que la somme des angles d'un triangle est égale à deux droits, mais il ne peut rendre pleinement raison de cette connaissance, ni, par conséquent, en avoir la *science,* tant qu'il ignore l'existence de Dieu. « Quod autem Atheus possit clare cognoscere trianguli tres angulos aequales esse duobus rectis, non nego ; sed tantum istam ejus cognitionem non esse veram scientiam affirmo, quia nulla cognitio, quae dubia reddi potest, videtur scientia appellanda ; cumque ille supponatur esse atheus, non potest esse certus se non decipi in iis ipsis quae illi evidentissima videntur, ut satis ostensum est ; et quamvis forte dubium istud ipsi non occurrat, potest tamen occurrere, si examinet, vel ab alio proponatur ; nec unquam ab eo erit tutus, nisi prius Deum agnoscat » (*II*ᵃᶜ *Resp.,* t. VII, p. 141, l. 3-13). C'est ce qui explique pourquoi des sceptiques ont pu douter même des vérités géométriques, ce qu'ils n'auraient pu faire s'ils avaient connu la vraie preuve de l'existence de Dieu (*V*ᵃᵉ *Resp.,* t. VII, p. 384, l. 8-16). Le savoir de l'athée reste sujet au doute métaphysique ; il n'est donc pas à l'abri de toute objection (« ... scientiam athei ... non esse immutabilem et certam ... ». *V*ᵃᵉ *Resp.,* t. VII, p. 428, l. 1-9) et n'est par conséquent pas une vraie science. — Voir plus loin, à p. 39, l. 3.

P. **37,** l. **1** : « *... plusieurs ...* »

C'est-à-dire : *beaucoup.* Texte latin : « ... multi ... » (t. VI, p. 561).

P. **37**, l. **3** : « ... *que leur âme* ... »

Ces deux vérités, l'existence de Dieu et la nature de l'âme, forment le contenu essentiel de la métaphysique, tant par la connaissance qu'elles nous apportent de Dieu et de l'âme mêmes que par les conséquences de toutes sortes dont elles sont le fondement. L'existence d'un Dieu parfait constitue, en effet, la garantie de toutes nos certitudes scientifiques (*Medit. V*ᵃ, t. VII, p. 71, l. 3-9), et la connaissance de l'âme fonde la distinction réelle de l'âme et du corps, vers laquelle tendent les *Méditations métaphysiques* tout entières comme vers le fondement de la physique mécaniste (*II*ᵃᵉ *Resp.*, t. VII, p. 130, l. 30-p. 131, l. 18. *Princ. phil.*, I, 7-8 ; t. VIII, p. 6, l. 31-p. 7, l. 19. *IV*ᵃᵉ *Resp.*, t. VII, p. 226, l. 18-26).

Cf. plus haut, à p. 32, l. 21, 3º, B ; et aussi : « Or, j'estime que tous ceux à qui Dieu a donné l'usage de cette raison sont obligés de l'employer principalement pour tâcher à le connaître, et à se connaître eux-mêmes. C'est par là que j'ai tâché de commencer mes études ; et je vous dirai que je n'eusse su trouver les fondements de la Physique si je ne les eusse cherchés par cette voie. » *A Mersenne*, 15 avril 1630, t. I, p. 144, l. 5-11.

P. **37**, l. **4-5** : « ... *au delà des choses sensibles* ... »

Le texte latin ajoute : « ... *ex eo est quod nunquam animum, a sensibus abducant, et supra res corporeas attollant* ; ... » (t. VI, p. 561).

Ces quelques mots sont là pour marquer la place vide qu'auraient dû occuper les arguments sceptiques de la première Méditation contre la connaissance sensible, si le *Discours* avait prétendu nous donner un exposé suffisant de la métaphysique cartésienne. Or, il n'en contient qu'un échantillon, et il ne pouvait contenir davantage pour une raison que Descartes lui-même a exposée dans le texte cité plus haut, à p. 32, l. 1, 3º, et dont voici la conclusion : « ... que je les eusse engagés dans un mauvais pas sans peut-être les en tirer. Mais il y a environ huit ans (*scil.* 1628-1629) que j'ai écrit en latin un commencement de Métaphysique, où cela était déduit assez au long, et si l'on fait une version latine de ce livre (*scil.* du *Discours*), comme on s'y prépare, je l'y pourrai faire mettre. Cependant, je me persuade que ceux qui prendront bien garde à mes raisons touchant l'existence de Dieu les trouveront d'autant plus démonstratives qu'ils mettront plus de peine à en chercher les défauts, et je les prétends plus claires en elles-mêmes qu'aucune des démonstrations des Géomètres ; en sorte qu'elles ne me semblent obscures qu'au regard de ceux qui ne savent pas *abducere mentem a sensibus*, suivant ce que j'ai écrit en la page 38 (*scil.* au passage que nous commentons). » *A Mersenne*, mars 1637, t. I, p. 349, l. 29-p. 351, l. 2. Cette même raison de prudence explique les quelques mots d'excuse (p. 31, l. 14 et suiv.) par lesquels Descartes introduit le doute méthodique au début de la IVᵉ Partie : « Or, il n'est pas possible de bien entendre ce que j'ai dit après de l'existence de Dieu, si ce n'est qu'on commence par là (*scil.* expliquer au long les plus fortes raisons des sceptiques), ainsi que j'ai assez donné à entendre en la page 38 (*scil.* au passage que nous commentons). Mais j'ai eu peur que cette entrée, qui eût semblé d'abord vouloir introduire l'opinion des sceptiques, ne troublât les plus faibles esprits, principalement à cause que j'écrivais en langue vulgaire ; de façon que je n'en ai même osé mettre le peu qui est en la page 32 (*scil.* t. VI, p. 31, l. 14 et suiv.) qu'après avoir usé de préface. » *A ****, mars 1637, t. I, p. 353, l. 26-p. 354, l. 5.

Cf. *A Mersenne*, 16 octobre 1639, t. II, p. 596, l. 20-23, et plus haut, à p. 4, l. 18.

P. **37**, l. **6-7** : « ... *qui est une façon* ... »

C'est-à-dire : ce qui est... Texte latin : « ... hoc est, cujus aliquam imaginem tanquam rei corporeae in phantasia sua non fingant, ... » (t. VI, p. 561).

P. **37**, l. **9** : « ... *n'être pas intelligible* ... »

Cf. saint Augustin : « Sine phantasiis enim corporum quidquid jussi fuerunt cogitare, nihil omnino esse arbitrantur. » *De Trinitate*, lib. X, 7, 10 ; *Pat. lat.*, t. XXXII, col. 979.

P. **37**, l. **12** : « ... *dans le sens* ... »

Allusion à l'adage scolastique : « nihil est in intellectu quod prius non fuerit in sensu », et à la doctrine de la formation des concepts à partir des espèces sensibles sur laquelle cet adage se fonde. — Cf. *Index scol.-cartésien*, texte 318, p. 204.

P. **37**, l. **13-14** : « ... *et de l'âme* ... »

Texte latin : « ... *animae rationalis* ... »

P. **37**, l. **14** : « ... *n'ont jamais été* ... »

Le thomisme (car c'est lui qui est ici visé) l'accorde également. Mais il enseigne que, l'intellect étant donné, nous pouvons construire, à partir du sensible, des concepts analogiques de notre âme et de Dieu (cf. Étienne Gilson, *Le Thomisme*, ch. VI, B, et ch. XI, fin) ; saint Thomas se contentant d'une connaissance aussi indirecte, parce que c'est la seule que son épistémologie aristotélicienne laisse possible, l'origine sensible des notions de Dieu et d'âme reste concevable dans son système. Par contre, la tradition augustinienne, dont relève ici la pensée de Descartes, a toujours voulu voir dans l'âme une réalité purement intelligible et capable, par conséquent, de trouver en soi l'idée purement intelligible de Dieu. Il va dès lors de soi qu'une idée de ce genre, non seulement ne peut être empruntée au sensible, mais même ne peut être obtenue qu'en se détournant du sensible par un effort opiniâtre, ainsi que le veulent Descartes et saint Augustin.

En ce qui concerne l'innéisme augustinien , cf. *Confess.*, X, 7 et suiv. ; *Pat. lat.*, t. XXXII, col. 784 et suiv. Et aussi : « Anima enim ejus (hominis) a corpore separata est... Et animus quidem quid sit, non incongrue nos dicimus ideo nosse, quia et nos habemus animum. Neque enim unquam oculis vidimus, et ex similitudine visorum plurium notionem generalem specialemve percepimus ; sed potius, ut dixi, quia et nos habemus..., etc. » *De Trinitate*, lib. VII, 6, 9 ; *Pat. lat.*, t. XLII, col. 953. « Seipsum enim per seipsum videt, et animus ipse ut norit se, videt se. Nec utique ut videat se, corporalium oculorum quaerit auxilium. Imo vero ab omnibus corporis sensibus tanquam impedientibus et perstrepentibus abstrahit se ad se, ut videat se in se, ut noverit se apud se. » *In Psalm.*, 41, 7 ; *Pat. lat.*, t. XXXVI, col. 647.

P. **37**, l. **18** : « ... *cette différence* ... »

C'est-à-dire : prétendre voir des odeurs, ce n'est qu'assigner l'objet d'un sens à un autre sens qui, s'il ne peut l'atteindre, atteint du moins son objet propre sans le secours du premier. Au contraire, prétendre imaginer l'âme ou Dieu, c'est assigner l'objet de l'entendement au sens, alors qu'au contraire le sens ne peut acquérir aucune certitude touchant son objet propre sans le secours de l'entendement. La première erreur confond donc deux facultés indépendantes, au lieu que la deuxième, beaucoup plus grave, prétend nous faire atteindre par une faculté inférieure, et qui ne se suffit pas à elle-même, l'objet propre de la faculté supérieure dont elle dépend.

Cf. le texte cité à p. 35, l. 13-14, 2º, *a*.

P. **37**, l. **19-20** : « ... *de la vérité de ses objets* ... »

C'est-à-dire : de la réalité des objets qu'il prétend atteindre.

P. **37**, l. **23** : « ... *n'y intervient* ... »

Au sens où l'on peut dire qu'un morceau de cire ne nous est pas connu par nos perceptions sensibles, mais par la seule « inspection de l'esprit ». Cf. tout le passage de la *Medit. II*ᵃ (t. VII, p. 30, l. 30-p. 31, l. 28), où l'on voit comment la perception sensible d'un morceau de cire ne nous assure, en réalité, que de l'existence de l'étendue telle que notre entendement la conçoit. En généralisant cette thèse, on rejoint la conclusion qu'elle prépare : même si l'entendement doit se fonder sur le sensible pour prouver le monde extérieur, il ne prouvera jamais que l'existence de l'étendue telle que lui-même la conçoit, et non celle des qualités sensibles telles que nos sens les perçoivent. Donc ces dernières n'existent pas.

P. **37**, l. **25** : « ... *et de leur âme* ... »

Le texte latin ajoute : « ipsorumque animas *absque corpore spectatas* esse res revera existentes, ... » (t. VI, p. 561).

P. **37**, l. **30** : « ... *sont moins certaines* ... »

Texte latin : « ... multo magis esse incerta ... » (t. VI, p. 561). Parce que la certitude de l'existence de Dieu est antérieure à celle de l'existence des corps dans l'ordre de la déduction et la conditionne.

Cf. saint Augustin : *a)* Nous nous connaissons par notre âme plus certainement que nous ne connaissons les autres hommes. *De anima*, lib. IV, ch. xix, n. 30 ; *Pat. lat.*, t. XLIV, col. 542.

b) Nous nous connaissons par notre âme plus certainement que nous ne connaissons notre corps et les autres corps. *De Trinitate*, lib. VII, cap. 6, n. 9 ; *Pat. lat.*, t. XLII, col. 953 et suiv. : « Quid enim tam intime scitur, seque ipsum esse sentit, quam id quo etiam caetera sentiuntur, id est, ipse animus. »

c) Dieu nous est plus connu que tout le reste : « Ecce jam potest notiorem Deum habere quam fratrem : plane notiorem, quia praesentiorem ; notiorem, quia interiorem ; notiorem, quia certiorem. » *De Trinitate*, liv. VIII, cap. 8, n. 12 ; *Pat. lat.*, t. XLII, col. 957. *De Genesi ad litteram*, lib. V, cap. 16, n. 34 ; *Pat. lat.*, t. XXXIV, col. 333.

Voir à p. 36, l. 30-31.

P. **37**, l. **30-31** : « ... *une assurance morale de ces choses* ... »

C'est-à-dire : une assurance suffisante pour les besoins de la vie pratique. Le texte latin ajoute : « ... certitudo, *ut loquuntur Philosophi*, moralis ... » (t. VI, p. 561).

Descartes a expliqué lui-même le sens de cette expression : « ... Je distinguerai ici deux sortes de certitudes. La première est appelée morale, c'est-à-dire suffisante pour régler nos mœurs, ou aussi grande que celle des choses dont nous n'avons point coutume de douter touchant la conduite de la vie, bien que nous sachions qu'il se peut faire, absolument parlant, qu'elles soient fausses. Ainsi ceux qui n'ont jamais été à Rome ne doutent point que ce ne soit une ville en Italie, bien qu'il se pourrait faire que tous ceux desquels ils l'ont appris les aient trompés... L'autre sorte de certitude est lorsque nous pensons qu'il n'est aucunement possible que la chose soit autre que nous la jugeons » (*Principes de philosophie*, IV, 205-206 ; texte français seulement, t. IX, p. 323-324).

Il résulte de cette distinction que, si l'on pose le problème de l'existence du monde extérieur du point de vue de l'usage de la vie, qui est celui de l'action volontaire dirigée vers le bien et, par conséquent, de la morale (voir plus haut, à p. 22, l. 27-28, 2°, *c*), l'assurance que nous avons spontanément de l'existence de notre corps ou de celle du monde extérieur est pleinement suffisante. Bien plus, il serait contraire à la distinction des deux ordres de vouloir subordonner notre assurance morale de ces choses à leur certitude métaphysique, et ce serait même le fait d'un insensé, car notre volonté devant porter dans l'ordre de l'action les jugements requis pour que nous vivions heureux, nous avons le devoir moral d'affirmer l'existence de notre corps et du monde extérieur même si nous ne sommes pas capables d'en fournir une complète démonstration théorique. L'assurance morale n'est donc pas un degré inférieur de certitude théorique dont on aurait à la rigueur le droit de se contenter dans l'ordre de la connaissance, mais un degré de vraisemblance tel qu'il légitime et impose une décision assurée de la volonté dans l'ordre de l'action. Cf. V^{ae} *Resp.*, t. VII, p. 350, l. 16-p. 351, l. 11 (cité à p. 31, l. 25). — « Dixi sub finem I^{ae} Meditationis, nos posse de iis omnibus, quae nunquam adhuc satis clare perspeximus, dubitare « ob validas et me- « ditatas rationes », quia nempe ibi tantum agebatur de summa illa dubita- tione, quam saepe metaphysicam, hyperbolicam, atque ad usum vitae nullo modo transferendam esse inculcavi, et ad quam id omne, quod vel mini- mum suspicionis afferre potest, pro satis valida ratione sumi debet. Hicce vero vir amicus et candidus proponit in exemplum eorum, de quibus dixi dubitari ob validas rationes, an sit terra, an habeam corpus, et similia, ut nempe sui lectores, qui de hac Metaphysica dubitatione nihil scient, ipsam ad usum vitae referentes, me non sanae mentis esse arbitrentur, » V^{ae} *Resp.*, t. VII, p. 459, l. 25-p. 460, l. 12. Cf. le texte remarquable de la réponse *Ad Hyperaspistem*, août 1641, t. III, p. 422, l. 7-p. 423, l. 10. Cf. également *à* (*Mesland*), 2 mai 1644, t. IV, p. 115, l. 3-11.

P. **38**, l. **1** : « ... *extravagant* ... »
Texte latin : « ... ut nemo nisi deliret ... » (t. VI, p. 561).

P. **38**, l. **2-3** : « ... *déraisonnable* ... »
Texte latin : « ... rationis expers ... » (t. VI, p. 561).

P. **38**, l. **4** : « ... *assez de sujet* ... »
Texte latin : « ... satis sit causae ... » (t. VI, p. 561).

P. **38**, l. **6** : « ... *en même façon* ... »
Texte latin : « ... fieri posse ut, inter dormiendum, eodem plane modo cre- damus nos alia habere corpora ... » (t. VI, p. 561).

P. **38**, l. **11** : « ... *vives et expresses* ... »
C'est-à-dire : fortes et nettes.

P. **38**, l. **14** : « ... *ce doute* ... »
Texte latin : « ... huic dubitandi causae tollendae ... » (t. VI, p. 562).

P. **38**, l. **16** : « ... *tantôt* ... »
Texte latin : « ... paulo ante ... » (t. VI, p. 562). — Cf. p. 33, l. 12-24.

P. **38**, l. **18-19** : « ... *sont toutes vraies* ... »

Toutes, c'est-à-dire : aussi bien celles dont je me souviens d'avoir perçu l'évidence sans la percevoir actuellement, que celles dont l'évidence est actuellement présente à ma pensée.

Descartes a subi sur ce point une objection (*II*^{ae} *Obj.*, t. VII, p. 124, l. 29-p. 125, l. 5. *IV*^{ae} *Obj.*, t. VII, p. 214, l. 7-14) dont la formule la plus précise se trouve dans les *Instances* de Gassendi : « Vous admettez qu'une idée claire et distincte est vraie parce que Dieu existe, qu'il est l'auteur de cette idée et qu'il n'est pas trompeur ; et, d'autre part, vous admettez que Dieu existe, qu'il est créateur et vérace, parce que vous en avez une idée claire. Le cercle est évident » (*In Medit. IV*, dubit. 4, Inst. 2. Édit. Garnier, Paris, 1834 ; t. II, p. 523). C'est ce que les historiens et commentateurs de Descartes nomment l'objection du *Cercle cartésien*. En réalité, cette objection n'a pris naissance que parce que l'on n'a pas suivi méthodiquement l'ordre des idées tel qu'il s'est imposé à Descartes :

1º Le *Cogito* nous a livré la première certitude dans l'ordre de l'existence. Mais la pensée cartésienne suit l'ordre géométrique des vérités ; le moment où l'on saisit la première certitude est donc aussi le moment d'examiner ce qui fait qu'une proposition est vraie et certaine ; c'est à quoi Descartes procède, et il en conclut cette « règle générale que les choses que nous concevons fort clairement et fort distinctement sont toutes vraies ; ... » (p. 33, l. 19-22). Par son universalité même, cette formule déborde largement ce que la seule constatation du *Cogito* autorise, mais elle ne fait pas question aussi longtemps que les évidences rencontrées par la pensée se suffiront à elles-mêmes. C'est précisément le cas pour le *Cogito*, car il nous livre immédiatement notre propre existence sans qu'aucun doute, même le plus hyperbolique, puisse ébranler notre certitude ; l'évidence du *Cogito* est donc indépendante de toute garantie divine, et il n'y a pas de cercle sur ce point (*Medit. II*^{a}, t. VII, p. 24, l. 19-p. 25, l. 13). Ce sera encore le cas pour la preuve de l'existence de Dieu, car puisqu'elle se fonde sur l'idée d'un être parfait, l'être dont elle prouve l'existence ne peut être supposé trompeur ; la vraie preuve de Dieu par l'idée de parfait expulse donc *ipso facto* le doute le plus hyperbolique dont la vérité de cette preuve pourrait être menacée. Et c'est enfin le cas pour les évidences mathématiques, auxquelles il est impossible de penser sans que leur vérité nécessaire apparaisse immédiatement. Ainsi *l'universalité de la règle de l'évidence ne fait pas question au moment même où elle se trouve formulée* (cf. la même formule universelle dans *Medit. III*^{a}, t. VII, p. 35, l. 3-15) *et elle est déjà vraie, sous sa forme universelle, avant même que l'on ne connaisse l'existence de Dieu* (cf. *Medit. III*^{a}, t. VII, p. 36, l. 12-21). Il n'y aura donc jamais cercle sur ce point.

2º Reste alors à comprendre sur quel point précis portera la garantie que requiert ici le *Discours*. Ce point est le *souvenir* de l'évidence ; et la nécessité de le garantir s'imposait à Descartes pour cette raison fondamentale que notre pensée ne se compose pas que d'évidences. En effet, la perception de l'évidence est inséparable de la perception des preuves qui la préparent ; or, le travail de la pensée serait infini s'il nous fallait recommencer la preuve de chacune des propositions dont nous usons chaque fois que nous en usons ; c'est pourquoi nous nous dispensons le plus souvent de le faire et nous contentons d'affirmer que les propositions dont nous usons sont vraies, parce que nous les avons préalablement démontrées. En fait, nous raisonnons beaucoup moins sur des évidences actuelles que sur le souvenir d'évidences passées. Or *le souvenir d'une évidence n'est pas une évidence;* la preuve en est qu'il nous arrive souvent de douter d'une vérité qui nous apparaissait comme certaine pendant que nous la percevions, mais dont les preuves échappent actuellement à notre pensée ; ou encore que nous prenons pour vraies, par erreur de mémoire, des propositions que nous croyons avoir jadis démontrées, bien qu'en fait nous n'en ayons jamais possédé la preuve et qu'elles soient de simples préjugés. Il est donc clair que, si toute évidence se passe de garantie, tout souvenir d'évidence en requiert une, et cela en vertu de la définition de l'évidence. La chose est si vraie que le *Cogito* lui-même serait un simple préjugé si l'on se contentait d'en affirmer la formule sans en penser effectivement le contenu (*Sur les Vᵃᵉ Obj.*, t. IX, p. 205, l. 11-25 ; notamment : « car, bien qu'on en puisse donner le nom [*scil.* de préjugé] à cette proposition, lorsqu'on la profère sans attention et qu'on croit seulement qu'elle est vraie à cause qu'on se souvient de l'avoir ainsi jugé auparavant, ... »). Or, il s'agit de savoir si les erreurs de ce genre sont accidentelles, donc évitables, ou si, au contraire, la mémoire qui nous trompe dans un grand nombre de cas ne nous tromperait pas toujours? Telle est la véritable question posée par Descartes ; il ne commet, par conséquent, aucun cercle en requérant une garantie pour la validité de notre mémoire après avoir affirmé la validité de notre entendement.

Cf. *Medit. Vᵃ* : « Postquam vero percepi Deum esse ... etiamsi non attendam amplius ad rationes propter quas istud verum esse judicavi, modo tamen recorder me clare et distincte perspexisse, nulla ratio contraria afferri potest, quae me ad dubitandum impellat, sed veram et certam de hoc habeo scientiam. » T. VII, p. 70, l. 10-p. 71, l. 9. « Sed egi tantum de iis quae meminimus nos antea clare percepisse, non de iis quae in presenti clare percipimus. » *Ad Hyperaspistem*, août 1641, t. III, p. 434, l. 5-7. « Denique, quod circulum non commiserim, ... explicui, distinguendo scilicet id quod reipsa clare percipimus, ab eo quod recordamur nos antea clare percepisse. Primum enim, nobis constat Deum existere, quoniam rationes quae id probant attendimus ; postea vero, sufficit ut recordemur nos aliquam rem clare percepisse, ut ipsam veram esse simus certi ; quod non sufficeret, nisi Deum esse et non fallere sciremus. » *IVᵃᵉ Resp.*, t. VII, p. 245, l. 25-p. 246, l. 9. « Sic,

exempli causa, numerorum et figurarum ideas in se habet (*scil.* mens), habet-
que etiam inter communes notiones, *quod si aequalibus aequalia addas, quae
inde exsurgent erunt aequalia*, et similes ; ex quibus facile demonstratur, tres
angulos trianguli aequales esse duobus rectis, etc. ; ac proinde haec et talia
sibi persuadet vera esse, quamdiu ad praemissas, ex quibus ea deduxit,
attendit. Sed quia non potest semper ad illas attendere, cum postea recorda-
tur se nondum scire, an forte talis naturae creata sit, ut fallatur etiam in iis
quae ipsi evidentissima apparent, videt se merito de talibus dubitare, nec
ullam habere posse certam scientiam, priusquam suae authorem originis
agnoverit. » *Princ. phil.*, I, 13 ; t. VIII, p. 9, l. 14-p. 10, l. 4. — *Entretien avec
Burman*, 16 avril 1648, t. V, p. 178 (cité plus loin, à p. 39, l. 3).

P. **38**, l. **20** : « ... *tout ce qui est* ... »

Le texte latin ajoute : « ... ut quidquid *entis* in nobis est ... » (t. VI, p. 562),
afin d'éliminer l'erreur qui, étant du non-être, ne saurait avoir Dieu pour
cause.

P. **38**, l. **21** : « *D'où il suit* ... »

Cette expression marque la transition entre le problème de la garantie des
vérités par un Dieu parfait et le problème connexe de l'origine de l'erreur ;
ce bref passage, qui commence à « *D'où il suit* » (p. 38, l. 21) et finit à « *la perfection d'être vraies* » (p. 39, l. 7), tient donc lieu, dans le *Discours*, de toute la
*IV*ᵉ *Méditation*. — Nous disons que ce problème est connexe du précédent ;
en effet : Dieu est véridique ; or, nous nous trompons ; comment l'erreur est-
elle possible chez la créature raisonnable d'un créateur parfait et véridique?

P. **38**, l. **22** : « ... *des choses réelles* ... »

Au sens de *réalité objective* défini précédemment, à p. 34, l. 13, IIᵒ ; car
c'est la réalité objective de l'idée vraie que Dieu vient ici garantir.

P. **38**, l. **24** : « ... *être que vraies.* »

Le sens de l'argumentation est le suivant : nous savons que Dieu est véridique et, par là même, que nos idées claires et distinctes sont vraies ; or, nous
savons, d'autre part, que la vérité est une même chose avec l'être ; si donc
Dieu est l'auteur de nos idées en tant que vraies, il est leur auteur en tant
qu'elles ont de l'être. D'où résultera corrélativement (« *En sorte que* ... »,
l. 24) que Dieu ne saurait être leur auteur en tant qu'elles contiennent du
non-être et de l'erreur. C'est l'expression « *D'où il suit* ... » (l. 21) qui donne à
tout ce passage son sens plein, lorsqu'on la prend elle-même dans toute sa
force : la garantie de la vérité par Dieu est, *ipso facto*, la garantie que l'erreur
n'est pas de lui.

P. 38, l. **25-26** : « ... *de la fausseté* ... »

Au sens de : faussetě matérielle. Les idées, prises en elles-mêmes, ne sont, en effet, ni vraies ni fausses, mais seulement les jugements qui les composent entre elles et les affirment ou les nient (*Medit. III*ᵃ, t. VII, p. 37, l. 13-17 et l. 25-28. *Medit. IV*ᵃ, t. VII, p. 56, l. 15-18) ; mais il existe cependant des idées qui sont, en quelque sorte, matériellement fausses, en ce qu'elles paraissent représenter quelque chose alors que rien ne leur correspond. Elles sont fausses en ce sens que leur seule présence est une incitation permanente à affirmer un objet inexistant, et par conséquent à l'erreur. Descartes pense ici, comme toujours en pareil cas, aux idées de chaud, de froid, et des autres *qualités réelles* sensibles dont la métaphysique doit faire place nette pour permettre l'avènement de la vraie physique. Cf. *Medit. III*ᵃ, t. VII, p. 43, l. 26-p. 44, l. 8. *IV*ᵃᵉ *Resp.*, t. VII, p. 232, l. 8-p. 233, l. 15.

P. 38, l. **28** : « ... *participent du néant* ... »

C'est-à-dire : elles portent la marque de ce qui me manque d'être, puisque je suis intermédiaire entre Dieu et le néant. Le texte latin ajoute : « atque in hoc *non ab ente summo sed* a nihilo procedunt ; ... » (t. VI, p. 562).

Cf. « ..., quamdiu de Deo tantum cogito, totusque in eum me converto, nullam erroris aut falsitatis causam deprehendo ; sed, postmodum ad me reversus, experior me tamen innumeris erroribus esse obnoxium, quorum causam inquirens animadverto non tantum Dei, sive entis summe perfecti, realem et positivam, sed etiam ut ita loquar, nihili sive ejus quod ab omni perfectione summe abest, negativam quamdam ideam mihi observari, et me tanquam medium quid inter Deum et nihil, sive inter summum ens et non ens ita esse constitutum, ut, quatenus a summo ente sum creatus, nihil quidem in me sit, per quod fallar aut in errorem inducar, sed quatenus etiam quodammodo de nihilo, sive de non ente, participo, hoc est quatenus non sum ipse summum ens, desuntque mihi quamplurima, non adeo mirum esse quod fallar. » *Medit. IV*ᵃ, t. VII, p. 54, l. 4-24.

Sur le principe qui sous-tend toute cette argumentation : la vérité ne consiste qu'en l'être et l'erreur ne consiste qu'au non-être seulement, voir les textes cités plus haut, à p. 34, l. 8, et p. 34, l. 11. — Sur le sens de *participer de*, voir à p. 35, l. 1.

P. 38, l. **29** : « ... *confuses* ... »

Le texte latin ajoute : « *obscurae* sunt et confusae ... » (t. VI, p. 562).

P. 38, l. **30** : « ... *pas tout parfaits* ... »

Le texte latin ajoute : « ... *quia nobis aliquid deest,* sive quia non omnino perfecti sumus » (t. VI, p. 562).

La *IV*ᵉ *Méditation* sera tout entière employée à démontrer que notre absence même de perfection ne saurait être reprochée au Dieu créateur ni mettre en danger son absolue perfection. Les principaux moments de cette justification sont les suivants :

1º En tout premier lieu, il se pourrait qu'un tel problème fût pour nous une entreprise insoluble. Le *pourquoi* de l'erreur est un problème de cause finale ; or, Dieu étant infini et notre esprit fini, les fins de Dieu nous échappent. Si donc nous ne parvenions pas à savoir pourquoi un Dieu parfait a voulu l'erreur, nous ne serions pas autorisés par là même à l'accuser d'imperfection. Cf. *Medit. IV*ᵃ, t. VII, p. 55, l. 14-26. Et aussi : *V*ᵃᵉ *Resp.*, t. VII, p. 374, l. 20-p. 375, l. 13. *Princ. phil.*, I, 28-29 ; t. VIII, p. 15, l. 26-p. 16, l. 17 ; et III, 2-3 ; t. VIII, p. 80, l. 20-p. 81, l. 18. *Entretien avec Burman*, t. V, p. 158.

2º Même en admettant que la solution du problème soit accessible à l'homme, on devra se souvenir qu'une œuvre comme la création doit être envisagée *collective*. C'est-à-dire : il faut apprécier chacune des créatures qui la composent, non en elle-même, mais en fonction du tout et de ce qu'elle doit être étant donnée la place qu'elle y occupe. Si donc nous ne pouvions justifier Dieu de nos erreurs en ne considérant que l'homme seul, ce ne serait encore pas un motif suffisant pour accuser Dieu d'imperfection. Cf. *Medit. IV*ᵃ, t. VII, p. 55, l. 27-p. 56, l. 8. *V*ᵃᵉ *Resp.*, t. VII, p. 374, l. 15-19. *A Mersenne*, 27 mai 1630, t. I, p. 153, l. 31-p. 154, l. 9.

3º Mais on peut démontrer, même en ne considérant que l'homme à part, qu'il est tel qu'un Dieu parfait le devait créer. L'erreur suppose en effet le jugement. Or, le jugement suppose lui-même le concours de deux facultés : l'entendement et la volonté. L'entendement dont nous disposons est fini ; mais il est naturel que l'entendement d'une créature finie soit lui-même fini. La volonté dont nous disposons est, prise en elle-même, infinie ; ce qui s'explique, s'il est vrai que la volonté consiste dans une essence indivisible, la faculté de vouloir ou de ne pas vouloir, et que par conséquent on ne peut que l'avoir tout entière ou pas du tout. Il était donc de la nature d'une créature raisonnable finie d'avoir une volonté beaucoup plus ample que son entendement. Mais c'est de cela même que résulte l'erreur. Car, se tromper, c'est affirmer par sa volonté plus qu'on ne sait par son entendement. Dieu devait donc créer, en créant l'homme, une créature capable de se tromper. Mais non pas une créature condamnée à se tromper ; car la volonté par laquelle nous jugeons est libre, elle est même d'autant plus libre qu'elle s'astreint davantage à ne juger qu'en présence d'une idée claire et distincte. L'erreur n'est donc finalement pas imputable à Dieu, puisque, des deux défauts dont elle dépend, celui de notre entendement est inséparable de l'état même de créature, et celui de la volonté se réduit au mauvais usage, toujours évitable, que nous faisons de notre liberté.

Sur cette théorie et sur celle de la liberté d'indifférence à laquelle le *Dis-*

cours ne contient aucune allusion, voir : *Medit. IV*[a], t. VII, p. 56, l. 9-p. 62.
l. 26. *Princ. phil.*, I, 31-44 ; t. VIII, p. 17, l. 11-p. 21, l. 29. Et aussi : *à Regius*,
24 mai 1640, t. III, p. 65, l. 16-24. *A Mersenne*, décembre 1640, t. III p. 259-
l. 9-11. *Au même*, 27 mai 1641, t. III, p. 378-382. *Au P. Mesland*, 2 mai
1644, t. IV, p. 115, l. 12-p. 119, l. 14. *Au même*, 9 février 1645, t. IV, p. 173.
l. 1-p. 175, l. 5. *A Elisabeth*, 3 novembre 1645, t. IV, p. 332, l. 12-p. 333, l. 7.
A la même, janvier 1646, t. IV, p. 352, l. 28-p. 354, l. 14. *Aux Curateurs de
l'Université de Leyde*, 4 mai 1647, t. V, p. 4, l. 2-17. *III*[ae] *Obj.*, t. VII, p. 190-
l. 1-p. 192, l. 28. *V*[ae] *Resp.*, t. VII, p. 376, l. 1-p. 378, l. 25. *VI*[ae] *Resp.*, t. VII,
p. 431, l. 26-p. 433, l. 10.

Sur les origines théologiques de la doctrine, voir Étienne Gilson, *La liberté
chez Descartes et la théologie*, Paris, 1913. — H. Dehove, *Le libre arbitre chez
Descartes*, Revue de philosophie, mai-juin 1924, p. 261-288.

P. **39**, l. **2** : « *... procède du néant.* »

L'équivalence de la vérité et de l'être, de l'erreur et du non-être une fois
admise, cette proposition se réduit à l'énoncé du principe de causalité. Rien
ne peut venir de rien (*II*[ae] *Resp.*, Axioma III ; t. VII, p. 165, l. 7-9) ou,
inversement, le néant ne saurait avoir de cause.

P. **39**, l. **3** : « *Mais si nous ne savions point ...* »

« Si enim ignoraremus veritatem omnem oriri a Deo, quamvis tam clarae
essent ideae nostrae, non sciremus eas esse veras, nec nos non falli, scilicet
cum ad eas non adverteremus, et quando solum recordaremur nos illas clare
et distincte percepisse. Alias enim, etiamsi nesciamus esse Deum, quando ad
ipsas veritates advertimus, non possumus de iis dubitare ; nam alias non possemus demonstrare Deum esse. » *Entretien avec Burman*, 16 avril 1648, t. V
p. 178. Voir plus haut, à p. 36, l. 30-31, 2°, et à p. 38, l. 18-19. 2°.

P. **39**, l. **4** : « *... de réel et de vrai ...* »
Voir plus haut, à p. 34, l. 8.

P. **39**, l. **7** : *... la perfection d'être vraies ...* »
C'est-à-dire : conformes aux objets qu'elles représentent. Cf. *VII*[ar] *Resp.*,
t. VII, p. 461, l. 25-28 ; cité plus loin, à p. 39, l. 17.

P. **39**, l. **8** : « *Or, ...* »
C'est-à-dire : Mais. Cf. texte latin : « At postquam, ... » (t. VI, p. 562). —
Descartes va montrer, en effet, comment la véracité divine lève successive-
ment tous les arguments que le doute méthodique avait accumulés.

p. **39**, l. **8** : « *... de l'âme ...* »

Au sens de : substance pensante. Texte latin : « *... mentis nostrae ...* » (t. VI, p. 562). Voir plus haut, à p. 33, l. 7.

P. **39**, l. **10** : « *... les rêveries ...* »

Texte latin : « *... errores somniorum ...* » (t. VI, p. 562).

P. **39**, l. **17** : « *... d'être vraie ...* »

Le sommeil ne constitue pas en lui-même un état d'erreur, mais simplement, en raison de ses conditions physiologiques, un état moins propice que la veille au libre exercice de la pensée. Il ne faut donc pas s'étonner, comme le fait observer Descartes (*ad Hyperaspistem*, août 1641, t. III, p. 432, l. 28-p. 433. l. 2), que l'on ne fasse pas en dormant des découvertes commes celles d'Archimède ; mais, si l'on en faisait, ce n'en seraient pas moins de véritables découvertes.

Cf. « Anne (ut nuper mihi objiciebam) me forte somniare, sive illa omnia, quae jam cogito, non magis vera esse quam ea quae dormienti occurrunt? Imo etiam hoc nihil mutat ; nam certe, quamvis somniarem, si quid intellectui meo sit evidens, illud omnino est verum. » *Medit.* V^a, t. VII, p. 70, l. 28-p. 71, l. 2. « Concludere quidem potuisset ex meis, id omne quod ab aliquo clare et distincte percipitur esse verum, quamvis ille aliquis possit interim dubitare somnietne an vigilet, imo etiam, si lubet, quamvis somniet, quamvis sit delirus : quia nihil potest clare ac distincte percipi, a quocumque demum percipiatur, quod non sit tale quale percipitur, hoc est, quod non sit verum. » *VII^{ae} Resp.*, t. VII, p. 461, l. 21-28. L'argument était déjà dirigé contre les sceptiques par saint Augustin, *Cont. Acad.*, III, 11, 25 ; *Pat. lat.*, t. XXXII, col. 947. *De Trinitate*, lib. XV, cap. 12, n. 21 ; *Pat. lat.*, t. XXXVIII, col. 1074.

Sur les raisons qui nous permettent de distinguer l'état de veille du sommeil, problème que ne touche pas le *Discours*, voir *Medit.* VI^a, p. 89, l. 20-p. 90, l. 6. *III^{ae} Resp.*, t. VII, p. 195, l. 15-p. 196, l. 14.

P. **39**, l. **17** : « *... la plus ordinaire ...* »

C'est-à-dire : la plus fréquente.

P. **39**, l. **19-20** : « *... nos sens extérieurs ...* »

Le texte latin ajoute : « eodem plane modo quo ipsa nobis a sensibus externis *inter vigilandum* exhibentur, ... » (t. VI, p. 562).

P. **39**, l. **20** : « *... n'importe pas ...* »

Pour : il n'importe pas.

P. **39**, l. **21** : « ... *de telles idées* ... »

Le texte latin ajoute : « ... ejusmodi ideis, *quas a sensibus vel accipimus vel putamus accipere*, parum credendi ; ... » (t. VI, p. 562).

P. **39**, l. **22** : « ... *nous tromper* ... »

Voir plus haut, à p. 32, l. 1.

P. **39**, l. **23** : « ... *sans que nous dormions* ... »

En d'autres termes : ce n'est pas leur caractère de songes qui fait la fausseté de ces illusions, mais simplement leur caractère sensible. Il nous suffira donc de les frapper de suspicion en tant que telles et de les soumettre au contrôle de notre raison.

P. **39**, l. **26** : « *Car enfin* ... »

Texte latin : « Omnino enim, ... » (t. VI, p. 562).

P. **39**, l. **29** : « ... *de notre raison.* »

Texte latin : « ..., solam evidentiam rationis judicia nostra sequi debent » (t. VI, p. 562).

Cf. à p. 18, l. 17, 2º, et à p. 18, l. 22-23, 2º.

Il ne suffirait pas d'interpréter ce texte comme un conseil d'user de sa raison plutôt que de recourir aux sens lorsqu'on veut éviter tout risque d'erreur ; la pensée de Descartes est beaucoup plus absolue et, lorsqu'on l'interprète complètement, implique les positions suivantes :

1º Si l'on entend par *sens* l'organe corporel, instrument de la connaissance des objets, on doit dire qu'il ne connaît en aucune façon : « ... C'est l'âme qui sent, et non le corps ; car on voit que lorsqu'elle est divertie par une extase ou forte contemplation, tout le corps demeure sans sentiment, encore qu'il ait divers objets qui le touchent. » *Dioptrique*, discours IV, t. VI, p. 109, l. 6-10.

2º Étant admis que la connaissance sensible revient à l'âme, et non au corps, il faut observer en outre que, dans l'âme, elle ne revient proprement qu'à la raison. En effet, les sentiments qui se produisent en nous à l'occasion des objets extérieurs par l'entremise des sens sont bien des *idées* au sens le plus général du terme, mais ce ne sont pas des connaissances, car ils nous renseignent uniquement sur ce que les objets apportent d'utile ou de nuisible à notre corps, et nullement sur ce que les objets sont en eux-mêmes. C'est ce qui permet de comprendre que les sens de l'homme, même créé par un Dieu véridique, puissent lui représenter un même objet de plusieurs façons différentes, car user des sens pour connaître c'est en user en vue d'une fin à laquelle Dieu ne les a pas destinés. Il ne reste donc, pour *connaître* au sens propre du terme, c'est-à-dire pour nous représenter les choses telles qu'elles

sont, que la seule raison, et elle n'y voit que de l'étendue et du mouvement.
C'est la thèse que le célèbre passage du « morceau de cire » a pour objet
propre de faire comprendre : « …, si recordemini eorum quae in fine secundae Meditationis de cera dicta sunt, advertetis nequidem ipsa corpora proprie sensu percipi, sed solo intellectu, … ». *II*ᵃᵉ *Resp.*, t. VII, p. 132, l. 20-23.
Cf. *Medit. II*ᵃ, t. VII, p. 30, l. 3-p. 31, l. 28. — Sur ce travail, grâce auquel
notre raison, critiquant les préjugés amoncelés autour des perceptions sensibles, n'en retient que ce que véritablement elles nous enseignent, voir
*Medit. VI*ᵃ, t. VII, p. 82, l. 12-p. 83, l. 23.

P. **39**, l. **31** : « *Comme*, … »

Texte latin : « Ita, exempli causa, … » (t. VI, p. 562).

P. **40**, l. **7-8** : « … *soit véritable* … »

Texte latin : « … idcirco revera existere … » (t. VI, p. 563). — Cf. à p. 39,
l. 7.

P. **40**, l. **9-10** : « … *quelque fondement de vérité* … »

Le fondement de vérité que l'on peut attribuer à nos perceptions sensibles
est double :

1° Les perceptions sensibles en général contiennent d'abord ce fondement
de vérité d'exister et d'être ce qu'elles sont. On ne commettrait jamais d'erreur si l'on se contentait d'affirmer que l'on perçoit les choses de telle ou
telle manière : l'erreur commence au moment où l'on affirme que les choses
sont réellement en elles-mêmes telles qu'on les perçoit. « Ubi notandum est,
intellectum a nullo unquam experimento decipi posse, si praecise tantum
intueatur rem sibi objectam, prout illam habet vel in se ipso vel in phantas-
mate, neque praeterea judicet imaginationem fideliter referre sensuum objecta, nec sensus veras rerum figuras induere, nec denique res externas tales
semper esse quales apparent ; in his enim omnibus errori sumus obnoxii…
Componimus autem nos ipsi res quas intelligimus, quoties in illis aliquid
inesse credimus, quod nullo experimento a mente nostra immediate percep-
tum est : ut si ictericus sibi persuadeat res visas esse flavas, haec ejus cogitatio erit composita, ex eo quod illi phantasia sua repraesentat, et eo quod
assumit de suo, nempe colorem flavum apparere, non ex oculi vitio, sed
quia res visae revera sunt flavae. Unde concluditur, nos falli tantum posse,
dum res quas credimus a nobis ipsis aliquo modo componuntur. » *Reg.*, XII,
t. X, p. 423, l. 1-30. Cf. *Medit. III*ᵃ, t. VII, p. 37, l. 22-28.

2° Les perceptions sensibles nous apportent, en outre, des renseignements,
non sur ce que les choses sont en elles-mêmes, mais sur ce qu'elles sont par
rapport à nous, c'est-à-dire sur ce qu'elles contiennent pour nous d'utile
ou de nuisible. Considérées de ce point de vue, elles ont une clarté et une

distinction suffisantes pour la fin qu'elles doivent atteindre (« ... quia nempe sensuum perceptionibus, quae proprie tantum a natura datae sunt ad menti significandum quaenam composito, cujus pars est, commoda sint vel incommoda, et eatenus sunt satis clarae et distinctae, ... » *Medit. VI*ª, t. VII p. 83, l. 15-19). Descartes considère cette finalité biologique de la perception sensible comme si importante qu'il s'est employé à justifier Dieu de tout soupçon d'être cause de nos erreurs dans cet ordre, comme il s'était employé à l'en justifier dans l'ordre de la connaissance (cf. l'exemple de l'hydropique, *Medit. VI*ª, t. VII, p. 83, l. 24-p. 89, l. 7 ; et aussi *II*ᵈᵉ *Resp.*, t. VII, p. 145, l. 10-21). Nos sens lui apparaissent à cet égard comme des témoins générale-ment dignes de foi (« Nam sane, cum sciam omnes sensus circa ea quae ad corporis commodum spectant, multo frequentius verum indicare quam fal-sum, ... » *Medit. VI*ª, t. VII, p. 89, l. 11-13), et c'est ce qui permet de com-prendre que Dieu, « qui est tout parfait et tout véritable », ait mis en nous de telles connaissances.

P. **40**, l. **11** : « ... *tout véritable* ... »

C'est-à-dire : qui dit toujours la vérité. Texte latin : « ... verax ... » (t. VI, p. 563). — Cf. « On dit qu'un homme est véritable dans ses paroles, dans ses promesses, pour dire qu'il dit toujours la vérité, qu'il tient tout ce qu'il pro-met. » *Dictionnaire de l'Académie* (1694), dans Huguet, *op. cit.*, p. 401.

P. **40**, l. **13** : « ... *ni si entiers* ... »

C'est-à-dire : si complets. Texte latin : « ... tam clara et distincta ... » (t. VI, p. 563).

P. **40**, l. **18-19** : « ... *infailliblement* ... »

Le texte latin corrige : « ... potius ... » (t. VI, p. 563). Cette inférence n'a en effet, du point de vue de Descartes lui-même, rien d'infaillible (voir plus haut, à p. 39, l. 17).

CINQUIÈME PARTIE

P. **40**, l. **21**, en marge : *Cinquième Partie.*

Le texte latin ajoute en marge : « Quaestionum Physicarum ab Authore investigatarum ordo ; ac in specie motus cordis, et quarumdam aliarum ad Medicinam spectantium perplexarum opinionum enodatio ; tum quae sit inter nostram et brutorum animam differentia » (t. VI, p. 563). Cf. p. 1, l. 9-14.

P. **40**, l. **22** : « ... *toute la chaîne* ... »

Image familière à Descartes, et qui marque peut-être mieux que nulle autre le caractère distinctif de la science telle qu'il l'entend. Ici, elle met en évidence la nature déductive d'une physique construite à priori comme une Géométrie. Cf. p. 19, l. 6 ; et aussi : « Mais toutes les difficultés de physique... sont tellement enchaînées et dépendent si fort les unes des autres qu'il me serait impossible d'en démontrer une sans les démontrer toutes ensemble ; ... » *A Mersenne*, 15 avril 1630, t. I, p. 140, l. 24-28. *Cogitationes privatae*, t. X, p. 215, l. 1-4 ; t. X, p. 230, l. 3-25 ; t. X, p. 255.

P. **40**, l. **23-24** : « ..., *pour cet effet*, ... »

C'est-à-dire : pour réaliser ce projet.

P. **40**, l. **25-26** : « ... *entre les doctes* ... »

Formule par laquelle Descartes désigne habituellement les philosophes scolastiques. Cf. IIIᵉ Partie, p. 30, l. 11-12 ; et plus loin, p. 42, l. 16-17.

P. **40**, l. **26** : « ... *point me brouiller*, ... »

Texte latin : « ... cum quibus contentionis funem trahere nolo, ... » (t. VI, p. 563). Allusion non seulement à la condamnation de Galilée (cf. plus loin, VIᵉ Partie, p. 60, l. 11-12), mais encore aux controverses qu'aurait inévitablement soulevées la publication d'un traité où toutes les notions fondamentales de la physique aristotélicienne étaient mises en question. — Sur les raisons qu'avait Descartes d'éviter ces controverses, voir VIᵉ Partie, p. 66. l. 12-18.

P. **40**, l. **28** : « *... quelles elles sont ...* »

C'est-à-dire : que j'énumère ces questions sans exposer en détail de quelle manière je les ai traitées.

P. **40**, l. **29** : « *... aux plus sages ...* »

C'est-à-dire : à ceux de qui dépendent les décisions d'opportunité en pareille matière. Dans l'espèce, il s'agit des cardinaux et autres dignitaires ecclésiastiques, dont Descartes espère qu'ils finiront non seulement par faire en sorte que *Le Monde* puisse être publié sans danger pour son auteur, mais même par en solliciter la publication dans l'intérêt bien compris de la religion catholique. C'est pour déterminer un mouvement d'opinion en ce sens que Descartes publie le *Discours ;* sa cause finale, s'il est permis de s'exprimer ainsi, n'étant autre que de rendre enfin possible la publication du *Monde,* que les circonstances l'avaient conduit à différer. De là, la précaution qu'il avait prise de conserver l'anonymat (cf. à *Mersenne,* Leyde, mars 1636, t. I, p. 340, l. 14-16. Mars 1637, t. I, p. 351, l. 17-25. *A Balzac,* 14 juin 1637, t. I, p. 381, l. 11-13), précaution toute naturelle, puisqu'il évitait ainsi de se rendre publiquement solidaire, par le *Discours,* d'opinions que la publication du *Discours* devait précisément lui permettre de publier sans danger. Ces intentions ont été clairement exprimées par Descartes lui-même dans sa correspondance ; voir, principalement, les textes cités à p. 74, l. 6-7 : «car, enfin, je n'ai parlé comme j'ai fait de ma Physique qu'afin de convier ceux qui la désireront à faire changer les causes qui m'empêchent de la publier » ; et le début du texte suivant : « Pour le traité de physique ... » Cf. également, à p. 74, l. 6-7.

P. **40**, l. **29-30** : « *... le public ...* »

Texte latin : « *... rempublicam litterariam ...* » (t. VI, p. 563).

P. **40**, l. **30** : « *... plus particulièrement ...* »

C'est-à-dire : avec plus de particularités, plus de détails.

P. **41**, l. **2** : « *... aucun autre principe ...* »

C'est-à-dire : le *Cogito,* « premier principe de la Philosophie » cartésienne. Cf. IVᵉ Partie, p. 32, l. 23.

P. **41**, l. **5** : « *... plus claire et plus certaine ...* »

Pour la raison formulée plus haut, à p. 36, l. 30-31, et p. 37, l. 30.

P. **41**, l. **6** : « *... que n'avaient fait ...* »

C'est-à-dire : que ne m'avaient semblé.

P. **41**, l. **10-11** : « *... en la Philosophie ...* »

C'est-à-dire : dans la physique scolastique.

P. **41**, l. **11** : « *... certaines lois ...* »

L'expression *lois de la nature* (cf. t. I, p. 145, l. 15. T. I, p. 230, l. 25. T. II, p. 50, l. 24. t. III, p. 208, l. 5. T. III, p. 211, l. 2. T. IV, p. 184, l. 2, etc.) signifie : les règles immuables établies par Dieu, conformément auxquelles tous les changements dont la matière est le siège s'accomplissent. Cf. « ..., et les règles suivant lesquelles se font ces changements, je les nomme les Lois de la nature. » *Le Monde*, t. XI, p. 37, l. 12-14. — Voir plus loin, à p. 41, l. 12.

P. **41**, l. **12** : « *... tellement ...* »

C'est-à-dire : de telle manière.

P. **41**, l. **12** : « *... établies ...* »

Terme dont use habituellement Descartes (*Le Monde* t. XI, p. 34, l. 19. *A Mersenne*, 15 avril 1630, t. I, p. 145, l. 14-15, etc.) pour désigner l'acte par lequel Dieu a imposé au monde, en le créant, les lois stables qui le régissent. Il doit être entendu toujours au sens fort, comme désignant un acte créateur et comme incluant, avec les lois du monde physique proprement dites, les vérités mathématiques ou autres vérités éternelles dont ces lois découlent immédiatement. En effet, étant compréhensibles par notre pensée qui est finie, ces lois sont elles-mêmes finies et ne peuvent être, par conséquent, que des créatures dont l'existence dépend d'un libre décret de Dieu.

Cf. « Mais je ne laisserai pas de toucher en ma Physique plusieurs questions métaphysiques, et particulièrement celle-ci : que les vérités mathématiques, lesquelles vous nommez éternelles, ont été établies de Dieu et en dépendent entièrement, aussi bien que tout le reste des créatures. C'est, en effet, parler de Dieu comme d'un Jupiter ou Saturne, et l'assujettir au Styx et aux destinées, que de dire que ces vérités sont indépendantes de lui. Ne craignez point, je vous prie, d'assurer et de publier partout que c'est Dieu qui a établi ces lois en la Nature, ainsi qu'un Roi établit des lois en son Royaume » (*à Mersenne*, 15 avril 1630, t. I, p. 145, l. 5-16). Voir aussi : *au même*, 6 mai 1630, t. I, p. 149, l. 21-p. 150, l. 27, et p. 151, l. 1-p. 153, l. 3. *Au même*, 27 mai 1638, t. II, p. 138, l. 1-15. *A Mesland*, 2 mai 1644, t. IV, p. 118, l. 6-p. 119, l. 14. *VI^ae Resp.*, t. VII, p. 431, l. 26-p. 433, l. 10, et p. 435, l. 22-p. 436, l. 25. — Voir plus haut, à p. 35, l. 5, 3º.

Sur le sens de cette doctrine, consulter Ém. Boutroux, *De veritatibus aeternis apud Cartesium*, Paris, 1874. Ét. Gilson, *La liberté chez Descartes et la théologie*, Paris, 1913, spécialement Ire Partie, ch. I et III.

P. **41**, l. **12** : « ... *en la nature* ... »

Le terme *nature* signifie :

1º Dieu lui-même, considéré comme auteur des lois que suivent les choses et comme source immuable de l'efficace que leur confère son action conservatrice. Cf. « ... si Dieu ou la Nature avait formé ... » (mars 1638, t. II, p. 41, l. 2-3), et le texte cité plus loin, 2º. En ce sens, la nature est immuable comme Dieu, étant l'action de Dieu lui-même.

2º La matière créée par Dieu, avec sa figure, son mouvement, et les lois qui résultent nécessairement de leur seule conservation immuable par Dieu. En ce sens, la nature est le lieu de changements continuels, encore qu'ils s'effectuent conformément aux lois immuables que son législateur a établies. Cf. « ... per naturam enim generaliter spectatam, nihil nunc aliud quam vel Deum ipsum, vel rerum creatarum coordinationem a Deo institutam intelligo » (*Medit. VI*ª, t. VII, p. 80, l. 21-24). — « Sachez donc, premièrement, que par la Nature je n'entends point ici quelque Déesse, ou quelque autre sorte de puissance imaginaire ; mais que je me sers de ce mot pour signifier la Matière même, en tant que je la considère avec toutes les qualités que je lui ai attribuées, comprises toutes ensemble, et sous cette condition que Dieu continue de la conserver en la même façon qu'il l'a créée. Car de cela seul qu'il continue ainsi de la conserver, il suit, de nécessité, qu'il doit y avoir plusieurs changements en ses parties, lesquels ne pouvant, ce me semble, être proprement attribués à l'action de Dieu, parce qu'elle ne change point, je les attribue à la Nature ; et les règles suivant lesquelles se font ces changements je les nomme les Lois de la Nature. » *Le Monde*, t. XI, p. 36, l. 29-p. 37, l. 14. — C'est en ce second sens que Descartes emploie ici le mot, par opposition à la « puissance imaginaire » qu'est la *natura* scolastique, ou φύσις aristotélicienne. Voir à p. 42, l. 24-25.

P. **41**, l. **13** : « ... *imprimé de telles notions* ... »

C'est-à-dire : les lois les plus universelles de la nature se trouvent en nous à l'état de connaissances innées, en ce sens qu'il nous suffit d'être attentifs au contenu de notre pensée pour les y découvrir.

La connaissance innée des lois de la nature dérive en nous d'une double source :

1º L'idée innée de Dieu et de son immutabilité, de laquelle découlent immédiatement les lois fondamentales du mouvement. Cf. plus loin, à p. 43, l. 7-8. VIe Partie, p. 63, l. 30-p. 64, l. 5, et aussi : « Motus natura sic animadversa, considerare oportet ejus causam, eamque duplicem : primo scilicet universalem et primariam, quae est causa generalis omnium motuum qui sunt in mundo ; ac deinde particularem, a qua fit ut singulae materiae partes motus, quos prius non habuerunt, acquirant. Et generalem quod attinet, manifestum mihi videtur illam non aliam esse, quam Deum ipsum, qui materiam simul cum motu et quiete in principio creavit, jamque, per solum suum concursum ordinarium, tantumdem motus et quietis in ea tota quantum tunc posuit conservat... Intelligimus etiam perfectionem esse in Deo, non solum quod in se ipso sit immutabilis, sed etiam quod modo quam maxime constanti et immutabili operetur : ... Atque ex hac eadem immutabilitate Dei, regulae quaedam sive leges naturae cognosci possunt, quae sunt causae secundariae ac particulares diversorum motuum quos in singulis corporibus advertimus » (*Princ. phil.*, II, 36-37 ; t. VIII, p. 61, l. 1-p. 62, l. 9).

2º Outre ces lois fondamentales, il suffit à l'homme de découvrir dans sa pensée les principes premiers d'identité et de causalité (cf. t. V, p. 167, et *Princ. phil.*, I, 49 ; t. VIII, p. 23, l. 24-p. 24, l. 6), ainsi que les vérités mathématiques qui sont toutes « *mentibus nostris ingenitae*, ainsi qu'un Roi imprimerait ses lois dans le cœur de tous ses sujets, s'il en avait aussi bien le pouvoir » (*à Mersenne*, 15 avril 1630, t. I, p. 145, l. 16-21). — Cf. « Mais je me contenterai de vous avertir qu'outre les trois lois (*scil.* du mouvement) que j'ai expliquées, je n'en veux point supposer d'autres que celles qui suivent infailliblement de ces vérités éternelles, sur qui les mathématiciens ont accoutumé d'appuyer leurs plus certaines et plus évidentes démonstrations : ces vérités, dis-je, suivant lesquelles Dieu même nous a enseigné qu'il avait disposé toutes choses en nombre, en poids et en mesure, et dont la connaissance est si naturelle à nos âmes que nous ne saurions ne les pas juger infaillibles, lorsque nous les concevons distinctement ; ni douter que, si Dieu avait créé plusieurs mondes, elles ne fussent en tous aussi véritables qu'en celui-ci. » *Le Monde*, t. XI, p. 47, l. 4-22. De l'application de ces principes métaphysiques et mathématiques innés aux idées innées d'étendue et de mouvement découlent donc toutes les lois de la physique, et c'est ce qui permet de la considérer comme une science *a priori*, capable de déduire les effets de leurs causes. — Voir plus loin, p. 64, l. 7.

P. **41**, l. **17** : « ... *la suite de ces lois* ... »

C'est-à-dire : la série de ces lois. Cf. texte latin : « ... legum istarum seriem perpendens ... » (t. VI, p. 563).

P. **41**, l. **18** : « ... *plusieurs vérités* ... »

C'est-à-dire : beaucoup de vérités. Texte latin : « ... multas ... veritates ... » (t. VI, p. 563).

P. **41**, l. **22** : « ... *dans un Traité,* ... »

C'est-à-dire : *Le Monde, ou Traité de la Lumière*, œuvre posthume publiée par Clerselier, en 1664, et imprimée dans les *Œuvres complètes*, édit. Adam-Tannery, t. XI, p. 3-202. Toute la Vᵉ Partie du *Discours* n'est que le résumé du traité que la condamnation de Galilée avait retenu Descartes de publier.

P. **41**, l. **22** : « *... quelques considérations ...* »
Voir VIe Partie, p. 60, l. 4-p. 61, l. 2.

P. **41**, l **26** : « *... avant que de l'écrire, ...* »
Le traité du *Monde* fut commencé vers octobre 1629 (*à Mersenne*, 13 novembre 1629, t. I, p. 70, l. 6-16). Descartes s'était principalement occupé jusqu'alors des problèmes relatifs à l'optique et à la météorologie. Voir plus haut, à p. 29, l. 26.

P. **41**, l. **27** : « *... la nature des choses matérielles ...* »
C'est-à-dire : touchant la totalité des problèmes relatifs à la nature des corps ; en un mot : toute la physique. Cf., dès la première mention que Descartes fasse de ce projet : « ..., je me suis résolu d'expliquer tous les Phénomènes de la nature, c'est-à-dire toute la Physique » (*à Mersenne*, 13 novembre 1629, t. I, p. 70, l. 6-11).

P. **41**, l. **27** : « *... tout de même ...* »
C'est-à-dire : exactement de la même façon.

P. **41**, l. **31** : « *... ombrageant ...* »
C'est-à-dire : laissant dans l'ombre.

P. **42**, l. **5** : « *... de la lumière ...* »
1° L'équivalence des deux problèmes, lorsqu'on les entend de la sorte, est marquée par le titre même du traité : *Du monde ou de la lumière*. Le témoignage du *Discours* s'accorde littéralement avec les témoignages de la Correspondance, contemporains de la rédaction du traité. Voir à p. 41, l. 27 ; p. 43, l. 12.

2° La lumière est définie dans *Le Monde* comme une action exercée sur les yeux par le mouvement des particules de la matière du premier élément, ou matière subtile (t. XI, p. 24, l. 8-26). Cette action possède un certain nombre de qualités qui définissent du même coup celles de la lumière, et que Descartes a résumées ainsi : « Les principales propriétés de la lumière sont : 1. Qu'elle s'étend en rond de tous côtés autour des corps qu'on nomme lumineux. 2. Et à toute sorte de distance. 3. Et en un instant. 4. Et pour l'ordinaire en lignes droites, qui doivent être prises pour les rayons de la Lumière. 5. Et que plusieurs de ces rayons, venant de divers points, peuvent s'assembler en un même point. 6. Ou, venant d'un même point, peuvent s'aller rendre en divers points. 7. Ou, venant de divers points, et allant vers divers points, peuvent passer par un même point, sans s'empêcher les uns les autres. 8. Et qu'ils peuvent aussi quelquefois s'empêcher les uns les autres, à savoir quand leur force est fort inégale, et que celle des uns est beaucoup plus grande que celle des autres. 9. Et enfin qu'ils peuvent être détournés par réflexion. 10. Ou par réfraction. 11. Et que leur force peut être augmentée. 12. Ou diminuée, par les diverses dispositions ou qualités de la matière qui les reçoit. » *Le Monde*, t. XI, p. 98, l. 5-23. L'exposé auquel le *Discours* fait ici allusion se trouve contenu dans les chapitres XIII et XIV du *Monde*, t. XI, p. 84-103. La même doctrine, quoique simplifiée, est reprise dans la *Dioptrique*, Discours I, t. VI, p. 81-93, et enfin dans les *Princ. phil.*, III, 55 ; t. VIII, p. 108, l. 6-13. IV, 28 ; t. VIII, p. 217, l. 4-p. 218, l. 3.

P. **42**, l. **5-6** : « ... *à son occasion* ... »

Descartes a eu nettement conscience de ce qu'avait d'ambitieux le programme qui suit : « J'ai bien pensé que ce que j'ai dit avoir mis en mon traité de la Lumière, touchant la création de l'Univers, serait incroyable ; car il n'y a que dix ans, que je n'eusse pas moi-même voulu croire que l'esprit humain eût pu atteindre jusqu'à de telles connaissances, si quelque autre l'eût écrit. Mais ma conscience, et la force de la vérité m'a empêché de craindre d'avancer une chose, que j'ai cru ne pouvoir omettre sans trahir mon propre parti, et de laquelle j'ai déjà ici assez de témoins. Outre que si la partie de ma Physique qui est achevée et mise au net il y a déjà quelque temps voit jamais le jour, j'espère que nos neveux n'en pourront douter. » *Au P. Vatier*, 22 février 1638, t. I, p. 561, l. 7-19. — Cf., dans le même sens, *à Morin*, 13 juillet 1638, t. II, p. 201, l. 11-25.

P. **42**, l. **6-7** : « ... *du Soleil et des étoiles fixes* ... »

On ne peut comprendre pourquoi Descartes nomme ensemble le Soleil et les étoiles fixes sans se référer à sa cosmogonie.

1º Descartes distingue trois éléments, qui ne diffèrent entre eux par aucune forme substantielle, mais seulement par le mouvement, la grosseur, la figure et la disposition des parties de la matière étendue qui les constitue (*Le Monde*, t. XI, p. 25, l. 25-p. 26, l. 8). Pour que ces qualités conviennent à un élément, dont la notion même implique celles de simplicité et de permanence, il faut que les parties qui le constituent tendent, à la différence de celle des mixtes, à se conserver les unes les autres. Or, trois formes, et trois seulement, peuvent être considérées comme telles ; d'où les trois éléments cartésiens, dont les propriétés géométriques assurent la permanence qu'assurait leur simplicité qualitative aux éléments scolastiques : « Or, je ne saurais trouver aucunes formes au monde qui soient telles, excepté les trois que j'ai décrites. Car celle que j'ai attribuée au premier élément consiste en ce que ses parties se remuent si extrêmement vite, et sont si petites, qu'il n'y a point d'autres corps capables de les arrêter ; et qu'outre cela elles ne requièrent aucune grosseur, ni figure, ni situation déterminées. Celle du second consiste, en ce que ses parties ont un mouvement et une grosseur si médiocres que, s'il se trouve plusieurs causes au monde qui puissent augmenter leur mouvement et diminuer leur grosseur, il s'en trouve justement autant d'autres qui peuvent faire tout le contraire : en sorte qu'elles demeurent toujours comme en balance en cette même médiocrité. Et celle du troisième consiste en ce que ses parties sont si grosses, ou tellement jointes ensemble, qu'elles ont la force de résister toujours aux mouvements des autres corps. » *Le Monde*, t. XI, p. 26, l. 21-p. 27, l. 10. Cf. *Princ. phil.*, III, 52 ; t. VIII, p. 105, l. 11-31.

2° Les éléments, étant ainsi définis par une forme dont les propriétés s'accordent et se conservent réciproquement, tendent toujours à se réunir ; les mixtes, au contraire, étant définis par une composition d'éléments hétérogènes dont les propriétés sont opposées entre elles, tendent à se disloquer. De la réunion des éléments se forment trois sortes de corps, dont chacun correspond essentiellement à l'un des trois éléments ; le Soleil et les étoiles fixes forment la partie du monde constituée par le premier élément, et c'est pourquoi le *Discours* les nomme ensemble comme *Le Monde* (ch. VIII ; t. XI, p. 48-56) les avait associés dans une commune explication. — Cf. « A propos de quoi, si nous considérons généralement tous les corps dont l'Univers est composé, nous n'en trouverons que de trois sortes, qui puissent être appelés grands, et comptés entre ses principales parties : c'est à savoir, le Soleil et les Étoiles fixes pour la première, les Cieux pour la seconde, et la Terre avec les Planètes et les Comètes pour la troisième. C'est pourquoi nous avons grande raison de penser que le Soleil et les Étoiles fixes n'ont point d'autre forme que celle du premier Élément toute pure ; les Cieux, celle du second ; et la Terre, avec les Planètes et les Comètes, celle du troisième. » *Le Monde*, t. XI, p. 29, l. 11-22.

Le passage du *Monde* visé ici par le *Discours* est le chapitre VIII : De la formation du Soleil et des Étoiles de ce nouveau monde (t. XI, p. 48, l. 19-p. 56, l. 22). La doctrine est reprise dans les *Princ. phil.*, III, 54 ; t. VIII, p. 107, l. 17-p. 108, l. 5.

Pour la critique de la doctrine scolastique des éléments, voir *Le Monde*, t. XI, p. 25, l. 25-p. 26, l. 20.

P. **42**, l. **7** : « ... *presque* ... »

La seule source de lumière autre que le Soleil et les Fixes qui soit au monde est le feu. Cf. plus loin, p. 44, l. 19-20, et *Le Monde*, t. XI, p. 7, l. 1-2 : « Je ne connais au monde que deux sortes de corps dans lesquels la Lumière se trouve, à savoir les Astres, et la Flamme ou le Feu. »

P. **42**, l. **8** : « ... *des Cieux* ... »

La deuxième des deux principales parties dont le monde est composé. Les Cieux sont constitués par le deuxième élément. Cf. *Le Monde*, ch. VIII ; t. XI,

p. 52, l. 22-p. 56, l. 22, *Princ. phil.*, III, 53 ; t. VIII, p. 106, l. 1-p. 107, l. 16.
Voir plus haut, à p. 42, l. 6-7.

P. **42**, l. **8** : « *... à cause qu'ils la transmettent ...* »
Voir plus loin, à l. 8-9 et l. 10.

P. **42**, l. **8-9** : « *... des planètes, des comètes ...* »

La réunion en une seule partie principale du monde, des planètes, des
comètes et de la Terre s'explique par leur commune opacité et la manière
identique dont elles se comportent à l'égard du rayon lumineux. Voir à l. 10.

Les parties du *Monde* auxquelles ce passage fait allusion sont le chapitre IX : De l'origine et du cours des Planètes et des Comètes en général (*Le
Monde*, t. XI, p. 56, l. 23-p. 63, l. 25), et le chapitre X : Des Planètes en général, et en particulier de la Terre et de la Lune (*Le Monde*, t. XI, p. 63, l. 26-
p. 72, l. 24).

P. **42**, l. **10** : « *... la font réfléchir ...* »

Cette classification des corps célestes se comprend lorsqu'on la rapproche
de la distinction scolastique entre la lumière émise par les corps lumineux
(*lux*) et la lumière transmise par les corps transparents (*lumen*. Cf. *Index
scol.-cartésien*, p. 159-160). En combinant cette distinction, sur laquelle Descartes est revenu à maintes reprises (notamment *à Morin*, 13 juillet 1638,
t. II, p. 204, l. 20-22), et qu'il accepte, avec celle du rayon direct et du rayon
réfléchi, on obtient les trois aspects fondamentaux du rayon émis (*lux*),
transmis (*lumen*) et réfléchi, auxquels correspondent le Soleil et les Fixes,
les Cieux, les Planètes et les Comètes. — Cf. « Je joins les Planètes et les
Comètes avec la Terre : car, voyant qu'elles résistent comme elle à la lumière,
et qu'elles font réfléchir ses rayons, je n'y trouve point de différence. Je joins
aussi le Soleil avec les Étoiles fixes et leur attribue une nature toute contraire à celle de la Terre : car la seule action de leur lumière me fait assez
connaître que leurs corps sont d'une matière fort subtile et fort agitée. Pour
les Cieux, d'autant qu'ils ne peuvent être aperçus par nos sens, je pense avoir
raison de leur attribuer une nature moyenne, entre celle des corps lumineux
dont nous sentons l'action et celle des corps durs et pesants dont nous sentons la résistance » (*Le Monde*, t. XI, p. 29, l. 23-p. 30, l. 7). « Et ex his tribus (*scil.* elementis) omnia hujus mundi aspectabilis corpora componi osten-
demus : nempe Solem et Stellas fixas ex primo, Coelos ex secundo, et Terram
cum Planetis et Cometis ex tertio. Cum enim Sol et Fixae lumen ex se emit-
tant, Coeli illud transmittant, Terra, Planetae, ac Cometae remittant : tri-
plicem hanc differentiam in aspectum incurrentem, non male ad tria elementa referemus. » *Princ. phil.*, III, 52 ; t. VIII, p. 105, l. 24-31.

P. **42**, l. **10** : « ... *de tous les corps* ... »

La partie correspondante du traité du *Monde* est jusqu'ici perdue. On peut y suppléer à l'aide des *Princ. phil.*, IV, 57-187 ; t. VIII, p. 238-315.

P. **42**, l. **12** : « ... *ou lumineux* ; ... »

C'est-à-dire : émettant la lumière (lumineux), la transmettant (transparents) ou la réfléchissant (colorés).

Sur la formation des couleurs, considérée comme un cas particulier du problème de la réflexion lumineuse, voir *Météores*, Discours VIII ; t. VI, p. 331-335. *Dioptrique*, Discours I ; t. VI, p. 81-93. *Princ. phil.*, III, 55-64 ; t. VIII, p. 108-116, et IV, 28 ; t. VIII, p. 217-218. *La description du corps humain*, ch. XXXI ; t. XI, p. 255, l. 14-p. 256, l. 19.

P. **42**, l. **12** : « ... ; *et enfin de l'homme*, ... »

C'est-à-dire : la partie du traité du *Monde* qui fut publiée, après la mort du philosophe, sous le titre : *L'homme de René Descartes* (Paris, Girard, 1664). Elle est éditée dans les *Œuvres complètes*, édit. Adam-Tannery, t. XI, p. 119-202.

P. **42**, l. **13** : « ... *pour ombrager* ... »

C'est-à-dire : pour présenter ces vérités nouvelles sous une lumière moins crue et moins offensante. Cf. « ut aliquas his omnibus umbras inficerem ... » (t. VI, p. 564).

P. **42**, l. **16-17** : « ... *les doctes* ... »

C'est-à-dire : les philosophes et théologiens scolastiques.

P. **42**, l. **19** : « ... *dans un nouveau* ... »

Descartes adopte ce procédé d'exposition afin ne ne pas mettre son explication de la formation du monde en contradiction ouverte avec le récit de la création que propose la Bible. Sous ce rapport, deux difficultés principales ont retenu son attention : 1o est-il possible d'accorder l'ordre de succession que la philosophie cartésienne introduit dans l'apparition des êtres avec celui que le récit de la Genèse affirme avoir été suivi par Dieu dans leur création? 2o Est-il possible d'accorder une description génétique du monde à partir de ses éléments avec le récit de la Genèse qui suppose que Dieu créa les êtres sous leur forme adulte? Sur ce deuxième point, voir plus loin, à p. 45, l. 6. Quant au premier, l'attitude de Descartes a considérablement varié.

1o *Le « Monde » et le récit de la Genèse*. — Descartes s'est préoccupé du problème de très bonne heure. Dès 1619, dans les *Cogitationes privatae*, il constate que le récit de la Genèse doit être pris, sur certains points, en un sens allégorique : « Deum separasse lucem a tenebris, Genesi est separasse bonos angelos a malis, quia non potest separari privatio ab habitu : quare non potest litteraliter intelligi. Intelligentia pura est Deus » (t. X, p. 218). Cf. S. Augustin, *De Genesi ad litteram*, lib. I, cap. 17, n. 32-33 ; *Pat. lat.*, t. XXXIV, col. 258, et *De Genesi ad litt. liber imperf.*, cap. 5, n. 23 et suiv. ; *Ibid.*, col. 228-230). Toutefois, lorsqu'il s'agira de publier son récit de la formation du monde, il ne s'y décidera pas avant d'avoir trouvé cet artifice, qui substitue la description d'un monde imaginaire à celle du monde réel ; ainsi les savants seront satisfaits d'y trouver la vérité, et les théologiens « n'auront pas occasion d'y contredire » (*à Mersenne*, 13 novembre 1629, t. I, p. 70, l. 11-16). Cette préoccupation n'explique pas seulement l'artifice général auquel recourt Descartes, elle a encore pesé sur le détail même de la rédaction. Dans la Genèse, Dieu crée la lumière avant les astres (I, 3) ; dans le *Monde* de Descartes, la lumière n'est que l'action produite sur les yeux de l'homme par le mouvement de la matière dont les astres sont formés ; impossible de concilier les deux récits. Descartes s'est efforcé de pallier au moins la difficulté : « Je vous dirai que je suis maintenant après à démêler le Chaos pour en faire sortir la lumière, qui est l'une des plus hautes et des plus difficiles matières que je puisse jamais entreprendre, car toute la Physique y est presque comprise. J'ai mille choses diverses à considérer toutes ensemble pour trouver un biais par le moyen duquel je puisse dire la vérité, sans étonner l'imagination de personne ni choquer les opinions qui sont communément reçues. C'est pourquoi je désire prendre un mois ou deux à ne penser à rien autre chose » (*à Mersenne*, 23 décembre 1630, t. I, p. 194, l. 12-23). Le résultat de cet effort est un récit qui concorde, en gros, avec la marche générale du récit de la Bible. Le Dieu cartésien crée d'abord la matière : *in principio creavit Deus coelum et terram* (cf. *Le Monde*, t. XI, p. 31, l. 22-p. 32, l. 11. *Genèse*, I, 1). Cette matière est un chaos : *terra autem erat inanis et vacua, et tenebrae erant super faciem abyssi* (cf. *Le Monde*, t. XI, p. 34, l. 19-p. 35, l. 4. *Discours*, t. VI, p. 42, l. 23. *Princ. phil.*, III, 47 ; t. VIII, p. 102, l. 3. *Genesis*, I, 2) ; mais elle obéit aux lois « suivant lesquelles Dieu même nous a enseigné qu'il avait disposé toutes choses en nombre, en poids et en mesure » (*Le Monde*, t. XI, p. 47, l. 15-17. *Sapient.*, XI, 21). Par la simple conservation de Dieu, qui n'est toujours que la création se continuant, le monde cartésien voit se former le Soleil et les étoiles, par quoi il diffère du monde de la Genèse ; mais c'est pour pouvoir expliquer avec elle que Dieu fit d'abord sortir du chaos la lumière : *dixitque Deus : Fiat lux ; et facta est lux* (*Le Monde*, t. XI, p. 53, l. 10 et suiv. *Genesis*, I, 3). Après le Soleil et les étoiles, Descartes passe à la Terre, qui se sépare de l'eau de telle sorte que les mers se rassemblent à sa surface : *congregentur aquae quae sub coelo sunt in locum unum, et appareat arida... Et vocavit Deus aridam, Terram ; congregationesque aquarum appellavit maria* (lacune dans

Le Monde. Cf. *Discours*, t. VI, p. 44, l. 1 et suiv. *Princ. phil.*, III, 1 et suiv. ; t. VIII, p. 210, l. 23 et suiv. *Genesis*, I, 8-9). Le récit cartésien décrit ensuite le monde des plantes : *germinet terra herbam virentem* (cf. *Genesis*, I, 11 et suiv.) ; celui des animaux : *producant aquae reptile* (cf. *Genesis*, I, 20) ; et enfin l'homme lui-même, dont Descartes suppose que le corps n'est autre chose qu'une statue ou machine de terre, que Dieu forme tout exprès pour la rendre la plus semblable à nous qu'il est possible : *formavit igitur Dominus Deus hominem de limo terrae* (cf. *L'Homme*, t. XI, p. 120, l. 4-14 : « Je suppose que le corps n'est autre chose qu'une statue ou machine de terre, que Dieu forme tout exprès, ... », etc. *Genesis*, II, p. 7) ; et dont Dieu crée spécialement l'âme : *et inspiravit in faciem ejus spiraculum vitae* (*L'Homme*, t. XI, p. 143, l. 20-22. *Discours*, t. VI, p. 59, l. 8 et suiv. *Genesis*, II, 7). Il y a donc, malgré d'irréductibles oppositions de détail, un accord d'ensemble, voulu et prémédité, entre *Le Monde* et la *Genèse ;* cet accord se retrouve, par conséquent, dans le *Discours* qui reprend le récit du *Monde* et ne fait que le résumer.

2⁰ *Du « Discours » aux « Principia philosophiae ».* — L'histoire de la pensée de Descartes pendant cette période est celle d'une grande espérance, suivie d'une profonde désillusion ; mais elle dépend de la remise en place d'une lettre.

a) Cette lettre est celle *à* [*Boswell?*] [1646?] ; t. IV, p. 694, l. 1-p. 700, l. 16. M. Ch. Adam considère que la date de cette lettre est très incertaine et que, comme celle qui la précède, elle a peut-être été formée de pièces différentes ; il l'imprime donc sous la date hypothétique 1646, mais en observant (p. 698, note) que le « parum quidem progredior » rappelle les dispositions de Descartes en 1632-1633, époque de la rédaction du *Monde*, et qu'il peut s'agir aussi de la rédaction des *Principia philosophiae*. En réalité (pour passer sous silence l'hypothèse 1636, p. 699, note *c*), la lettre se date assez exactement de 1641 et se rapporte certainement aux *Principia*. En effet : 1⁰ Descartes écrit « sum jam in describenda nativitate mundi », p. 698, l. 4. Or, c'est en décembre 1630 qu'il « démêle le chaos » du *Monde* « pour en faire sortir la lumière » (t. I, p. 194, l. 12-13) ; si cette nouvelle lettre se rapportait au *Monde*, elle serait donc de 1630, elle aussi. Mais Descartes y demande à Boswell, ou à son correspondant, s'il a connu Harvey et lui parle de son livre en termes qui supposent qu'il l'a lu ; comme nous savons que Descartes a lu Harvey en 1632 (t. I, p. 263, l. 8-12. Cf. Gilson, *Études de philosophie médiévale*, p. 215-216), la lettre dont nous cherchons la date ne peut se placer en 1630 et, par conséquent, la *Genèse* dont il s'agit ne peut être celle du *Monde.* 2⁰ En deuxième lieu, la date ne peut être 1646, car Descartes est en train de décrire la naissance du *Monde* ; il en est donc à *Principia*, III, 45 et suiv. Or, les *Principia* ont été achevés d'imprimer le 10 juillet 1644 (t. XII, p. 358) ; il ne peut donc les rédiger en 1646. 3⁰ La lettre est même antérieure à 1643, car la lettre à *Colvius*, 23 avril 1643, t. III, p. 646-647, nous prouve qu'il en est alors aux Comètes, c'est-à-dire à *Principia*, II, 119. 4º Il faut remonter plus haut encore, car les années 1641-1642 sont surchargées pour Descartes ; de janvier à juillet 1641, il ne fait que répondre aux *Objectiones;* la deuxième moitié de 1641 est plus libre, mais 1642 est rempli par les réponses à Bourdin et la controverse avec Voët. On comprend donc qu'il écrive : « parum quidem progredior », et la lettre ne peut guère se placer que vers la deuxième moitié de 1641. 5º Cette date concorde exactement avec le témoignage d'une lettre à *Mersenne*, 28 janvier 1641, peut-être légèrement antérieure, car Descartes s'y propose d'introduire son commentaire de la *Genèse*, non dans un ouvrage ultérieur, mais dans la rédaction même des *Principia* (t. III, p. 295, l. 28-p. 296, l. 9). 6º Descartes annonce le projet des *Principia* en novembre 1640 (t. III, p. 233, l. 2-9) ; nous aurions donc logiquement la suite de dates satisfaisantes : automne 1640, *Principia*, I ; janvier 1641, projet de commenter la *Genèse* dans cet ouvrage ; deuxième moitié 1641 ou début 1642, rédaction de *Principia*, II et III ; interruption attestée par la lettre à *Colvius* et reprise du travail en 1643.

b) Ceci posé, on constate que Descartes qui, en rédigeant *Le Monde* et le *Discours*, se dirigeait assez habilement entre les écueils du récit de la *Genèse*, mais se contentait de les contourner sans avoir la prétention de les supprimer, a conçu dans la suite un dessein beaucoup plus ambitieux : montrer que son explication s'accorde mieux que celle de la scolastique avec la lettre même du récit biblique : « Parum quidem progredior, sed progredior tamen ; sum jam in describenda nativitate mundi *(scil.* dans les *Principia philosophiae*, vers 1641), in qua spero me comprehensurum maximam Physicae partem. Dicam autem me, relegendo primum caput Geneseos, non sine miraculo deprehendisse, posse secundum cogitationes meas totum explicari multo melius, uti quidem mihi videtur, quam omnibus modis quibus illud interpretes explicuerunt, quod antehac nondum speraveram : nunc vero, post novae meae Philosophiae explicationem, mihi propositum est clare ostendere illam cum omnibus fidei veritatibus multo melius consentire, quam Aristotelicam » (*op. cit.*, t. IV, p. 698, l. 3-14). Très peu de temps auparavant, dans le même état d'esprit, Descartes avait annoncé à Mersenne son intention d'expliquer, outre la Transsubstantiation, « le premier chapitre de la Genèse » (à *Mersenne*, 28 janvier 1641, t. III, p. 295, l. 28-p. 296, l. 9). Mais cette tentative, que Descartes poussa assez sérieusement pour aller jusqu'à l'étude de l'hébreu, aboutit à un échec complet, ainsi qu'en témoignent le Journal de Mlle de Schurman (cité par Ch. Adam, t. IV, p. 700-701) et l'*Entretien avec Burman* (t. V, p. 168-169), où Descartes revient à son attitude première de 1619 et déclare que toute interprétation littérale de la Genèse est impossible. Une lettre à *Chanut*, du 6 juin 1647 (t. V, p. 54, l. 6-13), confirme cette conclusion.

En résumé : Descartes s'est efforcé, dès le début, de rapprocher son exposé du récit de la Genèse ; il a toujours pensé que son exposé de la création était le seul conforme à la raison et à la vérité ; il a d'abord (1619-1637) jugé impossible d'accorder son exposé avec le détail de la Genèse sans interpréter le texte biblique allégoriquement ; puis, vers 1641, il a espéré s'accorder avec la lettre du texte sacré, et, à partir de 1644, il y a définitivement renoncé.

P. 42, l. 20 : « ... *les espaces imaginaires* ... »

C'est-à-dire : dans la philosophie scolastique, où le monde est considéré comme fini, les espaces fictifs que l'imagination seule conçoit au delà des limites du monde et de l'espace réels. Cf. *Index scol.-cartésien*, p. 96-97. L'intention ironique de Descartes à l'égard de la scolastique, voilée dans le *Discours*, est très sensible dans le passage correspondant du *Monde* : « Permettez donc pour un peu de temps à votre pensée de sortir hors de ce Monde, pour en venir voir un autre tout nouveau, que je ferai naître en sa présence dans les espaces imaginaires. Les Philosophes nous disent que ces espaces sont infinis ; et ils doivent bien en être crus, puisque ce sont eux-mêmes qui les ont faits » (*Le Monde*, t. XI, p. 31, l. 22-p. 32, l. 1). Selon Descartes, au contraire, la matière se définissant par l'espace, tout espace est réel par définition, et la notion d'espace imaginaire n'a aucun sens.

P. 42, l. 23 : « ... *un Chaos* ... »

Cf. le texte presque identique du *Monde*, t. XI, p. 34, l. 19-p. 35, l. 4.

P. 42, l. 24 : « ... *les Poètes* ... »

Allusion probable, non seulement à la fable poétique du Chaos originel, mais plus précisément à Lucrèce, *De natura rerum*, V, 432 et suiv. (édit. A. Ernout, p. 198 et suiv.), dont l'influence sur la physique corpusculaire de Descartes ne saurait être exagérée et devrait être étudiée de plus près qu'il n'a été fait jusqu'ici.

P. 42, l. 24-25 : « ... *il ne fit autre chose* ... »

La réduction de la Nature à l'ensemble des lois établies par Dieu dans la matière et au concours qu'il lui prête (voir plus haut, à p. 41, l. 12) présente dans ce passage une signification critique dont l'importance historique est considérable. Elle exclut, en effet, toute interprétation de la nature qui en ferait une sorte quelconque de « puissance imaginaire » (*Le Monde*, t. XI, p. 37, l. 2), dont l'être et l'efficace s'interposeraient entre Dieu et les effets que la physique mécaniste étudie. C'est donc la *natura* de la physique scolastique, avec la notion connexe de *forme substantielle*, qui se trouve ici éliminée. — Cf. « Ce que vous dites que la vitesse d'un coup de marteau surprend la Nature, en sorte qu'elle n'a pas loisir de joindre ses forces pour résister, est entièrement contre mon opinion ; car elle n'a point de forces à joindre, ni besoin de temps pour cela, mais elle agit en tout Mathématiquement. » *A Mersenne*, 11 mars 1640, t. III, p. 37, l. 1-6.

P. **42**, l. **25** : « *... son concours ordinaire ...* »

C'est-à-dire, en langage de théologie scolastique : l'action par laquelle Dieu ne fait que conserver le monde avec ses lois, indépendamment des interventions exceptionnelles (concours extraordinaire) par lesquelles il déroge miraculeusement au cours ordinaire de la nature. — Cf. *Le Monde*, t. XI, p. 48, l. 1-6, et *Princ. phil.*, II, 36 ; t. VIII, p. 61, l. 24-29.

P. **42**, l. **29-30** : « *... ni plus intelligible ...* »

La matière cartésienne se réduit, en effet, à l'étendue géométrique, c'est-à-dire à ce qui constitue pour Descartes (voir p. 19, l. 6 et suiv.) le type même de l'intelligibilité.

P. **42**, l. **30** : « *... excepté ...* »

Pour les raisons alléguées plus haut, à p. 36, l. 30-31.

P. **43**, l. **1** : « *... ces Formes ou Qualités ...* »

C'est-à-dire : les formes substantielles, par lesquelles l'École explique les opérations des corps ; et les qualités réelles, qui définissent leurs propriétés. La critique en est longuement développée dans *Le Monde*, ch. I ; t. XI, p. 3, l. 1-p. 6, l. 28. Ch. II ; t. XI, p. 7, l. 1-p. 8, l. 3 ; t. XI, p. 9, l. 20-24 ; t. XI, p. 14, l. 10-12. Ch. V ; t. XI, p. 25, l. 25-p. 26, l. 20. Ch. VII ; t. XI, p. 40, l. 14-28.

Notre âme est unie à un corps ; la preuve en est qu'elle le meut, et qu'elle éprouve à son occasion des impressions sensibles ; c'est ce qu'on exprime en disant qu'elle en est la forme. Par une extension indue de cette expérience à la nature entière, nous prêtons aux corps extérieurs des principes internes de mouvement analogues à notre âme : les *formes substantielles ;* et des propriétés analogues à nos sensations (chaud, froid, dur, etc.) : les *qualités réelies*. En distinguant réellement l'âme du corps, la métaphysique dissout les idées confuses de formes ou de qualités, pour ne plus laisser au corps que l'étendue et le mouvement, objets propres de la vraie physique. — Sur l'histoire et la signification de cette critique dans la philosophie de Descartes, voir : É. Gilson, *Descartes et la métaphysique scolastique*, Ire leçon : Le doute méthodique et la critique des formes substantielles ; *in* Revue de l'Université de Bruxelles, 1924, n° 2.

P. **43**, l. **3-4** : « *... si naturelle ...* »

C'est-à-dire : naturellement innée. Cf. à p. 41, l. 13.

P. **43**, l. **5** : « *De plus, ...* »

Le Monde, ch. VII : Des lois de la Nature de ce nouveau monde ; t. XI, p. 36-48.

P. **43**, l. **6** : « *... les lois de la nature ...* »

Voir plus haut, à p. 41, l. 12, 2º.

P. **43**, l. **7-8** : « *... les perfections infinies de Dieu ...* »

C'est-à-dire, principalement : sur l'immutabilité de Dieu. Les lois qui régissent le monde sont, en effet, les trois lois du mouvement, savoir : 1º le principe d'inertie, d'après lequel « chaque partie de la matière, en particulier, continue toujours d'être en un même état, pendant que la rencontre des autres ne la contraint point de le changer ». 2º « Que, quand un corps en pousse un autre, il ne saurait lui donner aucun mouvement, qu'il n'en perde en même temps autant du sien ; ni lui ôter, que le sien ne s'augmente d'autant. » 3º « Que, lorsqu'un corps se meut, encore que son mouvement se fasse le plus souvent en ligne courbe..., toutefois chacune de ses parties, en particulier, tend toujours à continuer le sien en ligne droite » (*Le Monde*, t. XI, p. 38, l. 9-21 ; p. 41, l. 1-5 ; p. 43, l. 26-p. 44, l. 7). De ces trois lois ou règles, les deux premières « suivent manifestement de cela seul que Dieu est immuable, et qu'agissant toujours en même sorte il produit toujours le même effet. Car, supposant qu'il a mis certaine quantité de mouvements dans toute la matière en général, dès le premier instant qu'il l'a créée, il faut avouer qu'il y en conserve toujours autant, ou ne pas croire qu'il agisse toujours en même sorte. Et supposant avec cela que, dès ce premier instant, les diverses parties de la matière, en qui ces mouvements se sont trouvés inégalement dispersés, ont commencé à les retenir, ou à les transférer de l'une à l'autre, selon qu'elles en ont pu avoir la force, il faut nécessairement penser qu'il leur fait toujours continuer la même chose. Et c'est ce que contiennent ces deux Règles » (*Le Monde*, t. XI, p. 43, l. 11-25). Quant à la troisième, elle « est appuyée sur le même fondement que les deux autres et ne dépend que de ce que Dieu conserve chaque chose par une action continue et, par conséquent, qu'il ne la conserve point telle qu'elle peut avoir été quelque temps auparavant, mais précisément telle qu'elle est au même instant qu'il la conserve. Or est-il que, de tous les mouvements, il n'y a que le droit qui soit entièrement simple, et dont toute la nature soit comprise en un instant » (*Le Monde*, t. XI, p. 44, l. 23-p. 45, l. 10).

Cf. *Princ. phil.*, II, 36-37 ; t. VIII, p. 61, l. 1-p. 63, l. 5, II, 42 ; t. VIII, p. 66, l. 4-18.

Sur l'infinité de Dieu comme fondement de la physique : *Princ. phil.*, III. 1 ; t. VIII p. 80, l. 5-19.

Sur l'impossibilité, en général, de déduire les principes de la vraie physique d'ailleurs que de la métaphysique, voir le lettre *à Mersenne*, 15 avril 1630, t I, p. 144, l. 5-11.

P. 43, l. **11** : « ... *plusieurs mondes* ... »

Cf *Le Monde*, t. XI, p. 47, l. 20-21.

P. 43, l. **12** : « *Après cela* ... »

Cf. *Le Monde*, ch. VIII : De la formation du Soleil et des Étoiles de ce nouveau monde ; t. XI, p. 48-56. — L'élaboration de cette partie de la physique remonte au mois de décembre 1630 (*à Mersenne*, 23 décembre 1630, t. I, p. 194, l. 13-17).

P. 43, l. **13** : « ... *la plus grande part* ... »

Cf. *Le Monde*, ch. VIII ; t. XI, p. 48, l. 19-p. 49, l. 11 ; passage où Descartes écrit même « presque toutes ».

P. 43, l. **18** : « ... *et des comètes* ... »

Cf. *Le Monde*, ch. VIII ; t. XI, p. 51, l. 25-p. 52, l. 5, et ch. IX ; t. XI, p. 56-63. *Princ. phil.*, III, 119-140 ; t. VIII, p. 168-193.

Descartes s'est engagé dans l'étude des Comètes vers le mois de février 1632 et s'en occupait encore activement en mai 1632 ; leur étude le passionnait parce qu'il rêvait d'y trouver la clef d'une chimie déductive entièrement *a priori*. « Si vous savez quelque auteur qui ait particulièrement recueilli les diverses observations qui ont été faites des Comètes, vous m'obligerez aussi de m'en avertir : car depuis deux ou trois mois je me suis engagé fort avant dans le Ciel ; et après m'être satisfait touchant sa nature et celle des Astres que nous y voyons, et plusieurs autres choses que je n'eusse pas seulement osé espérer il y a quelques années, je suis devenu si hardi que j'ose maintenant chercher la cause de la situation de chaque Étoile fixe. Car encore qu'elles paraissent fort irrégulièrement éparses çà et là dans le Ciel, je ne doute point toutefois qu'il n'y ait un ordre naturel entre elles, lequel est régulier et déterminé ; et la connaissance de cet ordre est la clef et le fondement de la plus haute et la plus parfaite science, que les hommes puissent avoir, touchant les choses matérielles ; d'autant que par son moyen on pourrait connaître *a priori* toutes les diverses formes et essences des corps terrestres, au lieu que, sans elle, il nous faut contenter de la deviner *a posteriori*, et par leurs effets. Or, je ne trouve rien qui me pût tant aider pour parvenir à la connaissance de cet ordre que l'observation de plusieurs Comètes ; et comme vous savez que je n'ai point de livres, et encore que j'en eusse, que je plaindrais fort le temps que j'emploierais à les lire, je serais bien aise d'en trouver quelqu'un qui eût recueilli, tout ensemble, ce que je ne saurais sans beaucoup de peine tirer des auteurs particuliers, dont chacun n'a écrit que d'une Comète ou deux seulement » (*à Mersenne*, 10 mai 1632, t. I, p. 250, l. 12-p. 251, l. 11). « ... je n'espère pas aussi de trouver ce que je cherche à présent touchant les Astres. Je crois que c'est une Science qui passe la portée de l'esprit humain ; et, toutefois, je suis si peu sage que je ne saurais m'empêcher d'y rêver, encore que je juge que cela ne servira qu'à me faire perdre du temps, ainsi qu'il a déjà fait depuis deux mois, que je n'ai rien du tout avancé en mon Traité ; mais je ne laisserai pas de l'achever avant le terme que je vous ai mandé » (*Ibid.*, p. 252, l. 10-19).

P. **43**, l. **19** : « ... *un Soleil* ... »

Cf. *Le Monde*, ch. viii : De la formation du Soleil et des étoiles de ce nouveau monde ; t. XI, p. 48-56. — *Princ. phil.*, III, 9-23 ; t. VIII, p. 83-89.

P. **43**, l. **20** : « ... *de la lumière* ... »

Descartes, qui semble résumer de mémoire son traité, intervertit ici l'ordre des chapitres. En réalité, dans *Le Monde*, la lumière et ses propriétés ne sont étudiées à fond que dans les chapitres xiii et xiv (t. XI, p. 84-103), c'est-à-dire après l'étude de la terre, de la mer et des marées.

P. **43**, l. **21** : « ... *quelle était* ... »

C'est-à-dire : de quelle nature était celle... Cf. texte latin : « ... quaenam ea esse deberet ... » (t. VI, p. 564).

P. **43**, l. **23** : « ... *en un instant* ... »

Descartes considère l'instantanéité de la lumière comme évidente, parce que sa transmission n'est pas celle d'un *mouvement*, mais d'une *action*, dans un univers plein. Elle est comparable à l'instantanéité avec laquelle la pression exercée sur une des extrémités d'un bâton se transmet à l'autre (voir, par exemple, *à Morin*, 13 juillet 1638, t. II, p. 215, l. 6-15. *Dioptrique*, Discours I ; t. VI, p. 84, l. 13-29). Le sort de sa physique tout entière lui semble lié à celui de cette assertion (cf. *à Beeckman*, 22 août 1634, t. I, p. 308, l. 4-30), parce que c'est la possibilité du vide, donc la définition cartésienne de la matière par la seule étendue, qui se trouve par là mise en question.

P. **43**, l. **23** : « ... *les immenses espaces* ... »

Allusion à l'agrandissement indéfini de l'univers qui résultait de la nouvelle physique, par opposition au monde fini et restreint de la cosmologie scolastique. Cf. *Princ. phil.*, III, 1-2 ; t. VIII, p. 80, l. 5-p. 81, l. 4.

P. **43**, l. **31** : « ... *tout semblable* ... »

Cf. *Le Monde*, ch. xv : Que la face du Ciel de ce nouveau monde doit

paraître à ses habitants toute semblable à celle du nôtre ; t. XI, p. 104, l. 1-
p. 118, l. 9.

P. **44** , l. **2** : « ... *de la Terre* ... »

Cf. *Le Monde*, ch. x : Des planètes en général, et en particulier de la Terre
et de la Lune ; t. XI, p. 63-72. — *Princ. phil.*, IV, 1-44 ; t. VIII, p. 203-231.

P. **44**, l. **3-4** : « ... *aucune pesanteur* ... »

C'est-à-dire : aucune *gravitas*, au sens scolastique, entendue comme une
tendance de l'élément terrestre à se diriger toujours vers le bas.

Cf. *Le Monde*, ch. xi : De la pesanteur ; t. XI, p. 72-80. Sur la confusion
entre l'âme et le corps, d'où procède la notion scolastique de pesanteur,
considérée comme une qualité réelle, voir *VI*ᵃᵉ *Resp.*, t. VII, p. 440, l. 1-
p. 444, l. 2.

P. **44**, l. **6** : « ... *de l'eau et de l'air* ... »

L'eau et l'air ne se trouvent qu'à la surface de la Terre, parce que ce ne
sont pas des éléments purs, mais des mixtes. Cf. *Le Monde*, ch. v ; t. XI,
p. 30, l. 8-p. 31, l. 12. — Voir à p. 44, l. 18.

P. **44**, l. **9** : « ... *flux et reflux* ... »

Cj. *Le Monde*, ch. xii : Du flux et du reflux de la mer ; t. XI, p. 80-83.
Princ. phil., IV, 49-56 ; t. VIII, p. 232-238.

P. **44**, l. **11** : « ... *un certain cours* ... »

Cf. *Le Monde*, ch. xii ; t. XI, p. 82, l. 7-14. *Princ. phil.*, IV, 53 ; t. VIII,
p. 236, l. 12-p. 237, l. 9.

P. **44**, l. **13** : « ... *comment les montagnes* ... »

Lacune dans *Le Monde ;* suppléée par *Princ. phil.*, IV, 44 ; p. 230, l. 8-
p. 231, l. 3.

P. **44**, l. **14** : « ... *les fontaines et les rivières* ... »

Lacune dans *Le Monde ;* suppléée par *Princ. phil.*, IV, 64 ; t. VIII, p. 242,
l. 24-p. 243, l. 23.

P. **44**, l. **15** : « ... *et les métaux* ... »

Lacune dans *Le Monde ;* suppléée par *Princ. phil.*, IV, 57-75 ; t. VIII,
p. 238-247.

P. **44**, l. **16** : « ... *et les plantes* ... »

Lacune dans *Le Monde*. La question n'a pas été traitée dans les *Princ.*

phil. La manière dont elle l'est dans la *Generatio animalium*, t. XI, p. 534, l. 13-p. 535, l. 21, et les *Excerpta anatomica*, t. XI, p. 627, l. 25-p. 629, l. 19, représente un état de la pensée cartésienne postérieur au *Monde*, au *Discours* et même aux *Principes*.

P. 44, l. **18** : « ... *mêlés ou composés* ... »

C'est-à-dire : les *mixtes* de la physique scolastique.

De la doctrine de l'École, Descartes a conservé : *a)* la distinction de tous les corps en *éléments* et en corps *mixtes*, ou composés de ces éléments (corps *mixtes, mêlés* ou *composés*) ; *b)* l'idée que les éléments « sont de nature fort contraire », qui prolonge dans le cartésianisme le thème scolastique de la « guerre des éléments » ; *c)* l'idée que les éléments, en vertu de leur nature propre, ont des « lieux dans le monde qui leur sont particulièrement destinés » (*Le Monde*, t. XI, p. 28, l. 14-p. 29, l. 10) ; *d)* l'idée que les mixtes n'occupent qu'un espace fort restreint, à la limite de contact des éléments, c'est-à-dire « depuis les nuées les plus hautes » jusqu'au centre de la terre (*Le Monde*, t. XI, p. 30, l. 8-19). — Mais, à la différence de l'École : *a)* Descartes ramène de quatre à trois le nombre des éléments ; *b)* il ne les distingue pas entre eux par des qualités élémentaires (chaud, froid, sec, humide), mais seulement par la configuration géométrique de leurs parties constitutives ; *c)* la contrariété entre les éléments cartésiens, qui entraîne la dislocation des mixtes et rassemble les éléments dans leur lieu propre, n'est plus de nature qualitative, mais s'explique par leurs propriétés géométriques et mécaniques ; *d)* les mixtes cartésiens, à la différence des mixtes scolastiques, n'ont aucune forme propre, mais se réduisent à une combinaison instable d'éléments composants, qui ne changent pas de nature en s'unissant pour former ces composés.

Cf. *Le Monde*, t. XI, p. 26, l. 8-20. *La Dioptrique*, Discours X ; t. VI, p. 226, l. 31-p. 227, l. 6. Et aussi : *Index scol.-cartésien*, p. 57-58.

P. 44, l. **22** : « ... *sa nature* ... »

Cf. *Le Monde*, ch. II : En quoi consiste la chaleur et la lumière du feu ; t. XI, p. 7, l. 1-p. 10, l. 22. — *Princ. phil.*, IV, 80 ; t. VIII, p. 249, l. 12-p. 250, l. 2.

P. 44, l. **22** : « ... *comment il se fait* ... »

Lacune dans *Le Monde;* suppléée par *Princ. phil.*, IV, 81 et suiv.; t. VIII, p. 250 et suiv.

P. 44, l. **23** : « ... *il se nourrit* ... »

Lacune dans *Le Monde;* suppléée par *Princ. phil.*, IV, 82-83 ; t. VIII, p. 250, l. 20-p. 251, l. 6.

P. **44**, l. **24** : « ... *sans lumière,* ... »

C'est-à-dire : dans le foin, la chaux, etc. — Lacune dans *Le Monde ;* suppléée par *Princ. phil.*, IV, 92-93 ; t. VIII, p. 256.

P. **44**, l. **25** : « ... *sans chaleur* ... »

C'est-à-dire : dans les étoiles filantes, les eaux phosphorescentes, les bois en décomposition, etc. — Lacune dans *Le Monde ;* suppléée par *Princ. phil.*, IV, 90-91 ; t. VIII, p. 254, l. 29-p. 256, l. 2.

P. **44**, l. **25-26** : « ... *diverses couleurs* ... »

Lacune dans *Le Monde ;* partiellement suppléée dans *Les Météores*, Discours VIII ; t. VI, p. 325-344. Et Discours IX ; t. VI, p. 345-354. — *A Ciermans*, 23 mars 1638, t. II, p. 70-81.

P. **44**, l. **27** : « ... *il en fond* ... »

Lacune dans *Le Monde ;* suppléée par *Princ. phil.*, IV, 118 ; t. VIII, p. 267, l. 28-p. 268, l. 6.

P. **44**, l. **27-28** : « ... *et en durcir* ... »

Lacune dans *Le Monde ;* suppléée par *Princ. phil.*, IV, 119 ; t. VIII, p. 268, l. 7-18.

P. **44**, l. **29** : « ... *en cendres* ... »

Lacune dans *Le Monde ;* suppléée par *Princ. phil.*, IV, 123 ; t. VIII, p. 269, l. 20-31.

P. **44**, l. **30** : « ... *par la seule violence* ... »

C'est-à-dire : par la seule puissance. Cf. texte latin : « ... sola actionis suae vi ... » (t. VI, p. 565). — Sur l'explication de cette transmutation, lacune dans *Le Monde ;* suppléée par *Princ. phil.*, IV, 124-132 ; t. VIII, p. 270-275.

P. **45**, l. **6** : « ... *bien plus vraisemblable* ... »

C'est-à-dire : du point de vue de la pure raison. Cf. « ... en disant qu'il est vraisemblable (à savoir selon la raison humaine) que le monde a été créé tel qu'il devait être, je ne nie point pour cela qu'il ne soit certain par la foi qu'il est parfait. » *A Mersenne*, 27 avril 1637, t. I, p. 367, l. 1-5.

C'est la deuxième des principales difficultés (voir plus haut, à p. 42, l. 19) qui rendaient malaisé l'accord entre le récit de Descartes et celui de la Genèse. D'après la Bible, en effet, Dieu créa le Ciel et la Terre, des plantes et des animaux, non des éléments dont le Ciel, la Terre, les plantes et les animaux pourraient ultérieurement sortir par voie d'évolution naturelle. La différence était d'autant plus grave que, réserve faite de la création initiale, la cosmogonie cartésienne pouvait être comparée par des adversaires mal-intentionnés à celle de Lucrèce (*De nat. rerum*, V), dont le plan génétique, à partir de corpuscules élémentaires, a certainement inspiré la sienne. C'est pourquoi Descartes n'a présenté le récit du *Monde* que comme une Fable feinte à plaisir et dépourvue de toute prétention à l'historicité ; elle rend intelligible la nature du monde réel, elle ne raconte pas quelle fut sa véri-table origine (*Le Monde*, t. XI, p. 31, l. 13-21 ; t. XI, p. 36, l. 11). Il n'est cependant guère douteux que cette manière de présenter les choses n'ait été d'abord, dans la pensée de Descartes, une simple précaution. En effet, on observera que si la genèse du monde telle qu'il la décrit n'est jamais donnée par lui comme réelle, elle l'est du moins comme possible (*Le Monde*, t. XI, p. 36, l. 15-24) ; il est, en outre, significatif que le monde prétendu réel soit abandonné par Descartes aux disputes de la scolastique, c'est-à-dire de l'er-reur (*Discours*, t. VI, p. 42, l. 17-18), et que ce soit le monde prétendu fictif dans lequel tout se passe selon les exigences de la vérité ; enfin, Descartes ne se gênera pas d'écrire au P. Vatier : « ce que j'ai dit avoir mis en mon Traité de la Lumière, touchant la création de l'Univers … » (22 février 1638, t. I, p. 561, l. 7-9). Toutefois, cette confiance dans l'historicité de son récit, que rien ne met en échec dans *Le Monde*, est déjà combattue dans le présent passage du *Discours* par une raison que Descartes ne formule pas. Il la for-mulera dans les *Principia philosophiae* (III, 45) et, dans la traduction française du même ouvrage, il finira par affirmer dans les termes les plus formels que son propre récit de la création est historiquement faux : « Et tant s'en faut que je veuille qu'on croie toutes les choses que j'écrirai, que même je prétends en proposer ici quelques-unes que je crois absolument être fausses. A savoir, je ne doute point que le monde n'ait été créé au commen-cement avec autant de perfection qu'il en a, en sorte que le Soleil, la Terre, la Lune, les Étoiles ont été dès lors, et que la Terre n'a pas eu seulement en soi les semences des plantes, mais que les plantes mêmes en ont couvert une partie, et qu'Adam et Ève n'ont pas été créés enfants, mais en âge d'hommes parfaits. La Religion chrétienne veut que nous le croyions ainsi, et la raison naturelle nous persuade absolument cette vérité, pour ce que, considérant la toute-puissance de Dieu, nous devons juger que tout ce qu'il a fait a eu dès le commencement toute la perfection qu'il devait avoir ; … » (*Principes*, III, 45 ; t. IX, p. 123-124). Il ne reste que deux interprétations possibles de ce texte : ou bien Descartes a menti par peur, ou bien il a trouvé le moyen d'accorder sa raison avec la Bible. Or, du point de vue de Descartes, un Dieu tout-puissant et infini pouvait créer les êtres comme il lui plaisait, soit géné-tiquement et selon le mode cartésien, soit complètement formés, ainsi que l'enseigne la Bible ; et comme la raison seule ne peut décider *a priori* dans une question qui intéresse la toute-puissance divine, c'est Dieu seul qui peut trancher la question en disant lui-même ce qu'il a fait. Or, il la tranche dans un sens satisfaisant pour la raison (*Princ. phil.*, III, 47 ; t. VIII, p. 102, l. 5- p. 103, l. 2). Rien n'oblige, par conséquent, à incriminer la bonne foi de Descartes, qui semble avoir conduit progressivement la conviction absolue de sa raison à rejoindre sur ce point la certitude de sa foi : *hoc fides christiana nos docet, hocque etiam ratio naturalis plane persuadet.*

Sur ce passage, voir *Entretien avec Burman*, 16 avril 1648, t. V, p. 168-169.

Descartes s'exprime, en ce point, plus affirmativement que saint Thomas d'Aquin lui-même. Cf. « Et satis probabile est, quod luna fuerit facta plena, sicut et herbae factae sunt in sua perfectione facientes semen ; et similiter animalia, et homo. Licet enim naturali processu ab imperfecto ad perfectum deveniatur ; simpliciter tamen perfectum prius est imperfecto. Augustinus tamen (*Sup. Genes.*, II, 15) hoc non asserit, quia dicit non esse inconveniens, quod Deus imperfecta fecerit, quae postmodum ipse perfecit » (*Sum. theol.*, I, qu. 70, art. 2, ad 5ᵐ).

· P. **45**, l. **9** : « ... *reçue entre les Théologiens* ... »

C'est-à-dire : la doctrine de la création continuée. Voir, sur ce point, IVᵉ Partie, à p. 36, l. 3. Et *Index scol.-cartésien*, p. 62-64.

P. **45**, l. **15** : « ... *ainsi qu'elle a de coutume*, ... »

Latinisme qui traduit l'expression scolastique : « solitum naturae cursum » ; il s'agit, en effet, du *concours ordinaire* de Dieu, auquel toute dérogation de sa part constitue, de notre point de vue, un miracle. — Cf. « Sed contra naturam non incongrue dicimus aliquid Deum facere, quod facit contra id quod novimus in natura. Hanc enim etiam appellamus naturam, cognitum nobis cursum solitumque naturae, contra quem Deus, cum aliquid facit, magnalia vel mirabilia nominantur. » S. Augustin, *Contra Faustum manichaeum*, XXVI, 3 ; *Pat. lat.*, t. XLII, col. 480-481. Doctrine reprise par S. Thomas, *Sum. theol.*, I, qu. 105, art. 6.

P. **45**, l. **16** : « ... *sans faire tort* ... »

C'est-à-dire : le monde n'est pas moins intégralement créé par Dieu dans l'hypothèse cartésienne où Dieu crée les éléments et les lois qui engendreront les êtres, que dans le récit biblique où Dieu crée les êtres complètement formés.

P. **45**, l. **16** : « ... *au miracle* ... »

La création peut être considérée comme un miracle en ce sens, qu'étant une production du non-être à l'être, elle excède les forces de toute créature. Elle est donc une action réservée en propre à Dieu (« Producere autem esse absolute, non inquantum est hoc vel tale, pertinet ad rationem creationis. Unde manifestum est quod creatio est propria actio ipsius Dei. » *Sum. theol.*, I, qu. 45, art. 5, Concl.), transcendante aux forces de la créature et, en tant que telle, un miracle.

P. **45**, l. **18** : « ... *purement matérielles* ... »

C'est-à-dire : à l'exclusion de l'âme humaine, dont l'origine ne peut s'expliquer sans création spéciale de Dieu. Cf. plus loin, à p. 46, l. 24, et p. 59, l. 9-10.

P. **45**, l. **20** : « ... *plus aisée à concevoir* ... »

Cf. « ..., comme on connaîtrait beaucoup mieux quelle a été la nature d'Adam et celle des arbres du Paradis, si on avait examiné comment les enfants se forment peu à peu au ventre des mères, et comment les plantes sortent de leurs semences, que si on avait seulement considéré quels ils ont été quand Dieu les a créés : tout de même, nous ferons mieux entendre quelle est généralement la nature de toutes les choses qui sont au monde, si nous pouvons imaginer quelques principes qui soient fort intelligibles et fort simples, desquels nous fassions voir clairement que les astres et la terre, et enfin tout le monde visible aurait pu être produit, ainsi que de quelques semences, bien que nous sachions qu'il n'a pas été produit en cette façon, que si nous le décrivions seulement comme il est, ou bien comme nous croyons qu'il a été créé. » *Principes*, III, 45 ; t. IX, p. 124.

Comment, de ces principes reconnus faux, des déductions vraies peuvent sortir. *Ibid.*, III, 47 ; t. IX, p. 125-126.

P. **45**, l. **22** : « ... *que toutes faites* ... »

Texte latin : « ..., quam cum tantum ut absolutae et perfectae considerantur » (t. VI, p. 565).

P. **45**, l. **24** : « ... *je passai* ... »

Ce passage s'effectua en mai-juin 1632. Cf. « Il y a un mois que je délibère savoir si je décrirai comment se fait la génération des animaux dans mon *Monde*, et enfin je suis résolu de n'en rien faire, à cause que cela me tiendrait trop longtemps. J'ai achevé tout ce que j'avais dessein d'y mettre touchant les corps inanimés ; il ne me reste plus qu'à y ajouter quelque chose touchant la nature de l'homme, et après je l'écrirai au net pour vous l'envoyer ; mais je n'ose plus dire quand ce sera, car j'ai déjà manqué tant de fois à mes promesses que j'en ai honte » (*à Mersenne*, juin 1632, t. I, p. 254, l. 5-p. 255, l. 3). En effet, le sujet se développa bientôt dans sa pensée, et Descartes y travaillait encore plus de quatre mois après : « Je parlerai de l'homme en mon *Monde* un peu plus que je ne pensais, car j'entreprends d'expliquer toutes ses principales fonctions. J'ai déjà écrit celles qui appartiennent à la vie, comme la digestion des viandes, le battement du pouls, la distribution de l'aliment, etc., et les cinq sens. J'anatomise maintenant les têtes de divers animaux, pour expliquer en quoi consistent l'imagination, la mémoire, etc. » (*à Mersenne*, novembre ou décembre 1632, t. I, p. 263, l. 1-8). C'est la partie du *Monde* que nous citerons désormais sous le nom de *Traité de l'homme*.

P. **45**, l. **26-27** : « ... *du même style* ... »

C'est-à-dire : en appliquant la même méthode génétique. Cf. texte latin : « ... eâdem quam de caeteris methodo ... » (t. VI, p. 566). Après avoir désespéré de découvrir une explication génétique des animaux, Descartes eut enfin la joie d'y parvenir vers 1648. Les résultats de ses découvertes sont consignés dans les *Primae cogitationes circa generationem animalium* (t. XI, p. 505-542 ; voir p. 537 un fragment daté de 1648) et dans les *Excerpta anatomica* (t. XI, p. 549-634 ; voir p. 608 un fragment de la même date). A l'époque où Descartes écrit le *Discours*, plus de dix années le séparent donc de sa future découverte. — Cf. *à Élisabeth*, 31 janvier 1648, t. V, p. 112, l. 11-24. *A ****, 1648 ou 1649, t. V, p. 260, l. 29-p. 261, l. 12. — Sur l'activité de Descartes à l'époque de cette découverte, voir H. Gouhier, *La pensée religieuse de Descartes*, p. 167-170.

P. **45**, l. **28-29** : « ... *de quelles semences,* ... »

C'est-à-dire : à partir de quels éléments. Au sens usuel du terme chez Lucrèce : « Omnia enim magis haec e levibus atque rotundis seminibus, multoque minoribu' sunt elementis quam tellus » (V, 455-457 ; éd. A. Ernout, p. 199). — Voir à p. 45, l. 20.

P. **46**, l. **3** : « ... *d'autre matière* ... »

C'est-à-dire : de l'étendue géométrique.

P. **46**, l. **6** : « ... *d'âme végétante ou sensitive* ... »

1° C'est-à-dire : aucune forme substantielle pour exercer les fonctions végétatives, locomotrices et sensitives attribuées par la scolastique à l'âme humaine (cf. *Index scol.-cartésien*, p. 13-16, textes 21-23). — Voir le passage exactement correspondant, *Traité de l'homme*, t. XI, p. 201, l. 29-p. 202, l. 25.

2° Froidmond a objecté que, dans l'hypothèse de Descartes : « calor foeni, sine alia anima sensitiva, potest videre, audire, etc. Tam nobiles operationes non videntur posse prodire ex tam ignobili et bruta causa » (*Fromondus à Plempius*, 13 septembre 1637, t. I, p. 403, l. 4-10). Réponse de Descartes : « Et primo ad pag. 46, 47, cum dicit *tam nobiles actiones, quales sunt visio et similes, prodire non posse ex tam ignobili et bruta causa, qualis est calor*, supponit me putare bruta videre plane ut nos, hoc est sentiendo sive cogitando se videre, quae creditur fuisse opinio Epicuri, atque etiam nunc fere apud omnes est vulgaris : cum tamen in tota illa parte usque ad pag. 60 satis expresse ostendam me non putare bruta videre sicut nos, dum sentimus nos videre ; sed tantummodo sicut nos, dum mente alio avocata, licet objectorum externorum imagines in retinis oculorum nostrorum pingantur, et forte etiam illarum impressiones in nervis opticis factae ad diversos motus membra nostra determinent, nihil tamen prorsus eorum sentimus ; quo casu etiam nos non aliter movemur, quam automata, ad quorum motus ciendos nemo dixerit vim caloris non sufficere ». *A Plempius*, 3 octobre 1637, t. I, p. 413, l. 12-p. 414, l. 5. Cf. *à Mersenne*, 30 juillet 1640, t. III, p. 122, l. 8-27.

P. **46**, l. **9-10** : « ... *qui échauffe le foin* ... »

Cf. *Princ. phil.*, IV, 92 : « In iis quae incalescunt et non lucent, ut in foeno incluso » ; t. VIII, p. 256, l. 3-p. 257, l. 23.

P. **46**, l. **12** : « ... *sur la râpe.* »

C'est-à-dire : qui fait fermenter (*bouillir*) les moûts (*les vins nouveaux*) lorsqu'on les laisse dans la cuve sur le marc. La *râpe* (aujourd'hui la *rafle*) désigne proprement : la grappe du raisin lorsqu'elle n'a plus ses grains ; mais Descartes pense vraisemblablement plutôt à ce que nous nommons le *marc*, c'est-à-dire au résidu complet du raisin lorsqu'on l'a pressé pour en extraire le moût : grappes égrenées ou râpe proprement dite, pépins (cf. texte latin : « vina recentia ab acinis nondum separata ... », t. VI, p. 566) et peaux. — Cf. : « ... : tout ainsi que le suc des raisins noirs, qui est blanc, se convertit en vin clairet, lorsqu'on le laisse cuver sur la râpe. » *Traité de l'homme*, t. XI, p. 123, l. 3-8.

P. **46**, l. **13** : « ... *en suite de cela* ... »

C'est-à-dire : en conséquence.

P. **46**, l. **14** : « ... *exactement toutes celles* ... »

Cf. *Traité de l'homme*, t. XI, p. 120, l. 4-24.

P. **46**, l. **15** : « ... *ni par conséquent* ... »

La conséquence est en effet nécessaire, du point de vue de Descartes. La nature de l'âme se définit, selon lui, par la pensée ; dire qu'une opération que l'âme ne pense pas est accompli par l'âme, c'est donc dire que la pensée produit et est autre chose que de la pensée ; ce qui est contradictoire. — Cf. *De l'homme*, t. XI, p. 201, l. 29-p. 202, l. 25.

Cf. *Traité des passions*, I, 4-6 ; t. XI, p. 329, l. 11-p. 331, l. 7. *A Regius*,

mai 1641, t. III, p. 370, l. 14-18 ; t. III, p. 371, l. 12-p. 372, l. 8. *V^{aa} Resp.*,
t. VII, p. 356, l. 6-22.

P. **46**, l. **18** : « ... *y contribue* ... »
Texte latin : « ... absque cooperatione animae, ... » (t. VI, p. 566).

P. **46**, l. **22-23** : « ... *en tant qu'hommes* ... »
C'est-à-dire : qui appartiennent à l'homme en vertu de sa définition
comme animal raisonnable. Cf. à p. 2, l. 28. Et aussi : « neque enim actiones
ullae humanae censendae sunt, nisi quae a ratione dependent. » *A Regius*,
t. III, p. 371, l. 23-25.

P. **46**, l. **24** : « ... *créât une âme* ... »
Voir plus loin, p. 59, l. 11-12.

P. **46**, l. **25-26** : « ... *que je décrivais* ... »
Cf., dans le *Traité de l'homme*, t. XI, p. 143, l. 20 et suiv. — *Princ. phil.*,
IV, 196-197 ; t. VIII, p. 319, l. 20-p. 320, l. 23. Il s'agit ici de la physique
de l'union de l'âme et du corps, et non du problème métaphysique posé par
la possibilité d'une telle union. Sur ce dernier problème, voir plus loin, à
p. 59, l. 16-17.

P. **46**, l. **29** : « ... *du Cœur et des Artères* ... »
Pour l'explication des pages qui suivent, voir : Bertrand de Saint-Germain, *Descartes considéré comme physiologiste et comme médecin*, Paris, 1869.
— Étienne Gilson, *Descartes, Harvey et la scolastique* ; dans *Études de philosophie médiévale*, Strasbourg, 1921, p. 191-246.

P. **46**, l. **30** : « ... *le plus général* ... »
C'est-à-dire : celui dont « toutes les autres fonctions de l'animal dépendent » (*Descr. du corps humain*, ch. XVIII ; t. XI, p. 245, l. 17-18). En
effet, sa cause immédiate est la chaleur du cœur, et son effet prochain est de
véhiculer cette chaleur à travers l'organisme, où elle entretient la vie, la
nutrition, la production du sang, etc. : « ... la dilatation du sang que cause
cette chaleur est le premier et principal ressort de toute notre machine »
(*Descr. du corps humain*, ch. IX ; t. XI, p. 228, l. 10-11). — Voir à p. 53, l. 8.

P. **46**, l. **31** : « ... *de lui* ... »
C'est-à-dire : d'après lui. Descartes entend par là : la nature purement
mécanique de ce mouvement fondamental permettra de conclure que toutes
les autres fonctions du corps s'expliquent aussi mécaniquement.

P. **47**, l. **4** : « ... *de faire couper* ... »

Cf. *Traité de l'homme*, ch. xviii ; t. XI, p. 120, l. 25-p. 121, l. 3.

Cette méthode d'observation directe est celle que Descartes lui-même a suivie. Cf. *à Mersenne*, 18 décembre 1629, t. I, p. 102, l. 18 (première mention de ses études anatomiques) ; 15 avril 1630, t. I, p. 137, l. 5-8. Et aussi : « Et, en effet, j'ai considéré non seulement ce que Vezalius et les autres écrivent de l'Anatomie, mais aussi plusieurs choses plus particulières que celles qu'ils écrivent, lesquelles j'ai remarquées en faisant moi-même la dissection de divers animaux. C'est un exercice où je me suis souvent occupé depuis onze ans, et je crois qu'il n'y a guère de Médecin qui y ait regardé de si près que moi. » *A Mersenne*, 20 février 1639, t. II, p. 525, l. 11-18. — « Et celui dont vous m'écrivez doit avoir l'esprit bien faible, de m'accuser d'aller par les villages pour voir tuer les pourceaux ; car il s'en tue bien plus dans les villes que dans les villages, où je n'ai jamais été pour ce sujet. Mais, comme vous m'écrivez, ce n'est pas un crime d'être curieux de l'Anatomie ; et j'ai été un hiver à Amsterdam (*scil.* 1629-1630) que j'allais quasi tous les jours en la maison d'un boucher pour lui voir tuer des bêtes, et faisais apporter de là en mon logis les parties que je voulais anatomiser plus à loisir ; ce que j'ai encore fait plusieurs fois en tous les lieux où j'ai été, et je ne crois pas qu'aucun homme d'esprit m'en puisse blâmer. » *A Mersenne*, 13 novembre 1639, t. II, p. 621, l. 3-15. Cf. t. IV, p. 247-248. — Descartes est allé jusqu'à la vivisection animale (*à Plempius*, 15 février 1638, t. I, p. 527, l. 8), mais rien ne prouve qu'il ait pratiqué la dissection humaine autrement que par occasion ; cf. *à Mersenne*, 1er avril 1640, t. III, p. 48, l. 30-p. 49, l. 14.

P. **47**, l. **5** : « ... *quelque grand animal* ... »

La grandeur n'intervient ici que pour la commodité de l'observation. Descartes a toujours pensé qu'il se plaçait à un point de vue assez général pour que sa mécanique des fonctions cardiaques pût être vérifiée indifféremment sur le corps d'un homme ou d'un animal, quel qu'il fût (cf. *à Mersenne*, 25 mai 1637, t. I p. 378, l. 8-24.

Cf. Galien : « Eamdem enim exacte habet constructionem cordis maximus equus cum minimo passere. Et si murem dissecueris, sive bovem, sive aliquod aliorum animalium, vel minus adhuc mure, vel majus bove, omnibus ipsis numerus est aequalis ventriculorum, et reliqua constructio cordis eadem. » *De usu partium*, lib. VI ; Parisiis, 1528, p. 167, l. 15 et suiv.

P. **47**, l. **8** : « ... *ou concavités* ... »

C'est-à-dire : les deux ventricules. -

P. **47**, l. **11** : « ... *réceptacle* ... »

C'est-à-dire : le ventricule droit, auquel correspond la veine cave, qui est le principal réceptacle du sang.

P. **47**, l. **12** : « ... *et comme le tronc* ... »
Cf. *La description du corps humain*, ch. XII ; t. XI, p. 233, l. 27-p. 234, l. 31.

P. **47**, l. **13-14** : « ... *la veine artérieuse* ... »
C'est-à-dire : l'artère pulmonaire, qui transporte le sang veineux du ventricule droit au poumon. — Sur la raison de cette ancienne dénomination, voir *La description du corps humain*, t. XI, p. 230, l. 10-p. 231, l. 4. Galien, *De usu partium*, lib. VI ; édit. citée, 1528, p. 168. É. Gilson, *op. cit.*, p. 196.

P. **47**, l. **16-17** : « ... *en plusieurs branches* ... »
C'est-à-dire : d'abord en artère pulmonaire gauche et artère pulmonaire droite ; puis, à partir du hile de chaque poumon, en suivant les bronches. — Cf. *La description du corps humain*, ch. XIII ; t. XI, p. 235, l. 1-17.

P. **47**, l. **18** : « *Puis, celle qui est* ... »
C'est-à-dire : le ventricule gauche.

P. **47**, l. **21** : « ... *l'artère veineuse* ... »
C'est-à-dire : les veines pulmonaires, qui conduisent au cœur le sang oxygéné par les poumons. — Sur la raison de leur ancienne dénomination, voir É. Gilson, *op. cit.*, p. 196-197.

P. **47**, l. **25** : « ... *le sifflet* ... »
C'est-à-dire : la trachée artère. Cf. *La description du corps humain*, t. XI, p. 235, l. 11.

P. **47**, l. **26-27** : « ... *la grande artère* ... »
C'est-à-dire : l'artère aorte, qui naît de la base du ventricule gauche du cœur.

P. **47**, l. **29** : « ... *les onze petites peaux* ... »
C'est-à-dire : les onze valvules. Cf. *La description du corps humain*, t. XI, p. 229, l. 2.

P. **47**, l. **30-31** : « ... *les quatre ouvertures* ... »
C'est-à-dire : celles de la veine cave, de l'artère pulmonaire, de l'ensemble formé par les quatre veines pulmonaires, et de l'artère aorte.

P. **48**, l. **1** : « ... *trois à l'entrée* ... »
Cf. *La description du corps humain*, t. XI, p. 228, l. 26-p. 229, l. 12. C'est la valvule du ventricule droit, dite *valvule tricuspide*. Descartes la désigne comme appartenant à la veine cave parce que cette veine débouche dans

ce ventricule, et qu'il considère les oreillettes comme n'étant que les extrémités élargies de la veine cave et des veines pulmonaires. — Voir à p. 48,
l. 24.

P. **48**, l. **5** : « ... *exactement* ... »

« Pour le Médecin qui ne veut pas que les valvules du cœur se ferment
exactement, il contredit en cela à tous les Anatomistes qui l'écrivent, plutôt
qu'à moi, qui n'ai point besoin que cela soit pour démontrer que le mouvement du cœur est tel que je l'écris : car encore qu'elles ne fermeraient pas la
moitié de l'entrée de chaque vaisseau, l'Automate ne laisserait pas de se
mouvoir nécessairement, comme j'ai dit. Mais, outre cela, l'expérience fait
très clairement voir à l'œil en la grande artère, et en la veine artérieuse, que
les six valvules qui y sont les ferment exactement ; et bien que celles de la
veine cave et de l'artère veineuse ne semblent pas faire le même dans le cœur
d'un animal mort, toutefois, si on considère que les petites peaux dont elles
sont composées, et les fibres où elles sont attachées, s'étendent beaucoup
plus dans les animaux qui sont vifs que dans les morts, où elles se resserrent
et se retirent, on ne doutera point qu'elles ne se ferment aussi exactement
que les autres. » *A Mersenne*, 25 mai 1637, t. I, p. 377, l. 15-p. 378, l. 7.

P. **48**, l. **5** : « ... *trois à l'entrée* ... »

Cf. *La description du corps humain*, t. XI, p. 229, l. 13-20. C'est-à-dire les
trois valvules sigmoïdes, situées à l'orifice de l'artère pulmonaire.

P. **48**, l. **9** : « ... *et ainsi* ... »

C'est-à-dire : et de la même façon.

P. **48**, l. **10** : « ... *deux autres* ... »

Cf. *La description du corps humain*, t. XI, p. 229, l. 21-p. 230, l. 2. C'est-à-
dire la *valvule mitrale*, ou *bicuspide*, qui est celle du ventricule gauche. Descartes la considère comme appartenant aux veines pulmonaires, parce que
ces veines débouchent dans ce ventricule. Voir plus haut, à p. 48, l. 3, et plus
loin, l. 24-27.

P. **48**, l. **12-13** : « ... *trois à l'entrée* ... »

Voir : *La description du corps humain*, t. XI, p. 230, l. 3-9. C'est-à-dire :
les trois valvules sigmoïdes situées à l'orifice de l'artère aorte. — Cf. Fernel,
De part. corp. humani descriptione, I, 8 ; dans *Universa medicina*, Paris,
Jacques Chouet, 1627, p. 40.

P. **48**, l. **22** : « ... *beaucoup plus dure* ... »

Parce que ce sont, en effet, des artères (aorte et artère pulmonaire), au lieu

que les deux autres sont des veines (veines pulmonaires et veines caves). —
Sur l'origine, purement mécanique selon Descartes, de cette différence, voir
La description du corps humain, ch. xiii ; t. XI, p. 235, l. 18-p. 236, l. 10. —
Pour le rôle que jouera ce fait dans l'argumentation de Descartes contre
Harvey, voir plus loin, p. 52, l. 15-18.

P. 48, l. **24** : « ... *s'élargissent* ... »

Cf. « Enfin, on pourra remarquer que ces deux parties du cœur qu'on
nomme ses *oreilles* ne sont autres que les extrémités de la veine cave et de l'artère veineuse, qui se sont élargies et repliées en cet endroit-là ... ». *La description du corps humain*, t. XI, p. 231, l. 5-9. — C'est ce qui conduisait
Descartes à considérer les valvules auriculo-ventriculaires comme appartenant aux deux veines qui débouchent dans les oreillettes correspondantes
(voir plus haut, à l. 3 et l. 10). En réalité, les veines pulmonaires, non plus
que la veine cave supérieure, n'ont aucune valvule à leur embouchure dans
les oreillettes ; seule la veine cave inférieure en possède une, la valvule
d'Eustache, et qui ne la ferme d'ailleurs que très incomplètement.

Voir plus loin le texte cité, à p. 50, l. 4.

P. 48, l. **28** : « ... *plus de chaleur* ... »

Descartes considère le cœur comme l'organe le plus chaud de tout le corps.
Il se fonde, pour l'affirmer, sur le témoignage des sens (voir p. 50, l. 14-15.
Cf. *Le Monde*, t. XI, p. 21, l. 21-22), et aussi sur le consentement universel
(« ... la chaleur, que tout le monde reconnaît être dans le cœur plus grande
qu'en toutes les autres parties du corps ... ». *La description du corps humain*,
t. XI, p. 244, l. 3-6, et p. 231, l. 10-13 ; p. 237, l. 21-28), c'est-à-dire sur les
deux arguments contre lesquels il n'a cessé de mettre les autres en garde.
En fait, c'est une survivance médiévale dans la pensée de Descartes (cf. Aristote, *De partibus animalium*, III, 7, 670 a. 24-26. Galien, *De usu partium*,
lib. VI, édit. de Paris, 1528, p. 165, l. 4-7. É. Gilson, *Descartes, Harvey et la
scolastique*, p. 199-202 et 226-227). Cette erreur initiale est de grande conséquence, car c'est sur elle que toute son explication mécanique du mouvement du cœur repose, et c'est elle qui l'a détourné d'accepter l'explication
correcte du phénomène proposée par Harvey.

P. 49, l. **1** : « ... *et se dilate* ... »

Voir plus loin, à p. 49, l. 16. — Cf. *Traité de l'homme*, t. XI, p. 123, l. 9-28.
La description du corps humain, t. XI, p. 244, l. 24-p. 245, l. 13.

P. 49, l. **5** : « ... *pour expliquer* ... »

L'explication du mouvement du cœur, telle que la présente ici le *Discours*,
se retrouve en termes à peu près identiques dans : *Le traité de l'homme*, t. XI,

p. 124, l. 23-p. 125, l. 19. — *La description du corps humain*, ch. xvii-xviii ;
t. XI, p. 239-245 — *A Beverwick*, 5 juillet 1643, t. IV, p. 3, l. 15-p. 6, l. 16. —
Passions de l'âme, I, 8-9 ; t. XI, p. 333, l. 1-p. 334, l. 12.

P. **49**, l. **6** : « ... *ses concavités* ... »
Ici, comme précédemment : ses ventricules.

P. **49**, l. **9** : « ... *ces deux vaisseaux* ... »
Ici, comme précédemment : les deux oreillettes, que Descartes considère
comme de simples évasements des vaisseaux qui y aboutissent (artère pulmonaire et veine pulmonaire).

P. **49**, l. **14** : « ... *les ouvertures*... »
C'est-à-dire : la valvule tricuspide et la valvule mitrale.

P. **49**, l. **16** : « ... *se raréfient et se dilatent* ... »
1º Froidmond (*à Plempius*, 13 septembre 1637, t. I p. 403, l. 23-29) objecte :
« Sane rarefactio guttae sanguinis non tam brevi tempore peragi et sinum
cordis replere potest, quam motus cordis absolvit suam dilatationem, nisi
aestus cordis aequet fornacis ardorem. » — Réponse de Descartes : « Ad
pag. 50 cum dicit *non minorem requiri calorem in corde quam in fornace, ut
guttae sanguinis satis celeriter ad illud inflandum rarefiant*, non videtur
advertisse quo pacto lac, oleum et alii liquores fere omnes igni appositi, sensim quidem initio et lente se dilatant ; sed cum ad certum caloris gradum
pervenerunt, momento temporis intumescunt, adeo ut nisi ab igne statim
removeantur, vel saltem vas in quo sunt, aperiatur, ut spiritus qui sunt
praecipua causa istius rarefactionis, egredi possint, maxima eorum pars
affluat et in cineres effundatur. Atque hunc gradum caloris, pro varia liquoris natura, varium esse oportet, adeo ut etiam quidam sint qui vixdum
tepidi sic rarefiunt. His enim animadversis facile judicasset sanguinem in
cujusque animalis < venis > contentum ad illum caloris gradum quam
proxime accedere, quem acquirere debet in corde, ut ibi temporis momento
rarefiat. » *A Plempius*, 3 octobre 1637, t. I, p. 416, l. 3-20. Voir plus loin,
objection 5 et réponse de Descartes.
2º Plempius (*à Descartes*, janvier 1638, t. I, p. 497, l. 5-19) observe que
Descartes ne fait ici que reprendre la vieille explication donnée par Aristote,
De respiratione, cap. 20 : « Pulsatio cordis fervori similis est ; fit enim fervor,
cum humor caloris opera conflatur ; nam humor propterea se attollit, quod
in molem adsurgat ampliorem. In ipso autem corde tumefactio humoris, qui
semper e cibo accedit, ultimam cordis tunicam elevantis pulsum facit : atque
hoc semper sine ulla intermissione fit, nam semper humor, ex quo natura

26

sanguinis oritur, continue influit. Pulsatio igitur est humoris concalescentis inflatio. Haec Aristoteles, quae a te ingeniosius et pulchrius explicantur. Galenus noster contra a facultate aliqua cor moveri docuit, et omnes hactenus id docemus Medici... »

Réponse de Descartes : « Sed est quod gratias tibi agam, tum quia illas (*scil.* objectiones) misisti, tum etiam quia monuisti quo pacto meamo pinionem possim Aristotelis auctoritate fulcire. Quippe cum ille homo tam foelix extiterit, ut quaecumque olim, sive cogitans, sive incogitans, scriptitavit, hodie a plerisque pro oraculis habeantur, nihil magis optarem, quam ut a veritate non recedendo ejus vestigia in omnibus sequi possem. Sed ne quidem in hac re, de qua est sermo, illud me fecisse ausim gloriari ; licet enim, ut ille, pulsationem cordis ab inflatione humoris in eo concalescentis esse dicam, per humorem tamen istum nihil a sanguine diversum intelligo, neque loquor ut ille, de *tumefactione humoris, qui semper a cibo accedit, ultimam cordis tunicam elevantis.* Etenim si talia afferrem, multis evidentissimis rationibus possem refutari. Et merito crederer ad nullorum animalium cordis fabricam unquam attendisse, si tacendo de ventriculis, vasis et valvulis, ultimam tantum ejus tunicam elevari affirmarem. Qui autem ex falsis praemissis (ut Logici loquuntur) verum casu concludit, non melius ratiocinari mihi videtur, quam si falsum quid ex iisdem deduceret ; nec si duo, unus errando, alter recta via incedendo, ad eumdem locum pervenerint, unum alterius vestigiis institisse est putandum ». *A Plempius*, 15 février 1638, t. I, p. 522, l. 5-28. Cf. le passage de *La description du corps humain*, ch. XVIII ; t. XI, p. 244, l. 24-p. 245, l. 13, où Descartes tient compte de cette objection et reproduit l'essentiel de sa réponse ; texte cité dans É. Gilson, *Études de philosophie médiévale*, p. 230-231.

3º Plempius objecte que les parties d'un cœur coupé en morceaux continuent de battre ; donc le sang n'est pas la cause des mouvements du cœur (*à Descartes,* janvier 1638, t. I, p. 497, l. 20-23). — Réponse de Descartes (*à Plempius,* 15 février 1638, t. I, p. 522, l. 29-p. 530, l. 28) : « Ad primum quod objicis, nempe cordis e corpore exempti atque dissecti singulas particulas aliquamdiu pulsare, licet ibi nullus sanguis influat vel effluat, respondeo me fecisse olim hoc experimentum satis accurate, praesertim in piscibus, quorum cor excisum multo diutius pulsat, quam cor animalium terrestrium ; sed semper vel judicasse, vel, ut saepe fit, ipsis oculis vidisse nonnullas sanguinis reliquias in partem, in qua pulsatio fiebat, ex aliis superioribus fuisse delapsas et facile mihi persuasisse pauxillulum sanguinis ex una cordis parte in aliam paulo calidiorem illapsi huic pulsationi efficiendae sufficere. Notandum enim, quo minor est quantitas alicujus humoris, tanto facilius illum posse rarescere : et quemadmodum manus nostrae, quo frequentius aliquem motum exercent, tanto paratiores ad eumdem repetendum evadunt, sic etiam cor, qui a primo formationis suae momento

indesinenti reciprocatione intumuit et detumuit, minima vi ad hoc ipsum
continuandum posse impelli ; et denique ut videmus quosdam liquores quibusdam aliis admixtos hoc ipso incalescere atque inflari, sic forte etiam in
recessibus cordis nonnihil humoris instar fermenti residere, cujus permixtione alius humor adveniens intumescit. Caeterum haec eadem objectio
multo plus virium habere mihi videtur in vulgarem aliorum opinionem,
existimantium motum cordis ab aliqua animae facultate procedere : nam
quo facto, quaeso, ab humana anima ille pendebit? ille, inquam, qui etiam
in cordis partibus divisis reperitur, cum animam rationalem indivisibi-
lem esse, et nullam aliam sensitivam vel vegetantem sibi adjunctam habere
sit de fide. » Voir l'instance de Plempius, *à Descartes*, mars 1638, t. II, p. 52,
l. 8-p. 53, l. 16, et la réponse de Descartes *à Plempius*, 23 mars 1638, t. II,
p. 62, l. 12-p. 65, l. 14.

4° Plempius objecte (*à Descartes*, janvier 1638, t. I, p. 497, l. 24-p. 498,
l. 14) cette expérience de Galien : si l'on introduit dans une artère un tube
qui laisse passer le sang et qu'on lie l'artère sur le tube, cette artère cesse de
battre au-dessous de la ligature. Donc ce n'est pas le sang qui cause le pouls,
mais quelque chose qui se transmet dans la tunique même de l'artère. —
Descartes répond (*à Plempius*, 15 février 1638, t. I, p. 523, l. 29-p. 527, l. 7) :
« cujus quidem experimentum nunquam feci, nec jam facere est commodum,
sed neque operae pretium esse existimo ; posita enim illa pulsationis arte-
riarum causa quam pono, Mechanicae meae, hoc est Physicae, leges docent,
intruso in arteriam calamo, et illa super ipsum calamum ligata, eamdem
ultra vinculum pulsare non debere, soluta autem ligatura debere, plane ut
Galenus expertus est. » En effet, le sang, qui a traversé le tube, perd de sa
force, comme tout liquide qui passe d'un canal plus étroit dans un canal plus
large, il n'en a donc plus assez pour faire battre les artères. Si on délie l'artère, le sang reprend sa force et le pouls recommence. Voir l'instance de
Plempius, *à Descartes*, mars 1638, t. II, p. 53, l. 30-p. 54, l. 13, et la réplique
de Descartes *à Plempius*, p. 65, l. 15-p. 66, l. 5.

5° Plempius objecte (*à Descartes*, janvier 1638, t. I, p. 498, l. 15-26) que si
la dilatation du cœur avait pour cause la raréfaction du sang, la diastole
serait beaucoup plus longue qu'elle ne l'est en fait. — Descartes répond (*à
Plempius*, 15 février 1638, t. I, p. 528, l. 1-p. 531, l. 10) que la raréfaction du
sang se fait *in momento* : « Fit denique rarefactio in momento, juxta Philosophiae meae fundamenta, quoties liquoris particulae, vel omnes vel certe
plurimae, hinc inde per ejus molem dispersae, simul tempore mutationem
aliquam acquirunt, ratione cujus locum notabiliter ampliorem desiderant.
Ultimum autem hunc modum eum esse, quo sanguis rarefit in corde, res
ipsa indicat ; ejus enim diastole fit in momento. Atque si attendamus ad ea
omnia, quae scripsi in 5ª parte libelli de Methodo, non magis ea de re dubitare nobis licebit, quam dubitamus an oleum et alii liquores ita rarefiant,

cum videmus illos in olla subitis subsultibus assurgere. Ad hoc enim tota cordis fabrica, ejus calor, atque ipsa sanguinis natura ita conspirant, ut nullam rem sensibus usurpemus, quae certior esse mihi videatur. Nam quod ad calorem attinet, etiamsi in piscibus non magnis sentiatur, est tamen in eorum corde multo major, quam in ullis aliis membris. » En outre, chaque fois que le sang sort du cœur, il reste un peu de ce sang dilaté dans les replis des ventricules et c'est lui qui fait lever le sang suivant comme un ferment fait lever une pâte. Voir l'instance de Plempius, *à Descartes*, mars 1638, t. II, p. 54, l. 14-29, et la réplique de Descartes *à Plempius*, t. II, p. 66, l. 6-p. 69, l. 10.

6º Plempius objecte (*à Descartes*, janvier 1638, t. I, p. 498, l. 27-p. 499, l. 3) que, si c'était le sang qui gonflait les artères, leur mouvement devrait se propager successivement à partir du cœur jusqu'à leurs extrémités à mesure que le sang les remplirait. — Réponse de Descartes (*à Plempius*, 15 février 1638, t. I, p. 524, l. 16-p. 525, l. 15) : « Notandum enim hunc motum non fieri ex eo quod sanguis e corde egressus per omnes arterias subito spargatur, ut in quarta tua objectione supponis, sed ex eo, quod partem arteriae magnae cordi proximam occupans totum alium sanguinem in ea ejusque ramis contentum expellat et concutiat, quod fit absque mora, hoc est, ut Philosophi loquuntur, in instanti. » Voir l'instance de Plempius, *à Descartes*, mars 1638, t. II, p. 53, l. 17-29, et la réplique de Descartes *à Plempius*, 23 mars 1638, t. II, p. 65, l. 15-20.

P. **49**, l. **16-17** : « *... de la chaleur ...* »

Cette chaleur est contenue, et entretenue, dans les parois mêmes du cœur : « ... la chair du cœur contient dans ses pores un de ces feux sans lumière, ... qui la rend si chaude et si ardente qu'à mesure qu'il entre du sang dans quelqu'une des deux chambres ou concavités qui sont en elle, il s'y enfle promptement et s'y dilate : ainsi que vous pourrez expérimenter que fera le sang ou le lait de quelque animal que ce puisse être, si vous le versez goutte à goutte dans un vase qui soit fort chaud. Et le feu qui est dans le cœur de la machine que je vous décris n'y sert à autre chose qu'à dilater, échauffer et subtiliser ainsi le sang, ... ». *Traité de l'homme*, t. XI, p. 123, l. 9-28.

P. **49**, l. **19** : « *... les cinq petites portes ...* »

C'est-à-dire : les trois de la valvule tricuspide et les deux de la valvule mitrale, dite encore bicuspide.

P. **49**, l. **23** : « *... les six autres ...* »

C'est-à-dire : les six valvules sigmoïdes, dont trois à l'artère pulmonaire et trois à l'aorte.

P. **49**, l. **27-28** : « ... *se désenfle* ... »

Le mouvement du cœur, tel que le conçoit Descartes, ne peut se comprendre que si l'on oublie la description correcte du phénomène qu'en avait donnée Harvey. Les caractéristiques de la solution cartésienne du problème sont les suivantes :

1º Le cœur est un organe passif. Sans doute, c'est un muscle ; mais Descartes conçoit précisément la contraction musculaire de telle manière que le muscle y demeure passif et qu'il ne fasse que se gonfler ou se dégonfler selon que les esprits animaux, agents actifs du mouvement, s'y introduisent ou s'en échappent. De même le cœur est gonflé par le sang qui s'y dilate ; il retombe sur lui-même dès qu'il s'en trouve vidé. Harvey démontrera, au contraire, que le cœur est muscle actif.

2º Il n'existe qu'une seule et même cause de la dilatation du cœur et de sa contraction. Puisque, en effet, la raréfaction du sang et la condensation du peu qui en reste dans le cœur produisent le gonflement et le dégonflement alternatifs de cet organe, l'explication du phénomène par un double jeu de muscles antagonistes alléguée par Harvey serait inutile. Harvey protestera, au contraire, contre cette assertion dans ses *Exercitationes anatomicae*, II (texte reproduit dans É. Gilson, *op. cit.*, p. 246).

3º Dans la description de Descartes, induit sur ce point en erreur par la tradition scolastique, le pouls correspond à la diastole, qui constitue la phase active du phénomène, puisqu'elle consiste dans la poussée même du sang ; la systole, au contraire, en est la phase passive, puisqu'elle n'est que la retombée des parois du cœur, que la diastole vient de vider de son sang (cf. « Au lieu que le sang des artères ne s'arrête jamais en leurs petites branches ; car, y étant poussé par la *Diastole*, il passe promptement dans les veines, ... ». *La description du corps humain*, ch. XLIX ; t. XI, p. 267, l. 11-16. — « Mais *Hervaeus* ... a imaginé, contre l'opinion commune des autres Médecins, et contre le jugement ordinaire de la vue, que lorsque le cœur s'allonge ses concavités s'élargissent, et qu'au contraire lorsqu'il se raccourcit elles deviennent plus étroites ; au lieu que je prétends démontrer qu'elles deviennent alors plus larges », etc. *Ibid.*, ch. XVIII ; t. XI, p. 241, l. 3-10). Harvey a démontré, au contraire, que la systole constitue la phase active du phénomène (texte de Harvey reproduit dans É. Gilson, *op. cit.*, p. 238, note 1) et que c'est par la contraction du cœur que le sang se trouve expulsé dans les artères ; le pouls correspond, en effet, à la systole, et non à la diastole, contrairement à ce que croit Descartes, trompé à la fois par ses sens et par la tradition.

Pour l'origine médiévale de l'erreur que commet Descartes en considérant la diastole comme la phase active du mouvement du cœur, voir É. Gilson, *op. cit.*, p. 202.

P. **49**, l. **29** : « ... *s'y refroidit* ... »

C'est-à-dire : le reste du sang qui y est entré et qui n'a pas été entièrement expulsé dans les artères. Cf. « Au moment que le cœur est allongé et désenflé, il n'y a point de sang en ses deux concavités, excepté seulement quelque petit reste de celui qui s'y est raréfié auparavant ; ... » *La description du corps humain*, ch. ix ; t. XI, p. 231, l. 19-22. — Sur le rôle de ce résidu sanguin comme ferment d'une dilatation nouvelle, voir à p. 49, l. 16, 3°. — *La description du corps humain*, ch. x ; t. XI, p. 231, l. 25-29 ; et ch. LXXII ; t. XI, p. 281, l. 27-p. 282, l. 13.

P. **50**, l. **4** : « ... *ces deux bourses* ... »

Cf. « Pour ce qui est des parties qu'on nomme les *oreilles du cœur* [Descartes désigne ainsi les *oreillettes*, non les *auricules*], elles ont un mouvement différent du sien, mais qui le suit de fort près ; car, sitôt que le cœur est désenflé, il tombe deux grosses gouttes de sang dans ses concavités, l'une de son oreille droite, qui est l'extrémité de la veine cave, l'autre de son oreille gauche, qui est l'extrémité de l'artère veineuse : au moyen de quoi les oreilles se désenflent. Et le cœur et les artères qui s'enflent incontinent après empêchent un peu, par leur mouvement, que le sang, qui est dans les branches de la veine cave et de l'artère veineuse, ne vienne remplir ces oreilles ; de façon qu'elles ne commencent à s'enfler que lorsque le cœur commence à se désenfler ; et au lieu que le cœur s'enfle tout à coup, et après se désenfle peu à peu, les oreilles se désenflent plus promptement qu'elles ne s'enflent. Au reste, d'autant que le mouvement par lequel elles s'enflent ainsi et se désenflent leur est particulier et ne s'étend point au reste de la veine cave et de l'artère veineuse, dont elles sont les extrémités, cela est cause qu'elles sont plus larges, et autrement repliées, et composées de peaux plus épaisses et plus charnues que le reste de ces deux veines. » *La description du corps humain*, ch. xi ; t. XI, p. 233, l. 4-26.

P. **50**, l. **8** : « ... *des démonstrations mathématiques* ... »

La description du mouvement du cœur, tel que le conçoit Descartes, ne fait appel à aucune considération qui ne soit mécanique ; or, tout ce qui relève de la mécanique relève par là même de la géométrie, puisque les explications mécaniques ne font intervenir d'autres considérations que l'ordre, la figure et le mouvement ; la description cartésienne du mouvement du cœur, bien qu'elle ne fasse intervenir aucun calcul, est donc, pour Descartes, exactement de même nature qu'une démonstration géométrique. L'explication de Harvey, au contraire, fait intervenir une propriété du cœur que rien n'explique : la contractilité ; elle suppose donc une sorte de qualité occulte qui, du point de vue cartésien, est un reste d'explication scolastique inacceptable pour la physique nouvelle. De là son opposition constante à la thèse de Harvey ; car : « en supposant que le cœur se meut en la façon qu'*Hervaeus* le décrit, ... il faut imaginer quelque faculté qui cause ce mouvement, la nature de laquelle est beaucoup plus difficile à concevoir que tout ce qu'il prétend expliquer par elle ; .... ». *La description du corps humain,* ch. XVIII ; t. XI, p. 243, l. 25-30.

Sur les expressions de Harvey (*facultas pulsifica*) qui pouvaient confirmer Descartes dans son interprétation, voir É. Gilson, *Descartes, Harvey et la scolastique, op. cit.*, p. 215, note 2. — Sur la conception purement mécanique de la circulation, telle que se la représente Harvey lui-même, voir *Ibid.*, p. 213.

P. **50**, l. **15** : « ... *avec les doigts* ... »

Voir plus haut, à p. 48, l. 28. Et aussi : « On ne peut douter qu'il n'y ait de la chaleur dans le cœur, car on la peut sentir même de la main, quand on ouvre le corps de quelque animal vivant. » *La description du corps humain,* ch. VIII ; t. XI, p. 228, l. 3-9.

P. **50**, l. **15** : « ... *la nature du sang* ... »

Descartes considère le sang comme un liquide analogue au lait, c'est-à-dire de nature telle qu'il entre aisément en ébullition et subit alors une dilatation considérable. Voir à p. 49, l. 16. L' « expérience » que Descartes invoque (l. 16) consiste simplement à mettre sur le feu quelque liquide analogue au sang (huile, lait, etc.), ou le sang lui-même, et à en observer la dilatation. Cf. « ... : ainsi que vous pourrez expérimenter que fera le sang ou le lait de quelque animal que ce puisse être, si vous le versez goutte à goutte dans un vase qui soit fort chaud. » *Traité de l'homme,* t. XI, p. 123, l. 17-20.

P. **50**, l. **16-17** : « ... *d'un horologe* ... »

Cf. *Traité de l'homme,* t. XI, p. 130, l. 30-p. 132, l. 1. — *A Regius,* juin 1642, t. III, p. 566, l. 1-11.

P. **50**, l. **19** : « ... *si on demande* ... »

C'est la question même que s'est posée Harvey, et dont l'examen l'a conduit à sa découverte de la circulation du sang. Voir *Exercitatio anatomica de motu cordis et sanguinis in animalibus*, Guilielmi Harvei, Angli, medici regii, et in Londinensi medicorum collegio professoris anatomici, Francfort, 1628. Le problème est posé et résolu dans le chapitre VIII, p. 41-42.

P. **50**, l. **24-25** : « ... *un médecin d'Angleterre* ... »

En marge : « Hervaeus, *De motu cordis* ». Mersenne a dû signaler l'ouvrage à Descartes peu après sa publication (Descartes dira : « autrefois », en 1632).

Le titre à lui seul indiquait le contenu de l'ouvrage, et il se peut que Mersenne ait ajouté quelques détails sur la manière dont Harvey concevait la circulation du sang ; de toute façon, Descartes accepta les conclusions du savant anglais sans avoir lu son livre, car il écrivait dans *Le Monde, Traité de l'homme*, t. XI, p. 127, l. 3-13 : « Au reste, il n'y a que fort peu de parties du sang qui se puissent unir à chaque fois aux membres solides en la façon que je viens d'expliquer ; mais la plupart retournent dans les veines par les extrémités des artères, qui se trouvent en plusieurs endroits jointes à celles des veines. Et des veines il en passe peut-être aussi quelques parties en la nourriture de quelques membres ; mais la plupart retournent dans le cœur, puis de là vont derechef dans les artères, en sorte que le mouvement du sang dans le corps n'est qu'une circulation perpétuelle. » Et il ajoutait dans une lettre *à Mersenne*, novembre ou décembre 1632, t. I, p. 263, l. 8-12 : « J'ai vu le livre *De motu cordis* dont vous m'aviez autrefois parlé, et me suis trouvé un peu différent de son opinion, quoique je ne l'aie vu qu'après avoir achevé d'écrire de cette matière ». Le point sur lequel Descartes est en désaccord avec Harvey n'est pas le fait même de la circulation du sang, car on voit ici qu'il l'accepte et qu'il lui en attribue expressément la découverte (cf. également : *à Boswell* (?), 1646 (?), t. IV, p. 700, l. 3-10. La lettre est en réalité de 1641 ; voir à p. 42, l. 8. *A Beverwick*, 5 juillet 1643, t. IV, p. 4, l. 7-11. *Au marquis de Newcastle*, avril 1645, t. IV, p. 189, l. 16-19. *Passions de l'âme*, Iʳᵉ Partie, art. 7 ; t. XI, p. 332, l. 1-18. *La description du corps humain*, art. 17 ; t. XI, p. 239, l. 12-28), mais, comme on le verra plus loin, la cause et la description même du mouvement du cœur.

Voir les trois objections de Plempius contre la circulation du sang, *à Descartes*, janvier 1638, t. I, p. 499, l. 4-20, et les réponses de Descartes *à Plempius*, 15 février 1638, t. I, p. 531, l. 15-p. 534, l. 5. Cf. É. Gilson, *Études de philosophie médiévale. Descartes, Harvey et la scolastique*, p. 220-222.

P. **51**, l. **1** : « *Ce qu'il prouve fort bien* ... »

Tout ce passage, jusqu'à l. 21 : « *Il prouve aussi* ... », résume le texte même de Harvey, *De motu cordis*, cap. xi, p. 52-53. La fin du texte est reproduite dans É. Gilson, *op. cit.*, p. 217, note 2, d'après l'édition, plus correcte, de Rotterdam. 1661.

P. **51**, l. **21** : « *Il prouve aussi* ... »

Ce passage, jusqu'à l. 27 : « ..., *et de plus*, ... », résume la conclusion de Harvey, *op. cit.*, cap. xiii, p. 54-58.

P. **51**, l. **27** : « ..., *et de plus*, ... »

Cette expérience est alléguée par Harvey, *op. cit.*, cap. ix, p. 45.

P. 52, l. 3 : « ... *plusieurs autres choses* ... »

Pour interpréter correctement les pages qui suivent, il faut considérer chaque argument dirigé par Descartes contre Harvey comme constituant, dans sa pensée, une *expérience cruciale*, au sens baconien de l'expression. — Cf. plus loin, VIe Partie, à p. 65, l. 7-8.

P. 52, l. 4-5 : « ... *celle que j'ai dite* ... »

C'est-à-dire : mon explication du mouvement du cœur, qui est vraie, par opposition à celle de Harvey, qui est fausse. Tout le paragraphe précédent, depuis : « Mais si on demande ... », à la fin, a pour objet de rendre justice à Harvey, qui a non seulement découvert le fait de la circulation du sang, mais encore apporté des preuves décisives de ce fait. Le présent paragraphe : « Mais il y a plusieurs autres choses ... » établit, au contraire, que la cause du fait découvert par Harvey est bien celle que Descartes lui-même a découverte.

Cf. l'opposition de Descartes à Harvey sur ce point précis : *à Beverwick*, 5 juillet 1643, t. IV, p. 4, l. 10-11 : « circa motum cordis omnino ab eo dissentio ». *La description du corps humain*, ch. xviii ; t. XI, p. 241, l. 3-4 : « Mais *Hervaeus* n'a pas, ce me semble, si bien réussi en ce qui regarde le mouvement du cœur ; ... ». *A Mersenne*, 9 février 1639, t. II, p. 501, l. 1-6 : « car, bien que ceux qui ne regardent que l'écorce jugent que j'ai écrit le même qu'*Hervaeus*, à cause de la circulation du sang, qui leur donne seule dans la vue, j'explique toutefois tout ce qui appartient au mouvement du cœur d'une façon entièrement contraire à la sienne. »

P. 52, l. 5-6 : « ... *la différence qu'on remarque* ... »

Cet argument constitue pour Descartes l'expérience cruciale qui départage les opinions et prouve que l'explication de Harvey est fausse. L'illusion dont Descartes est ici victime s'explique de la manière suivante : il ignore (ainsi que l'ignore Harvey lui-même, et tout le monde jusqu'à Lavoisier, en 1777) que la transformation du sang veineux en sang artériel résulte de la respiration pulmonaire et constitue une véritable combustion ; il croit donc que cette transformation s'effectue dans le cœur même ; d'où un problème purement fictif, mais équivalent pour lui à un problème réel : quel est l'agent de la transformation que subit le sang dans le cœur? Dès lors, la supériorité de la solution qu'il propose lui devient évidente : cette transformation résulte de la distillation du sang par la chaleur du cœur, si bien qu'une seule et même cause explique à la fois le mouvement du cœur et l'altération que le sang veineux y subit. Dans la solution proposée par Harvey, le problème reste insoluble, et c'est une porte ouverte aux qualités occultes que la vraie physique doit éliminer. — Cf. « Or, en supposant que le cœur se meut en la façon qu'*Hervaeus* le décrit, ... il faudrait supposer, outre cela, d'autres

facultés qui changeassent les qualités du sang, pendant qu'il est dans le
cœur. » *La description du corps humain*, ch. xviii ; t. XI, p. 243, l. 22-p. 244,
l. 16. — De fait, Harvey devait paraître à Descartes embarrassé par la
question, dont il remet à plus tard la solution : « An vero cor sanguini, praeter transpositionem, et motum localem, et distributionem aliquid aliud
addat, sive calorem, sive spiritum, sive perfectionem, posterius inquirendum, et ex aliis observationibus colligendum. » W. Harvey, *Exercitatio anatomica...*, cap. v, p. 31.

P. **52**, l. **11** : « ... *devant que* ... »

C'est-à-dire : avant que.

P. **52**, l. **15** : « ... *la dureté des peaux* ... »

Deuxième argument contre Harvey. La formule de Descartes est elliptique ; mais sa pensée est la suivante : puisque l'artère pulmonaire et l'aorte
ont bien la constitution des artères, c'est que le sang qui les traverse est du
sang artériel ; or, ce sang ne peut avoir été transformé par aucune autre
cause assignable que la chaleur du cœur ; donc cette chaleur est la vraie
cause du mouvement du cœur et des artères. L'argument de Descartes est
inopérant, parce qu'il ignore que le sang qui traverse l'artère pulmonaire est
du sang veineux.

P. **52**, l. **18** : « *Et pourquoi* ... »

Troisième argument contre Harvey : la même quantité de sang passe dans
les deux ventricules, or le gauche est plus grand que le droit, il faut donc,
pour le remplir, que le sang s'y dilate davantage ; c'est ce qui se produit,
d'abord parce que le sang qui vient du poumon a déjà été dilaté par le ventricule droit, ensuite parce que la chaleur du ventricule gauche est supérieure à celle du droit ; donc le cœur est un organe chaud, et la vraie cause
de son mouvement est celle qu'allègue Descartes. Cf. *La description du corps
humain*, ch. xiv ; t. XI, p. 237, l. 21-28. — Sur l'origine scolastique de cet
argument, voir É. Gilson, *op. cit.*, p. 227, note 1.

P. **52**, l. **24** : « ... *et plus aisément* ... »

Cf. « Et encore que ce sang se refroidisse et se condense dans le poumon,
toutefois à cause qu'il y demeure peu de temps, et qu'il ne s'y mêle avec
aucune matière plus grossière, il retient plus de facilité à se dilater et se
réchauffer qu'il n'en avait avant que d'être entré dans le cœur. Comme on
voit, par expérience, que les huiles qu'on fait passer plusieurs fois par l'alam-
bic sont plus aisées à distiller la seconde fois que la première. » *La description
du corps humain*, ch. xiv ; t. XI, p. 237, l. 12-20.

P. **52**, l. **26** : « ... *en tâtant le pouls* ... »

Quatrième argument contre Harvey. Cette hypothèse sur l'origine des variations du pouls n'apparaît à Descartes comme évidente, que parce qu'elle se relie dans sa pensée à une théorie générale des fièvres, considérées comme des altérations du sang, avec répercussions consécutives sur sa température. — Cf. « Eodem modo fit in febre, quod humor febrem causans sanguini se immiscet, et ingrediens cor, ejus ignem imminuit ; postea tamen auget, et sic omnia membra calefacit : ut aqua carbonibus injecta initio quidem extinguit, sed statim rursus inflammati magis ardent. » *Generatio animalium*, t. XI, p. 536, l. 2-7.

P. **52**, l. **29-30** : « ... *et si on examine* ... »

Cinquième argument contre Harvey. Il est à peine besoin d'observer que Descartes a raison de considérer le sang comme entretenant la chaleur du corps ; mais tort d'en conclure qu'une chaleur propre du cœur soit cause de la chaleur du sang. — Pour l'origine aristotélicienne de cette conception, voir Aristote, *De partibus animalium*, II, 2 ; 648 b 35-649 a 18, où l'on voit que le sang n'est pas chaud par lui-même, mais parce qu'il vient du foyer central qu'est le cœur.

P. **53**, l. **8** : « *Puis aussi on connaît* ... »

Cette transition indique le passage à un ordre nouveau d'arguments dont l'importance, du point de vue de Descartes, est capitale, et qui définit clairement la différence entre son état d'esprit et celui de Harvey. Ce dernier s'est posé et a résolu un seul problème, celui de la circulation du sang avec le mouvement du cœur qui la cause. Descartes cherche, au contraire, une solution du problème de la circulation, dont le principe fondamental soit en même temps le principe nécessaire et suffisant de la physiologie tout entière. De là les arguments qui suivent, et qui reviennent à ceci : la chaleur du cœur étant admise comme cause de la circulation, toutes les fonctions de l'organisme s'expliquent par la même cause ; l'explication du mouvement du cœur par Harvey une fois admise pour le cœur ne permettrait, au contraire, d'expliquer aucune autre fonction organique. — Cf. *La description du corps humain*, t. XI, p. 245, l. 14-19.

P. **53**, l. **8-9** : « ... *de la respiration* ... »

Tout ce passage se réfère à une théorie de la petite circulation, sans laquelle il demeure inintelligible. Du point de vue de la physiologie moderne, il entre du sang veineux de la veine cave dans l'oreillette droite, ce sang passe de là dans le ventricule droit, est chassé dans le poumon à travers l'artère pulmonaire, s'y oxygène, revient sous forme de sang artériel par les veines pulmonaires dans l'oreillette gauche, passe de là dans le ventricule gauche,

d'où il est enfin chassé dans l'aorte. Du point de vue de Descartes, au contraire, *il n'entre dans le cœur que du sang veineux, et il n'en sort que du sang
artériel.* La petite circulation suit dès lors la marche que voici : la veine cave
(c'est-à-dire l'oreillette droite) introduit du sang veineux dans le ventricule
droit ; là ce sang se dilate et se transforme en vapeur de sang à cause de la
chaleur du cœur ; la diastole la chasse par l'artère pulmonaire jusque dans
le poumon, dont « le principal usage ... consiste en cela seul que, par le
moyen de l'air et de la respiration, il épaissit » et refroidit le sang qui vient
du ventricule droit (*La description du corps humain,* ch. xiv ; t. XI, p. 236,
l. 26-31) ; une fois condensée dans le poumon, cette vapeur redevient sang et
passe dans les veines pulmonaires (*Traité de l'homme,* t. XI, p. 123, l. 29-
p. 124, l. 7), où le sang retient, de sa première dilatation dans le ventricule
droit, « plus de facilité à se dilater et se réchauffer qu'il n'en avait avant que
d'être entré dans le cœur » (*Description du corps humain,* ch. xiv ; t. XI,
p. 237, l. 12-20) ; ce sang ainsi redevenu veineux tombe alors dans le ventricule gauche, cavité à la fois plus vaste et plus chaude que celle de droite
(*Ibid.,* p. 237, l. 21-22. Cf. É. Gilson, *op. cit.,* p. 227, note 1), où il se raréfie
de nouveau et d'où la diastole le chasse dans l'aorte.

Pour l'origine de cette conception qui attribue au poumon et à la respiration une fonction réfrigérante, voir Aristote, *De partibus animalium,* III, 6 ;
668 b 34-669 a 7.

P. **53**, l. **14-15** : « ... *servir de nourriture* ... »

Le feu qui brûle dans les parois du cœur a besoin d'un aliment qui l'en-
tretienne ; c'est le sang qui fournit ce combustible ; mais il serait impropre à
cet usage, comme « trop rare et trop subtil, pour servir d'aliment au feu qu'il
y entretient » (*La description du corps humain,* ch. xiv ; t. XI, p. 236,
l. 26-31), s'il arrivait dans le ventricule gauche en provenance directe du ventricule droit sans s'être refroidi dans le poumon. Le « principal usage » du
poumon est donc de jouer le rôle d'un condensateur qui alimente en combustible le foyer du cœur.

Sur l'origine scolastique de cette conception de la fonction respiratoire et
d'un *pabulum* destiné à entretenir la chaleur cardiaque, voir. Ét. Gilson, *op.
cit.,* p. 200-202, et p. 227, note 3.

P. **53**, l. **17** : « ... *qu'une seule concavité* ... »

Voir : *La description du corps humain,* ch. xiv ; t. XI, p. 237, l. 1-5. —
Traité de l'homme, t. XI, p. 124, l. 19-22. — Cf. Fernel : « Quibuscumque
porro animantibus pulmo datus est, iis in corde geminus est sinus dexter ac
sinister ; in piscibus, ut mutis ita pulmone destitutis, unicus apparet, et in
conspectum se dat. » *De part. corp. humani descriptione,* I, 8 ; dans *Universa
medicina,* Paris, Jacques Chouet, 1627, p. 41.

P. **53**, l. **17-18** : « ... *et que les enfants* ... »
Cf. *La description du corps humain*, ch. xv ; t. XI, p. 237, l. 29-p. 238, l. 15.
— *Le Monde*, t. XI, p. 124, l. 8-19.

P. **58**, l. **22** : « ... *la grande artère* ... »
Nom traditionnel de l'artère aorte. Cf. Galien, *op. cit.*, Index, à *Arteria magna*. Fernel, *op. cit.*, I, 9 ; p. 41 : « ... arteria major ... »

P. **53**, l. **23** : « *Puis, la coction* ... »
C'est-à-dire : la digestion. — Cf. *Dictionnaire de l'Académie* (1694) : « *Coction*... Il se dit proprement de la digestion des viandes dans l'estomac. » T. I, p. 296.
Pour l'explication mécanique de la digestion au moyen de la chaleur vitale, voir *Traité de l'homme*, t. XI, p. 121, l. 10-p. 122, l. 6. Le mécanisme en est purement cartésien ; le principe en est aristotélicien et scolastique. Cf. Aristote, *De partibus animalium*, II, 3 ; 650 a 13-15. Fernel : « Itaque prima omnium concoctio est chylosis, quae in ventriculo, magna caloris vi perficitur ... », etc. *Op. cit.*, cap. 6.
L'exposé qui suit est ordonné de manière à suggérer que l'on peut expliquer mécaniquement toutes les fonctions attribuées à l'âme par la médecine scolastique. C'est pourquoi Descartes va les énumérer dans leur ordre traditionnel (Fernel, *loc. cit.*) : coction des aliments dans l'estomac, élaboration du sang, nutrition des membres, production des humeurs et génération des esprits animaux.

P. **53**, l. **25** : « ... *des plus coulantes* ... »
C'est-à-dire : des plus fluides.

P. **53**, l. **27** : « ... *convertit le suc* ... »
Cf. *Traité de l'homme*, t. XI, p. 122, l. 7-p. 123, l. 8. Descartes y attribue cette action aux pores du foie qui transforme la « liqueur » digérée par l'estomac en sang : « tout ainsi que le suc des raisins noirs, qui est blanc, se convertit en vin clairet, lorsqu'on le laisse cuver sur la râpe. » Cf. Fernel, *De functionibus et humoribus*, lib. VI, cap. 3 : « Caro jecoris opifex sanguinis, et quomodo », avec une comparaison analogue : « Mustum recens ab uvis expressum conjectumque in dolia, cernimus ab innato calore effervescere, mutari, et concoqui ... », etc.

P. **54**, l. **1** : « ... *la nutrition* ... »
C'est-à-dire : l'assimilation du sang par les différents organes qui s'en nourrissent. — Cf. *Traité de l'homme*, t. XI, p. 125, l. 20-p. 127, l. 13. *La description du corps humain*, IIIᵉ Partie ; t. XI, p. 245, l. 20-p. 252, l. 13.

P. **54**, l. **1-2** : « ... *des diverses humeurs* ... »

C'est-à-dire : la salive, l'urine, la sueur. Cf. *Traité de l'homme*, t. XI, p. 127, l. 14-p: 128, l. 2.

Le lien qui unit les deux parties de la phrase : « pour expliquer la nutrition, et la production des diverses humeurs », n'apparaît guère aujourd'hui ; il était manifeste pour des lecteurs au courant de la physiologie médiévale. La « nutrition » n'est, en effet, pour eux, que la troisième et dernière « coction » (une de l'aliment dans l'estomac, une du chyle dans le foie, une du sang dans le membre alimenté). Or, chaque « coction » engendre une humeur (comme le sang), plus des résidus excrémentiels (comme l'urine, la sueur, la salive). Descartes suit donc l'ordre traditionnel en accouplant la production des humeurs à la nutrition des organes par le sang. Cf. Fernel, *De functionibus et humoribus* ; dans *Universa medicina*, lib. VI, cap. 6.

P. **54**, l. **13** : « ... *de plus remarquable* ... »

Parce qu'expliquer la génération des esprits animaux, c'est rendre raison de toutes les fonctions sensitives et motrices de l'animal. Si donc la théorie cartésienne du mouvement du cœur permet de comprendre comment ils s'engendrent, la longue suite des effets qu'ils expliquent peut être considérée comme une importante vérification de cette théorie.

P. **54**, l. **16** : « ... *très pure et très vive* ... »

La conception des esprits animaux comme entités. physiologiques distinctes du sang est une survivance médiévale dans la doctrine de Descartes (cf. *Index scol.-cartésien*, texte 171, p. 99-100) ; l'impression qu'il éprouve d'apporter ici du nouveau s'explique cependant :

1º Par la netteté avec laquelle il définit les esprits animaux comme des particules purement matérielles, les dépouillant ainsi du caractère mixte qu'ils conservaient encore, sinon dans la doctrine, du moins dans l'imagination de nombreux scolastiques.

2º Par la conception purement mécanique du processus de distillation et de criblage par lequel ces esprits animaux se trouvent extraits du sang : « Sans autre préparation ni changement, sinon qu'elles (*scil.* les particules du sang les plus ténues) sont séparées des plus grossières, et qu'elles retiennent encore l'extrême vitesse que la chaleur du sang leur a donnée, elles cessent d'avoir la forme du sang et se nomment des Esprits animaux. » *Traité de l'homme*, t. XI, p. 129, l. 1-p. 130, l. 14. — Cf. *Traité des passions*, I, 10 ; t. XI, p. 334, l. 14-p. 335, l. 14. Toute intervention de « forme substantielle » ou « qualité réelle » se trouve donc exclue.

Quant au fond de la question, Descartes reste convaincu avec les scolastiques : qu'il y a des esprits animaux, qu'ils sont les parties du sang les plus subtiles et pures, qu'ils s'engendrent du sang artériel chauffé par le ventri-

cule gauche du cœur et achèvent de recevoir leurs propriétés spécifiques dans
le cerveau. Voir notes suivantes, surtout à p. 54, l. 30-31. — Sur la critique
de la notion d'esprits animaux par Harvey, voir Gilson, *op. cit.*, p. 209-211.

P. **54**, l. **18** : « ... *par les nerfs* ... »

Descartes considère les nerfs comme des tuyaux à l'intérieur desquels les
esprits animaux circulent, comme le sang à l'intérieur des artères et des
veines. — Sur la structure des tuyaux nerveux, voir *Traité de l'homme*, t. XI,
p. 132, l. 20-p. 133, l. 19. — *La Dioptrique*, Discours IV ; t. VI, p. 109, l. 1-
p. 112, l. 5.

P. **54**, l. **18-19** : « ... *dans les muscles* ... »

Les muscles sont creux comme le sont les nerfs ; les ramifications. des
tuyaux nerveux pénètrent à l'intérieur de ces muscles, si bien que le nerf « se
divise en plusieurs branches, composées d'une peau lâche, qui se peut étendre
ou élargir et rétrécir, selon la quantité des esprits animaux qui y entrent ou
qui en sortent, et dont les rameaux ou les fibres sont tellement disposés que,
.lorsque les esprits animaux entrent dedans, ils font que tout le corps du
muscle s'enfle et s'accourcit... ; comme, au contraire, lorsqu'ils en ressortent,
ce muscle se désenfle et se rallonge. » *Traité de l'homme*, t. XI, p. 133, l. 20-
p. 134, l. 16. — *Traité des passions*, I, 11 ; t. XI, p. 335, l. 15-p. 336, l. 23.

P. **54**, l. **20** : « ... *d'autre cause* ... »

C'est-à-dire : autre que mécanique, comme serait une forme substantielle
particulière distinguant le sang des esprits.

P. **54**, l. **25** : « ... *le plus en ligne droite* ... »

Cf. « Mais ce qu'il faut ici principalement remarquer, c'est que toutes les
plus vives, les plus fortes et les plus subtiles parties de ce sang (*scil.* qui est
dans le cœur) se vont rendre dans les concavités du cerveau ; d'autant que les
artères qui les y portent sont celles qui viennent du cœur le plus en ligne
droite de toutes, et que, comme vous savez, tous les corps qui se meuvent
tendent chacun, autant qu'il est possible, à continuer leur mouvement en
ligne droite. » *Traité de l'homme*, t. XI, p. 128, l. 3-11.

P. **54**, l. **27** : « ... *que celles de la nature* ... »

Cf. « Non capio quid objiciat (*scil.* Fromondus)... Nam si nimis *crassa* mea
philosophia ipsi videtur, ex eo quod figuras, et magnitudines, et motus, ut
Mechanica consideret, illud damnat quod supra omnia existimo esse laudan-
dum, et in quo me praecipue effero et glorior : nempe, quod eo philosophandi
genere utar, in quo nulla ratio est, quae non sit mathematica et evidens,
cujusque conclusiones veris experimentis confirmantur ; ... Miror ipsum

non advertere illam, quae hactenus in usu fuit, Mechanicam, nihil aliud esse quam verae Physicae particulam, quae cum apud vulgaris Philosophiae cultores nullum locum reperiret, apud Mathematicos se recepit. Mansit autem haec pars Philosophiae verior et minus corrupta, quam caeterae, quia cum ad usum et praxim referatur, quicumque in eam peccant, sumptuum jactura plecti solent, adeo ut si contemnat meam philosophandi rationem ex eo, quod sit similis Mechanicae, idem mihi esse videtur, ac si eamdem contemneret ex eo, quod sit vera. » *A Plempius*, 3 octobre 1637, t. I, p. 420, l. 21-p. 421, l. 17.

P. **54**, l. **30** : « ... *ainsi que* ... »

C'est-à-dire : ce qui est le cas des parties du sang.

P. **54**, l. **30-31** : « ... *de la concavité gauche* ... »

Parce que le sang qui sort du ventricule droit et se rend au poumon ne serait pas apte à s'élever aussi aisément que celui du ventricule gauche, où la chaleur est plus intense, et où il se trouve distillé pour la seconde fois.

Pour l'origine de cette conception, voir Galien, *De usu partium*, lib. IX ; édit. citée, p. 263-264. Rabelais, *Pantagruel*, liv. III, ch. IV : « Par le ventricule gauche, il le (*scil.* le sang) fait tant subtil qu'on le dit spirituel ... », etc. Conimbricenses, *De gen. et corruptione*, I, 5, 1, 2 : « Nunc de spirituum ortu, fomentoque paucis dicendum. Purior quaedam pars sanguinis in jecore confecti per venam cavam et communes quosdam aditus in cor invehitur, ac primum dextro, deinde laevo ejus sinu excepta, ibi recalescit et vitalem quamdam vim ab ipso vitae fonte haurit, a qua vitalis dicitur, quasi vitae auctor et conservator. Hujus spiritus pars quaedam per arterias toto corpore diffunditur. Altera per anfractus et flexuosam ambagem (voir *contra*, p. 54, l. 25) sursum viam capessit, ac tandem in cerebri ventriculos, et proprietate virtutis cerebro inditae (Descartes, *contra* : par un criblage mécanique) magis attenuatur et quasi aetherius redditur, fitque ex naturali animalis, adeptus videlicet temperationem quamdam (Descartes la définit mécaniquement en termes de figure et de vitesse), cujus merito ad motum, sensum, et omnes denique animales functiones administrandas idoneus est animae minister. Tum vero in particulas divisus per nervos dispensatur. » *Index scol.-cartésien*, texte 171, p. 100. — Cf. É. Gilson, *op. cit.*, p. 209, note 2.

P. **55**, l. **1** : « ... *les plus faibles* ... »

Cf. *Traité de l'homme*, t. XI, p. 128, l. 12-18.

P. **55**, l. **2** : « ... *les plus fortes* ... »

C'est-à-dire : les plus petites qui, se choquant moins aux autres que les grosses, perdent moins de leur mouvement, et même en acquièrent par l'impulsion que les grosses leur communiquent en les heurtant. — Cf. *Traité de l'homme*, t. XI, p. 129, l. 22-p. 130, l. 1.

P. **55**, l. **4** : « ... *assez particulièrement* ... »
C'est-à-dire : avec un assez grand nombre de détails.

P. **55**, l. **6** : « ... *Et ensuite* ... »
C'est-à-dire dans le *Traité de l'homme*, t. XI, p. 130, l. 15 et suiv. — Descartes s'est occupé de ces problèmes à partir de novembre-décembre 1632 ; cf. *à Mersenne*, texte cité à p. 45, l. 24.

P. **55**, l. **7** : « ... *la fabrique* ... »
C'est-à-dire : la structure.

P. **55**, l. **9** : « ... *la force de mouvoir* ... »
La question de savoir comment des esprits aussi ténus peuvent mouvoir des membres se résout lorsqu'on sait comment ils peuvent s'accumuler dans les muscles. En effet : « encore qu'ils soient fort mobiles et subtils, ils ne laissent pas d'avoir la force d'enfler et de raidir les muscles où ils sont enfermés, ainsi que l'air qui est dans un ballon le durcit et fait tendre les peaux qui le contiennent » (*Traité de l'homme*, t. XI, p. 137, l. 15-20). Pour comprendre ce gonflement du muscle, il faut se le représenter comme une sorte de sac, où pénètrent deux nerfs, dont chacun porte une valvule à son entrée dans le muscle ; cette valvule cède à la pression des esprits animaux selon le sens dans lequel elle s'exerce ; lorsque les esprits, subissant une pression originaire du cerveau, pénètrent dans un muscle, ils pèsent sur la valvule opposée et la ferment ; le muscle se gonfle alors et se raccourcit, entraînant dans son mouvement l'organe ou le membre auquel il est lié ; lorsque la pression des esprits est nulle, les valvules restent entr'ouvertes et le muscle est en repos. Dès lors : « pour chaque mouvement, et pour son contraire, vous pouvez imaginer deux petits nerfs, ou tuyaux (*scil.* les nerfs afférents à deux muscles antagonistes), et deux autres (*scil.* les nerfs efférents), et deux petites portes ou valvules (*scil.* une au point de jonction de chaque paire de nerfs) ». *Traité de l'homme*, t. XI, p. 133, l. 20-p. 138, l. 25.

P. **55**, l. **13-14** : « ... *la veille, et le sommeil,* ... »
Descartes intervertit ici l'ordre suivi dans le *Traité de l'homme*, où l'étude de cette question vient après celle des sensations ; voir t. XI, p. 173, l. 10-p. 174, l. 3. — L'état de veille correspond à l'état de tension de tous les nerfs par les esprits animaux : « ainsi que le vent, étant un peu fort, peut enfler les voiles d'un navire et faire tendre toutes les cordes auxquelles ils sont

attachés. D'où vient que pour lors cette machine, étant disposée à obéir à toutes les actions des esprits, représente le corps d'un homme qui *veille*. Ou du moins ils ont la force d'en pousser ainsi et faire tendre quelques parties, pendant que les autres demeurent libres et lâches, ainsi que sont celles d'une voile, quand le vent est un peu trop faible pour la remplir. Et, pour lors, cette machine représente le corps d'un homme qui *dort* et qui a *divers songes* en dormant. » *Loc. cit.*

P. **55**, l. **14** : « ... *et les songes* ... »

Leur explication est reportée dans le *Traité de l'homme* (c'est-à-dire : *Le Monde*) après celle de la mémoire, car les songes s'expliquent par l'inégale pression des esprits pendant le sommeil et la manière dont ils réveillent les impressions laissées par les perceptions sensibles dans la mémoire. Cf. *Traité de l'homme*, t. XI, p. 197, l. 23-p. 198, l. 25.

P. **55**, l. **14** : « ... *comment la lumière* ... »

Pour le sens de la vue, voir : *Traité de l'homme*, t. XI, p. 151, l. 16-p. 163, l. 5. L'ordre réel suivi par le *Traité de l'homme* est, ici encore, interverti dans l'énumération du *Discours*.

P. **55**, l. **14-15** : « ... *les sons* ... »

Pour le sens de l'ouïe, voir : *Traité de l'homme*, t. XI, p. 149, l. 17-p. 151, l. 15. — *Princ. phil.*, IV, 194 ; t. VIII, p. 319, l. 7-13.

P. **55**, l. **15** : « ... *les odeurs* ... »

Pour le sens de l'odorat, voir : *Traité de l'homme*, t. XI, p. 147, l. 25-p. 149, l. 16. — *Princ. phil.*, IV, 193 ; t. VIII, p. 318, l. 30-p. 319, l. 6.

P. **55**, l. **15** : « ... *les goûts* ... »

Pour le sens du goût, voir : *Traité de l'homme*, t. XI, p. 145, l. 18-p. 147, l. 24. — *Princ. phil.*, IV, 192 ; t. VIII, p. 318, l. 25-29.

P. **55**, l. **15** : « ... *la chaleur* ... »

Pour les sensations thermiques, voir : *Traité de l'homme*, t. XI, p. 144, l. 21-p. 145, l. 17.

P. **55**, l. **16** : « ... *des objets extérieurs* ... »

Par exemple : le poli, le rugueux, l'humidité, la sécheresse, la pesanteur ; cf. *Ibid.*, et p. 144, l. 16-20.

P. **55**, l. **17** : « ... *diverses idées* ... »

Au sens général défini dans les *II*^{ac} *Resp.*, t. VII, p. 160, l. 14-p. 161, l. 3, et *Traité de l'homme*, t. XI, p. 177, l. 5-13.

P. **55**, l. **18** : « ... *la faim* ... »

Voir *Traité de l'homme*, t. XI, p. 163, l. 10-p. 164, l. 4.

P. **55**, l. **18** : « ... *la soif* ... »

Voir *Ibid.*, p. 164, l. 5-12.

P. **55**, l. **18** : « ... *les autres passions intérieures* ... »

C'est-à-dire : celles qui sont des passions proprement dites, notamment : la joie, la tristesse, la colère, l'amour, etc. Le *Traité de l'homme* contient, en effet, comme une première ébauche de ce que contiendra plus tard le *Traité des passions*. — Voir *Traité de l'homme*, t. XI, p. 164, l. 13-p. 170, l. 2. — *Princ. phil.*, IV, 190 ; t. VIII, p. 316, l. 12-p. 318, l. 4. — *A Élisabeth*, 6 octobre 1645, t. IV, p. 310, l. 16-p. 311, l. 8.

P. **55**, l. **20** : « ... *pour le sens commun* ... »

C'est-à-dire : une petite glande, siège de l'âme (t. VI, p. 109, l. 10-14), qui se trouve vers le milieu du cerveau, et dans laquelle aboutissent les images de toutes les impressions sensibles. Cf. *Traité de l'homme*, t. XI, p. 176, l. 26-p. 177, l. 13. — *Dioptrique*, Discours V ; t. VI, p. 129, l. 19-22. — *Passions de l'âme*, I, 32 ; t. XI, p. 352, l. 22-p. 353, l. 17. Et aussi : « ... chaque nerf étant destiné à quelque sens ou mouvement particulier, les uns aux yeux, les autres aux oreilles, aux bras, etc., si quelqu'un d'eux se rendait au *conarion* plutôt que les autres, on pourrait inférer de là qu'il ne serait pas le siège du sens commun, auquel ils se doivent tous rapporter en même façon ; et il est impossible qu'ils s'y rapportent tous autrement que par l'entremise des esprits, comme ils font dans le *conarion*. Il est certain aussi que le siège du sens commun doit être fort mobile, pour recevoir toutes les impressions qui viennent des sens ; mais il doit être tel qu'il ne puisse être mû que par les esprits qui transmettent ces impressions, et le *conarion* seul est de cette sorte. » *A Mersenne*, 21 avril 1641, t. III, p. 361, l. 16-p. 362, l. 7.

P. **55**, l. **21** : « ... *pour la mémoire* ... »

C'est-à-dire : une autre partie du cerveau, où se conservent les traces imprimées par la perception réitérée des mêmes objets (cf. *Traité de l'homme*, t. XI, p. 177, l. 23-p. 185, l. 6). — Il ne s'agit ici que de la mémoire sensible, c'est-à-dire de la mémoire proprement dite ; la mémoire intellectuelle ne dépend, en effet, que de l'âme seule et n'est pas, à proprement parler, une mémoire. *A Mersenne*, 1er avril 1640, t. III, p. 48, l. 27-29. *A ****, août 1641, t. III, p. 425, l. 11-12. *A Meyssonnier*, 29 janvier 1640, t. III, p. 20, l. 4-20.

P. **55**, l. **21-22** : « ... *pour la fantaisie* ... »

C'est-à-dire : pour l'imagination, qui n'est autre que le sens commun (ou glande pinéale). La seule différence entre ces deux facultés est une différence de fonctions : le *sens commun* est le lieu du cerveau où se forment les images des objets « lorsqu'elles dépendent de la présence des objets » (*Traité de l'homme*, t. XI, p. 177, l. 9-10) ; la fantaisie est ce même lieu du cerveau, mais en tant que des images s'y trouvent suscitées en l'absence de tout objet : « et elles ne procèdent que de ce que, les esprits étant diversement agités et rencontrant les traces de diverses impressions qui ont précédé dans le cerveau, ils y prennent leur cours fortuitement par certains pores plutôt que par d'autres » (*Passions de l'âme*, I, 21 ; t. XI, p. 344, l. 15-p. 345, l. 15).

P. **55**, l. **23** : « ... *par même moyen* ... »

C'est-à-dire : en agissant de diverses manières sur les esprits animaux.

P. **55**, l. **23** : « ... *distribuant* ... »

Le texte latin ajoute : « ... varie ... » (t. VI, p. 571).

P. **55**, l. **26** : « ... *autant à propos* ... »

Le texte latin, plus clair, interprète ainsi : « ... eodemque modo, tum objectis externis sensuum organa pulsantibus, tum etiam affectibus et temperamentis externis respondentes, in istius eorporis membris efficere » (t. VI, p. 571). Le sens de la phrase est donc le suivant : l'imagination peut modifier les idées conservées dans la mémoire ; en les modifiant, elle agit sur la distribution des esprits animaux dans les muscles et fait accomplir aux membres tous les mouvements qu'ils peuvent accomplir sans le concours de la volonté, aussi bien ceux qui sont provoqués par la perception des objets extérieurs, que ceux qui sont provoqués par des sensations ou émotions d'origine interne.

P. **55**, l. **28** : « ... *sans que la volonté* ... »

Toutes les fonctions qui précèdent sont, en effet, communes à l'homme et aux animaux ; or, les animaux n'ont point d'âme ; il est donc clair qu'aucune de ces fonctions ne requiert l'intervention de l'âme raisonnable ni de sa volonté.

P. **55**, l. **30** : « ... *de divers automates* ... »

1° Cf. « Or, à mesure que ces esprits entrent ainsi dans les concavités du cerveau, ils passent de là dans les pores de sa substance, et de ces pores dans les nerfs : ou, selon qu'ils entrent, ou même seulement qu'ils tendent à entrer plus ou moins dans les uns que dans les autres, ils ont la force de changer la figure des muscles en qui ces nerfs sont insérés, et par ce moyen de faire mouvoir tous les membres. Ainsi que vous pouvez avoir vu, dans les grottes et les fontaines qui sont aux jardins de nos rois, que la seule force dont l'eau se meut en sortant de sa source est suffisante pour y mouvoir diverses machines, et même pour les y faire jouer de quelques instruments, ou prononcer quelques paroles, selon la diverse disposition des tuyaux qui la conduisent.

« Et, véritablement, l'on peut fort bien comparer les nerfs de la machine que je vous décris aux tuyaux des machines de ces fontaines ; ses muscles et ses tendons aux divers engins et ressorts qui servent à les mouvoir ; ses esprits animaux à l'eau qui les remue, dont le cœur est la source, et les concavités du cerveau sont les regards. De plus, la respiration et autres belles actions qui lui sont naturelles et ordinaires, et qui dépendent du cours des esprits, sont comme les mouvements d'une horloge, ou d'un moulin, que le cours ordinaire de l'eau peut rendre continus. Les objets extérieurs, qui par leur seule présence agissent contre les organes de ses sens, et qui par ce moyen la déterminent à se mouvoir en plusieurs diverses façons, selon que les parties de son cerveau sont disposées, sont comme des Étrangers qui, entrant dans quelques-unes des grottes de ces fontaines, causent eux-mêmes sans y penser les mouvements qui s'y font en leur présence : car ils n'y peuvent entrer qu'en marchant sur certains carreaux tellement disposés que, par exemple, s'ils approchent d'une Diane qui se baigne, ils la feront cacher dans des roseaux, et, s'ils passent plus outre pour la poursuivre, ils feront venir vers eux un Neptune qui les menacera de son trident ; ou s'ils vont de quelque autre côté, ils en feront sortir un monstre marin qui leur vomira de l'eau contre la face ; ou choses semblables, selon le caprice des Ingénieurs qui les ont faites. Et, enfin, quand l'*âme raisonnable* sera en cette machine, elle y aura son siège principal dans le cerveau et sera là comme le fontenier, qui doit être dans les regards où se vont rendre tous les tuyaux de ces machines, quand il veut exciter, ou empêcher, ou changer en quelque façon leurs mouvements. » *Traité de l'homme*, t. XI, p. 130, l. 15-p. 132, l. 1.

2° La thèse de l'*animal-machine*, qui paraît s'être ébauchée dans sa pensée dès 1619-1620 (*Cogit. privatae*, t. X, p. 219, l. 3-4), était entièrement arrêtée dans son esprit en 1625 (Baillet, t. I, p. 52). Elle se trouvait déjà énoncée dans le livre du médecin espagnol : Gomez Pereira, *Antoniana Margarita*, publié à Medina del Campo en 1554 ; Descartes a déclaré n'avoir point vu ce livre (*à Mersenne*, 23 juin 1641, t. III, p. 386, l. 25-26). Après Descartes, des cartésiens ont voulu la retrouver chez saint Augustin (Baillet, t. II, p. 537. Ambrosius Victor, *Philosophia christiana*, lib. VI : De anima bestiarum). —

Sur les controverses suscitées par cette doctrine, voir Fr. Bouillier, *Histoire de la philosophie cartésienne*, t. I, ch. VII.

3° Sur le rôle qu'a joué la considération des automates dans l'élaboration des principes de la physique cartésienne, voir les indications autobiographiques des *Princ. phil.*, IV, 203 ; t. VIII, p. 326, l. 12-31.

P. **56**, l. **6-7** : « … *incomparablement mieux ordonnée* … »

Il ne s'agit pas ici d'une parole introduite pour la forme ; c'est le fond même de l'argument qui est en question, car l'économie en est la suivante : l'art imite la nature ; or, l'art humain peut fabriquer des automates d'un certain degré de perfection ; donc la nature, que l'art ne fait qu'imiter, en pourra fabriquer de beaucoup plus parfaits encore. Cf. « Deinde, quia rationi consentaneum videtur, cum ars sit naturae imitatrix, possintque homines varia fabricare automata, in quibus sine ulla cogitatione est motus, ut natura etiam sua automata, sed arte-factis longe praestantiora, nempe bruta omnia, producat. » *A Morus*, 5 février 1649, t. V, p. 277, l. 26-30. — Cf. *à Regius*, janvier 1642, t. III, p. 504, l. 3-14.

P. **56**, l. **10** : « … *Et je m'étais ici* … »

Lacune dans *Le Monde* ; le *Discours*, qui nous donne ici le détail même de l'argumentation sur cette importante question de la différence entre l'automate et l'homme raisonnable, permet heureusement de la suppléer.

P. **56**, l. **13-14** : « … *aucun moyen pour reconnaître* … »

Froidmond objecte que, s'il en est ainsi, les âmes sensitives ou formes substantielles des animaux sont éliminées, et que la voie se trouve par là ouverte aux athées : ils nieront l'âme humaine pour les mêmes raisons qui autorisent à nier l'âme des animaux (*Fromondus à Plempius*, 13 septembre 1637, t. I, p. 403, l. 11-22) — Réponse de Descartes : « Item ad pag. 56 cum quaerit *quid opus sit animas substantiales brutis inserere*, et ait *hinc fortasse viam sterni Atheis ut etiam animam rationalem corpore humano excludant*, hoc ad neminem minus attinet quam ad me, qui cum Stᵃ Scriptura firmiter credo et, ni fallor, dilucide explicui, *animas brutorum nihil aliud esse quam sanguinem*, nempe illum qui, illorum corde calefactus et attenuatus in spiritum, ab arteriis per cerebrum in nervos et musculos omnes se diffundit. Ex qua sententia sequitur tantam esse differentiam inter animas brutorum et nostras, ut nullum, quod sciam, validius argumentum fuerit hactenus ab ullo excogitatum ad contradicendum Atheis, et persuadendum mentes humanas ex materiae potentia non educi. Contra vero, qui nescio quas animas substantiales, a sanguine, calore et spiritibus diversas, brutis affingunt, primum non video quid respondeant ad Levitici cap. 17, v. 14, ubi expresse dicitur : *anima enim omnis carnis in sanguine est, et sanguinem omnis carnis non comedetis quia anima carnis in sanguine est.* Itemque Deuteron. capite 12, v. 23 : *hoc solum cave ne sanguinem comedatis, sanguis enim eorum pro anima est, idcirco non debes animam comedere cum carnibus,* et similia, quae multo clariora mihi videntur, quam illa quae afferuntur in quasdam alias opiniones, quae damnatae sunt a quibusdam ob id solum, quod S^{tae} Scripturae contradicerent vel contradicere viderentur. Deinde etiam non intelligo, postquam tam exiguam differentiam inter operationes hominis et bruti posuerunt, < quomodo > tam magnam inter naturas animarum rationalis et sensitivae sibi possint persuadere : ut nempe sensitiva cum sola est, sit naturae corporeae et mortalis, cum vero conjuncta est rationali, sit spiritualis et immortalis. In quo enim illi sensum a ratione distingui putant? nempe in eo quod cognitio sensus sit apprehensiva et simplex, nullique ideo falsitati obnoxia : cognitio vero rationis sit paulo magis composita, et per ambages syllogismorum ferri possit. Quod nullo modo majorem ejus perfectionem videtur arguere ; cum praesertim iidem dicant Dei et Angelorum cognitiones simplicissimas etiam esse et intuitivas, sive apprehensivas tantum, nullisque discursuum involucris alligatas ; adeo ut per ipsos, si fas est dicere, brutorum sensus ad Dei et Angelorum cognitionem magis quam humana ratiocinatio accedat. Haec et talia multa non tantum iis quae de anima scripsi, sed et aliis materiis fere omnibus potuissem adjungere ad propositiones meas roborandas, quae de industria subticui, tum ne quid falsi docerem, illud ipsum refutando, tum etiam ne ullis opinionibus in Schola receptis velle viderer insultare. » *A Plempius,* 3 octobre 1637, t. I, p. 414, l. 6-p. 416, l. 2.

P. **56**, l. **21-22** : « *... de paroles ni d'aucuns signes ...* »

Objection et réponse : « L'expérience fait voir que les bêtes font entendre leurs affections et passions par leur sorte de langage, et que par plusieurs signes elles montrent leur colère, leur crainte, leur amour, leur douleur, leur regret d'avoir mal fait ; témoin ce qui se lit de certains chevaux qui, ayant été employés à couvrir leurs mères sans les connaître, se précipitaient après les avoir reconnues (Aristote, *Hist. anim.*, lib. IX, cap. 47). Il ne faut pas, à la vérité, s'arrêter à ces histoires ; mais il est évident que les animaux font leurs opérations par un principe plus excellent que par la nécessité provenante de la disposition de leurs organes ; à savoir par un instinct, qui ne se trouvera jamais dans une machine, ou en une horloge, qui n'ont ni passion ni affection, comme ont les animaux. » *S. P. *** à *** pour Descartes,* février 1638, t. I, p. 514, l. 11-25.

Réponse de Descartes : « Il est certain que la ressémblance qui est entre la plupart des actions des bêtes et les nôtres nous a donné, dès le commencement de notre vie, tant d'occasions de juger qu'elles agissent par un principe intérieur semblable à celui qui est en nous, c'est-à-dire par le moyen d'une âme qui a des sentiments et des passions comme les nôtres, que nous

sommes tous naturellement préoccupés de cette opinion. Et, quelques raisons qu'on puisse avoir pour la nier, on ne saurait quasi dire ouvertement ce
qui en est, qu'on ne s'exposât à la risée des enfants et des esprits faibles.
Mais, pour ceux qui veulent connaître la vérité, ils doivent surtout se défier
des opinions dont ils ont été ainsi prévenus dès leur enfance. Et pour savoir
ce que l'on doit croire de celle-ci, on doit, ce me semble, considérer quel jugement ferait un homme qui aurait été nourri toute sa vie en quelque lieu où il
n'aurait jamais vu aucuns autres animaux que des hommes, et où, s'étant
fort adonné à l'étude des Mécaniques, il aurait fabriqué ou aidé à fabriquer
plusieurs automates, dont les uns avaient la figure d'un homme, les autres
d'un cheval, les autres d'un chien, les autres d'un oiseau, etc., et qui mar-
chaient, qui mangeaient et qui respiraient, bref, qui imitaient, autant qu'il
était possible, toutes les autres actions des animaux dont ils avaient la ressemblance, sans omettre même les signes dont nous usons pour témoigner
nos passions, comme de crier lorsqu'on les frappait, de fuir lorsqu'on faisait
quelque grand bruit autour d'eux, etc., en sorte que souvent il se serait
trouvé empêché à discerner, entre des vrais hommes, ceux qui n'en avaient
que la figure ; et à qui l'expérience avait appris qu'il n'y a, pour les reconnaître, que les deux moyens que j'ai expliqués en la page 57 de ma Méthode :
dont l'un est que jamais, si ce n'est par hasard, ces automates ne répondent,
ni de paroles ni même par signes, à propos de ce dont on les interroge ; et
l'autre que, bien que souvent les mouvements qu'ils font soient plus régu-
liers et plus certains que ceux des hommes les plus sages, ils manquent néanmoins en plusieurs choses, qu'ils devraient faire pour nous imiter, plus que
ne feraient les plus insensés. Il faut, dis-je, considérer quel jugement cet
homme ferait des animaux qui sont parmi nous lorsqu'il les verrait ; principalement s'il était imbu de la connaissance de Dieu, ou du moins qu'il eût
remarqué de combien toute l'industrie dont usent les hommes en leurs
ouvrages est inférieure à celle que la nature fait paraître en la composition des
plantes, et en ce qu'elle les remplit d'une infinité de petits conduits imper-
ceptibles à la vue, par lesquels elle fait monter peu à peu certaines liqueurs,
qui, étant parvenues au haut de leurs branches, s'y mêlent, s'y agencent et
s'y dessèchent en telle façon qu'elles y forment des feuilles, des fleurs et des
fruits ; en sorte qu'il crût fermement que, si Dieu ou la nature avait formé
quelques automates qui imitassent nos actions, ils les imiteraient plus parfaitement et seraient sans comparaison plus industrieusement faits qu'aucun
de ceux qui peuvent être inventés par les hommes. Or, il n'y a point de doute
que cet homme, voyant les animaux qui sont parmi nous, et remarquant en
leurs actions les deux mêmes choses qui les rendent différentes des nôtres,
qu'il aurait accoutumé de remarquer dans ses automates, ne jugerait pas
qu'il y eût en eux aucun vrai sentiment ni aucune vraie passion, comme en
nous, mais seulement que ce seraient des automates, qui, étant composés

par la nature, seraient incomparablement plus accomplis qu'aucun de ceux qu'il aurait faits lui-même auparavant. Si bien qu'il ne reste plus ici qu'à considérer si le jugement, qu'il ferait ainsi avec connaissance de cause, et sans avoir été prévenu d'aucune fausse opinion, est moins croyable que celui que nous avons fait dès lors que nous étions enfants, et que nous n'avons retenu depuis que par coutume, le fondant seulement sur la ressemblance qui est entre quelques actions extérieures des animaux et les nôtres, laquelle n'est nullement suffisante pour prouver qu'il y en ait aussi entre les intérieures. » *Descartes à* ***, mars 1638, t. II, p. 39, l. 9-p. 41, l. 26.

Cf. *à Mersenne*, 30 juillet 1640, t. III, p. 121, l. 10-24. *IV*ᵃᵉ *Resp.*, t. VII, p. 229, l. 8-p. 231, l. 7.

P. **56**, l. **24** : « ... *tellement faite* ... »
C'est-à-dire : faite de telle sorte.

P. **56**, l. **26** : « ... *quelques-unes* ... »
Descartes a toujours estimé que le nombre en devait être assez restreint : « De même la tête qui parle couvre sans doute quelque imposture : car de dire qu'il y eût des ressorts et des tuyaux pour exprimer tout le *Pater noster*, comme le chant du coq en l'horloge de Strasbourg, j'ai bien de la peine à le croire » (*à Mersenne*, 8 octobre 1629, t. I, p. 25, l. 15-19). Il ne prévoit donc pas le phonographe et, malgré toute sa confiance dans les ressources de l'industrie humaine, il estime la réalisation de l'avion pratiquement impossible (*à Mersenne*, 30 août 1640, t. III, p. 163, l. 25-p. 164, l. 4).

P. **57**, l. **4** : « ... *ou peut-être mieux* ... »
Cf. « Ex animalium quibusdam actionibus valde perfectis, suspicamur ea liberum arbitrium non habere. » *Cogit. privatae*, 1619 ; t. X, p. 219, l. 3-4. Réflexion qui fut peut-être à cette époque une réflexion sur Montaigne ; voir plus loin, à p. 59, l. 1-2.

P. **57**, l. **10** : « ... *de rencontres* ... »
Texte latin : « ... in omni occasione ... » (t. VI, p. 572).

P. **57**, l. **12-13** : « ... *moralement impossible* ... »
Voir plus haut, à p. 37, l. 30-31.

P. **57**, l. **17-18** : « ... *les hommes et les bêtes* ... »
Toute l'argumentation qui suit est dirigée contre Montaigne, *Essais*, liv. II, ch. xii : Apologie de R. Sebond. Cf. « Pour ce qui est de l'entendement ou de la pensée que Montaigne et quelques autres attribuent aux bêtes, je ne

puis être de leur avis », etc. *Au marquis de Newcastle*, 23 novembre 1646, t. IV, p. 573, l. 2 et suiv.

>   P. **57**, l. **19** : « *… si hébétés et si stupides …* »

Contre l'argument de Montaigne, *Essais*, liv. II, ch. xii ; t. II, p. 179, l. 11.

>   P. **57**, l. **26-27** : « *… les pies et les perroquets …* »

Contre Montaigne, *Essais*, liv. II, ch. xii ; édit. F. Strowski, t. II, p. 173, l. 27-p. 174, l. 21 ; p. 176, l. 16-30. — La défense des pies et des perroquets a été prise par H. Morus (*à Descartes*, 11 décembre 1648, t. V, p. 244, l. 3-25). Descartes répond en écartant dédaigneusement les historiettes relatives à l'ingéniosité des renards et autres animaux (cf. le sorite du Renard : Montaigne, *Essais*, liv. II, ch. xii : Apologie de R. Sebond ; édit. F. Strowski, t. II, p. 169, l. 17-32), mais il ajoute une importante remarque sur le degré de certitude auquel on peut arriver en pareille matière : il est impossible de prouver que les bêtes pensent, et impossible également de prouver rigoureusement qu'elles ne pensent pas ; mais il y a une très haute probabilité en faveur de cette deuxième hypothèse. — Cf. « Quamvis autem pro demonstrato habeam, probari non posse aliquam esse in brutis cogitationem, non ideo puto posse demonstrari nullam esse, quia mens humana illorum corda non pervadit. Sed, examinando quidnam sit hac de re maxime probabile, nullam video rationem pro brutorum cogitatione militare, praeter hanc unam, quod, cum habeant oculos, aures, linguam, et reliqua sensuum organa sicut nos, verisimile sit illa sentire sicut nos ; et quia in nostro sentiendi modo cogitatio includitur, similem etiam illis cogitationem esse tribuendam. Quae ratio, cum sit maxime obvia, mentes omnium hominum a prima aetate occupavit. Sunt autem aliae rationes multo plures et fortiores, sed non omnibus ita obviae, quae contrarium plane persuadent. Inter quas suum quidem locum obtinet, quod non sit tam probabile omnes vermes, culices, erucas et reliqua animalia immortali anima praedita esse, quam machinarum instar se movere. » *A Morus*, 5 février 1649, t. V, p. 276, l. 27-p. 277, l. 16. — Dans le même sens, *au marquis de Newcastle*, 23 novembre 1646, t. IV, p. 576, l. 12-19.

>   P. **57**, l. **16** : « *Or, par ces deux mêmes moyens, …* »

Tout le développement qui commence par ces mots, et qui ne s'achève qu'avec la Cinquième Partie, est entièrement consacré à faire voir que la thèse de l'automatisme animal est la garantie la plus assurée que l'on puisse avoir de l'immortalité de l'âme humaine.

>   P. **57**, l. **22** : « *… un discours …* »

C'est-à-dire : une suite de paroles qui présente un sens. — Cf. Huguet, *Petit Glossaire*, p. 124.

P. 57, l. **24** : « ... *tant parfait* ...

C'est-à-dire : si parfait ... et né avec des dispositions si excellentes. — Pour cet argument, voir plus loin, à p. 58, l. 9.

P. 57, l. **25** : « ... *le semblable* ... »

C'est-à-dire : la même chose.

P. 58, l. **4** : « ... *ont loisir* ... »

C'est-à-dire : à ceux qui vivent assez continuellement auprès d'eux pour avoir le temps d'apprendre leur langue. — Cf. *Dictionnaire de l'Académie* (1694), t. I, p. 661.

P. 58, l. **9** : « ... *de l'inégalité* ... »

Cet argument, que Descartes considère comme décisif, est dirigé directement contre Montaigne (*Essais*, liv. II, ch. xii ; t. II, p. 177, l. 19) et Charron (*De la Sagesse*, liv. I, ch. viii), dont il faut avoir la thèse présente à la pensée pour donner son sens exact à ce passage du *Discours*. Voici la pensée de Montaigne résumée par Charron (*loc. cit.*) : « Pour conclure ce premier point, il faut dire que les bêtes ratiocinent, usent de discours et jugement, mais plus faiblement et imparfaitement que l'homme, et non pas qu'elles n'y aient du tout point de part. Elles sont inférieures à l'homme, comme entre les hommes les uns sont inférieurs aux autres, et aussi entre les hommes s'y trouve telle différence : mais encore y a-t-il plus grande différence entre les hommes : car, comme se dira ci-après, il y a plus grande distance d'homme à homme que d'homme à bête. » Tout ce passage du *Discours* vise à prouver, au contraire, qu'il existe toujours plus de différence d'homme à bête que d'homme à homme ; car la première est une différence de nature, la deuxième n'est jamais qu'une différence de degré.

Cf. « Or, il est, ce me semble, fort remarquable que la parole, étant ainsi définie (*scil.* à l'exclusion de ce qui est simple signe d'une passion), ne convient qu'à l'homme seul. Car, bien que Montaigne et Charron aient dit qu'il y a plus de différence d'homme à homme que d'homme à bête, il ne s'est toutefois jamais trouvé aucune bête si parfaite qu'elle ait usé de quelque signe pour faire entendre à d'autres animaux quelque chose qui n'eût point de rapport à ses passions ; et il n'y a point d'homme si imparfait qu'il n'en use ; en sorte que ceux qui sont sourds et muets inventent des signes particuliers, par lesquels ils expriment leurs pensées. Ce qui me semble un très fort argument pour prouver que ce qui fait que les bêtes ne parlent point comme nous est qu'elles n'ont aucune pensée, et non point que les organes leur manquent » (*au marquis de Newcastle*, 23 novembre 1646, t. IV, p. 575, l. 1-16). « Sed rationum omnium quae bestias cogitatione destitutas esse persuadent, meo judicio praecipua est, quod, quamvis inter illas unae aliis ejusdem speciei sint perfectiores, non secus quam inter homines, ut videre licet in equis et canibus, quorum aliqui caeteris multo felicius quae docentur addiscunt ; et quamvis omnes perfacile nobis impetus suos naturales, ut iras, metus, famem et similia, voce vel aliis corporis motibus significent, num-quam tamen hactenus fuerit observatum, ullum brutum animal eo perfec-tionis devenisse, ut vera loquela uteretur, hoc est, ut aliquid vel voce vel nutibus indicaret, quod ad solam cogitationem, non autem ad impetum naturalem posset referri. Haec enim loquela unicum est cogitationis in cor-pore latentis signum certum, atque ipsa utuntur omnes homines, etiam quam maxime stupidi et mente capti, et lingua vocique organis destituti, non autem ullum brutum ; eamque idcirco pro vera inter homines et bruta dif-ferentia sumere licet » (à *Morus*, 5 février 1649, t. V, p. 278, l. 6-24).

P. **58**, l. **17-18** : « ... *qui témoignent les passions* ... »

Sur la nécessité d'exclure les signes des passions, voir : « Enfin, il n'y a aucune de nos actions extérieures, qui puisse assurer ceux qui les examinent, que notre corps n'est pas seulement une machine qui se remue de soi-même, mais qu'il y a aussi en lui une âme qui a des pensées, excepté les paroles, ou autres signes faits à propos des sujets qui se présentent, sans se rapporter à aucune passion. Je dis les paroles ou autres signes, pour ce que les muets se servent de signes en même façon que nous de la voix ; et que ces signes soient à propos pour exclure le parler des perroquets, sans exclure celui des fous, qui ne laisse pas d'être à propos des sujets qui se présentent, bien qu'il ne suive pas la raison ; et j'ajoute que ces paroles ou signes ne se doivent rap-porter à aucune passion, pour exclure non seulement les cris de joie ou de tristesse, et semblables, mais aussi tout ce qui peut être enseigné par artifice aux animaux ; car si on apprend à une pie à dire bonjour à sa maîtresse lors-qu'elle la voit arriver, ce ne peut être qu'en faisant que la prolation de cette parole devienne le mouvement de quelqu'une de ses passions ; à savoir, ce sera un mouvement de l'espérance qu'elle a de manger, si l'on a toujours accoutumé de lui donner quelque friandise lorsqu'elle l'a dit ; et ainsi toutes les choses qu'on fait faire aux chiens, aux chevaux et aux singes ne sont que des mouvements de leur crainte, de leur espérance ou de leur joie, en sorte qu'ils les peuvent faire sans aucune pensée. » *Au marquis de Newcastle*, 23 novembre 1646, t. IV, p. 574, l. 5-p. 575, l. 1.

P. **58**, l. **20** : « ... *que les bêtes parlent* ... »

C'est-à-dire Lucrèce, V, 1056-1090 (édit. A. Ernout, p. 223-224. — Cf. Montaigne, *Essais*, liv. II, ch. XII ; t. II, p. 159-160 : « Ce défaut qui empêche la communication d'entre eux (*scil.* les animaux) et nous, pourquoi n'est-il pas aussi bien à nous qu'à eux ? C'est à deviner à qui est la faute de ne nous entendre point : car nous ne les entendons, non plus qu'eux nous. Par cette même raison, ils nous peuvent estimer bêtes, comme nous les en estimons. Ce n'est pas grand'merveille si nous ne les entendons pas. » Suit la citation de Lucrèce, *loc. cit.* Descartes a tenu à réfuter cet argument de Montaigne, non seulement dans le présent passage du *Discours*, mais encore dans sa réponse au marquis de Newcastle, où nous l'avons vu désigner nommément Montaigne et Charron (cf. à p. 58, l. 9) : « Et on ne peut pas dire qu'elles parlent entre elles, mais que nous ne les entendons pas ; car, comme les chiens et quelques autres animaux nous expriment leurs passions, ils nous exprimeraient aussi bien leurs pensées, s'ils en avaient » (*loc. cit.*, t. IV, p. 575, l. 16-20).

Pour l'argument correspondant chez Pierre Charron, voir *De la Sagesse*, liv. I, ch. VIII.

P. **58**, l. **26** : « ... *plus d'industrie* ... »

C'est-à-dire : plus d'adresse. — Cf. *Dictionnaire de l'Académie* (1694) : « *Industrie*. Dextérité, adresse à faire quelque chose. » T. I, p. 595.

P. **59**, l. **1-2** : « ... *qu'ils n'en ont point* ... »

Contre Montaigne, *Essais*, liv. II, ch. XII ; t. II, p. 162-163. — Charron, *De la Sagesse*, I, 8, à : « Les (avantages) particuliers ... »

Cf. « Je sais bien que les bêtes font beaucoup de choses mieux que nous, mais je ne m'en étonne pas ; car cela même sert à prouver qu'elles agissent naturellement et par ressorts, ainsi qu'une horloge, laquelle montre bien mieux l'heure qu'il est que notre jugement ne nous l'enseigne. Et sans doute que, lorsque les hirondelles viennent au printemps, elles agissent en cela comme des horloges. Tout ce que font les mouches à miel est de même nature, et l'ordre que tiennent les grues en volant, et celui qu'observent les singes en se battant, s'il est vrai qu'ils en observent quelqu'un, et enfin l'instinct d'ensevelir leurs morts, n'est pas plus étrange que celui des chiens et des chats, qui grattent la terre pour ensevelir leurs excréments, bien qu'ils ne les ensevelissent presque jamais : ce qui montre qu'ils ne le font que par instinct, et sans y penser. » *Au marquis de Newcastle*, 23 novembre 1646, t. IV, p. 575, l. 21-p. 576, l. 5.

P. **59**, l. **8** : « ... *après cela* ... »

Lacune dans *Le Monde*. Le plan de l'ouvrage, en ce qui concerne la description de l'homme, devait consister à décrire : « premièrement, le corps à part, puis, après, l'âme aussi à part ; et enfin ... comment ces deux natures doivent être jointes et unies, pour composer des hommes qui nous ressemblent » (*Traité de l'homme*, ch. XVIII ; t. XI, p. 119-120). Nous avons la première partie presque entière ; mais la deuxième, à laquelle le *Discours* fait ici allusion, ainsi que la troisième, se sont perdues.

P. **59**, l. **9-10** : « ... *tirée de la puissance de la matière* ... »

C'est-à-dire : il est impossible de concevoir aucun agencement de parti-cules quelconques de la matière, dont une âme raisonnable puisse résulter.

L'expression dont use ici Descartes est d'origine scolastique, et il la con-serve sans doute pour marquer sans erreur possible le caractère traditionnel de sa pensée sur ce point capital de l'origine de l'âme. Cf. *Conimbricenses*, Phys. I, 9, 12, 4 : « ... omnes ac solas formas, quae naturalis ordinis censen-tur, educi e potentia materiae subjective, dempta forma humana », dans *Index scol. cartésien*, texte 387, p. 249.

P. **59**, l. **11-12** : « ... *être créée* ... »

1º C'est-à-dire résulter d'un acte spécial de création par Dieu. Cf. *Conim-bricenses*, Ibid. : « ... animum humanum non elici e potestate materiae ; quia etsi haec ad eum recipiendum innatam habeat propensionem, ipse tamen extra illam cohaerere per se valet, et eodem concursu quo creatur et in materiae gremium a Deo infunditur, extra materiam subsistere potuisset », dans *Index scol.-cartésien, loc. cit.* Cf. S. Thomas, *Sum. theol.*, I, qu. 118, art. 2.

2º L'accord entre l'assertion de Descartes et celle des philosophes scolas-tiques est incontestable, en ce sens que les uns et les autres nient que l'âme puisse naître de la matière par voie de génération et affirment que sa pro-duction requiert un acte créateur. Mais Descartes estime que lui seul a de quoi légitimer une pareille thèse et que la conception que se fait la Scolas-tique de la substance ne l'y autorise pas. Du point de vue cartésien, toute substance est complète en tant que telle (voir à p. 59, l. 15) ; l'âme de l'homme est donc une substance complète, contrairement à ce que croit saint Thomas, et c'est ce qui garantit sa réalité ; étant réelle, elle requiert un acte créateur de Dieu pour recevoir l'existence. Du point de vue de l'École, au contraire, l'âme serait une substance incomplète, ce qui, pour Descartes, revient à dire qu'elle est incapable d'exister seule et n'est par conséquent pas une substance ; n'étant pas une substance, elle n'est rien, et, n'étant rien, elle ne saurait requérir aucun acte créateur qui la produise. D'un mot : l'École a raison de dire que l'âme doit être créée ; mais elle ne doit être créée que si elle est vraiment une substance, et elle n'en est vraiment une que si on la conçoit comme Descartes la conçoit. — Cf. *Descartes à* ***, mars 1638, t. II, p. 41, l. 27-p. 42, l 3. *A Regius*, janvier 1642, t. III, p. 505, l. 19-22.

P. **59**, l. **13** : « ... *un pilote en son navire* ... »

C'était une doctrine reçue dans l'École, que l'âme de l'homme est la forme substantielle de son corps, de telle sorte que l'homme ne peut être défini ni le corps à part, ni l'âme à part, ni une âme qui entrerait simplement en con-tact avec le corps sans participer à son mode d'être, mais l'unité substan-tielle composée de l'âme et du corps. On avait coutume, surtout à partir de saint Thomas, de rendre cette vérité plus sensible en critiquant une formule attribuée à Platon, et d'après laquelle l'âme garderait dans le corps dont elle use la même indépendance substantielle que le pilote à l'égard du navire qu'il dirige ; c'est à la critique thomiste de cette formule que Descartes se rallie implicitement en la faisant sienne. — Cf. saint Thomas d'Aquin : « Plato igitur posuit, et ejus sequaces, quod anima intellectualis non unitur corpori sicut forma materiae, sed solum sicut motor mobili, dicens animam esse in corpore sicut nauta est in navi ; et sic unio animae et corporis non esset nisi per contactum virtutis, de quo supra dictum est. Hoc autem videtur inconveniens. Secundum enim praedictum contactum, non fit aliquid unum simpliciter, ut ostensum est. Ex unione autem animae et corporis fit homo. Relinquitur igitur quod homo non sit unum simpliciter, et per consequens nec ens simpliciter, sed ens per accidens. » *Cont. Gentes,* II, 57. — Pour l'origine de la comparaison, attribuée à Platon, voir Aristote, *De anima,* II, 1, 413 *a,* 8-9.

P. **59,** l. **14** : « *... sinon peut-être ...* »

C'est-à-dire : l'hypothèse d'une âme simplement logée dans le corps comme un pilote dans son navire suffirait peut-être à rendre compte de la manière dont l'âme raisonnable meut le corps, mais non de la manière dont elle en pâtit. — Objection scolastique traditionnelle contre la thèse platonicienne ; voir *Index scol.-cartésien,* texte 462, p. 302.

P. **59,** l. **15** : « *... unie plus étroitement ...* »

1° Descartes tient essentiellement à maintenir, avec l'École, la thèse de l'*union substantielle* de l'âme et du corps, d'où résulte cette conséquence capitale que l'homme est un *ens per se,* et non le composé accidentel de deux substances hétérogènes. Cf. « Atque omnino ubicumque occurret occasio, tam privatim quam publice, debes profiteri te credere hominem esse *verum ens per se, non autem per accidens,* et mentem corpori realiter et substantialiter esse unitam, non per situm aut dispositionem, ut habes in tuo ultimo scripto (hoc enim rursus reprehensioni obnoxium st, et meo judicio non verum), sed per verum modum unionis, qualem vulgo omnes admittunt, etsi nulli, qualis sit, explicent, nec ideo etiam teneris explicare ; ... ». *A Regius,* janvier 1642, t. III, p. 493, l. 1-10. D'où l'insistance qu'il apporte à affirmer que l'âme *informe* le corps (*Reg. XII,* t. X, p. 411, l. 17-19. *Princ. phil.,* IV, 189 ; t. VIII, p. 315, l. 23-24) et même à dire qu'elle en est la *forme substantielle* (*à Regius, loc. cit.,* t. III, p. 505, l. 16-18).

2° Cet accord n'est cependant que sur les mots, car Descartes veut maintenir l'union substantielle de l'âme et du corps, enseignée par la scolastique et qu'il juge vraie, sans admettre la conception scolastique ni de l'âme, ni du corps, ni de ce qu'est une forme substantielle. Selon la tradition thomiste dont Descartes conserve la conclusion, au moins *in verbis*, la condition nécessaire pour que l'homme soit une substance et un *ens per se* est que ni le corps pris à part, ni l'âme prise à part ne soient des substances proprement dites. Saint Thomas les définit donc comme des *substances incomplètes*, et c'est précisément parce que l'âme humaine est une substance incomplète qu'elle peut, en s'unissant avec cette autre substance incomplète qu'est le corps, devenir la forme substantielle de cette substance complète qu'est l'homme (voir É. Gilson, *Index scol.-cartésien*, textes 431-432, p. 277-278. *Études de philosophie médiévale*. L'innéisme cartésien et la théologie, p. 146-150). Descartes, au contraire, estime que toute substance, en tant que substance, est complète ; c'est vrai du corps (*à Regius*, juin 1642, t. III, p. 565, l. 15-17) et non moins vrai de l'âme : « Non ignoro quasdam substantias vulgo vocari *incompletas*. Sed si dicantur incompletae, quod per se solae esse non possint, fateor mihi contradictorium videri, ut sint substantiae, hoc est res per se subsistentes, et simul incompletae, hoc est per se subsistere non valentes. Aliter autem dici possunt substantiae incompletae, ita scilicet ut, quatenus sunt substantiae, nihil quidem habeant incompleti, sed tantum quatenus referuntur ad aliquam aliam substantiam, cum qua unum per se componunt. Ita manus est substantia incompleta, cum refertur ad totum corpus cujus est pars ; sed est substantia completa, cum sola spectatur. Et eodem plane modo mens et corpus sunt substantiae incompletae, cum referuntur ad hominem quem componunt ; sed solae spectatae, sunt completae » (*IV*ᵃᵉ *Resp.*, t. VII, p. 222, l. 15-30). L'attitude de Descartes est donc claire : malgré toutes ses précautions de langage *ne Theologi offendantur* (*loc. cit.*, t. III, p. 461, l. 7-8), s'il affirme avec saint Thomas que l'homme est une substance complète, c'est précisément en niant que l'âme et le corps soient des substances incomplètes, ce qui est pourtant, selon saint Thomas, la condition *sine qua non* de cette affirmation.

3º C'est dans le même sens qu'il convient d'interpréter le seul texte où Descartes ait pris à son compte, pour l'attribuer à l'âme, l'épithète de *forme substantielle*. L'âme est forme substantielle du corps, dans la scolastique thomiste, parce qu'elle n'est pas une substance au sens plein du terme, mais l'une des deux parties intégrantes de cette substance qu'est l'homme ; si elle était l'homme, elle ne serait pas sa forme, mais sa substance. Selon Descartes, au contraire, l'*âme est forme substantielle de l'homme précisément parce qu'elle est une vraie substance ;* il affirme donc la conclusion de saint Thomas en donnant aux termes dont elle se compose une signification qui l'exclut. Cf. « Quod confirmatur exemplo Animae, quae est vera forma substantialis hominis ; haec enim non aliam ob causam a Deo immediate creari putatur, quam quia est substantia ; ... » (*à Regius*, janvier 1642, t. III, p. 505, l. 16-19).

P. **59**, l. **16-17** : « ... *des sentiments et des appétits* ... »

Descartes maintenant l'union substantielle de l'âme et du corps, une question nouvelle se pose : qu'y a-t-il de *substantiel* dans une telle union ? Hamelin admet que Descartes s'en est tenu purement et simplement à la conception scolastique de l'union de l'âme et du corps (*Le système de Descartes*, ch. xviii, p. 282-289) ; mais nous venons de voir que l'accord des deux doctrines, touchant le mode de cette union, est purement verbal. — On pourrait alors être tenté d'admettre que Descartes n'a, au contraire, conservé que pour la forme la doctrine de l'union substantielle de l'âme et du corps, et qu'en réalité il n'y croyait pas. Mais cette deuxième hypothèse n'est pas plus solide que la précédente.

1° *Nécessité de l'union substantielle.* — En effet, l'union substantielle de l'âme et du corps, bien loin d'être une thèse de circonstance, est une pièce essentielle de la métaphysique cartésienne. Cette métaphysique est, en effet, tout entière orientée vers la distinction réelle de l'âme et du corps, qui constitue la conclusion capitale de la métaphysique cartésienne et le principe d'une physique où n'interviennent que l'étendue et le mouvement. En fait, les *Méditations métaphysiques* sont entièrement construites en vue d'y aboutir (*II*e *Rép.*, t. VII, p. 131, l. 6-18. Cf. à p. 33, l. 8, 2°), et c'est là manifestement la conclusion de la VIe Méditation ; une physique débarrassée des formes substantielles, êtres mi-corporels et mi-spirituels, est à ce prix. Or :

a) Il ne peut y avoir de distinction réelle qu'entre des êtres qui existent réellement ; la distinction réelle de l'âme et du corps postule donc l'existence réelle des corps. D'autre part, le principe premier de la philosophie cartésienne est le *Cogito*, qui nous fait saisir une substance pensante et nullement étendue ; il faut donc trouver dans la pensée de quoi affirmer l'existence réelle de l'étendue, c'est-à-dire trouver dans le contenu de la pensée quelque chose qui postule l'existence réelle d'un monde extérieur comme cause. Ce ne peut être l'idée de la pensée, ni même celle de l'étendue, car la pensée étant plus parfaite que l'étendue, elle pourrait en contenir éminemment l'idée et la tirer d'elle-même (ce qu'elle fait d'ailleurs, puisque l'idée de l'étendue est innée). Ce ne peut être non plus l'*image* de l'étendue, car cette image reste entièrement intelligible, comme le prouve l'existence de la Géométrie : il suffit donc, pour en rendre compte, de supposer un contact entre l'âme et le corps, ou une « considération » du corps par l'âme, sans recourir à leur union. Mais il y a deux faits qui attestent que l'âme est en rapport intime avec le corps : c'est que les sensations sont imposées à l'âme du dehors, si bien que, sous ce rapport, elle ne rend pas suffisamment compte de son propre contenu ; et c'est qu'ensuite la nature même de ces sensations, qui sont des états confus et non intelligibles, ne s'explique ni par l'âme seule, ni par l'étendue seule, substances intelligibles l'une et l'autre. Si donc nous

voulons rendre raison de la présence du sensible dans une âme qui est pensée
pure, il faut nécessairement admettre qu'elle est en relation avec le corps
d'une manière telle que sa substance (mais non sa nature) en soit affectée.
Sa substance, puisqu'étant intelligible elle produit alors du sensible ; mais
non sa nature, puisque de la pensée confuse reste de la pensée. L'union
substantielle de l'âme et du corps, seule raison suffisante des états sensibles,
est ainsi la preuve de l'existence de notre corps et, par là même, de tous les
autres corps qui agissent sur lui.

  b) On observera, en outre, que le cartésianisme tout entier n'a de sens
que si l'âme et le corps sont substantiellement unis. La raison d'être du système est, en effet, de nous réapprendre à penser l'étendue, comme si notre
âme n'était pas substantiellement unie au corps et aveuglée par le sensible
qui résulte de cette union. C'est parce que l'âme et le corps sont substantiellement unis que les hommes se sont représenté le monde extérieur comme
constitué par des *qualités* analogues à leurs sensations ou des *formes* analogues
à leurs âmes (*VI^{ae} Resp.*, t. VII, p. 441, l. 23-p. 442, l. 29) et que la physique
scolastique s'est constituée. Inversement, la physique du sensible, fondée par
Aristote, ne se fût jamais constituée, et l'homme serait venu au monde spontanément cartésien si son âme ne s'était trouvée substantiellement unie à
son corps. N'en étant pas la forme, elle n'aurait jamais perçu de qualités ; sa
pensée aurait lu dans son corps les mouvements de la matière et les modifications de figure d'où résultent les sensations, au lieu d'en pâtir, mais, alors
aussi, point n'eût été besoin d'une métaphysique spécialement destinée à
mettre en évidence la distinction de l'âme et du corps : « nec ideo etiam
teneris explicare (*scil.* unionem) sed tamen potes, ut ego in Metaphysicis
(*scil. Medit. VI^a*, t. VII, p. 78, l. 21-p. 81, l. 27), per hoc, quod percipiamus
sensus doloris, aliosque omnes, non esse puras cogitationes mentis a corpore
distinctae, sed confusas illius realiter unitae perceptiones : si enim Angelus
corpori humano inesset, non sentiret ut nos, sed tantum perciperet motus
qui causarentur ab objectis externis, et per hoc a vero homine distingueret-
tur » (*à Regius*, janvier 1642, t. III, p. 493, l. 9-17). Ainsi l'union substantielle est si réelle dans le cartésianisme que, sans elle, le système n'aurait
aucune raison d'exister.

  2° *Possibilité de l'union.* — Reste à savoir si cette union substantielle
que requiert le système y est concevable? Elle y reste possible, mais non
concevable ; en effet, toute la métaphysique de Descartes tend à nous
faire concevoir la pensée et l'étendue comme deux substances réellement
distinctes et qui, à ce titre, s'excluent réciproquement ; leur accouplement
peut donc être la *composition* de deux natures distinctes et dont chacune
reste ce qu'elle est, non l'altération de l'une de ces natures qui deviendrait
quelque chose de ce que l'autre est (*VI^{ae} Resp.*, t. VII, p. 423, l. 25-p. 424,
l. 6 ; t. VII, p. 444, l. 10-25). Reste donc, comme contenu positif de notre

notion d'une union substantielle de l'âme et du corps : *a)* le fait même et la constatation en quelque sorte expérimentale de cette union ; et comme rien ne permet de la déduire soit de l'idée de pensée, soit de l'idée d'étendue, nous ne pouvons que la considérer comme un principe irréductible en son genre (*à Élisabeth*, 28 juin 1643, t. III, p. 691, l. 26-p. 692, l. 10, et p. 694, l. 15-p. 695, l. 3) ; elle s'éprouve, mais ne se représente pas ; *b)* en outre, le fait ainsi constaté demeure susceptible d'une explication métaphysique, savoir : la toute-puissance de Dieu ; puisqu'en effet rien, dans aucune de ces deux substances, ne requiert son union avec l'autre, et que cependant elles sont unies, c'est que Dieu a effectué cette union ; nous trouvons là, d'ailleurs, la garantie la plus sûre que, tout en étant unies, elles restent distinctes, puisque, l'union que Dieu a voulue, Dieu pourra toujours la dissocier (*VIᵈᵉ Resp.*, t. VII, p. 444, l. 25-p. 445, l. 6). — Cf. Étienne Gilson, *Descartes et la métaphysique scolastique*, 1ʳᵉ et 6ᵉ leçons, Rev. de l'Université de Bruxelles, 1924, nᵒ 2. — *Spinoza interprète de Descartes. La preuve cartésienne de l'existence des corps*, Chronicon Spinozanum, 1923, p. 68-87.

P. **59**, l. **17-18** : « ... *un vrai homme* ... »

C'est-à-dire : une substance complète, formée de l'union réelle d'un corps et d'une âme, et non une âme qui ne ferait que se servir d'un corps. — Voir à p. 59, l. 13.

P. **59**, l. **20** : « ... *de ceux qui nient Dieu* ... »

Pour l'opposition constante de Descartes à l'athéisme, voir : *à Mersenne*, 15 avril 1630, t. I, p. 144, l. 24-p. 145, l. 4. *Au même*, 6 mai 1630, t. I, p. 148, l. 2-p. 149, l. 20. *Au même*, 25 novembre 1630, t. I, p. 181, l. 24-p. 182, l. 24. *A l'Université de Groningue*, 17 février 1645, t. IV, p. 177-178.

P. **59**, l. **24** : « ... *de même nature* ... »

L'argument invoqué par les libertins contre l'immortalité de l'âme était considéré comme difficile à renverser, non seulement par les libertins, mais même par certains des apologistes, leurs adversaires. Un ami de Descartes, Silhon, ne fait pas difficulté de l'avouer dans son ouvrage : *Les deux vérités de Silhon, l'une de Dieu et de sa providence, l'autre de l'immortalité de l'âme* (Paris, L. Sonnius, 1626) : « La racine de ces difficultés est la constitution de l'homme et la ressemblance que nos âmes ont en quelque chose avec celles des bêtes » (p. 258). Toute la seconde partie de l'ouvrage s'embarrasse en de multiples distinctions pour discerner ce qui différencie les deux sortes d'âmes, et finit par envisager l'immortalité de l'âme des bêtes, pour mieux défendre celle de l'âme humaine : « Demandons-leur donc ... qu'ils nous montrent par la lumière de la nature, je dis claire et indubitable, que Dieu ait fait dessein de relâcher son influence conservative des âmes humaines [attitude très voisine de celle de Descartes], à même qu'elles se séparent des corps ; s'ils veulent dire qu'il est assez visible qu'elles sont de même condition que celles des bêtes, qui sont mortelles ; que la Bible même, que nous tenons pour la règle infaillible de notre créance, l'assure par ces paroles : *qui sait si la mort de l'homme et de la bête n'est pas semblable?* Si nous venions à leur nier que les âmes des bêtes fussent mortelles, peut-être les rendrions-nous bien sots et les mettrions-nous aux termes de nous demander la courtoisie (*scil.* demander grâce). Et, de fait, la même difficulté remonte, car, puisque Dieu pourrait conserver éternellement les âmes des bêtes, qu'ils nous fassent voir par la lumière de la raison qu'il n'en a pas la volonté ! » (p. 277-278). En présence de ces arguments désespérés, Descartes pouvait éprouver l'impression d'être un libérateur, puisque supprimer l'âme des bêtes équivalait à supprimer la question.

Sur Descartes apologiste, le meilleur point de départ est H. Gouhier, *La pensée religieuse de Descartes*, Paris, J. Vrin, 1924 ; spécialement p. 20-35, p. 180-200. — Cf. Alf. Espiñas, *Descartes et la morale*, Paris, 1925 ; t. I, l. II, ch. IV, p. 58-94.

P. **59**, l. **27-28** : « ... *combien elles diffèrent* ... »
Voir plus loin, à p. 60, l. 2-3, 1°.

P. **60**, l. **1** : « ... *qui la détruisent* ... »
Sauf la volonté souveraine de Dieu ; or, il nous a révélé qu'il ne le ferait pas. Voir note suivante, 2°.

P. **60**, l. **2-3** : « ... *qu'elle est immortelle* ... »
1° *Possibilité de l'immortalité.* — L'étude des textes cartésiens relatifs au problème de l'immortalité laisse parfois l'esprit dans l'indécision, parce que Descartes y affirme constamment qu'il démontre l'immortalité de l'âme, sans que cependant il en apporte aucune démonstration directe et fasse autre chose que présenter cette conclusion comme un corollaire de sa métaphysique. Pour lever cette indécision, il faut comprendre que Descartes éprouva toujours l'impression d'*apporter pour la première fois une idée de l'âme capable d'en garantir l'immortalité*. Dès lors, son attitude se conçoit aisément : la scolastique attribue à l'âme une nature telle que sa survie devient très peu vraisemblable ; le seul fait de rétablir l'âme dans la pureté de sa nature constituait donc à ses yeux un progrès décisif sur la philosophie de l'École et la garantie la plus sûre de notre immortalité. Ce point de vue, défini par Descartes à plusieurs reprises, l'est d'une manière particulièrement nette dans la lettre *à Plempius* (3 octobre 1637, t. I, p. 414, l. 6-p. 416, l. 2), où il montre que sa distinction réelle de l'âme et du corps, avec le rejet des formes substantielles et des âmes végétatives qui en résulte, rend

impossible d'assimiler la nature de l'homme à celle des animaux. Or, cette certitude de l'absolue spiritualité de l'âme, que la métaphysique cartésienne est seule à nous apporter, est aussi la preuve irréfutable que l'âme peut subsister à part du corps et n'est pas nécessairement entraînée dans sa destruction ; l'École, au contraire, qui lie l'âme au corps comme une substance incomplète à une autre substance incomplète, ne permet pas de concevoir comment une partie qui ne se suffit pas à elle-même peut cependant subsister à part. La substantialité complète de l'âme étant établie pour la première fois par les *Méditations métaphysiques*, Descartes devait nécessairement penser que sa philosophie rendait pour la première fois légitime l'assertion de notre immortalité.

2º *Sa réalité*. — Le cartésianisme prouve donc que l'immortalité de l'âme est *possible*, et il est seul à le faire ; mais ni lui ni aucune autre philosophie ne peut établir le *fait* de l'immortalité. L'âme ne subsistera après le corps que si Dieu la conserve ; on peut espérer qu'il la conservera ; on ne saurait le prouver : « Pour ce que vous dites, que je n'ai pas mis un mot de l'Immortalité de l'Ame, vous ne vous en devez pas étonner ; car je ne saurais pas démontrer que Dieu ne la puisse annihiler, mais seulement qu'elle est d'une nature entièrement distincte de celle du corps, et par conséquent qu'elle n'est point naturellement sujette à mourir avec lui, qui est tout ce qui est requis pour établir la religion ; et c'est aussi tout ce que je me suis proposé de prouver » (*à Mersenne*, 24 décembre 1640, t. III, p. 265, l. 28-p. 266, l. 8). L'équivalence entre *immatérialité* et *immortalité* semblait d'abord à Descartes si manifeste — la foi prolongeant ici la raison — qu'il avait intitulé la première édition de sa métaphysique : *Meditationes de prima philosophia, in qua Dei existentia et animae immortalitas demonstratur* (*sic*) ; la deuxième édition tiendra compte de cette nuance et portera comme titre : *Meditationes … in quibus Dei existentia et animae humanae a corpore distinctio demonstrantur* (t. III, p. 266, note *a*). Les expressions dont il use dans l'*Epistola* qui précède les *Méditationes* (t. VII, p. 1, l. 7-p. 3, l. 28) et dans la *Synopsis* (t. VII, p. 13, l. 25-p. 14, l. 17) définissent clairement sa position sur cette importante question : l'âme peut subsister seule et, quant à ce qui est de son essence propre, il n'y a aucune raison pour qu'elle soit détruite lorsque le corps se détruit ; la seule cause de destruction que l'on puisse imaginer est que Dieu veuille la détruire ; le dernier mot sur ce point reste donc à la Révélation, et, comme c'est l'immortalité de l'âme qu'elle nous enseigne, nous n'avons aucune raison d'en douter. — Cf. *II*ᵃᵉ *Resp.*, t. VII, p. 153, l. 1-p. 154, l. 8.

3º *État de l'âme après la mort*. — Descartes est plus réservé encore sur cette question que sur le fait pur et simple de l'immortalité : « Pour ce qui regarde l'état de l'âme après cette vie, j'en ai bien moins de connaissance que M. d'Igby ; car, laissant à part ce que la foi nous enseigne, je confesse que, par la seule raison naturelle, nous pouvons bien faire beaucoup de conjectures à notre avantage et avoir de belles espérances, mais non point aucune assurance. Et pour ce que la même raison naturelle nous apprend aussi que nous avons toujours plus de biens que de maux en cette vie, et que nous ne devons point laisser le certain pour l'incertain, elle me semble nous enseigner que nous ne devons pas véritablement craindre la mort, mais que nous ne devons aussi jamais la rechercher » (*à Élisabeth*, 3 novembre 1645, t. IV, p. 333, l. 8-20. Cf. 1ᵉʳ septembre 1645, t. IV, p. 282, l. 24-29). Descartes est un peu plus précis, et touche quelque chose des fins dernières, dans sa belle lettre *à Huygens* (13 octobre 1642, t. III, p. 579, l. 21-p. 580, l. 30) ; mais il s'y avoue plus sensible à ce que sa raison comprend qu'à ce que la foi lui enseigne, et ce sont là sujets dont il a de bonnes raisons de ne point parler (*à Chanut*, 1ᵉʳ novembre 1646, t. IV, p. 536, l. 21-p. 537, l. 7).

SIXIÈME PARTIE

P. **60**, l. **4** : « *Sixième Partie.* »

Le texte latin ajoute en marge : « Quid requiri putet Author, ad ulterius progrediendum in Naturae perscrutatione, quam hactenus factum sit ; et quae rationes ipsum ad scribendum impulerint » (t. VI, p. 573). Titre emprunté au résumé français, p. 1, l. 14-16.

P. **60**, l. **4** : « ... *maintenant trois ans* ... »

C'est-à-dire : vers le mois de juillet 1633. Cf. *à Mersenne*, 5 avril 1632, t. I, p. 242, l. 1-p. 243, l. 3, et p. 248, l. 6-7. Et : « Mon Traité est presque achevé, mais il me reste encore à le corriger et à le décrire (*scil.* le mettre au net) ; et pour ce qu'il ne m'y faut plus rien chercher de nouveau, j'ai tant de peine à y travailler que si je ne vous avais promis, il y a plus de trois ans, de vous l'envoyer dans la fin de cette année, je ne crois pas que j'en pusse de longtemps venir à bout ; mais je veux tâcher de tenir ma promesse » (*à Mersenne*, 22 juillet 1633, t. I, p. 268, l. 13-20). La rédaction du *Discours* s'étant prolongée jusque vers mars 1636 (*à Mersenne*, mars 1636, t. I, p. 339, l. 25 et suiv.), c'est bien en 1633 que Descartes était « parvenu à la fin du traité ».

P. **60**, l. **7-8** : « ... *des personnes* ... »

C'est-à-dire : les membres du Saint-Office, juges en matière d'orthodoxie doctrinale.

P. **60**, l. **8** : « ... *dont l'autorité* ... »

Autorité qui leur appartient en tant que représentants de l'Église catholique, dont Descartes est membre. — Cf. « ... étant très zélé à la Religion Catholique, j'en révère généralement tous les chefs. » *A Mersenne*, décembre 1640, t. III, p. 259, l. 2-4, passage qui vise directement l'interdiction d'enseigner le mouvement de la Terre.

P. **60**, l. **9** : « ... *sur mes actions* ... »

En vertu de la distinction posée par la IIe Partie (p. 14, l. 27 et suiv.) et

intégrée à la morale provisoire (IIIᵉ Partie, p. 22, l. 30 et suiv.), qui veut que
nos jugements ne se conforment qu'à la raison dans l'ordre individuel et
théorique, mais que nos actions se conforment d'abord à la loi politique et
religieuse dans l'ordre pratique et social.

P. **60**, l. **11-12** : « ... *par quelque autre* ... »

C'est-à-dire : avaient condamné la théorie du mouvement de la Terre,
proposée par Galilée dans ses *Massimi Sistemi*, en 1632. — Voir t. I, p. 272-
273, note, et le texte cité par Descartes lui-même, *à Mersenne*, 14 août 1634,
t. I, p. 306, l. 1-17. — Sur l'ensemble de la question, voir Ch. Adam, *Vie de
Descartes*, t. XII, p. 165-179.

P. **60**, l. **12-13** : « ... *que je fusse* ... »

L'interprétation de ce passage soulève quelques difficultés, et l'on est parfois allé jusqu'à le reprocher au philosophe comme un manque de courage.
On observera toutefois :

1º Il n'y a pas l'ombre d'un doute que Descartes n'ait été, dès le début, un
partisan convaincu du mouvement de la Terre ; nous le savons par le fragment
du *Monde* qui nous a été conservé (t. XI, p. 69, l. 18-25), et Descartes écrivit
d'ailleurs à Mersenne, dès qu'il connut la condamnation de Galilée : « Car je
ne me suis pu imaginer que lui, qui est Italien, et même bien voulu du Pape,
ainsi que je l'entends, ait pu être criminalisé pour autre chose, sinon qu'il
aura sans doute voulu établir le mouvement de la Terre, lequel je sais bien
avoir été autrefois censuré par quelques Cardinaux (*scil.* le 24 février et le
5 mars 1616) ; mais je pensais avoir ouï dire que depuis on ne laissait pas de
l'enseigner publiquement, même dans Rome ; et je confesse que s'il est faux
tous les fondements de ma Philosophie le sont aussi, car il se démontre par
eux très évidemment. Et il est tellement lié avec toutes les parties de mon
Traité, que je ne l'en saurais détacher sans rendre le reste tout défectueux. »
A Mersenne, fin novembre 1633, t. I, p. 271, l. 2-14. — Cf. *à Mersenne*, avril
1634, t. I, p. 285, l. 11-20. *Au même*, décembre 1640, t. III, p. 258, l. 19-21.

2º Ceci posé, on ne peut comprendre l'attitude de Descartes dans le *Discours* que si l'on prend en considération le but qu'il visait en composant cet
ouvrage. Le *Monde* n'a pas été publié, parce qu'il était impossible de le
faire sans professer publiquement une opinion que Descartes avait des raisons morales de ne pas publier ; mais le *Discours* n'a pas d'autre fin que de
déterminer un changement d'opinion à Rome, d'agir sur les autorités qui
peuvent exercer leur influence auprès du Saint-Office et d'y créer un état
d'esprit tel que la publication du *Monde* puisse enfin se faire sans que l'ouvrage soit exposé à une solennelle condamnation. Il eût été dès lors franchement absurde de la part de Descartes de publier comme sienne, dans le
Discours, l'opinion même qu'il n'avait pas voulu publier dans le *Monde*,

puisqu'il n'écrivait le *Discours* que pour pouvoir ensuite l'y publier. Son point de vue serait donc le suivant : ma morale laisse toute liberté à ma pensée dans le domaine théorique, mais m'interdit d'innover en matière politique ou religieuse ; elle suppose donc que je suis capable de discerner sans erreur ce qui relève de l'ordre individuel et ce qui relève de l'ordre social : or, la théorie du mouvement de la Terre est considérée comme novatrice en matière religieuse, sans que je parvienne à comprendre pourquoi ; donc, que je la croie vraie ou non, je ne la professe pas ; et même je ne professe plus rien, puisque, d'une part, je n'ai plus de critérium de ce qui est opinion libre et de ce qui ne l'est pas, et que, d'autre part, dans un système où tout se tient comme est le mien, si une doctrine est fausse le système est faux tout entier. — Cf. *à Mersenne*, avril 1634, t. I, p. 288, l. 4-21.

3⁰ Pour l'artifice d'exposition qui permit plus tard à Descartes de soutenir la translation de la Terre tout en niant son mouvement, voir *Princ. phil.*, III, 16-19 ; t. VIII, p. 85, l. 14-p. 86, l. 10. Et III, 26-29 : « Terram in coelo suo quiescere, sed nihilominus ab eo deferri ; » t. VIII, p. 89, l. 23-p. 92, l. 9. — Cf. *à* ***, t. V, p. 550, l. 8-30.

P. **60**, l. **15** : « ... *ni à la Religion ni à l'Etat* ... »
Voir plus haut, à p. 22, l. 30.

P. **60**, l. **23** : « ... *au désavantage* ... »
C'est-à-dire : qui puissent être une cause de trouble pour qui que ce soit. — On observera la nuance entre les opinions que Descartes « reçoit », c'est-à-dire qui sont vraies, et celles qu'il « écrit », c'est-à-dire qui, non seulement sont vraies, mais incapables de porter aucun trouble dans l'ordre social ni religieux.

P. **60**, l. **24** : « ... *été suffisant* ... »
En réalité, beaucoup d'autres préoccupations concernant l'orthodoxie religieuse de son *Monde* semblent s'être accumulées pour peser sur la décision de Descartes. En ce qui concerne l'accord avec la Genèse, voir plus haut, à p. 42, l. 19. Sur l'infinité du monde, voir *à Mersenne*, 18 décembre 1629, t. I, p. 85, l. 7-p. 86, l. 8. Sur l'accord de sa théorie des couleurs avec la Transsubstantiation : *à Mersenne*, 25 novembre 1630, t. I, p. 179, l. 19-26.

P. **60**, l. **24** : « ... *pour m'obliger* ... »
C'est-à-dire (au même sens que plus loin, p. 61, l. 9-10) : pour me faire une obligation de conscience. — Cf. « ... j'ai voulu entièrement supprimer le Traité que j'en avais fait et perdre presque tout mon travail de quatre ans, pour rendre une entière obéissance à l'Église, en ce qu'elle a défendu le mou-

vement de la terre. » *A Mersenne*, février 1634, t. I, p. 281, l. 12-18. Et *au même*, fin novembre 1633, t. I, p. 271, l. 14-18.

P. **60**, l. **24** : « ... *changer la résolution* ... »

Ce changement fut instantané, et, bien qu'il fût favorisé par le peu d'inclination que Descartes éprouvait pour la publication de son *Monde* (voir à p. 60, l. 28), son caractère radical témoigne du trouble profond que le philosophe dut ressentir en apprenant cette nouvelle : « J'en étais à ce point, lorsque j'ai reçu votre dernière de l'onzième de ce mois, et je voulais faire comme les mauvais payeurs, qui vont prier leurs créanciers de leur donner un peu de délai, lorsqu'ils sentent approcher le temps de leur dette. En effet, je m'étais proposé de vous envoyer mon *Monde* pour ces étrennes, et il n'y a pas plus de quinze jours que j'étais encore tout résolu de vous en envoyer au moins une partie, si le tout ne pouvait être transcrit en ce temps-là ; mais je vous dirai que, m'étant fait enquérir ces jours à Leyde et à Amsterdam si le *Système du Monde* de Galilée n'y était point, à cause qu'il me semblait avoir appris qu'il avait été imprimé en Italie l'année passée, on m'a mandé qu'il était vrai qu'il avait été imprimé, mais que tous les exemplaires en avaient été brûlés à Rome au même temps, et lui condamné à quelque amende : ce qui m'a si fort étonné (*scil.* au sens fort du terme ; cf. Huguet, p. 151) que je me suis quasi résolu de brûler tous mes papiers, ou du moins de ne les laisser voir à personne. » *A Mersenne*, fin novembre 1633, t. I, p. 270, l. 1-p. 271, l. 2. — Cf. *au même*, février 1634, t. I, p. 281, l. 12-p. 282, l. 17. *Au même*, avril 1643, t. I, p. 285, l. 1-p. 286, l. 7.

P. **60**, l. **27** : « ... *mon inclination* ... »

C'est-à-dire : ma disposition d'esprit. Cf. *Dictionnaire de l'Académie* (1694) : « *Inclination.* Disposition et pente naturelle à quelque chose. » T. I, p. 308.

P. **60**, l. **28** : « ... *de faire des livres* ... »

Cette « inclination » n'est pas une défaite inventée par Descartes pour la circonstance. Si, en effet, la rédaction du *Monde* n'avait pas été retardée par son dégoût pour le travail de rédaction, le traité se fût trouvé publié avant que Descartes ne connût la condamnation de Galilée. Sa correspondance avec Mersenne pendant les années 1629-1633 abonde en témoignages de cet état d'esprit. — Cf. « ... j'y travaille fort lentement, pour ce que je prends beaucoup plus de plaisir à m'instruire moi-même que non pas à mettre par écrit le peu que je sais... Au reste, je passe si doucement le temps en m'instruisant moi-même que je ne me mets jamais à écrire en mon traité que par contrainte, ..., mais c'est que j'ai plus de soin et crois qu'il est plus important que j'apprenne ce qui m'est nécessaire pour la conduite de ma vie, que non pas que je m'amuse à publier le peu que j'ai appris » (*à Mersenne*, 15 avril

1630, t. I, p. 136, l. 27-p. 138, l. 14). — « Et je ne pense pas après ceci me résoudre jamais plus de faire rien imprimer, au moins moi vivant ... » (*au même*, 25 novembre 1630, t. I, p. 179, l. 14-16). — Cf. *à Mersenne*, 5 avril 1632, t. I, p. 243, l. 3-8, et le texte cité plus haut, à p. 60, l. 4. — « Je n'ai jamais eu l'humeur portée à faire des livres, ... » *A Mersenne*, fin novembre 1633, t. I, p. 271, l. 18-19.

P. 60, l. **30** : « ... *de part et d'autre* ... »
Ceci indique le plan des pages qui suivent ; les raisons pour sont exposées p. 61, l. 3-p. 65, l. 25 ; les raisons contre, p. 65, l. 26-p. 74, l. 2.

P. 61, l. **2** : « ... *le public* ... »
Texte latin : « ... reipublicae litterariae ... » (t. VI, p. 574).

P. 61, l. **3** : « ... *fait beaucoup d'état* ... »
Voir plus haut, à p. 9, l. 8-9.

P. 61, l. **4** :.« ... *pendant que* ... »
C'est-à-dire : aussi longtemps que.

P. 61, l. **12-13** : « ... *que de têtes* ... »
Allusion au dicton : *quot capita, tot sensus*.

P. 61, l. **14** : « ... *pour souverains* ... »
Voir IIe Partie, p. 14, l. 27 et suiv.

P. 61, l. **15** : « ... *assez de grâce* ... »
Cf. IIe Partie, p. 15, l. 9-10.

P. 61, l. **15-16** : « ... *pour être prophètes* ... »
Au sens moral du terme, c'est-à-dire : pour exhorter les autres à se convertir et à embrasser une nouvelle vie. La vertu par excellence du prophète ainsi entendu est le zèle, c'est-à-dire l'ardeur contre le mal que lui inspire son amour jaloux de Dieu. Cf. la parole constamment citée de l'Écriture (*Ps.* 68, 10. Jean, 2, 17) : *zelus domus tuae comedit me*. Il était, en effet, unanimement admis par les théologiens que la prophétie est un don surnaturel de Dieu (S. Thomas, *Sum. Theol.*, II^a-II^{ae}, qu. 171, art. 2, Concl.).

P. 61, l. **20** : « ... *touchant la Physique* ... »
1° Ce passage, extrêmement remarquable, bien que peu remarqué, nous révèle un moment décisif dans la vie intellectuelle de Descartes. Sa vocation

philosophique du 10 novembre 1619 avait été de nature purement spéculative et personnelle, car la tâche de constituer le système des sciences dont
l'unité venait de lui être révélée ne lui imposait d'obligations qu'à l'égard de
lui-même. Il a donc fallu qu'en un deuxième moment Descartes prît conscience du devoir qui lui incombait de devenir auteur (ce qui était si loin de
ses goûts et de sa profession) pour propager ses découvertes parmi le public.
Or, le sentiment de cette nouvelle mission se trouve lié dans sa pensée au
devoir de réformer, non les idées philosophiques ou morales des hommes
prises en elles-mêmes, mais les conditions matérielles de vie qui sont celles
de son temps. Les Princes ont seuls autorité pour régler la vie sociale ; le
Pape et les Conciles ont seuls autorité pour enseigner la vérité religieuse ;
mais n'a autorité pour procurer le bien-être matériel de l'humanité que celui
qui découvre les moyens d'assurer ce progrès et qui connaît seul la vérité
scientifique, sans laquelle on ne saurait y parvenir. Le devoir de propager
parmi le public sa philosophie est donc lié, dans la pensée de Descartes, au
pressentiment des transformations que sa physique devait introduire dans
les conditions matérielles de la vie moderne ; notre époque, marquée par le
triomphe de l'ingénieur, serait chère à son cœur, et rien ne l'y passionnerait
davantage que le nombre sans cesse accru des *automates* dont les hommes se
servent aujourd'hui pour se soigner, se transporter, manufacturer leurs produits ou communiquer entre eux. Par cet aspect, l'œuvre de Descartes participe à la préoccupation fondamentale qui avait suscité l'*Instauratio magna*
de Francis Bacon et sa *New Atlantis ;* mais ce qui inspire la philosophie de
Bacon n'inspire que la publication de la philosophie de Descartes.

2° L'historicité de ce passage est entièrement confirmée par le témoignage
de Clerselier, que Baillet nous a transmis. Après la fameuse dispute de Descartes contre le sieur de Chandoux (voir à p. 30, l. 18) : « Le cardinal de
Bérulle sur tous les autres [*en marge : Mémoire manuscrit de Claude Clerselier*, Ibid.] goûta merveilleusement tout ce qu'il en avait entendu et pria
M. Descartes qu'il pût l'entendre encore une autre fois sur le même sujet en
particulier. M. Descartes, sensible à l'honneur qu'il recevait d'une proposition si obligeante, lui rendit visite peu de jours après et l'entretint des premières pensées qui lui étaient venues sur la Philosophie, après qu'il se fût
aperçu de l'inutilité des moyens qu'on emploie communément pour la traiter. Il lui fit entrevoir les suites que ces pensées pourraient avoir, si elles
étaient bien conduites, et l'utilité que le public en retirerait, si l'on appliquait sa manière de philosopher à la Médecine et à la Mécanique, dont l'une
produirait le rétablissement et la conservation de la santé, l'autre la diminution et le soulagement des travaux des hommes. Le Cardinal n'eut pas de
peine à comprendre l'importance du dessein : et, le jugeant très propre pour
l'exécuter, il employa l'autorité qu'il avait sur son esprit pour le porter à
entreprendre ce grand ouvrage. Il lui en fit même une obligation de cons-

cience, sur ce qu'ayant reçu de Dieu une force et une pénétration d'esprit avec des lumières sur cela qu'il n'avait point accordées à d'autres, il lui rendrait un compte exact de l'emploi de ses talents et serait responsable devant ce juge souverain des hommes du tort qu'il ferait au genre humain en le privant du fruit de ses méditations [*en marge* : Clerselier, Ibid.]. Il alla même jusqu'à l'assurer qu'avec des intentions aussi pures et une capacité d'esprit aussi vaste que celle qu'il lui connaissait, Dieu ne manquerait pas de bénir son travail et de le combler de tout le succès qu'il en pourrait attendre » (Baillet, t. I, p. 164-165 ; dans Ch. Adam, *Vie de Descartes*, t. I, p. 96-97, note). Descartes partit pour la Hollande immédiatement après (1628) ; c'est donc bien sous l'influence d'une préoccupation de cet ordre qu'il entreprit la rédaction de sa philosophie dans l'intention de la communiquer au public.

P. **61** , l. **21-22** : « ... *difficultés particulières* ... »

C'est-à-dire, selon toute probabilité : les problèmes d'optique, à la solution desquels se trouvait liée la construction des lunettes. Voir plus haut, à p. 29, l. 26.

P. **61**, l. **27-28** : « ... *de tous les hommes* ... »

Voir note précédente, 2° et, plus loin, p. 66, l. 18-21.

P. **61**, l. **31** : « ... *dans les écoles* ... »

Voir *Epistola ad G. Voetium*, t. VIII, p. 26, l. 7-14.
Cf. Fr. Bacon : *Cogitata et visa*, Ell. et Sped., III, 601 ; dans A. Lalande, *art. cité*, Rev. de Métaph. et de Morale, mai 1911, p. 304. Et le texte de l'*Instauratio magna*, Praef., cité, Ibid., p. 305.

P. **62**, l. **1** : « ... *une pratique* ... »

Cf. Fr. Bacon : « Meta autem scientiarum vera et legitima non alia est quam ut dotetur vita humana novis inventis et copiis. » *Instauratio magna*, Distrib. operis ; Ell. et Sped., I, 135 ; dans A. Lalande, *art. cité*, p. 304.

P. **62**, l. **1** : « ... *la force* ... »

C'est-à-dire : le pouvoir. — Cf. *Dictionnaire de l'Académie* (1694) : « *La force de la vérité*, pour dire le pouvoir que la vérité a sur l'esprit des hommes ».

P. **62**, l. **1-2** : « ... *et les actions* ... »

C'est-à-dire : la manière dont ils agissent. — Cf. *Dictionnaire de l'Académie* (1694) : « *Action*, manière dont une cause agit, et par laquelle elle produit son effet. *L'action du feu réduit le bois en cendres.* » T. I, p. 17. — La phrase entière signifie donc : connaissant le pouvoir du feu, de l'eau, etc..., et la manière dont ils produisent leurs effets.

P. **62**, l. **4-5** : « ... *les divers métiers* ... »

C'est-à-dire : les diverses techniques dont usent nos artisans. Texte latin :
« ... diversas opificum nostrum artes ... » (t. VI, p. 574).

P. **62**, l. **7-8** : « ... *maîtres et possesseurs de la Nature.* »

Descartes annexe ici à sa propre doctrine l'idéal baconien de la science. —
Cf. « Homo enim naturae minister et interpres tantum facit et intelligit quantum de naturae ordine, opere vel mente observaverit, nec amplius scit aut
potest ... Itaque intentiones geminae illae, humanae scilicet *scientiae* et *po-
tentiae*, in idem coïncidunt, et frustratio operum maxime fit ex ignoratione
causarum » (*Instauratio magna*, Ell. et Sped., I, 144 ; dans A. Lalande, *art.*
cité, p. 304-305). — « Ut tandem (tanquam curatores probi et fideles) trada-
mus hominibus fortunas suas, emancipato intellectu et facto tanquam majore ; unde necesse est sequi emendationem status hominis et ampliationem
potestatis ejus super naturam. » *Nov. Organum,* II, 52 ; Ell. et Sped., I,
364-365.

P. **62**, l. **9** : « ... *infinité d'artifices* ... »

Descartes s'est fréquemment préoccupé de la construction de machines et
d'engins destinés à faciliter le travail de l'homme. Par exemple : *Explication*
des engins par l'aide desquels on peut avec une petite force lever un fardeau fort
pesant, t. I, p. 435, l. 18-p. 447, l. 19 ; notamment la remarque p. 447, l. 4-16.
— Pour les lunettes, *La Dioptrique,* Discours Ier ; t. VI, p. 81, l. 1-19. Discours IX-X ; t. VI, p. 196-227 (et *Œuvres complètes,* Index, art. Lunettes). —
Miroirs elliptiques : *Villebressieu à Descartes,* t. I, p. 211, l. 1-20. — Descartes
paraît d'ailleurs avoir songé, vers la fin de sa vie (1648), à organiser une
sorte d'École des Arts et Métiers, fondée sur le principe d'une étroite collabo-
ration entre les savants et les artisans (Baillet, II, 433-434 ; reproduit t. XI,
p. 659-660).

P. **62**, l. **12** : « ... *principalement aussi* ... »

Sur cette importance prépondérante de la médecine dans les préoccupations de Descartes, cf. : « La conservation de la santé a été de tout temps le
principal but de mes études, ... ». *Au marquis de Newcastle,* octobre 1645,
t. IV, p. 329, l. 16-17.

P. **62**, l. **14-15** : « ... *de cette vie* ... »

Cf. à *Élisabeth,* mai-juin 1645, t. IV, p. 220, l. 15-19.

P. **62**, l. **18** : « ... *communément* ... »

Supprimé dans le texte latin (t. VI, p. 575).

P. **62**, l. **19-20** : « *... dans la Médecine ...* »

On peut considérer le *Traité des Passions* comme le meilleur commentaire de ce passage ; Descartes y montre, en effet, comment on parvient à connaître les passions à partir de la distinction de l'âme et du corps, à en assigner les véritables causes physiologiques, à les dénombrer et à les classer, jusqu'à ce que l'on déduise enfin de leur connaissance « un remède général contre les Passions » (III, 211 ; t. XI, p. 485-488). — On notera d'ailleurs que Descartes ne méconnaît aucunement l'action inverse de l'âme sur le corps et que, s'il fonde la technique morale sur la médecine, il ne se fait pas faute à l'occasion de seconder la médecine par la morale. Voir : *à Élisabeth*, juillet 1647, t. V, p. 65, l. 5-p. 66, l. 4. Mai-juin 1645, t. IV, p. 220, l. 20-p. 221, l. 11.

Cf. Fr. Bacon, *De dignitate*, IV, 1 et 2 ; dans A. Lalande, *art. cité*, p. 305.

P. **62**, l. **23** : « *... de la mépriser ...* »

C'est-à-dire, au sens cartésien du terme : de lui adresser des critiques atteignant l'honneur de ceux qui la professent. Cf. *Traité des Passions*, III, 149 ; t. XI, p. 444, l. 5-8 ; et III, 154 ; t. XI, p. 446, l. 16-23.

P. **62**, l. **24** : « *... qui en font profession ...* »

Descartes, sans en faire profession, n'est pas sans l'avoir lui-même exercée. Cf. *à Wilhelm*, 13 juin 1640, t. III, p. 91, l. 1-17. *A Mersenne*, 23 novembre 1646, t. IV, p. 565, l. 10-p. 566, l. 12. *A Élisabeth*, décembre 1646, t. IV, p. 589, l. 10-p. 590, l. 18. *A Boswell*, t. IV, p. 698, l. 15-p. 699, l. 5. *A Élisabeth*, octobre 1648, t. V, p. 233, l. 7-15. — Toutefois, on notera plusieurs fois dans ces textes que Descartes consent à donner des consultations, mais il ne veut pas qu'on le dise.

P. **62**, l. **26-27** : « *... on se pourrait exempter ...* »

C'est-à-dire : on pourrait s'affranchir, — Cf. *Dictionnaire de l'Académie* (1694) : « *Exempter*. Rendre exempt, affranchir. » T. I, p. 415.

P. **62**, l. **28-29** : « *... de l'affaiblissement de la vieillesse ...* »

Sur ce problème, dont l'étude l'avait d'abord passionné, Descartes devait finir par se satisfaire à peu de frais, comme le montrent les textes suivants : « An et quomodo homo ante lapsum immortalis fuisset, philosopho non est inquirendum, sed Theologis relinquendum. Quomodo etiam homines ante diluvium adeo protraxerint aetatem, philosophum superat, forsanque Deus id per miraculum et extraordinarias causas sine ullis causis physicis fecit ; tum etiam potuit esse alia naturae ante diluvium constitutio, quae per illud deterior reddita sit. Philosophus naturam ut et hominem solum considerat, prout jam est, nec ulterius ejus causas investigat, quia haec illum superant. Quin autem humana vita prolongari posset, si ejus artem novissemus, dubitari.non debet ; cum plantarum et similium vitam augere et prolongare possimus, quia artem earum novimus, quidni ergo etiam hominis? Optima autem vitam prolongandi via, et bonam diaetam conservandi ratio est, quando vivimus et edimus et similia sicut bestiae, vide-licet omne id quod nobis arridet, sapit, et quidem id eatenus tantum.

[O.]. — « Sed hoc bene quidem procederet in corporibus bene dispositis et sanis, quorum appetitus est ordinatus et corpori conducens, non autem in valetudinariis.

[R.]. — « Verum hoc nihil ; etiamsi enim aegrotemus, manet nihilominus eadem natura, quae etiam ideo hominem videtur in morbos conjicere, ut tanto validius se exserere possit, et impedimenta contraria despicere, si ei obsequamur. Et forte si medici permitterent hominibus eos cibos et potus, quos valetudinarii saepe exoptant, longe melius saepe sanitati restituerentur, quam per taediosa illa medicamenta, ut id experientia etiam probat, quoniam in talibus casibus natura ipsa sui restitutionem consequi studet, quod ipsa sui optime conscia melius quam externus medicus novit.

[O.]. — « Sed sunt tam infiniti cibi et similia ; quis delectus in iis habendus, quo ordine assumendi, et similia?

[R.]. — « Hoc ipsa nos experientia docet ; semper enim scimus an cibus aliquis profuerit necne, et inde semper addiscere possumus in futurum, an idem et eodem modo et ordine rursus assumendus sit necne : adeo ut, juxta Caesaris Tiberii (puto Catonis) effatum, nemo trigenarius medico opus habere debeat, quia ea aetate satis ipsemet per experientiam, quid sibi prosit, quid obstet, scire potest, et ita sibi medicus esse. » *Entretien avec Burman*, 20 avril 1648, t. V, p. 178-179.

Même note dans une lettre au marquis de Newcastle : « La conservation de la santé a été de tout temps le principal but de mes études, et je ne doute point qu'il n'y ait moyen d'acquérir beaucoup de connaissances, touchant la Médecine, qui ont été ignorées jusqu'à présent. Mais le traité des animaux que je médite, et que je n'ai encore su achever, n'étant qu'une entrée pour parvenir à ces connaissances, je n'ai garde de me vanter de les avoir ; et tout ce que j'en puis dire à présent est que je suis de l'opinion de Tibère, qui voulait que ceux qui ont atteint l'âge de trente ans eussent assez d'expériences des choses qui leur peuvent nuire ou profiter pour être eux-mêmes leurs médecins. En effet, il me semble qu'il n'y a personne, qui ait un peu d'esprit, qui ne puisse mieux remarquer ce qui est utile à la santé, pourvu qu'il veuille un peu prendre garde, que les plus savants docteurs ne lui sauraient enseigner. » *Au marquis de Newcastle*, octobre 1645, t. V, p. 329, l. 16-p. 330, l. 5. L'édition A. T. renvoie à Suétone, *Vie de Tibère*, art. LXIX.

Pour les bruits qui couraient touchant les recherches de Descartes sur la prolongation de la vie, voir t. XI, p. 670-672.

Sur la relation possible entre cette préoccupation de Descartes et les Rose-Croix, voir G. Cohen, *op. cit.*, p. 404-405.

Sur sa relation possible avec celle, très analogue, de Fr. Bacon, voir A. Lalande, *art. cité*; texte de Bacon, n° 18, p. 306.

P. **62**, l. **30** : « ... *de leurs causes* ... »

En effet, la médecine est, avec la morale et la mécanique, l'une des trois branches de l'arbre de la science (*Principes de philosophie*, Préface; t. IX, p. 14, l. 27-28); elle ne peut donc se constituer qu'après l'achèvement du corps entier de la philosophie, spécialement de la physique et de la physiologie (*Ibid.*, t. IX, p. 17, l. 1-8). Quant à son fondement premier, il est dans la métaphysique; car la distinction de l'âme et du corps, avec le rejet des fonctions végétatives de l'âme qui en résulte, est la vérité dont, ici comme ailleurs, tout le reste dépend (cf. *La description du corps humain*, Préface; t. XI, p. 223, l. 10-p. 224, l. 5). Et dans la physiologie même, c'est la théorie du mouvement du cœur, dont toutes les fonctions de l'animal dépendent, qui est la vérité initiale sans laquelle « il est impossible de rien savoir touchant la théorie de la Médecine » (t. XI, p. 245, l. 14-19).

P. **62**, l. **30** : « ... *de tous les remèdes* ... »

Il nous reste des traces des recherches poursuivies par Descartes concernant les remèdes dans les *Excerpta anatomica*, t. XI, p. 606, l. 14-p. 607, l. 2, et dans ses *Remedia et vires medicamentorum*, t. XI, p. 641-644. La préoccupation dominante d'expliquer tout mécaniquement est aisément reconnaissable dans ces quelques pages, où Descartes décrit l'action soit astringente, soit purgative, d'un certain nombre de médicaments. — Cf. *à Regius*, décembre 1641, t. III, p. 456, l. 7-p. 457, l. 5.

P. **62**, l. **30-31** : « ... *dont la Nature* ... »

C'est-à-dire : les remèdes naturels, à l'exclusion des remèdes artificiels fabriqués par les apothicaires. — Descartes, qui ne conseille pas la princesse Élisabeth que sur la morale, l'engage à lutter contre la maladie : « par une bonne diète, n'usant que de viandes et de breuvages qui rafraîchissent le sang et qui purgent sans aucun effort. Car, pour les drogues, soit des Apothicaires, soit des Empiriques, je les ai en si mauvaise estime que je n'oserais jamais conseiller à personne de s'en servir. » *A Élisabeth*, mars 1647, t. IV, p. 625, l. 10-15.

P. **63**, l. **3** : « ... *infailliblement la trouver* ... »

Les préoccupations médicales apparaissent chez Descartes dès 1630, et, dès le début, c'est une « Médecine fondée en démonstrations infaillibles » qu'il cherche (*à Mersenne*, janvier 1630, t. I, p. 105-106). Leur persistance peut s'observer au cours de sa vie tout entière, mais le succès ne répondit pas à son espérance et, à mesure que l'on avance dans la lecture de sa Correspondance, on rencontre plus de témoignages de découragement. Cf. *à Mersenne*, 20 février 1639, t. II, p. 525, l. 27-p. 526, l. 4. A Regius, qui enseigne une médecine cartésienne avant que Descartes ne l'ait inventée (9 mars 1639, t. II, p. 527, l. 10-11), le philosophe conseille de s'en tenir pour le moment à Galien : « docebisque tuam medicinam Hippocratice et Galenice, et nihil amplius » (avril 1642, t. III, p. 559, l. 18-21). En 1645, il donnera au marquis de Newcastle des conseils fort simples et finira sa lettre en priant Dieu pour la santé de son correspondant (t. IV, p. 330, l. 5-6). En 1646, il dressera modestement son bilan sous les yeux de Chanut, reconnaîtra qu'il s'est « plus aisément satisfait » en morale que « touchant la Médecine », bien qu'il ait consacré à la Médecine « beaucoup plus de temps » (15 juin 1646, t. IV, p. 441, p. 23-30), et finira par conclure : « De façon qu'au lieu de trouver les moyens de conserver la vie, j'en ai trouvé un autre, bien plus aisé et plus sûr, qui est de ne pas craindre la mort. » C'est assurément quelque chose ; mais nous sommes loin de la belle confiance dont témoigne le *Discours*, où Descartes espère une médecine qui vienne au secours de la morale, et non point une morale qui nous console de n'avoir pas de médecine.

P. **63**, l. **5** : « ... *le défaut des expériences* ... »

Cf. « Je n'ai jamais eu tant de soin de me conserver que maintenant, et au lieu que je pensais autrefois que la mort ne me pût ôter que trente ou quarante ans tout au plus, elle ne saurait désormais me surprendre, qu'elle ne m'ôte l'espérance de plus d'un siècle : car il me semble voir très évidemment que, si nous nous gardions seulement de certaines fautes que nous avons coutume de commettre au régime de notre vie, nous pourrions sans autres inventions parvenir à une vieillesse beaucoup plus longue et plus heureuse que nous ne faisons ; mais, pour ce que j'ai besoin de beaucoup de temps et d'expériences pour examiner tout ce qui sert à ce sujet, je travaille maintenant à composer un abrégé de Médecine, que je tire en partie des livres et en partie de mes raisonnements, duquel j'espère me pouvoir servir par provision (*scil.* en attendant) à obtenir quelque délai de la nature, et ainsi poursuivre mieux ci-après en mon dessein. » A Huygens, 25 janvier 1638, t. I, p. 507, l. 3-20.

P. **63**, l. **11** : « ... *aux expériences* ... »

Voir plus loin, p. 72, l. 20 et suiv.

P. **63**, l. **15** : « ... *de plusieurs* ... »

C'est-à-dire : de beaucoup.

P. **63**, l. **18** : « ... *touchant les expériences* ... »

Le terme *expérience* est employé par Descartes en trois sens étroitement apparentés, mais que distinguent néanmoins certaines nuances :

1º La constatation empirique des faits que la physique a pour objet d'expliquer. Les expériences de cet ordre sont soit « celles qui se présentent d'elles-mêmes à nos sens » et les « plus communes », dont Descartes parlera plus loin, soit « les plus rares », dont il conseille de retarder l'examen jusqu'au moment où l'explication des phénomènes les plus évidents sera déjà très avancée. Dans les deux cas, il s'agit simplement de collectionner les faits que la science aura pour fin d'expliquer. C'est l'*historia* de Bacon, et Descartes emploie lui-même l'expression (cf. à p. 64, l. 28).

2º La constatation de l'accord qui s'établit entre l'observation des phénomènes et les moments successifs de la déduction. La pensée discursive, en n'obéissant qu'à ses propres lois, *trouve* (p. 64, l. 8) le monde, dont les sens perçoivent l'existence. Il y a donc expérience chaque fois qu'une conséquence logiquement déduite des principes' coïncide avec un fait empiriquement donné. C'est le sens proprement cartésien du terme, et c'est ainsi qu'il faut l'entendre lorsque nous voyons Descartes invoquer « un million d'expériences » (*à Mersenne*, décembre 1640, t. III, p. 256, l. 23-24) ou déclarer à Huygens : « Ce que je trouve le plus étrange est la conclusion du jugement que vous m'avez envoyé, à savoir que ce qui empêchera mes principes d'être reçus dans l'École est qu'ils ne sont pas assez confirmés par l'expérience,... Car j'admire que, nonobstant que j'aie démontré, en particulier, presque autant d'expériences qu'il y a de lignes en mes écrits, et qu'ayant généralement rendu raison, dans mes Principes, de tous les Phénomènes de la nature (*scil.* au sens défini dans *Princ. phil.*, IV, 199 ; t. VIII, p. 323, l. 3-14), j'aie expliqué, par même moyen, toutes les expériences qui peuvent être faites touchant les corps inanimés, et qu'au contraire on n'en ait jamais bien expliqué aucune par les principes de la Philosophie vulgaire, ceux qui la suivent ne laissent pas de m'objecter le défaut d'expériences. » *A Huygens*, juin 1645, t. IV, p. 224, l. 21-p. 225, l. 7.

3º L'expérience conçue d'une manière analogue à l'expérience cruciale de Bacon. Descartes y a recours dans les cas où, deux explications différentes d'un même fait étant théoriquement recevables, il s'agit de savoir laquelle des deux correspond à la réalité. — Sur ce dernier point, voir plus loin, à p. 65, l. 6-8.

P. **63** l. **21-22** : « ... *qui se présentent* ... »

C'est une idée sur laquelle Descartes ne manque pas de revenir lorsqu'on le consulte à ce sujet ; elle s'apparente d'ailleurs à la préoccupation baconienne dont s'inspire la *Sylva sylvarum*, avec cette différence toutefois que Descartes se méfie des faits extraordinaires auxquels Bacon s'attache trop volontiers. — Cf. « J'avais oublié à lire un billet que je viens de trouver en votre lettre, où vous me mandez ... que vous désirez savoir un moyen de faire des expériences utiles. A cela je n'ai rien à dire, après ce que Verulamius en a écrit, sinon que, sans être trop curieux à rechercher toutes les petites particularités touchant une matière, il faudrait principalement faire des Recueils généraux de toutes les choses les plus communes, et qui sont très certaines, et qui se peuvent savoir sans dépense. Comme que toutes les coquilles sont tournées en même sens, et savoir si c'est le même au delà de l'équinoctial. Que le corps de tous les animaux est divisé en trois parties, *caput, pectus* et *ventrem*, et ainsi des autres ; car ce sont celles qui servent infailliblement en la recherche de la vérité. Pour les plus particulièrés, il est impossible qu'on n'en fasse beaucoup de superflues, et même de fausses, si on ne connaît la vérité des choses avant que de les faire. » *A Mersenne*, 23 décembre 1630, t. I, p. 195, l. 25-p. 196, l. 13 (pour ce dernier trait, vraiment typique, cf. *à Mersenne*, 18 décembre 1629, t. I, p. 99, l. 20-p. 100, l. 5, où l'on voit qu'il est inutile de constater ce que l'on ne sait pas encore expliquer). — Dans le même sens, cf. *à Mersenne*, 10 mai 1632, t. I, p. 251, l. 12-p. 252, l. 10 ; où Descartes demandé que l'on entreprenne « d'écrire l'histoire des apparences célestes, selon la méthode de Verulamius et que, sans y mettre aucunes raisons ni hypothèses, il nous décrivit exactement le Ciel, tel qu'il paraît maintenant, quelle situation a chaque étoile fixe au respect de ses voisines, quelle différence, ou de grosseur, ou de couleur, ou de clarté, ou d'être plus ou moins étincelantes, etc. ; ... ». C'est l'*historia prima*, ou *pura*, telle que la conçoit Bacon et dont il a donné plusieurs fois la théorie, notamment dans sa *Parasceve ad Historiam naturalem et experimentalem*, 1620. Descartes lui-même l'a plusieurs fois mise en pratique, notamment : *Excerpta anatomica*, t. XI, p. 549 et suiv. *De partibus inferiori ventre contentis*, t. XI, p. 587 et suiv.

P. **63**, l. **22** : « ... *à nos sens* ... »

Descartes s'est plaint d'un manque d'habileté manuelle, qui explique en partie son goût pour les expériences toutes faites : « Si vous avez aussi jeté quelquefois la vue hors de votre poêle, vous aurez peut-être aperçu en l'air d'autres météores que ceux dont j'ai écrit, et vous m'en pourriez donner de bonnes instructions. Une seule observation que je fis de la neige hexagone, en l'année 1635, a été cause du traité que j'en ai fait (*scil.* dans *Les Météores*, Discours VI). Si toutes les expériences dont j'ai besoin pour le reste de ma Physique me pouvaient ainsi tomber des nues, et qu'il ne me fallût que des yeux pour les connaître, je me promettrais de l'achever en peu de temps ; mais pour ce qu'il faut aussi des mains pour les faire, et que je n'en ai point qui y soient propres, je perds entièrement l'envie d'y travailler davantage. » *A Chanut*, 6 mars 1646, t. IV, p. 377, l. 20-p. 378, l. 4. — Cf. à p. 65, l. 12.

P. 63, l. **24-25** : « ... *de plus rares et étudiées* ... »

C'est-à-dire : des faits qui ne se rencontrent que plus rarement et soient plus difficiles à observer. Texte latin : « ... abstrusiores ... » (t. VI, p. 575). — La méfiance que nourrit Descartes à l'égard des expériences compliquées s'explique d'abord par leur difficulté, comme il l'indique ici même ; mais, en outre, c'est une règle de sa méthode que d'aller toujours du facile au difficile, et c'est ici le cas de l'appliquer, puisque les principes scientifiques d'explication que l'on aura découverts à propos des faits les plus aisément accessibles s'appliqueront ensuite d'eux-mêmes aux cas les plus compliqués. Cf. *Recherche de la Vérité*, t. X, p. 503, l. 8-23.

Pour le sens d'*étudié* que nous indiquons, voir *Dictionnaire de l'Académie* (1694), t. I, p. 410.

P. 63, l. **30** : « ... *a été tel.* »

Texte latin : « Sed tamen hac in re ordinem secutus sum » (t. VI, p. 575) : ce qui change complètement le sens et ne paraît s'expliquer que par une double inattention de Descartes et de son traducteur.

P. 64, l. **4-5** : « ... *semences de vérité* ... »

C'est-à-dire : les principes innés des mathématiques, sur lesquels repose la Géométrie. De l'application de ces principes à l'idée innée d'étendue dérive, en effet, immédiatement la distinction des trois Éléments cartésiens, et de l'application des lois du mouvement à ces trois Éléments dérive la physique tout entière. — Cf. *Le Monde*, t. XI, p. 47, l. 9-22. *Princ. phil.*, IV, 203 ; t. VIII, p. 325, l. 28-p. 326, l. 12. L'expression se rencontre sous la plume de Descartes dès 1619 : *Cogit. Privatae*, t. X, p. 217, l. 20-22.

P. 64, l. **7** : « ... *qu'on pouvait déduire* ... »

1° La déduction *a priori* de la physique est rendue possible par le caractère inné de l'idée de Dieu et des principes premiers dont elle découle tout entière : « De sorte que ceux qui sauront suffisamment examiner les conséquences de ces vérités (*scil.* les vertus éternelles, ou mathématiques) et de nos règles (*scil.* les règles du mouvement, déduites de l'idée innée de Dieu) pourront connaître les effets par leurs causes ; et, pour m'expliquer en termes de l'École, pourront avoir des démonstrations *a priori* de tout ce qui peut être produit en ce nouveau Monde » (*Le Monde*, t. XI, p. 47, l. 22-28). — Voir à p. 41, l. 13, et le texte curieux reproduit à p. 43, l. 18, 1°.

2° Ce caractère déductif de la physique n'est pas seulement possible, il est nécessaire. Expliquer un phénomène ne consiste pas à le constater, car un fait constaté n'est pas une explication, mais ce qui a besoin d'une explication. La valeur explicative des théories est donc entièrement indépendante des faits (*Princ. phil.*, III, 4 ; t. VIII, p. 81, l. 19-p. 82, l. 3) et, pourvu que les hypothèses dont on part ne soient pas manifestement contradictoires avec l'expérience (par exemple, que l'on ne suppose pas que l'eau soit faite de particules rugueuses ou la terre de particules lisses), il suffit que la déduction s'effectue « conséquemment et sans faire de paralogisme », pour que l'on n'aie rien à lui reprocher (*à Mersenne*, 27 mai 1638, t. II, p. 142, l. 5-26, et p. 143, l. 20-p. 144, l. 2). Quant au problème, connexe mais distinct, de savoir si les phénomènes déduits et expliqués sont bien les phénomènes réels, voir plus loin, à p. 76, l. 17-18.

> P. **64**, l. **8** : « ... *j'ai trouvé* ... »

C'est-à-dire : j'ai vu sortir naturellement de ces seuls principes tous les êtres que l'expérience offre communément à nos sens. — L'énumération qui suit n'est pas destinée à nous apprendre quel est le contenu de la physique cartésienne, puisque nous le savons déjà par la Ve Partie, elle est là pour souligner l'évidence des principes dont cette physique est déduite. Le caractère auquel on reconnaît la vérité d'un principe scientifique est, en effet, son aptitude à expliquer un grand nombre de phénomènes sans recourir à des hypothèses supplémentaires inventées pour la circonstance. Les principes de l'École sont sans valeur parce que, les formes substantielles une fois admises, il faut admettre une forme spéciale pour expliquer les propriétés de chaque espèce de corps ; les principes cartésiens sont vrais parce que, une fois admis, ils expliquent à eux seuls les phénomènes les plus évidents de la nature, sans que jamais aucune hypothèse supplémentaire ne doive être invoquée.

Cf. « Enfin, vous dites qu'il n'y a rien de si aisé que d'ajuster quelque cause à un effet. Mais encore qu'il y ait véritablement plusieurs effets auxquels il est aisé d'ajuster diverses causes, une à chacun, il n'est pas toujours si aisé d'en ajuster une même à plusieurs différents, si elle n'est la vraie dont ils procèdent ; même il y en a souvent qui sont tels, que c'est assez prouver quelle est leur vraie cause, que d'en donner une dont ils puissent clairement être déduits ; et je prétends que tous ceux dont j'ai parlé sont de ce nombre. Car si l'on considère qu'en tout ce qu'on a fait jusqu'à présent en la Physique on a seulement tâché d'imaginer quelques causes par lesquelles on pût expliquer les phénomènes de la nature, sans toutefois qu'on ait guère pu y réussir ; puis si on compare les suppositions des autres avec les miennes, c'est-à-dire toutes leurs *qualités réelles*, leurs *formes substantielles*, leurs *éléments* et choses semblables, dont le nombre est presque infini, avec cela seul, que tous les corps sont composés de quelques parties, qui est une chose qu'on voit à l'œil en plusieurs, et qu'on peut prouver par une infinité de raisons dans les autres (car pour ce que je mets de plus, à savoir que les parties de tel ou tel corps sont de telle figure plutôt que d'une autre, il est aisé de le démontrer à ceux qui avouent qu'ils sont composés de parties) ; et, enfin, si on compare ce que j'ai déduit de mes suppositions touchant la vision, le sel, les vents, les nues, la neige, le tonnerre, l'arc-en-ciel et choses semblables, avec ce que les autres ont tiré des leurs, touchant les mêmes matières, j'espère que cela suffira pour persuader à ceux qui ne sont point trop préoccupés, que les effets que j'explique n'ont point d'autres causes que celles dont je les déduis, bien que je me réserve à le démontrer en un autre endroit » (*à Morin*, 13 juillet 1638, t. II, p. 199, l. 15-p. 200, l. 21). Descartes a d'ailleurs résumé ce qu'il pense sur ce point en une formule frappante : « Je crois bien qu'on peut expliquer un même effet particulier en diverses façons qui soient possibles ; mais je crois qu'on ne peut expliquer la possibilité des choses en général que d'une seule façon, qui est la vraie. » *A Mersenne*, 28 octobre 1640, t. III, p. 212, l. 23-27. — Cf. *Princ. phil.*, IV, 205 ; t. VIII, p. 327, l. 24-p. 328, l. 16.

Pour un résumé concis des principes fondamentaux dont la totalité des phénomènes se déduisent, voir *Princ. phil.*, IV, 206 ; t. VIII, p. 328, l. 17-p. 329, l. 7.

P. **64**, l. **17** : « ... *les formes ou espèces* ... »

Descartes emploie volontiers ces expressions scolastiques pour désigner les diverses espèces de corps chimiques, avec leurs propriétés spécifiques ; il emploie même parfois l'expression de « formes substantielles », mais il faut toujours entendre, en pareil cas : les différences constitutives de structure des divers corps chimiques, qui expliquent les différences de leurs propriétés (cf. *à Mersenne*, 5 avril 1632, t. I, p. 243, l. 9-22). C'est d'ailleurs le plus souvent à l'occasion de la chimie, ou connaissance détaillée des métaux, huiles, etc., que Descartes requiert le secours de l'expérience et se plaint de ne pouvoir y suffire. Cf., dans le même sens que ce passage du *Discours*, le texte des *Princ. phil.*, IV, 63 ; t. VIII, p. 242, l. 9-23.

P. **64**, l. **20** : « ... *à notre usage* ... »

C'est-à-dire : je n'ai pas cru qu'il fût possible de nous les rendre utilisables.

P. **64**, l. **22** : « ... *plusieurs expériences particulières* ... »

C'est-à-dire, par opposition aux expériences communes dont il a été parlé : de nombreuses expériences, expressément instituées en vue de savoir ce qu'il faut déduire.

P. **64**, l. **25** : « ... *à mes sens* ... »

Méthode qui s'explique, si l'on se souvient que la physique cartésienne n'a pas pour objet immédiat la découverte de faits nouveaux, mais l'explication des phénomènes sensibles les plus connus.

P. **64**, l. **28** : « ... *puissance de la nature* ... »

C'est-à-dire : les possibilités de combinaison des particules matérielles, selon les lois du mouvement que Dieu leur a imposées. — Cf. « Principia autem quae jam invenimus, tam vasta sunt et tam foecunda, ut multo plura ex iis sequantur, quam in hoc mundo aspectabili contineri videamus ; ac etiam multo plura, quam mens nostra cogitando perlustrare unquam possit. Sed tam brevem historiam [*scil.* au sens baconien marqué plus haut, à p. 63, l. 18] praecipuorum naturae phaenomenωn (quorum causae hic sunt investigandae, nobis ob oculos proponemus ; non quidem ut ipsis tanquam rationibus utamur ad aliquid probandum : cupimus enim rationes effectuum a causis, non autem è contra causarum ab effectibus deducere ; sed tantum ut ex innumeris effectibus, quos ab iisdem causis produci posse judicamus, ad unos potius quam alios considerandos mentem nostram determinemus. » *Princ. phil.*, III, 4 ; t. VIII, p. 81, l. 19-p. 82, l. 3.

P. **64**, l. **31** : « ..., *que d'abord* ... »

C'est-à-dire : sans apercevoir immédiatement.

P. **65**, l. **1** : « ... *diverses façons* ... »

Cf. « At quamvis forte hoc pacto intelligatur, quomodo res omnes naturales fieri potuerint, non tamen ideo concludi debet, ipsas revera sic factas esse. Nam quemadmodum ab eodem artifice duo horologia fieri possunt, quae, quamvis horas aeque bene indicent, et extrinsecus omnino similia sint, intus tamen ex valde dissimili rotularum compage constant : ita non dubium est, quin summus rerum opifex omnia illa, quae videmus, pluribus diversis modis potuerit efficere. Quod equidem verum esse libentissime concedo, satisque a me praestitum esse putabo, si tantum ea quae scripsi talia sint, ut omnibus naturae phaenomenis accurate respondeant. » *Princ. phil.*, IV, 204 ; t. VIII, p. 327, l. 1-13.

P. **65**, l. **4-5** : « ... *derechef* ... »

C'est-à-dire : après avoir cherché les faits qui ne s'offrent pas d'eux-- mêmes à nos sens pour que la déduction sache ce qu'elle doit expliquer, il faut chercher des cas privilégiés qui permettent de choisir entre les diverses explications possibles de ces faits.

P. **65**, l. **5-6** : « ... *leur événement* ... »

C'est-à-dire : leur issue, ou résultat. Cf. Huguet, *Petit Glossaire*, p. 152.

P. **65**, l. **7-8** : « ... *que si c'est en l'autre* ... »

Descartes, qui a lu Bacon et accepte expressément ses conclusions touchant la théorie de l'expérience, paraît se souvenir ici de la notion baconienne d'expérience cruciale (cf. Fr. Bacon, *Nov. Organum*, III, 36 ; Ell. et Sped., I 194) ; avec cette différence, toutefois, que l'*Instantia crucis* baconienne a plutôt pour objet de discerner la cause au milieu de la complexité des faits donnés, tandis que l'expérience invoquée par Descartes a pour objet de trancher le débat entre deux déductions *a priori* également possibles, et dont une seule s'accorde avec les faits.

Lui-même estime avoir donné des exemples de pareilles expériences dans son argumentation contre l'explication du mouvement du cœur fournie par Harvey (cf. *Discours*, Ve Partie, p. 52, l. 3 et suiv.). Cette explication ne contient, en effet, rien que de cohérent : « Et toutefois cela ne prouve autre chose, sinon que les expériences mêmes nous donnent souvent occasion de nous tromper, lorsque nous n'examinons pas assez toutes les causes qu'elles peuvent avoir... Mais, afin de pouvoir remarquer laquelle de ces deux causes est la vraie, il faut considérer d'autres expériences qui ne puissent convenir à l'une et à l'autre. » *La description du corps humain*, ch. xviii ; t. XI, p. 242, l. 4-20. Suivent les arguments déjà dirigés contre Harvey par le *Discours*, p. 52, l. 3 et suiv.

P. **65**, l. **8** : « ..., *j'en suis maintenant là* ... »
C'est-à-dire : j'en suis arrivé à un point où je vois.... etc. Texte latin : « Caeterum eousque nunc perveni ... » (t. VI, p. 576).

P. **65**, l. **9** : « ... *de quel biais* ... »
C'est-à-dire : de quelle manière on doit s'y prendre pour faire..., etc.

P. **65**, l. **11-12** : « ... *en si grand nombre* ... »
Cf. plus loin, p. 75, l. 3.

P. **65**, l. **12** : « ... *ni mes mains* ... »
C'est-à-dire : elles sont de telle nature que je n'aurais pas l'habileté manuelle requise pour en venir à bout, et si nombreuses que ma fortune n'y suffirait pas. — Cf. « ..., mais j'ai si peu de mains, et les artisans font si mal ce qu'on leur commande ; ... ». *A Huygens*, février 1643, t. III, p. 617, l. 9-10.

P. **65**, l. **19** : « ... *que le public* ... »
Au sens actuel du terme. Cf. texte latin : « ... ad publicum utilitas esset reditura ... » (t. VI, p. 576).

P. **65**, l. **22** : « ... *en effet vertueux* ... »
C'est-à-dire : réellement vertueux.

P. **65**, l. **22-23** : « ... *par faux semblant* ... »
C'est-à-dire : en apparence.

458 COMMENTAIRE HISTORIQUE.

P. 65, l. 23 : « ... *par opinion* ... »

C'est-à-dire : ceux qui ne font que la professer. — Supprimé dans le texte latin.

P. 66, l. 2 : « ... *comme sans doute* ... »

C'est-à-dire : car il n'est pas douteux qu'on ne regarde ..., etc.

P. 66, l. 8 : « ... *profiter au public* ... »

Cf. texte latin : « ... publicam utilitatem quantum in me esset procurandi ... » (t. VI, p. 577).

P. 66, l. 13 : « ... *publiés pendant ma vie,* ... »

Voir plus loin, à p. 74, l. 6-7.

P. 66, l. 13-14 : « ... *oppositions et controverses* ... »

Cf. p. 74, l. 19-20. — La crainte du trouble intérieur que les controverses engendrent, et de la gêne que ce trouble constitue pour le travail de la pensée, fut vraiment constante chez Descartes. Elle se rattache à ce besoin fondamental de paix qui l'avait conduit à s'expatrier (« ..., car c'est la seule raison qui m'a fait préférer ce pays au mien. » *A Mersenne*, 27 avril 1638, t. II, p. 151, l. 20-p. 152, l. 9. *A Élisabeth*, 10 mai 1647, t. V, p. 15, l. 10-11) et qui lui faisait espérer que ceux qui meurent après une vie honnête « passent dans une vie plus douce et plus tranquille que la nôtre, et que nous les irons trouver quelque jour, ... » (*à Huygens*, 13 octobre 1642, t. III, p. 580, l. 13-16). — Cf. « Pour moi, je ne cherche que le repos et la tranquillité ... » (*à Mersenne*, février 1634, t. I, p. 282, l. 8-11). Et aussi les textes cités à la note suivante.

P. 66, l. 15 : « ... *telle quelle* ... »

C'est-à-dire : quelle qu'en soit l'étendue. — Cf. « ..., et le désir que j'ai de vivre en repos et de continuer la vie que j'ai commencée en prenant pour ma devise : *bene vixit, bene qui latuit*, fait que je suis plus aise d'être délivré de la crainte que j'avais d'acquérir plus de connaissances que je ne désire, par le moyen de mon Écrit (*scil. Le Monde*), que je ne suis fâché d'avoir perdu le temps et la peine que j'ai employés à le composer » (*à Mersenne*, avril 1634, t. I, p. 285, l. 30-p. 286, l. 7). — Cf. *à Mersenne*, 15 avril 1630, t. I, p. 136, l. 21-27 ; cité à p. 31, l. 3. — On notera que ces textes sont exactement contemporains des faits que Descartes raconte, puisqu'ils se rapportent à la suppression du *Monde* après la condamnation de Galilée.

P. 66, l. 22 : « ... *nos soins* ... »

C'est-à-dire : nos préoccupations, ou notre sollicitude. Cf. Huguet, *Petit Glossaire*, p. 365.

P. **66**, l. **26** : « ... *à nos neveux* ... »

C'est-à-dire : à la postérité. Cf. Huguet, *Petit Glossaire*, p. 257.

P. **66**, l. **27** : « ... *je veux bien* ... »

C'est-à-dire : je ne cache pas. Texte latin : « ... *dissimulare nolo* ... » (t. VI, p. 577).

P. **66**, l. **30** : « ... *quasi le même* ... »

C'est-à-dire : il en est de ceux qui découvrent progressivement la vérité scientifique, à peu près comme de ceux qui, ... etc. ». — Cf. Fr. Bacon : « Nos qui mentem respicimus non tantum in facultate propria sed quatenus copulatur cum rebus, artem inveniendi cum inventis adolescere posse statuere debemus. » *Nov. Organum*, I, 130 ; dans A. Lalande, *op. cit.*, p. 306.

P. **67**, l. **6** : « ... *ont coutume* ... »

C'est-à-dire : croissent habituellement..., etc.

P. **67**, l. **7** : « ... *plus de conduite* ... »

C'est-à-dire : de faire preuve de plus d'habileté. Texte latin : « Vel possunt cum exercituum praefectis conferri, ... quibus post cladem acceptam majore prudentia opus est ad residuas copias conservandas, ... » (t. VI, p. 577).

P. **67**, l. **21** : « ... *en ce volume* ... »

C'est-à-dire : la Dioptrique, les Météores, la Géométrie.

P. **67**, l. **25** : « ... *j'ai eu l'heur* ... »

C'est-à-dire : pour autant de batailles heureuses. Texte latin : « ... in quibus victoriam reportavi » (t. VI, p. 577).

P. **67**, l. **29** : « ... *mon âge* ... »

Descartes était, en 1637, dans sa quarante et unième année.

P. **68**, l. **3** : « ... *plusieurs* ... »

C'est-à-dire : beaucoup d'occasions. Texte latin : « ... multas ... occasiones ... » (t. VI, p. 578).

P. **68**, l. **4** : « ... *les fondements* ... »

Le *Discours* s'en est tenu systématiquement à résumer le contenu du *Monde*, sans indiquer les fondements sur lesquels sa physique repose, c'est-à-dire : la théorie des trois Éléments et les trois lois du mouvement. Cf. plus haut, à p. 42, l. 6-7 ; à p. 43, l. 7-8 ; et plus loin, p. 74, l. 3-8, et p. 75, l. 16-17.

P. **68**, l. **10** : « *... les diverses opinions ...* »

C'est-à-dire : qu'ils s'accordent non seulement avec la philosophie scolastique en général, mais encore avec les différentes opinions que les scolastiques soutiennent et qui sont déjà contradictoires entre elles.

Descartes sera contraint de surmonter cette objection lorsqu'il se décidera finalement à publier ses *Principes*, et il la tournera du moins de manière assez amusante, en écrivant à Huygens : « J'ai tellement composé mes *Principes*, qu'on peut dire qu'ils ne contrarient point du tout à la Philosophie commune, mais seulement qu'ils l'ont enrichie de plusieurs choses qui n'y étaient pas. Car, puisqu'on y reçoit une infinité d'autres opinions qui sont contraires les unes aux autres, pourquoi n'y pourrait-on pas aussi bien y recevoir les miennes ? » juin 1645, t. IV, p. 225, l. 21-28.

P. **68**, l. **11** : « *... diverti ...* »

C'est-à-dire : détourné de mes travaux. — Cf. Huguet, *Petit Glossaire*, p. 126.

Les oppositions prévues par Descartes étaient d'autant plus certaines que *Le Monde* était rempli d'une ironie assez mordante à l'égard de la scolastique et qu'il contenait une critique très apparente de la physique aristotélicienne : formes substantielles, qualités réelles, mouvement, espace, etc. (voir plus haut, à p. 29, l. 28). La suppression du *Monde* devient donc de plus en plus aisément intelligible lorsqu'on joint ensemble (voir plus loin, p. 74, l. 3) tous les motifs que Descartes analyse dans le *Discours* ou indique dans sa Correspondance : ce savant, qui ne vit que pour la recherche solitaire, s'est vu sur le point de publier une cosmogonie qui contredisait le récit de la Genèse, une théorie de la lumière qui soulevait le problème des apparences eucharistiques, une astronomie qui impliquait le mouvement de la Terre déjà condamné par le Saint-Office, et une critique systématique des principes sur lesquels reposait la physique enseignée par toutes les Universités. Les oppositions redoutées n'auraient donc été que des ripostes, et c'est pourquoi Descartes évitera soigneusement toute allusion à l'École en rédigeant de nouveau sa physique sous la forme des *Principia philosophiae*. — Cf. au *P. Charlet*, octobre 1644, t. IV, p. 141, l. 10-22. *Princ. phil.*, IV, 200 ; t. VIII, p. 323, l. 15-20.

P. **68**, l. **11-12** : « *... les oppositions ...* »

Ce que Descartes nommera ailleurs : « *... ces guerres scolastiques ...* ». *A Huygens*, 31 janvier 1642, t. III, p. 523, l. 13.

P. **68**, l. **16** : « ... *plus d'intelligence* ... »

C'est-à-dire : afin que l'opposition même fît comprendre aux autres ce qu'il pouvait y avoir de bon dans ma doctrine.

P. **68**, l. **24** : « ... *déjà souvent éprouvé* ... »

Le *Discours* étant le premier ouvrage publié par Descartes, il ne peut s'agir ici que d'objections de ses correspondants, de ses amis, ou de ses adversaires, motivées par des conversations particulières, des essais communiqués en manuscrit, ou des bruits qui couraient dans son entourage. Il est malaisé de donner des noms ; Descartes peut avoir pensé à Mersenne en parlant de ses amis, et à Beeckman en parlant de ses ennemis ; encore ce dernier avait-il été son ami, et l'était-il redevenu au moment où Descartes écrivait le *Discours* (G. Cohen, *op. cit.*, p. 456) ; ce serait donc une imprudence que de préciser.

P. **68**, l. **28** : « ... *à découvrir* ... »

C'est-à-dire, non pas à apercevoir, mais : à révéler au grand jour. Cf. texte latin : « ... quos sciebam conaturos in apertum protrahere ... » (t. VI, p. 578).

P. **69**, l. **6** : « ... *dans les Écoles* ... »

Texte latin : « ..., disputationum Scholasticarum ope ... » (t. VI, p. 578). Cf. Ire Partie, p. 8, l. 21-22.

P. **69**, l. **7** : « ... *qu'on ignorât* ... »

Parce que la dispute dialectique des scolastiques, étant faite de syllogismes, est nécessairement stérile comme lui. — Cf. « Atqui ut adhuc evidentius appareat, illam disserendi artem nihil omnino conferre ad cognitionem veritatis, advertendum est, nullum posse Dialecticos syllogismum arte formare, qui verum concludat, nisi prius ejusdem materiam habuerint, id est, nisi eamdem veritatem, quae in illo deducitur, jam ante cognoverint. Unde patet illos ipsos ex tali forma nihil novi percipere, ideoque vulgarem dialecticam omnino esse inutilem rerum veritatem investigare cupientibus, sed prodesse tantummodo interdum posse ad rationes jam cognitas facilius aliis exponendas, ac proinde illam ex Philosophia ad Rhetoricam esse transferendam. » *Reg.*, X ; t. X, p. 406, l. 14-26. — Cf. IIe Partie, à p. 17, l. 18-19.

P. **69**, l. **8** : « ... *tâche de vaincre* ... »

Cf. *Reg.*, II ; t. X, p. 363, l. 21-24. Et plus haut, à p. 8, l. 21-22.

P. **69**, l. **9** : « ... *la vraisemblance* ... »

Voir Ire Partie, à p. 8, l. 29.

P. **69**, l. **16** : « ... *beaucoup de choses*, ... »

Le texte latin atténue : « ... ut nulla supersint addenda, ... » (t. VI, p. 578).

P. **69**, l. **16-17** : « ... *de les appliquer à l'usage* ... »

Descartes pense à la Médecine, dont nous avons vu qu'elle était demeurée sa préoccupation dominante. Cf. p. 62, l. 31-p. 63, l. 2. Et cette remarque : « Si j'étais à recommencer mon *Monde*, où j'ai supposé le corps d'un animal tout formé, et me suis contenté d'en montrer les fonctions, j'entreprendrais d'y mettre aussi les causes de sa formation et de sa naissance. Mais je n'en sais pas encore tant pour cela, que je pusse seulement guérir une fièvre. Car je pense connaître l'animal en général, lequel n'y est nullement sujet, et non pas encore l'homme en particulier, lequel y est sujet. » *A Mersenne*, 20 février 1639, t. I, p. 525, l. 23-p. 526, l. 4.

P. **70**, l. **6** : « ... *n'avons point les écrits* ... »

Il s'agit donc vraisemblablement des philosophes présocratiques, et notamment de l'atomiste Démocrite, etc. Cf. : « ... je ne crois pas que ce qu'on nous rapporte de cet Ancien, qui vraisemblablement a été un homme de très bon esprit, soit véritable, ni qu'il ait eu des opinions si peu raisonnables qu'on lui fait accroire ... ». *A Huygens*, mars 1638, t. II, p. 51, l. 15-22.

P. **70**, l. **8** : « ... *des meilleurs esprits* ... »

Cf. Fr. Bacon : « Itaque maxima ingenia procul dubio per singulas aetates vim passa sunt... Quamobrem altiores contemplationes si forte usquam emicuerint, opinionum vulgarium ventis subinde agitatae sunt et extinctae. Adeo ut Tempus, tanquam fluvius, levia et inflata ad nos devexerit, gravia et solida demerserit. » *Instauratio magna*, Praef., Ell. et Sped., p. 127 ; dans A. Lalande, *op. cit.*, p. 307.

P. **70**, l. **11** : « ... *les ait surpassés* ... »

Cf. Fr. Bacon : « Omnis traditio et successio disciplinarum repraesentat et exhibet personas magistri et auditoris, non inventoris et ejus qui inventis aliquid eximium adjiciat... Quin etiam, in primo nonnunquam authore maxime vigent, et deinceps degenerant... » *Instauratio magna*, Praef., éd. Ell. et Sped., p. 126 ; dans A. Lalande, *art. cité*, p. 307.

P. **70**, l. **12** : « ... *et je m'assure* ... »

C'est-à-dire : et je suis convaincu.

P. **70**, l. **12** : « ... *les plus passionnés* ... »

Cf. « ... : car, pour celui-ci, je crois que c'est seulement la passion qu'il a pour Aristote qui l'a ému ; et je m'étonne de ce qu'il n'est Péripatéticien plutôt qu'Huguenot, vu qu'il estime si fort les anciennes opinions, et les nouvelles si peu. » *A Mersenne*, 11 octobre 1638, t. II, p. 398, l. 3-7.

P. **70**, l. **13** : « ... *qui suivent maintenant Aristote* ... »

Ce dernier éloge du Philosophe laisse intacte, comme il va de soi, la condamnation portée par Descartes contre le principe d'autorité ; voir plus loin, à p. 77, l. 12.

P. **70**, l. **18** : « ... *qui redescend* ... »

Cf. Fr. Bacon : « Vix enim datur authores simul et admirari, et superare : fit aquarum more quae non altius ascendunt quam ex quo descenderunt. » *Op. cit.*, p. 128 ; dans A. Lalande, *art. cité*, p. 307.

P. **70**, l. **25** : « ... *de plusieurs difficultés* ... »

C'est-à-dire : de nombreuses difficultés, ainsi que font les scolastiques, lorsqu'ils cherchent dans Aristote la solution de tous les problèmes nouveaux que la science peut actuellement soulever.

P. **70**, l. **26** : « ... *jamais pensé* ... »

Cf. « Quippe cum ille homo tam foelix extiterit, ut quaecumque olim, sive cogitans, sive incogitans, scriptitavit, hodie a plerisque pro oraculis habeantur, ... ». *A Plempius*, 15 février 1638, t. I, p. 522, l. 7-10.

P. **70**, l. **29** : « ... *et des principes* ... »

Descartes pense à des principes scolastiques tels que la définition du lieu : *locum esse superficiem corporis ambientis;* ou du mouvement : *motum esse actum entis in potentia, prout est in potentia* (*Reg.*, XII ; t. X, p. 426, l. 3- p. 427, l. 2. *Le Monde*, t. XI, p. 39, l. 4-22) ; ou de la lumière, telle que celle d'Ismaël Bouillau : « car tombant par hasard sur l'endroit où il dit que *Lux est medium proportionale inter substantiam et accidens*, je me suis quasi mis à rire, ... ». *A Huygens*, mars 1638, t. II, p. 51, l. 24-p. 52, l. 1.

P. **71**, l. **6** : « ... *ont intérêt* ... »

Cette menace directe contre la scolastique exprime la conviction la plus arrêtée et la plus sincère. Descartes a toujours pensé que la publication de sa physique équivaudrait, *ipso facto*, à la suppression de la scolastique. Les témoignages de cet état d'esprit s'échelonnent jusqu'à la publication des *Principes*. Cf. « Pour mon livre (*scil.* le *Discours*), je ne sais quelle opinion auront de lui les gens du monde ; mais pour ceux de l'École, j'entends qu'ils se taisent, et que, fâchés de n'y trouver pas assez de prise pour exercer leurs arguments, ils se contentent de dire que, si ce qu'il contient était vrai, il faudrait que toute leur Philosophie fût fausse » (*à Huygens*, mars 1638, t. II, p. 48, l. 18-23). « Mais aussi est-il vrai que j'ai entièrement perdu le dessein de réfuter cette Philosophie ; car je vois qu'elle est si absolument et si clairement détruite, par le seul établissement de la mienne, qu'il n'est pas besoin d'autre réfutation. » A *Mersenne*, 22 décembre 1641, t. III, p. 470, l. 9-23. — Sur la modification qui se remarque dans l'attitude de Descartes après la publication et le demi-succès des *Principes*, voir H. Gouhier, *La pensée religieuse de Descartes*, p. 128-132.

P. **71**, l. **7** : « ... *dont* ... »
C'est-à-dire : de la philosophie. Texte latin : « ... Philosophiae qua utor ... » (t. VI, p. 579).

P. **71**, l. **16** : « ... *de la vraisemblance* ... »
Cf. Iʳᵉ Partie, p. 6, l. 8-9, et à p. 8, l. 29.

P. **71**, l. **20** : « ... *à confesser franchement* ... »
Cf. IIIᵉ Partie, p. 30, l. 23.

P. **71**, l. **30** : « ... *que par ordre* ... »
Cf. IIᵉ Partie, p. 18, l. 27.

P. **72**, l. **2-3** : « ... *bien moins de plaisir* ... »
Descartes en juge d'après son expérience personnelle. Cf. à p. 3, l. 4-5, 1º.

P. **72**, l. **14-15** : « ... *toujours de nouvelles* ... »
Cf. IIᵉ Partie, p. 20, l. 31-p. 21, l. 1.

P. **72**, l. **17** : « ... *achevé* ... »
C'est-à-dire : conduit jusqu'à l'invention d'une médecine mathématiquement certaine.

P. **72**, l. **25** : « ... *l'espérance du gain* ... »
Moyen employé par Descartes avec Ferrier (18 juin 1629, t. I, p. 14, l. 3-19) et Ville-Bressieu (référence à p. 73, l. 7).

P. **72**, l. **30** : « ... *que d'effet,* ... »
C'est-à-dire : ils promettent d'ordinaire plus qu'ils ne font. Cf. texte latin : « ... praeterquam quod ordinarie multa promittant et pauca praestant, ... » (t. VI, p. 580).

P. **72**, l. **30** : « ... *ne réussit,* ... »

C'est-à-dire : n'aboutit à la fin qu'il s'agissait d'atteindre. Texte latin : « ... nullumque unquam fere ipsorum propositum finem optatum sortiatur ; ... » (t. VI, p. 580).

P. **73**, l. **7** : « ... *nomment des secrets* ... »

C'est-à-dire : les chimistes. — Expression héritée de l'Alchimie médiévale (cf. Roger Bacon, *De secretis operibus naturae*, et le fameux *Secretum secretorum*, que le moyen âge attribuait faussement à Aristote) et dont les chimistes se servaient pour désigner leurs expériences. Cf. « Je ne suis pas marri d'avoir appris des nouvelles de celui dont vous m'avez envoyé un mot de lettre (*scil.* de Ville-Bressieu, de Grenoble, « Medicum Chymicum ») ; c'est un homme fort curieux qui savait quantité de ces petits secrets de chimie qui se débitent entre gens de ce métier, dès lors qu'il était avec moi ; s'il a continué, comme il semble, il en doit savoir maintenant beaucoup davantage. Mais vous savez que je ne fais aucun état de tous ces secrets : ce que j'estime en lui est qu'il a des mains pour mettre en pratique ce qu'on lui pourrait prescrire en cela, et que je le crois d'assez bon naturel. Il m'offre de venir ici, ce que je ne voudrais pas maintenant, à cause que je ne me veux point arrêter à faire aucunes expériences que ma Philosophie ne soit imprimée..., etc. » *A Mersenne*, 7 décembre 1642, t. III, p. 597, l. 19-p. 598, l. 23.

P. **73**, l. **9** : « ... *ou d'ingrédients* ... »

Texte latin : « ... rebusque superfluis ... » (t. VI, p. 580).

P. **73**, l. **10** : « ... *d'en déchiffrer la vérité.* »

C'est-à-dire : d'en dégager ce qu'elles contiennent de vrai. Texte latin : « ... inde veritatem elicere ... » (t. VI, p. 580).

P. **73**, l. **11-12** : « ... *ou même si fausses* ... »

Cf. « Toutefois, c'est à l'expérience à déterminer si cette différence est sensible, et je doute fort de toutes celles que je n'ai pas faites moi-même. Assurez-vous que je n'en ai écrit aucune comme certaine, que je n'en fusse très assuré. » *A Mersenne*, 11 mars 1640, t. III, p. 38, l. 19-23. — « ... je ne me fie guère aux expériences que je n'ai point faites moi-même, ... » *A Huygens*, février 1643, t. III, p. 617, l. 6-8.

P. **73**, l. **15** : « ... *derechef* ... »

C'est-à-dire : elles non plus.

P. **73**, l. **18** : « ... *assurément* ... »

C'est-à-dire : d'une manière assurée.

P. **73**, l. **19** : « ... *au public* ... »

Au sens actuel. Cf. texte latin : « ... maxima quaeque et in publicum uti-
lissima inveniendi ; ... » (t. VI, p. 581).

P. **73**, l. **23** : « ... *fournir aux frais* ... »

Cette demande de subsides pour permettre la continuation de ses recherches ne sera pas entendue, au moins jusqu'aux *Principes ;* c'est ce qui
explique la note désabusée que laisse entendre la Préface française de cet
ouvrage : « C'est ce qu'il faudrait que je fisse (*scil.* une Morale, une Mécanique et une Médecine) pour donner aux hommes un corps de Philosophie
tout entier ; et je ne me sens point encore si vieil, je ne me défie point tant de
mes forces, je ne me trouve pas si éloigné de la connaissance de ce qui reste,
que je n'osasse entreprendre d'achever ce dessein, si j'avais la commodité
d'entreprendre toutes les expériences dont j'aurais besoin pour appuyer et
justifier mes raisonnements. Mais, voyant qu'il faudrait pour cela de grandes
dépenses, auxquelles un particulier comme moi ne saurait suffire, s'il n'était
aidé par le public (*scil.* par l'État), et ne voyant pas que je doive attendre
cet aide, je crois devoir dorénavant me contenter d'étudier pour mon ins-
truction particulière, et que la postérité m'excusera si je manque à travailler
désormais pour elle » (t. IX, p. 17, l. 8-22). L'appel aux subsides de l'État
devait être renouvelé par Picot, aux lieu et place de Descartes, dans les *Pré-*
faces au *Traité des Passions* (t. XI, p. 303, l. 17-29 ; p. 318, l. 26-p. 322, l. 11 ;
p. 325, l. 6-10), et sanctionné par Descartes lui-même (t. XI, p. 326, l. 1-6 ; y
traduire « public » par « État»), sans espoir, il est vrai, de le voir aboutir. En
fait, Descartes n'accepta aucune offre particulière, comme celles que lui
firent le comte d'Avaux ou M. de Montmort (Ch. Adam, *Vie de Descartes*,
t. XII, p. 468-469), car il estimait « que c'était au Public à payer ce qu'il
faisait pour le Public » (Clerselier, dans Baillet, t. II, p. 462. Ch. Adam, *op.*
cit., p. 469, note) ; mais il ne semble pas avoir touché non plus la pension qui
lui fut octroyée en 1647 (Ch. Adam, *op. cit.*, p. 462-466), et qu'il redoutait
peut-être, au fond de lui-même, plus qu'il ne la souhaitait : «..., car, ne me
semblant pas être honnête de rien emprunter de personne qu'on ne puisse
rendre avec usure, ce me serait une grande charge que de me sentir rede-
vable au public » (*à Morin*, 13 juillet 1638, t. I, p. 220, l. 22-25). Descartes ne
réussit jamais à mettre d'accord son indépendance naturelle et son besoin
d'argent ; c'est le second qu'il sacrifia.

P. **73**, l. **29** : « ... *que le public* ... »

C'est-à-dire : l'État. Cf. Huguet, *op. cit.*, p. 317. Texte latin : « ... rempublicam ... » (t. VI, p. 581). Cf. : « Il faudrait que M. le Cardinal (*scil.* de Richelieu) vous eût laissé deux ou trois de ses millions, pour pouvoir faire toutes
les expériences qui seraient nécessaires pour découvrir la nature particulière

de chaque corps ; et je ne doute point qu'on ne pût venir à de grandes connaissances, qui seraient bien plus utiles au public que toutes les victoires
qu'on peut gagner en faisant la guerre. » *A Mersenne*, 4 janvier 1643, t. III,
p. 640, l. 7-14.

P. **73**, l. **30-31** : « ... *l'âme si basse* ... »

Cf. le texte cité plus haut, à p. 73, l. 23, et la remarque de Baillet :
« D'autres personnes (que le comte d'Avaux et M. de Montmort) de la pre-
mière considération lui avaient ouvert leurs trésors, mais toujours sans effet.
Il appréhendait ... les reproches secrets de sa naissance qui l'élevait au-des-
sus de ces sortes de gratifications ; ... » T. II, p. 462 (dans Ch. Adam, *Vie de
Descartes*, p. 469, note).

P. **74**, l. **3** : « ... *jointes ensemble* ... »
Voir plus haut, à p. 68, l. 11.

P. **74**, l. **4** : « ... *il y a trois ans* ... »
C'est-à-dire : fin novembre 1634.

P. **74**, l. **6-7** : « ... *aucun autre pendant ma vie* ... »

A moins que les circonstances ne vinssent à changer. — Voir sur ce point :
« Je ne trouve plus rien en vos deux lettres qui ait besoin de réponse, sinon
qu'il semble que vous craigniez que la publication de mon premier discours
ne m'engage de parole à ne point faire voir ci-après ma Physique, de quoi
toutefois il ne faut point avoir peur ; car je n'y promets en aucun lieu de ne
la point publier pendant ma vie, mais je dis que j'ai eu ci-devant dessein de
la publier, que depuis, pour les raisons que j'allègue, je me suis proposé de
ne le point faire pendant ma vie, et que maintenant je prends résolution de
publier les traités contenus en ce volume ; d'où tout de même l'on peut inférer que, si les raisons qui m'empêchent de la publier étaient changées, je
pourrais prendre une autre résolution, sans pour cela être changeant ; car
sublata causa tollitur effectus. Vous dites aussi qu'on peut attribuer à vanterie
ce que je dis de ma Physique, puisque je ne la donne pas ; ce qui peut avoir
lieu pour ceux qui ne me connaissent point, et qui n'auront vu que mon premier discours ; mais pour ceux qui verront tout le livre, ou qui me connaissent, je ne crains pas qu'ils m'accusent de ce vice ; non plus que de celui
que vous me reprochez, de mépriser les hommes, à cause que je ne leur donne
pas étourdiment ce que je ne sais pas encore s'ils veulent avoir : car, enfin, je
n'ai parlé comme j'ai fait de ma Physique qu'afin de convier ceux qui la
désireront à faire changer les causes qui m'empêchent de la publier. » *A Mersenne*, 27 avril 1637, t. I, p. 367, l. 14-p. 368, l. 10.

« Pour le traité de Physique dont vous me faites la faveur de me demander
la publication, je n'aurais pas été si imprudent que d'en parler en la façon
que j'ai fait, si je n'avais envie de le mettre au jour, en cas que le monde le
désire, et que j'y trouve mon compte et mes sûretés. Mais je veux bien vous
dire que tout le dessein de ce que je fais imprimer à cette fois n'est que de
lui préparer le chemin et fonder le gué. Je propose à cet effet une Méthode
générale, laquelle véritablement je n'enseigne pas, mais je tâche d'en donner
des preuves par les trois traités suivants, que je joins au discours où j'en
parle, ayant pour le premier un sujet mêlé de Philosophie et de Mathématique ; pour le second, un tout pur de Philosophie ; et pour le troisième, un
tout pur de Mathématique, dans lesquels je puis dire que je ne me suis abs-
tenu de parler d'aucune chose (au moins de celles qui peuvent être connues
par la force du raisonnement), < que > pour ce que j'ai cru ne la pas savoir ;
en sorte qu'il me semble par là donner occasion de juger que j'use d'une méthode par laquelle je pourrais expliquer aussi bien toute autre matière, en
cas que j'eusse les expériences qui y seraient nécessaires, et le temps pour les
considérer. Outre que pour montrer que cette méthode s'étend à tout, j'ai
inséré brièvement quelque chose de Métaphysique, de Physique et de Médecine dans le premier discours. Que si je puis faire avoir au monde cette opinion de ma Méthode, je croirai alors n'avoir plus tant de sujet de craindre
que les principes de ma Physique soient mal reçus ; et si je ne rencontrais que
des juges aussi favorables que vous, je ne le craindrais pas dès maintenant. »
A ***, 27 avril 1637(?), t. I, p. 370, l. 2-p. 371, l. 2.

Cf. *au P. Vatier*, 22 février 1638, t. I, p. 559, l. 29-p. 560, l. 6 ; exactement
dans le même sens.

P. **74**, l. **10** : « ... *quelques essais particuliers* ... »

C'est-à-dire : la Dioptrique, les Météores, la Géométrie.

P. **74**, l. **16** : « ... *plus à mon désavantage* ... »

Texte latin : « ... minus mihi honorificas ... » (t. VI, p. 581). Comparer le
motif qui hâta sa décision de rédiger sa philosophie : IIIᵉ Partie, à p. 30,
l. 19-20

P. **74**, l. **17** : « ... *la gloire* ... »

C'est-à-dire : la passion engendrée par « le bien qui est ou qui a été en
nous, ... rapporté à l'opinion que les autres en peuvent avoir, ... » *Traité des
Passions*, II, 66 ; t. XI, p. 378, l. 11-13.

P. **74**, l. **19-20** : « ... *sur toutes choses* ... »

C'est-à-dire : par-dessus toutes choses. Cf. à p. 66, l. 13-14.

P. **74**, l. **22** : « ... *pour être inconnu* ... »

Peut-être la moyenne de Descartes n'est-elle pas en ceci la moyenne de tout le monde. Non seulement, en effet, le *Discours* même qui contient cette déclaration paraît sans nom d'auteur. mais l'amour du repos a souvent conduit Descartes à dissimuler sa résidence et à partir sans laisser d'adresse. Sans vouloir abuser de ce fait, que la première ligne que nous ayons conservée de lui est son « Larvatus prodeo » (t. X, p. 213), on peut citer, entre autres : « ... sans mander où je suis (ce que je ne désire pas) ... » (*à Mersenne*, 18 juin 1629, t. I, p. 15, l. 8-11). « ... alors je serais bien aise que vous lui montriez (*scil.* à Mydorge) ce billet comme l'ayant reçu de ces quartiers (*scil.* la Hollande), dans la lettre de quelqu'un de vos amis, et que vous jugez qu'il est de mon écriture ; car je ne me soucie pas tant qu'on soupçonne où je suis, pourvu qu'on ne sache point l'endroit assurément ; ... » (*à Mersenne*, 4 mars 1630, t. I, p. 125, l. 9-19). « Je ne manquerai pas de vous faire toujours savoir les lieux où je serai, pourvu, s'il vous plaît, que vous n'en parliez point, ... » *A Mersenne*, 15 avril 1630, t. I, p. 136, l. 11-13.

P. **74**, l. **30-31** : « ... *de l'avoir mauvaise* ... »

Cf. « Je ne suis pas si sauvage que je ne sois bien aise, si on pense à moi, qu'on en ait bonne opinion ; mais j'aimerais bien mieux qu'on n'y pensât point du tout » (*à Mersenne*, 15 avril 1630, t. I, p. 136, l. 18-21). Descartes intégrera cependant plus tard la passion de Gloire à la vie morale : *Traité des Passions*, III, 204 ; t. XI, p. 482, l. 1-14.

P. **75**, l. **6** : « ... *le public* ... »

Probablement, comme p. 73, l. 29 : l'État. Le sens actuel demeure toutefois possible, et c'est celui que donne le texte latin : « ... publicum ... » (t. VI, p. 581).

P. **75**, l. **6-7** : « ... *aussi me défaillir* ... »

C'est-à-dire : je ne veux pas non plus faire défection à ma propre cause.

P. **75**, l. **14-15** : « ... *quelques matières* ... »

Celles qui sont traitées dans les *Essais*.

P. **75**, l. **19** : « ... *si j'ai réussi* ... »

Pour l'opinion de Descartes lui-même, voir : « ... j'ai seulement tâché (*scil.* pour les raisons alléguées à p. 76, l. 8-9) par la Dioptrique et par les Météores de persuader que ma méthode est meilleure que l'ordinaire, mais je prétends l'avoir démontré par ma Géométrie. » *A Mersenne*, décembre 1637, t. I, p. 478, l. 8-11.

P. **75**, l. **21** : « *... de mes écrits ...* »

Le texte latin supprime depuis : « *... et je ne veux ...* » jusqu'à « *... de mes écrits ; ...* ».

P. **75**, l. **23** : « *... d'autant plus d'occasion ...* »

C'est-à-dire : pour que l'on s'y sente d'autant plus invité.

P. **75**, l. **25** : « *... à mon libraire ...* »

C'est-à-dire : à Jean Maire.

Cf. « La lettre que j'écrivais à Monsieur l'abbé Delaunay était dans le paquet de Monsieur N., et je n'avais différé jusqu'alors à vous l'envoyer que pour vous en épargner le port ; mais, puisqu'il est d'opinion que je tardais à lui répondre faute de pouvoir éclaircir les choses que j'ai écrites touchant l'existence de Dieu, elle ne servira pas à l'en ôter ; car je n'ai nullement tâché de le faire, mais seulement de répondre à son compliment et à l'offre qu'il me faisait de son amitié. Et, résolument, quoi qu'on puisse dire ou écrire, je n'entreprendrai point de satisfaire à aucune question qui sera faite en particulier, principalement par des personnes avec qui je n'ai point eu ci-devant d'habitudes ; mais seulement à celles qui me seront faites en public, suivant ce que j'ai promis en la page 75 du *Discours de la Méthode.* » *A Mersenne,* 22 juin 1637, t. I, p. 390, l. 1-16. Cf. *à Mersenne*, 1er mars 1638, t. II, p. 25, l. 3-21. — On notera que cet engagement publiquement contracté par Des- cartes présente d'ailleurs un autre aspect ; non seulement il autorise les objections et il invite à les lui envoyer, mais on doit le faire ; qui l'attaquera en secret commettra désormais une infamie. » Cf. t. III, p. 205-206. T. III, p. 223, l. 9-24. T. III, p. 245, l. 13-20.

P. **75**, l. **26-27** : « *... en même temps ...* »

C'est-à-dire : de publier simultanément l'objection et ma réponse.

P. **75**, l. **31** : « *... si je les connais ...* »

C'est-à-dire : si je les aperçois.

P. **76**, l. **5** : « *... de l'une dans l'autre ...* »

C'est-à-dire : d'une matière dans l'autre. Cf. texte latin : « ..., nulla addita novae alicujus materiae explicatione, ne me sine fine ab una ad aliam tran- sire sit necesse » (t. VI, p. 582).

P. **76**, l. **8-9** : « *... des suppositions ...* »

1º Cette précaution n'empêcha pas l'objection de se formuler. Descartes veut dire que ses principes sont des *suppositions* par rapport aux principes métaphysiques dont ils dépendent, non par rapport à la science physique qui en découle. — Cf. « Quant à ce que j'ai supposé au commencement des Météores, je ne le saurais démontrer *a priori*, sinon en donnant toute ma Physique ; mais les expériences que j'en ai déduites nécessairement, et qui ne peuvent être déduites en même façon d'aucuns autres principes, me semblent le démontrer assez *a posteriori*. J'avais bien prévu que cette façon d'écrire choquerait d'abord les lecteurs, et je crois que j'eusse pu aisément y remédier, en ôtant seulement le nom de suppositions aux premières choses dont je parle, et ne les déclarant qu'à mesure que je donnerais quelques raisons pour les prouver ; mais je vous dirai franchement que j'ai choisi cette façon de proposer mes pensées, tant pour ce que, les croyant pouvoir déduire par ordre des premiers principes de ma Métaphysique, j'ai voulu négliger toutes autres sortes de preuves ; que pour ce que j'ai désiré essayer si la seule exposition de la vérité serait suffisante pour la persuader, sans y mêler aucunes disputes ni réfutations des opinions contraires. En quoi ceux de mes amis qui ont lu le plus soigneusement mes traités de Dioptrique et des Météores m'assurent que j'ai réussi : car bien que d'abord ils n'y trouvassent pas moins de difficulté que les autres, toutefois, après les avoir lus et relus trois ou quatre fois, ils disent n'y trouver plus aucune chose qui leur semble pouvoir être révoquée en doute. Comme, en effet, il n'est pas toujours nécessaire d'avoir des raisons *a priori* pour persuader une vérité ; et Thalès, ou qui que ce soit, qui a dit le premier que la Lune reçoit sa lumière du Soleil, n'en a donné sans doute aucune autre preuve, sinon qu'en supposant cela on explique fort aisément toutes les diverses phases de sa lumière : ce qui a été suffisant pour faire que, depuis, cette opinion ait passé par le monde sans contredit. Et la liaison de mes pensées est telle que j'ose espérer qu'on trouvera mes principes aussi bien prouvés par les conséquences que j'en tire, lorsqu'on les aura assez remarquées pour se les rendre familières et les considérer toutes ensemble, que l'emprunt que la Lune fait de sa lumière est prouvé par ses croissances et décroissances » (*au P. Vatier*, 22 février 1638, t. I, p. 563, l. 3-p. 564, l. 12). — Cf. p. 76, l. 22-27. *Princ. phil.*, III, 44 ; t. VIII, p. 99, l. 15-24. *A Mersenne*, 27 mai 1638, t. II, p. 142, l. 5-26.

2º L'emploi de cette expression et le développement qui suit sont importants pour l'histoire de la physique cartésienne après Descartes, et pour expliquer le malentendu qui opposera, au xviiie siècle, les partisans de la *philosophie* cartésienne à ceux de la *science* newtonienne. Le cartésien Pierre-Silvain Régis est un témoin intéressant de la déformation que les disciples les mieux intentionnés avaient fait subir à la pensée du maître sur ce point. Selon lui, l'esprit du cartésianisme implique : « que la Physique spéculative ne se peut traiter que d'une manière problématique, et que tout ce qui est démonstratif ne lui appartient pas » (*Réponse au livre...*, p. 304). C'est que, comme il le dit encore : « il est visible que quand on cherche la cause d'un

effet en Physique (où tout est problématique) il suffit d'avoir trouvé celle
qui le peut produire, sans qu'il soit nécessaire de connaître précisément celle
qui l'a produit » (*Ibid.*, p. 305). De telles assertions eussent profondément
surpris Descartes et vont droit contre ses intentions. Elles s'expliquent
cependant. Descartes considérait, en effet, le caractère systématique de la
science comme la condition nécessaire de la vérité des détails et sa plus
sûre garantie ; les cartésiens, instruits par les nombreux démentis que le progrès de la science infligeait au détail de la physique cartésienne (lois du
choc, du mouvement, théorie du mouvement du cœur, glande pinéale siège de
l'âme, etc.), s'attachèrent à elle surtout pour son caractère systématique et
proprement philosophique, par opposition à la physique scientifique, dont
l'objet propre leur semblait être « la découverte de nouveaux faits ». C'est ce
qui explique aussi le respect avec lequel les cartésiens parlaient de Gassendi,
à qui l'on devait le seul « système » autre que celui de Descartes. — Voir, sur
ce point, le suggestif *Avertissement* de Pierre-Silvain Régis : *Cours entier de*
philosophie ou Système général selon les principes de M. Descartes. La Physique. Avertissement (Amsterdam, 1691, t. I, p. 274-278 ; cf. livre II, partie II, ch. II, p. 393).

P. **76**, l. **10-11** : « ... *lire le tout avec attention* ... »

« Si denique sibi persuadet me temere absque fundamento supponere
partes aquae esse oblongas instar anguillarum et similia, meminerit quaeso,
eorum quae sunt in pag. 76 libelli *de Methodo*, et sciat se, si dignetur omnia
quae in *Meteoris* et *Dioptrica* scripsi cum sufficienti attentione perlegere, sex-
centas ibi rationes reperturum, ex quibus totidem syllogismi ad ea demons-
tranda formari possunt hoc pacto :
« Si aqua sit magis fluida et difficilius congeletur quam oleum, indicium
est hoc ex partibus sibi invicem facile adhaerentibus, quales sunt rami arbo-
rum, istam vero ex magis lubricis, quales sunt eae quae habent figuras
anguillarum, constare ; sed experientia testatur aquam esse oleo magis flui-
dam et difficilius congelari ; ergo... (*suivent trois autres exemples*).
« Quae quamvis singula sejunctim considerata non nisi probabiliter per-
suadeant, omnia tamen simul spectata demonstrant ; sed si talia omnia dia-
lectico stilo deducere voluissem, immani profecto volumine typographo-
rum manus et lectorum oculos fatigassem. » *A Plempius*, 3 octobre 1637, t. I,
p. 422, l. 16-p. 424, l. 2.
Cf. note précédente, 1°.

P. **76**, l. **13** : « ... *sont démontrées* ... »

Au sens précis que Descartes donne ici à ce terme, et qui distingue la
démonstration de la *preuve* aussi bien que de l'*explication*. Voir note suivante.

P. **76**, l. **15** : « ... *le sont réciproquement* ... »

La traduction latine, tenant compte de l'objection de Morin (voir note suivante), substitue ici le terme *prouver* au terme *démontrer*. « Rationes enim mihi videntur in iis tali serie connexae, ut sicut ultimae *demonstrantur* a primis quae illarum causae sunt, ita reciproce primae ab ultimis, quae ipsarum sunt effecta, *probentur* » (t. VI, p. 582).

P. **76**, l. **17-18** : « ... *nomment un cercle* ... »

Objection de Morin : « Et bien que, par la page 76 de votre Méthode, l'expérience rende très certains la plupart des effets que vous traitez, néanmoins vous savez très bien que l'apparence des mouvements célestes se tire aussi certainement de la supposition de la stabilité de la Terre que de la supposition de sa mobilité ; et partant, que l'expérience d'icelle apparence n'est pas suffisante pour prouver laquelle des deux causes ci-dessus est la vraie. Et s'il est vrai que prouver des effets par une cause posée, puis prouver cette même cause par les mêmes effets, ne soit pas un cercle logique, Aristote l'a mal entendu, et on peut dire qu'il ne s'en peut faire aucun. » *Morin à Descartes*, 22 février 1638, t. I, p. 538, l. 1-13.

Réponse de Descartes : « Vous dites aussi que *prouver des effets par une cause, puis prouver cette cause par les mêmes effets, est un cercle logique*, ce que j'avoue ; mais je n'avoue pas pour cela que c'en soit un, d'expliquer des effets par une cause, puis de la prouver par eux : car il y a grande différence entre *prouver* et *expliquer*. A quoi j'ajoute qu'on peut user du mot *démontrer* pour signifier l'un et l'autre, au moins si on le prend selon l'usage commun, et non en la signification particulière que les Philosophes lui donnent. J'ajoute aussi que ce n'est pas un cercle de prouver une cause par plusieurs effets qui sont connus d'ailleurs, puis réciproquement de prouver quelques autres effets par cette cause. Et j'ai compris ces deux sens ensemble en la page 76 par ces mots : *Comme les dernières raisons sont démontrées par les premières, qui sont leurs causes, ces premières le sont réciproquement par les dernières, qui sont leurs effets.* Où je ne dois pas, pour cela, être accusé d'avoir parlé ambiguëment, à cause que je me suis expliqué incontinent après, en disant que, *l'expérience rendant la plupart de ces effets très certains, les causes dont je les déduis ne servent pas tant à les prouver qu'à les expliquer, mais que ce sont elles qui sont prouvées par eux.* Et je mets *qu'elles ne servent pas tant à les prouver*, au lieu de mettre *qu'elles n'y servent point du tout*, afin qu'on sache que chacun de ces effets peut aussi être prouvé par cette cause, en cas qu'il soit mis en doute, et qu'elle ait déjà été prouvée par d'autres effets. En quoi je ne vois pas que j'eusse pu user d'autres termes que je n'ai fait, pour m'expliquer mieux. » *A Morin*, 13 juillet 1638, t. III, p. 197, l. 25-p. 198, l. 28. — Cf. *Princ. phil.*, III, 4 ; t. VIII, p. 81, l. 19-p. 82, l. 3.

P. **76**, l. **20** : « ... *à les prouver* ... »

Voir plus haut, à p. 64, l. 28.

P. **76**, l. **22-23** : « ... *des suppositions* ... »

La raison la plus profonde est celle que Descartes nous découvre lui-même
dans sa Correspondance (texte cité plus haut, à p. 76, l. 8-9) ; mais il n'en
résulte pas que celle qu'il indique ici n'ait pas joué un rôle réel dans sa pensée. Tout au contraire, la *Géométrie* constitue comme une sorte d'expérience
cruciale qui permet d'affirmer que Descartes dit ici la vérité. La raison fondamentale pour laquelle il ne présente que des *Essais* de sa physique, sans en
livrer les principes, peut bien être, en effet, la crainte des controverses où la
publication de ces principes l'eût engagé ; mais ce motif n'avait aucune raison d'intervenir pour modifier la rédaction de la *Géométrie*, car nulle opposition théologique ou controverse scolastique n'était à redouter sur ce terrain.
Or, nous tenons de Descartes qu'il altéra volontairement la composition et
la rédaction de ce dernier essai, pour une raison analogue à celle qu'indique
le *Discours* : « ... je me suis expressément rendu un peu obscur en quelques
endroits, afin que telles gens ne se pussent vanter d'avoir su sans moi les
mêmes choses que j'ai écrites » (*à Mersenne*, 27 mai 1638, t. II, p. 152,
l. 18-22). « Ma Géométrie est comme elle doit être pour empêcher que le
Roberval et ses semblables n'en puissent médire sans que cela tourne à leur
confusion ; car ils ne sont pas capables de l'entendre, et je l'ai composée
ainsi tout à dessein, en y omettant ce qui était le plus facile, et n'y mettant
que les choses qui en valaient le plus la peine. Mais je vous avoue que, sans la
considération de ces esprits malins, je l'aurais écrite tout autrement que je
n'ai fait, et l'aurais rendue beaucoup plus claire ; ce que je ferai peut-être
encore quelque jour, si je vois que ces monstres soient assez vaincus ou
abaissés » (*à Mersenne*, 4 avril 1648, t. V, p. 142, l. 24-p. 143, l. 4). Il est donc
impossible de douter que le parti pris de ne donner dans les *Essais* que les
conséquences sans les principes ne s'explique, dans une certaine mesure, par
la crainte de voir les envieux s'approprier des principes dont ils ne sont
même pas capables de se servir.

P. **77**, l. **4-5** : « ... *comme nouvelles* ... »

Voir plus haut, à p. 15, l. 25, 3°.

P. **77**, l. **7** : « ... *au sens commun* ... »

Cette expression, chère à Descartes, qui voit dans l'accord de sa doctrine
avec le sens commun la marque la plus sûre de vérité, implique deux significations principales :

1° La physique cartésienne ne fait appel qu'à l'idée innée d'étendue, à ses
propriétés géométriques les plus évidentes et aux lois de la mécaniques, dont

nul esprit sain ne s'aviserait de douter. Ce sont les semences de vérité dont il a été question p. 43, l. 3-5, et p. 64, l. 4-5.

2º Elle n'invoque, en outre, comme principes que les faits les plus universellement accessibles aux sens ; savoir : les corps ont des parties et des formes différentes, ils sont en mouvement, ils se choquent, se brisent et changent de forme, etc. (*Princ. phil.*, IV, 200 ; t. VIII, p. 323, l. 15-p. 324, l. 5). Il est vrai que nous étendons par là aux particules invisibles des corps ce que nous ne constatons que pour les corps eux-mêmes. Mais Descartes a formulé sa pensée touchant la légitimité de ce passage, dès 1619, en des termes qu'il pourra reprendre tels quels en 1644. C'est, en effet, l'une des idées les plus importantes des *Cogitationes privatae* que l'on ne peut se représenter les propriétés inconnues des corps naturels qu'à la ressemblance de ce que nos sens nous en font connaître : « Cognitio hominis de rebus naturalibus, tantum per similitudinem eorum quae sub sensum cadunt : et quidem eum verius philosophatum arbitramur, qui res quaesitas felicius assimilare poterit sensu cognitis » (t. X, p. 218, l. 21-p. 219, l. 2). C'est exactement ce qu'affirmeront à nouveau les *Principia philosophiae* (IV, 203 ; t. VIII, p. 325, l. 28-p. 326, l. 8 et 25-31) : « ex sensilibus effectibus et partibus corporum naturalium, quales sint eorum causae et particulae insensiles, investigare conatus sum. » La physique de Descartes est donc une physique du sens commun, parce qu'elle ne fait appel qu'à ce que tout le monde a toujours connu (« adeo ut haec Philosophia non sit nova, sed omnium maxime antiqua et vulgaris. » *Ibid.*, t. VIII, p. 323, l. 20), et qu'au lieu d'expliquer les effets sensibles par des causes qui n'ont aucun rapport avec eux, comme les formes substantielles, elle suppose que ce que tout le monde voit est le modèle de ce qui se passe dans les parties des corps que l'on ne voit pas : « Nec puto quemquam ratione utentem negaturum, quin longe melius sit, ad exemplum eorum quae in magnis corporibus accidere sensu percipimus, judicare de iis quae accidunt in minutis corpusculis, ob solam suam parvitatem sensum effugientibus, quam ad haec explicanda, novas res nescio quas, nullam cum iis quae sentiuntur similitudinem habentes, excogitare » (*Ibid.*, IV, 201 ; t. VIII, p. 324, l. 26-p. 325, l. 2). Il y a là un appel au témoignage du sensible qui n'est pas le côté le moins curieux de la polémique cartésienne contre l'École et qui vaut d'être noté.

P. **77**, l. **12** : « ... *dites par d'autres* ... »

Déclaration discrète, mais formelle, qui équivaut au rejet du principe d'autorité. Cf. « Cum nihil hîc praeter autoritatem Aristotelis et ejus Sectatorum mihi opponatur, nec dissimulem, me ipsi minus credere quam rationi, non est quod multum de responsione laborem » (*à ****, août 1641, t. III, p. 432, l. 15-18). « ... je fais bien plus d'état de son jugement (*scil.* Élisabeth) que celui de M[rs] les Docteurs, qui prennent pour règle de la vérité les opinions d'Aristote plutôt que l'évidence de la raison » (*à Pollot*, 6 octobre 1642, t. III, p. 577, l. 14-17). Et enfin toute la *Reg.*, III : « Circa objecta proposita, non quid alii senserint, vel quid ipsi suspicemur, sed quid clare et evidenter possimus intueri, vel certo deducere, quaerendum est ; non aliter enim scientia acquiritur. » T. X, p. 366, l. 11-14.

P. **77**, l. **16** : « ... *en la Dioptrique* ... »

C'est-à-dire : Discours X, *De la façon de tailler les verres* (t. VI, p. 211, l. 19-p. 227, l. 27).

P. **77**, l. **18** : « ... *et de l'habitude* ... »

C'est en quoi les arts diffèrent spécifiquement des sciences. De là vient qu'on ne peut apprendre les sciences que toutes ensemble, au lieu qu'on est obligé de se spécialiser si l'on veut exceller dans un art manuel déterminé (cf. *Reg.*, I ; t. X, p. 359, l. 11-p. 360, l. 6). — La recommandation que Descartes adresse ici aux artisans lui est suggérée par le souvenir des nombreuses difficultés auxquelles s'était heurté Ferrier en taillant des verres de lunettes suivant ses indications (*Descartes à Ferrier*, 18 juin 1629, t. I, p. 13-16 ; 8 octobre 1629, t. I, p. 32-37. *Ferrier à Descartes*, 26 octobre 1629, t. I, p. 38-52. *Descartes à Ferrier*, 13 novembre 1629, t. I, p. 53-69, surtout p. 68, l. 27 et suiv. *Au même*, 2 décembre 1630, t. I, p. 183-187) et au découragement qui avait suivi.

P. **77**, l. **21** : « ... *s'ils rencontraient* ... »

C'est-à-dire : s'ils réussissaient. Cf. Huguet, *Petit Glossaire*, p. 338.

P. **77**, l. **24** : « ... *de la tablature* ... »

C'est-à-dire : de la musique écrite, une partition. Cf. « *Tablature*. Arrangement de plusieurs lettres ou notes de musique sur des lignes pour marquer le chant à ceux qui jouent des instruments. *Jouer sur la partie, jouer sur la tablature. Tablature de luth, de violon, d'orgue*, etc. » *Dictionnaire de l'Académie*, édit. de 1694 ; dans Huguet, *op. cit.*, p. 380.

P. **77**, l. **24-25** : « *Et si j'écris* ... »

Supprimé dans le texte latin, jusqu'à : « ... *en langue vulgaire* », ce passage ne pouvant avoir aucun sens en latin.

P. **77**, l. **28** : « ... *toute pure* ... »

C'est-à-dire : les gens du monde qui, à la différence des philosophes de profession, n'ont pas l'esprit corrompu par la scolastique. — Cf., dans le même sens, le texte cité plus haut, à p. 77, l. 12. — *Reg.*, IV : « quod etiam experientia comprobatur, cum saepissime videamus illos, qui litteris operam nun-

quam navarunt, longe solidius et clarius de obviis rebus judicare, quam qui
perpetuo in scholis sunt versati » (t. X, p. 371, l. 21-25). — « Toutefois, je ne
veux rien diminuer de l'honneur que chacun d'eux (*scil.* les philosophes) peut
prétendre ; je suis seulement obligé de dire, pour la consolation de ceux qui
n'ont point étudié, que tout de même qu'en voyageant, pendant qu'on tourne
le dos au lieu où l'on veut aller, on s'en éloigne d'autant plus qu'on
marche plus longtemps et plus vite, en sorte que, bien qu'on soit mis par
après dans le droit chemin, on ne peut pas arriver sitôt que si on n'avait
point marché auparavant ; ainsi, lorsqu'on a de mauvais principes, d'autant qu'on les cultive davantage, et qu'on s'applique avec plus de soin à en
tirer diverses conséquences, pensant que ce soit bien philosopher, d'autant
s'éloigne-t-on davantage de la connaissance de la vérité et de la Sagesse.
D'où il faut conclure que ceux qui ont le moins appris de tout ce qui a été
nommé jusques ici Philosophie sont les plus capables d'apprendre la vraie. »
Principes, Préface, t. VIII, p. 8, l. 25-p. 9, l. 12.

P. **77**, l. **30-31** : « ... *le bon sens avec l'étude* ... »

C'est-à-dire : ceux qui unissent le droit usage de la raison à une science
véritable ; car, si des esprits droits et non prévenus en faveur des fausses
doctrines sont de bons élèves, il peut leur manquer la science nécessaire pour
être de bons juges.

P. **78**, l. **11-12** : « ... *pour la Médecine* ... »
Voir plus haut, p. 62, l. 31-p. 63, l. 2.

P. **78**, l. **15-16** : « ... *qu'en nuisant aux autres* ... »

Descartes pense sans doute aux offres qui pourraient lui être faites, de
mettre sa science au service de l'État, à titre d'Ingénieur militaire. C'était
l'usage de la science le plus naturel que l'on pût alors concevoir, de la part
d'un gentilhomme officier, savant, et qui sollicitait discrètement des subsides de l'État. Par là s'expliquerait du même coup le refus préalable de
tout emploi — car quel autre eût-on pu lui offrir — sur lequel s'achève le
Discours.

P. **78**, l. **19-20** : « ... *me rendre considérable* ... »
Texte latin : « ... ad mihi authoritatem aut existimationem aliquam com-
parandam ... » (t. VI, p. 583).

P. **78**, l. **24-25** : « ... *les plus honorables emplois* ... »
Texte latin : « ... quam iis qui mihi dignitates amplissimas offerrent »
(t. VI, p. 583).

CORRECTIONS ET ADDITIONS

Nous avons pu soumettre les épreuves du Commentaire à quelques personnes et sommes heureux de reproduire celles de leurs observations qui nous sont parvenues à temps pour être publiées avec le volume. Qu'il nous soit permis de remercier particulièrement M. Ch. Adam, recteur de l'Académie de Nancy ; M. le Dr Lecène, professeur à la Faculté de médecine de Paris ; M. le Dr Charles Blondel, M. l'abbé Baudin et M. G. Cohen, professeurs à l'Université de Strasbourg ; M. P. Villey, professeur à l'Université de Caen, et M. Cornélis de Waard, dont les corrections et suggestions nous ont été d'un précieux secours.

Nota. — Les références des passages que nous citons correspondent, en principe, à la première et à la dernière ligne du texte cité. Toutefois, lorsque le passage auquel nous voulons renvoyer le Lecteur était trop long pour être intégralement cité, c'est à lui que se rapporte notre référence, et non au fragment que nous en reproduisons. Par exemple, p. 263 du Commentaire, dernière ligne, le passage que nous citons aurait pour référence précise : p. 148, l. 3-13 ; toutefois, comme ce qui précède est important pour la question que nous examinons, nous renvoyons au texte complet : p. 147, l. 27-p. 148, l. 13, dont le passage reproduit n'est que la conclusion.

Titre : « Discours ... ». — Cf. à Huygens, 27 février 1637, dans *Correspondence of Descartes and Constantin Huygens*, éditée par Léon Roth (Oxford, Clarendon Press, 1926), p. 34, l. 20-29. On y voit aussi (p. 34, l. 31-p. 35, l. 35) que c'est tardivement que Descartes a supprimé « la glose » du titre primitif dont nous parlons plus loin à p. 3, l. 9.

P. **1**, l. **18**. — La nuance d'ironie ne porterait pas sur l'idée que le bon sens est égal chez tous, mais sur l'argument : « car chacun pense en être si bien pourvu ... » Ce serait, selon l'heureuse expression de M. A. Lalande, un argument ironique au service d'une idée sérieuse. — Cf. Albert G. A. Balz, *Dualism in cartesian psychology and epistemology*, p. 94.

P. **3**, l. **4-5**. — La traduction latine rend : « dès ma jeunesse » par « a primis annis » (t. VI, p. 541). Le passage vise donc incontestablement les années de collège du jeune Descartes, et non l'époque de l'invention de sa méthode, ainsi qu'on l'a soutenu. — Par contre, il faut supprimer le rapprochement entre « fortunae auxilio » et « beaucoup d'heur ». Voir la juste remarque de J. Sirven, *Les années d'apprentissage de Descartes*, 1928, p. 172, note 2.

P. 4, l. 15. — Les articles d'Alf. Espinas que nous alléguons (p. 99) sont réunis dans : Alfred Espinas, *Descartes et la Morale*, Paris, Bossard, 1925, t. I, ch. I, II, III.

P. 4, l. 25-26. — Selon J. Sirven (*Les années d'apprentissage de Descartes*, 1928, p. 40-48), c'est le P. Étienne Noël qui aurait été le professeur de philosophie de Descartes à La Flèche, en 1613, 1614 et 1615. Dans cette hypothèse, Descartes serait sorti du collège en 1615. L'argumentation de J. Sirven, très bien menée et fondée sur des faits précis, nous semble convaincante et nous aurions modifié notre commentaire en ce sens si nous l'avions connue à temps. — En conséquence, il faudrait raccourcir d'un an les études juridiques de Descartes ; elles ne peuvent avoir eu lieu qu'en 1615-1616 (J. Sirven, *op. cit.*, p. 52).

P. 4, l. 31. — M. P. Villey rapproche : Montaigne, *Essais*, liv. I, ch. LIV ; éd. F. Strowski, t. I, p. 402, l. 15-18. Ajouter, *à Huygens*, juillet 1640, t. III, p. 104, l. 16-17. Cf. éd. L. Roth, p. 137, l. 71-72.

P. 5, l. 14. — *Fleurissant*, aujourd'hui : *florissant* (G. Cohen).

P. 5, l. 24-25. — M. G. Cohen observe que le sens de « discrétion » lui paraît être uniquement celui de *discernement* (et non de modération). Voir G. Cayrou, *Le Français classique*, Paris, Didier, 1923, à : Discret.

P. 5, l. 27. — Ajouter : Faret, *L'honnête homme ou l'Art de plaire à la Cour*, 1630. Édition M. Magendie, Paris, 1925.

P. 6, l. 8. — M. É. Baudin observe justement que si la théologie, telle que saint Thomas la conçoit, enseigne à gagner le ciel, ce ne serait cependant pas à ses yeux une définition suffisante de la théologie. Son accord partiel avec Descartes, que le texte cité prouve, ne doit donc pas dissimuler leur désaccord profond.

P. 6, l. 10. — M. G. Cohen pense que l'expression « moins savants » est probablement un superlatif, et non un comparatif. Elle signifierait : *ceux qui sont le moins savants*, plutôt que : *les moins savants que soi*.

P. 7, l. 7-8. — M. G. Cohen note que : « les exemples », correspond exactement au sens moderne de : « les leçons » (cf. *Les diverses leçons de Pierre-Messie*, 1552). Les *Essais* étaient certainement, à l'origine, un recueil d'exemples.

P. 7, l. 22. — Cf. *à Bannius*, éd. L. Roth, p. 293-298.

P. 7, l. 27. — Cf. « Pourvu qu'il (*scil.* l'honnête homme) ait des mathématiques, ce qui sert à un capitaine, comme de fortifier régulièrement et tirer des plans, d'ajouter, soustraire, multiplier et diviser pour se rendre facile l'exercice de former des bataillons ; qu'il ait appris la sphère supérieure et inférieure, et rendu son oreille capable de juger de la délicatesse des tons de musique, il est fort peu important qu'il ait pénétré dans les secrets de la géométrie et dans les subtilités de l'algèbre, ni qu'il se soit laissé ravir dans les merveilles de l'astrologie et de la chromatique ». N. Faret, *L'honnête homme...* (1630), éd. citée, p. 26.

P. **9**, l. **21-22**. — Cf. « Quoi que l'on en croie, j'estime que sans qu'il soit nécessaire de s'aller embrouiller dans toutes les querelles de la philosophie, qui consommeraient peut-être inutilement l'âge entier d'un homme qui profiterait beaucoup mieux d'étudier dans le grand livre du monde que dans Aristote, c'est assez qu'il ait une médiocre teinture des plus agréables questions qui s'agitent quelquefois dans les bonnes compagnies ». N. Faret, *L'honnête homme...* (1630), éd. citée, p. 26.

P. **9**, l. **22**. — Au lieu de : « sorti de La Flèche en 1616, ... », lire : « en 1615, ... »

P. **9**, l. **26**. — M. P. Villey compare : Montaigne, *Essais*, liv. II, ch. VI ; éd. F. Strowski, t. II, p. 51-54.

P. **10**, l. **16**. — Cf. N. Faret, *op. cit.*, p. 29-30.

P. **11**, l. **11**. — Cf. *Dictionnaire de l'Académie* (1694), dans Huguet, *op. cit.*, p. 296. M. Ém. Baudin précise : « Si grande que soit la maison, elle ne comporte qu'un poêle : c'est la chambre derrière la cuisine. Elle est chauffée par le poêle de la cuisine, qui se trouve dans le mur et déborde dans la chambre. C'est donc la meilleure pièce. Elle existe encore en Lorraine, où on la réserve aux étrangers de distinction. J'aime à me représenter Descartes s'y enfermant la journée durant, sans jamais être dérangé par ses hôtes, pas même pour qu'on l'y chauffât. »

P. **11**, l. **25**. — M. L. Brunschvicg nous fait observer, à propos de tout ce passage, que le IIᵉ acte du *Menteur* (1643) se passe précisément sur la Place-Royale (place des Vosges) ; et que c'est le premier endroit où Géronte s'empresse de conduire son fils Dorante, qui arrive de Poitiers après avoir terminé son Droit :

« Que l'ordre est rare et beau de ces grands bâtiments ! »

Des analogies de situation avec *Le Menteur* ont été relevées déjà à propos d'un autre passage (à p. 9, l. 23). Cf. également Ch. Adam, *Glanures*, dans Supplément, p. 103-104.

P. **15**, l. **15** : « ... *et le monde n'est quasi composé* ... » — M. P. Villey ajoute, avec raison : Montaigne, *Essais*, liv. I, ch. XXVII ; éd. F. Strowski, t. I, p. 236, l. 9-p. 237, l. 9.

P. **16**, l. **16**. — M. P. Villey rapproche « ... jusqu'aux modes de nos habits ... », de : Montaigne, *Essais*, liv. I, ch. xliii ; éd. F. Strowski, t. I, p. 345-348.

P. **17**, l. **18-19**. — M. Ém. Baudin ajoute que Descartes, refusant la logique formelle des scolastiques, accepte cependant leur logique en quelque sorte matérielle, qui est celle des *essences*. Quand les Scolastiques parlent de concepts, ils entendent tour à tour leur forme logique et leur matière, ou contenu, qui est l'essence. Les *natures simples* de Descartes sont des essences, et même aussi les natures composées.

P. **18**, l. **8** : « *Et comme la multitude des lois ...* » — M. P. Villey rapproche : Montaigne, *Essais*, liv. III, ch. xiii, début ; éd. F. Strowski, t. III, p. 361, l. 9-p. 362, l. 5. — Sur tout ce qui concerne la méthode cartésienne, consulter les pénétrantes observations de M. L. Brunschvicg, *Mathématique et métaphysique chez Descartes*, dans *Revue de métaphysique et de morale*, 1927, p. 277-324.

P. **18**, l. **16**. — Cf. le texte du chancelier du Vair : « Nous devons consentir à ce que nous voyons évidemment vrai, nier ce qui est évidemment faux, et en choses douteuses surseoir notre jugement jusques à ce que nous trouvions quelque raison qui nous en assure » (*La philosophie morale des Stoïques*, éd. de 1603, p. 55). Cité par M. L. Brunschvicg, *Spinoza et ses contemporains*, 3e éd., Paris, 1923, p. 263, note 4. — Cf. à p. 21, l. 18, 2º.

P. **23**, l. **13**. — Comparer la lettre *à Élisabeth*, janvier 1646, t. IV, p. 357, l. 1-15.

P. **26**, l. **4-5**. — L'expression même : *éloignées de notre pouvoir*, rappelle la traduction du *Manuel* d'Épictète par André Rivaudeau (éd. L. Zanta, Paris, 1914, p. 99) : « Entre les choses humaines, les unes sont en notre puissance, les autres non. Celles-ci y sont : l'opinion, l'entreprise, l'affection, le désir, la fuite et, en un mot, toutes nos considérations. Celles-ci n'y sont pas : notre propre corps, les possessions, les honneurs, les magistrats et, en un mot, ce qui est hors du pouvoir de nos actions. » Toute cette page est sensiblement influencée par la doctrine du *Manuel*.

P. **28**, l. **25**, 9º. — Au lieu de : « 1628 », lire : « 1626. » — M. Cornélis de Waard nous communique les textes importants qui suivent et qui confirment ce que l'on pouvait supposer par ailleurs de l'activité scientifique de Descartes à cette époque :

Robert Cornier, à Rouen, à Mersenne, 16 mars 1626 (Bibl. nat., f. fr., nouv. acq. 6205, p. 270-272) :

« Quant est de cet excellent mathématicien, dont vous me parlez, je serai non seulement bien aise de voir une démonstration de lui, afin de connaître son procédé, mais aussi d'apprendre son nom. Et vous me ferez faveur de l'un et de l'autre quand vous aurez commodité, et m'en informer au surplus s'il peut déterminer mathématiquement la force des presses et des écroux. Je crois que ce ne sera pas peu.

. . . .

« J'ai fait plusieurs expériences pour les réfractions, lesquelles néanmoins je n'oserais vous envoyer, parce qu'elles ne sont pas bien certaines à mon gré et ne me contentent pas ; si j'en puis recouvrer de certaines, je vous les envoyerai. Au surplus, je ne crois pas que votre mathématicien, quelque habile homme qu'il soit, puisse bien donner des raisons des réfractions jusques à ce qu'il ait enseigné de faire des lunettes de Hollande par raison et règlemens en telle longueur que l'on voudra... »

Robert Cornier, à Rouen, à Mersenne, 22 mars 1626 (Ibid., p. 159-160) :

« Pour les réfractions, je ne vous en puis rien mander de certain, mais si M. des Chartes veut prendre la peine de voir Kepler, il y en trouvera bon nombre, aussi bien que dedans Vitellion. Pour ce qui est du petit billet de la main de M. des Chartes, je ne l'ai point trouvé dans votre lettre ; c'est pourquoi je pense que vous ayez oublié à l'y mettre. Si je l'avais, je ferais ce qu'il me serait possible pour en faire l'expérience, encore que je ne me satisfasse pas trop bien de celles que j'ai faites ci-devant. Je serais bien aise, si vous avez quelque méthode facile et certaine pour y travailler, que vous m'en fissiez part, car pour moi je n'y travaille qu'avec un bâton...

« Au reste, je vous aurai bien fort de l'obligation et à M. des Chartes, quand vous m'aurez fait participant de sa belle méthode et de ses belles inventions. Pour ce qui est des cloches, je vous en pourrai mander quelque chose pour les premières ; maintenant je suis un peu pressé... Il est vrai qu'il y a quantité de fautes dans Kepler pour l'impression ; pour la doctrine, il y a bien quelque chose, dont je ne voudrais pas demeurer d'accord avec lui, mais pour ce qui est des expériences, il faut l'en croire, ce me semble. Ce sera bien quelque chose si M. des Chartes veut marquer en lisant les fautes qu'il y trouve ; ce sera un peu de peine, mais utile pour beaucoup de personnes... »

Le texte de cette dernière lettre montre que Descartes avait déjà rendu célèbre sa méthode dès 1626, et vient en confirmation de la conclusion proposée à p. 30, l. 18 (p. 277).

P. **31**, l. **1**. — M. Cornélis de Waard observe : « Il est en effet très difficile de décider si Descartes, après sa visite à Beeckman, en octobre 1628, est demeuré en Hollande ou s'il est retourné en France. L'année passée, j'étais de votre opinion et pensais qu'il y était demeuré ; mais, ayant recueilli encore quelques autres textes, j'ai changé d'opinion, et j'ai l'intention de dire ce que j'en pense dans le premier volume de la Correspondance de Mersenne. »

P. **31**, l. **14**. — Pour la cause de cette hésitation, voir plus loin, à p. 37, l. 4-5, et plus haut, à p. 4, l. 18.

P. 31, l. **14-15** : « ... *des premières méditations* ... » — A Franeker en Frise. — La IVᵉ Partie du *Discours* contient, en effet, le résumé des *Méditations métaphysiques*, dont l'élaboration avait occupé les neuf premiers mois qui suivirent le retour de Descartes en Hollande (octobre 1628-juillet 1629). — Cf. « ... au moins pensé-je avoir trouvé comment on peut démontrer les vérités métaphysiques, d'une façon qui est plus évidente que les démonstrations de géométrie... Les neuf premiers mois que j'ai été en ce pays, je n'ai travaillé à autre chose, ... ». *A Mersenne*, 15 avril 1630, t. I, p. 144, l. 14-22.

Sur ce séjour de Descartes à Franeker, voir G. Cohen, *op. cit.*, p. 435-443.

P. 34, l. **13**, II, 3°. — A propos du dernier paragraphe de l'article (p. 321), M. É. Baudin note que : « Les scolastiques distinguent tous l'*ens logicum* de l'*ens rationis*, les *relationes reales* des *relationes rationis*. Bref, ils paraissent croire à la subsistance d'un monde *intentionnel* d'essences, et préluder par là à Descartes, à Leibnitz. » Cette observation soulève un important problème historique. Il ne nous semble pas que le thomisme comporte l'attribution d'une réalité propre au caractère représentatif de l'idée ; Caterus argumente fort bien de ce point de vue. Par contre, il n'est pas certain que le thomisme enseigné à Descartes (c'est-à-dire celui de Suarez) n'ait pas comporté certaines modifications qui pouvaient inviter Descartes à se diriger dans ce sens ; on attribue notamment à Vasquez une doctrine de ce genre, et c'est un problème d'histoire des idées qu'il serait intéressant d'étudier.

P. 34, l. **24**. — M. É. Baudin observe : « Cette preuve est une seconde preuve, en ce sens que la base d'argumentation, l'effet à expliquer par Dieu-cause, n'est plus l'*esse objectivum* d'une idée, mais l'*esse reale* d'un être concret, le moi. C'est la preuve thomiste *a contingentia*, mais ayant pour base, au lieu du monde sensible, le moi d'un être qui a l'idée de parfait. » Observation parfaitement juste. Descartes veut pouvoir donner l'équivalent du plus grand nombre possible de preuves scolastiques de l'existence de Dieu. Il en a une *a priori*, comme saint Anselme, et deux *a posteriori*, comme saint Thomas : celle par la cause efficiente et celle par la contingence. Trois *voies* demeuraient incompatibles avec son système : la preuve par le premier moteur, la preuve par les degrés d'être, la preuve par la finalité.

P. 36, l. **30-31**. — Ajouter aux textes cités l'importante lettre *à Huygens*, juillet 1640, t. III, p. 102, l. 4-p. 103, l. 16.

P. 38, l. **18-19**. — Observation de M. É. Baudin : « Gassendi s'est-il tenu pour satisfait de cette réponse de Descartes, distinguant entre évidence et souvenir d'évidence? En fait, la véracité divine ne garantit pas que la mémoire, mais toutes les facultés, la raison y compris, et y compris ses évidences. C'est ce que vous remarquez dans la suite, par exemple p. 362 : « Le sens de « l'argumentation ... », etc. Je ne vois qu'un moyen d'éviter le cercle : c'est de distinguer, comme antérieurement, entre le plan critique et méthodologique et le plan métaphysique. » — Il est certain que notre réponse à l'objection du cercle est historiquement correcte, puisque Descartes n'en a jamais donné d'autre ; et il est non moins certain que le texte même du *Discours* impose la difficulté soulevée par M. É. Baudin, puisque Descartes n'y dit pas un seul mot de la mémoire, mais y insiste, au contraire, sur le fait que Dieu seul garantit la vérité de nos idées claires et distinctes.

Ceci posé, nous sommes devant un problème historique dénué de solution, non que nous ne puissions en inventer une, mais parce que nous ne pourrons jamais faire la preuve que Descartes y ait pensé. En voici une première, que nous avons proposée dans *Descartes et la métaphysique scolastique* (Rev. de l'Université de Bruxelles, 1923-1924, nº 2 ; tirage à part, p. 26) : Dieu garantirait non l'évidence actuellement perçue d'une idée, mais le *principe* que les idées évidentes sont vraies : « Autre chose est avoir la certitude d'une vérité évidente, autre chose avoir la certitude que les vérités évidentes sont vraies. » C'est terriblement ingénieux. — En voici une deuxième, que propose M. É. Baudin : je puis savoir que mes idées évidentes sont vraies avant de savoir pourquoi elles le sont ; l'évidence se suffit méthodologiquement, jusqu'à ce qu'elle-même perçoive son fondement métaphysique. Cela est infiniment meilleur et s'accorde sans hypothèse supplémentaire avec le texte du *Discours*. Mais, alors, pourquoi Descartes n'a-t-il pas répondu en ce sens à Gassendi ? C'est sans doute que deux questions connexes, mais distinctes, se mêlent dans les exposés de Descartes : 1º Comment se fait-il qu'il existe des évidences ? En d'autres termes : puisque la vérité est de l'être, quelle est la cause de cet être ? Réponse : c'est Dieu qui, étant véridique, est cause première de l'évidence de toutes mes idées. Ce problème, purement métaphysique, s'étend aussi bien aux évidences présentes qu'aux évidences passées, et c'est uniquement de lui que parlerait le *Discours*. En ce sens, Dieu est invoqué comme raison suffisante de l'existence des évidences, non comme garantie de leur certitude. 2º Comment garantir la vérité des évidences qui ne sont plus actuellement perçues ? C'est ce qu'expliquent les réponses à Gassendi et c'est de quoi parlent surtout les *Méditations métaphysiques*. En ce sens, Dieu n'est pas invoqué comme garantie de la certitude des évidences présentes qui, méthodologiquement, se suffisent à elles-mêmes, mais seulement comme garantie de la certitude des évidences passées.

P. **39**, l. **29**, 1º. — Rapprocher Descartes : « ... C'est l'âme qui sent, et non le corps ; ... » de saint Augustin, cité à p. 34, l. 20 ; « Est enim sensus et mentis. »

P. **40**, l. **22-23**. — Voir, sur ce point, les pages décisives d'O. Hamelin, *Le système de Descartes*, p. 21-29, et de H. Gouhier, *La pensée religieuse de Descartes*, p. 12-20 et p. 72-81.

P. **45**, l. **28** : « ... *par les causes* ... » — C'est-à-dire : en les démontrant *a priori*. Voir à p. 64, l. 7, 1º.

P. **47**, l. **4**. — Il n'est pas sans intérêt de noter que Vésale avait fait aussi de la vivisection, comme en témoigne son livre, où l'on voit une planche montrant la façon d'attacher un cochon vivant sur une table spéciale (professeur Lecène).

P. **47**, l. **5**. — Pourvu, comme l'indique le texte du *Discours*, l. 6, que cet animal ait des poumons.

P. **49**, l. **16**, 4°. — M. le professeur Lecène note que l'expérience de Galien, objectée par Plempius à Descartes, ne signifie rien, à cause de la rapide coagulation du sang dans le tube, quand on ne prend pas des précautions spéciales, inconnues autrefois. En réalité, si l'on maintient la continuité des deux bouts d'une artère au moyen d'une canule en argent paraffiné, le pouls persiste en dessous, parce que la coagulation ne se produit pas. Pour la même raison, la réponse de Descartes est inopérante, car si le tube est maintenu perméable au sang (grâce à un artifice tel que le paraffinage), l'onde systolique peut encore passer et donner naissance au pouls en dessous. Toutes ces expériences de ligature sur un tube sont faussées par la coagulation dans le tube, dont ni Galien, ni Plempius, ni Descartes ne se sont doutés.

APPENDICE

TABLES COMPARATIVES DES TEXTES PARALLÈLES DES *REGULAE* ET DU *DISCOURS*

Regulae ad directionem ingenii.
Regulae de inquirenda veritate
(Titre, t. X, p. 359, l. 2-3 et note 1).

« Ego me fateor natum esse ingenio, ut summam studiorum voluptatem, non in audiendis aliorum rationibus, sed in iisdem propria industria inveniendis semper posuerim ; quod me unum cum juvenem adhuc ad scientias addiscendas allexisset, quoties novum inventum aliquis liber pollicebatur, in titulo, antequam ulterius legerem, experiebar utrum forte aliquid simile per ingenitam quamdam sagacitatem assequerer, cavebamque exacte ne mihi hanc oblectationem innocuam festina lectio praeriperet. Quod toties successit, ut tandem animadverterim, me non amplius, ut caeteri solent, per vagas et caecas disquisitiones, fortunae auxilio potiusquam artis, ad rerum veritatem pervenire ; sed certas regulas, quae ad hoc non parum juvant, longa experientia percepisse, quibus usus sum postea ad plures excogitandas. Atque ita hanc totam methodum diligenter excolui, meque omnium maxime utilem studendi modum ab initio secutum fuisse mihi persuasi » (*Reg. X*, t. X, p. 403, l. 12-p. 404, l. 4).

« Vix enim in scientiis ulla quaestio est, de qua non saepe viri ingeniosi inter se dissenserint. Sed quotiescumque duorum de eadem re judicia in contrarias partes feruntur, certum est alterutrum

« ... bien conduire sa raison et chercher la vérité dans les sciences » (*Discours*, titre VI, p. 1).

« Je pense avoir eu beaucoup d'heur, de m'être rencontré dès ma jeunesse en certains chemins qui m'ont conduit à des considérations et des maximes, dont j'ai formé une méthode, par laquelle il me semble que j'ai moyen d'augmenter par degrés ma connaissance, et de l'élever peu à peu au plus haut point, auquel la médiocrité de mon esprit et la courte durée de ma vie lui pourront permettre d'atteindre » (VI, p. 3, l. 3-11).

« Je ne dirai rien de la Philosophie, sinon que, voyant qu'elle a été cultivée par les plus excellents esprits qui aient vécu depuis plusieurs siècles, et que néanmoins il ne s'y trouve encore au-

saltem decipi ; ac ne unus quidem videtur habere scientiam.; si enim hujus ratio esset certa et evidens, ita illam alteri posset proponere, ut ejus etiam intellectum tandem convinceret. De omnibus ergo quae sunt ejusmodi probabiles opiniones, non perfectam scientiam videmur posse acquirere, quia de nobis ipsis plura sperare, quam caeteri praestiterunt sine temeritate non licet » (*Reg. II*, t. X, p. 363, l. 5-17).

« Non de perversis loquor et damnandis : ut sunt inanis gloria, vel lucrum turpe ; ad hos enim perspicuum est fucatas rationes, et vulgi ingeniis accommodata ludibria, longe magis compendiosum iter aperire, quam posset solida veri cognitio » (*Reg. I*, t. X, p. 360, l. 26-p. 361, l. 1).

« Nihil autem mihi videtur ineptius, quam de naturae arcanis, coelorum in haec inferiora virtute, rerum futurarum praedictione, et similibus, ut multi faciunt, audacter disputare... » (*Reg. VIII*, t. X, p. 398, l. 5-10).

« ... et nihil prodesset suffragia numerare, ut illam sequeremur opinionem, quae plures habet Auctores : nam si agatur de quaestione difficili, magis credibile est ejus veritatem a paucis inveniri potuisse, quam a multis » (*Reg. III*, t. X, p. 367, l. 10-14).

« Nam revera nihil inanius est, quam circa nudos numeros figurasque imaginarias ita versari, ut velle videamur in talium nugarum cognitione conquiescere, atque superficiariis istis demonstrationibus, quae casu saepius quam arte inveniuntur, et magis ad oculos et imaginationem pertinent quam ad intellectum sic incumbere, ut quodammodo ipsa ratione uti desuescamus ; simulque nihil intricatius, quam tali probandi modo novas difficultates confusis numeris involutas expedire » (*Reg. IV*, t. X, p. 375, l. 13-22).

« ... nam nihil aliud esse videtur ars illa quam barbaro nomine algebram vo-

cune chose dont on ne dispute, et par conséquent qui ne soit douteuse, je n'avais point assez de présomption pour espérer d'y rencontrer mieux que les autres ; et que, considérant combien il peut y avoir de diverses opinions, touchant une même matière, qui soient soutenues par des gens doctes, sans qu'il y en puisse avoir jamais plus d'une seule qui soit vraie, je réputais presque pour faux tout ce qui n'était que vraisemblable » (VI, p. 8, l. 18-29).

« Et ni l'honneur ni le gain qu'elles promettent n'étaient suffisants pour me convier à les apprendre. » (VI, p. 9, l. 2-4).

« Et enfin pour les mauvaises doctrines je pensais déjà connaître assez ce qu'elles valaient, pour n'être plus sujet à être trompé, ni par les promesses d'un Alchimiste, ni par les prédictions d'un Astrologue, ni par les impostures d'un Magicien, ni par les artifices ou la vanterie d'aucun de ceux qui font profession de savoir plus qu'ils ne savent » (VI, p. 9, l. 10-16).

« ... et que néanmoins la pluralité des voix n'est pas une preuve qui vaille rien, pour les vérités un peu malaisées à découvrir, à cause qu'il est bien plus vraisemblable qu'un homme seul les ait rencontrées que tout un peuple... » (VI, p. 16, l. 21-26).

« Puis pour l'analyse des anciens et l'algèbre des modernes, outre qu'elles ne s'étendent qu'à des matières fort abstraites et qui ne semblent d'aucun usage, la première est toujours si astreinte à la considération des figures qu'elle ne peut exercer l'entendement sans fatiguer beaucoup l'imagination, et l'on s'est tellement assujetti, en la dernière, à certaines règles et à certains chiffres, qu'on en a fait un art confus et obscur qui embarrasse l'esprit, au lieu d'une science qui le cultive » (VI, p. 17, l. 27-p. 18, l. 5).

cant, si tantum multiplicibus numeris et inexplicabilibus figuris, quibus obruitur, ita posset exsolvi, ut non amplius ei desit perspicuitas et facilitas summa, qualem in verā Mathesi debere esse supponimus » (*Ibid.*, p. 377, l. 4-9).

« Multitudo regularum saepe ex doctoris imperitia procedit, et quae ad unum generale praeceptum possent reduci, minus perspicua sunt si in multa particularia dividantur » (*Reg. XVIII*, t. X, p. 461, l. 16-19).

« Circa objecta proposita, non quid alii senserint, vel quid ipsi suspicemur, sed quid clare et evidenter possimus intueri, vel certo deducere quaerendum est; non aliter enim scientia acquiritur » (*Reg. III*, t. X, p. 366, l. 11-14).
« ... ut nihil unquam ne scire putent, quod non aeque distincte intueantur, ac illud quod omnium distinctissime cognoscunt » (*Reg. IX*, t. X, p. 401, l. 27- p. 402, l. 1).
« Atque ita per hanc propositionem rejicimus illas omnes probabiles tantum cognitiones, nec nisi perfecte cognitis, et de quibus dubitari non potest, statuimus esse credendum » (*Reg. II*, t. X, p. 362, l. 13-16).

« Tota methodus consistit in ordine et dispositione eorum ad quae mentis acies est convertenta, ut aliquam veritatem inveniamus. Atqui hanc exacte servabimus, si propositiones involutas et obscuras ad simpliciores gradatim reducamus, et deinde ex omnium simplicissimarum intuitu ad aliarum omnium cognitionem per eosdem gradus ascendere tentemus » (*Reg. V*, t. X, p. 379, l. 15-21. Cf. *Reg. VI* et *IX*).

« Ad scientiae complementum oportet omnia et singula, quae ad institutum nostrum pertinent, continuo et nullibi interrupto cogitationis motu perlustrare, atque illa sufficienti et ordinata enumeratione complecti » (*Reg. VII*, t. X, p. 387, l. 10-13).

« Circa illa tantum objecta oportet versari, ad quorum certam et indubi-

« Et comme la multitude des lois fournit souvent des excuses aux vices, en sorte qu'un État est bien mieux réglé lorsque, n'en ayant que fort peu, elles y sont fort étroitement observées... » (t. VI, p. 18, l. 8-11).

« Le premier (précepte) était de ne recevoir jamais aucune chose pour vraie que je ne la connusse évidemment être telle ; c'est-à-dire d'éviter soigneusement la Précipitation et la Prévention ; et de ne comprendre rien de plus en mes jugements que ce qui se présenterait si clairement et si distinctement à mon esprit, que je n'eusse aucune occasion de le mettre en doute » (VI, p. 18, l. 16-23).

« Le second, de diviser chacune des difficultés que j'examinerais, en autant de parcelles qu'il se pourrait et qu'il serait requis pour les mieux résoudre » (t. VI, p. 18, l. 24-26).
« Le troisième, de conduire par ordre mes pensées, en commençant par les objets les plus simples et les plus aisés à connaître, pour monter peu à peu, comme par degrés, jusqu'à la connaissance des plus composés, et supposant même de l'ordre entre ceux qui ne se précèdent point naturellement les uns les autres » (VI, p. 18, l. 27-p. 19, l. 2).

« Et le dernier, de faire partout des dénombrements si entiers, et des revues si générales, que je fusse assuré de ne rien omettre » (VI, p. 19, l. 3-5).

« Et je ne fus pas beaucoup en peine de chercher par lesquelles il était besoin

tatam cognitionem nostra ingenia videntur sufficere.

« ... adeo ut si bene calculum ponamus, solae supersint Arithmetica et Geometria ex scientiis jam inventis, ad quas hujus regulae observatio nos reducit » (*Reg. II*, t. X, p. 362, l. 1-3, p. 363, l. 17-20).

« Ex quibus evidenter colligitur quare Arithmetica et Geometria caeteris disciplinis longe certiores existant, quia scilicet hae solae circa objectum ita purum et simplex versantur, ut nihil plane supponant, quod experientia reddideret incertum » (*Ibid.*, p. 365, l. 15-19).

« Quae me cogitationes cum a particularibus studiis Arithmeticae et Geometriae ad generalem quamdam Matheseos investigationem revocassent, quaesivi inprimis quidnam praecise per illud nomen omnes intelligant, et quare non modo jam dictae, sed Astronomia etiam, Musica, Optica, Mecanica, aliaeque complures, Mathematicae partes dicantur... Quod attentius consideranti tandem innotuit, illa omnia tantum, in quibus ordo vel mensura examinatur ad Mathesim referri... » (*Reg. IV*, t. X, p. 377, l. 9-p. 378, l. 2).

« ... sciendum est, omnes habitudines quae inter entia ejusdem generis esse possunt, ad duo capita esse referendas : nempe ad ordinem, vel ad mensuram » (*Reg. XIV*, t. X, p. 451, l. 6-8).

« Quibus animadversis, facile colligitur : hic non minus abstrahendas esse propositiones ab ipsis figuris, de quibus Geometrae tractant, si de illis sit quaestio, quam ab alia quavis materia ; nullasque ad hunc usum esse retinendas praeter superficies rectilineas et rectangulas, vel lineas rectas, quas figuras quoque appellamus... » (*Reg. XIV*, t. X, p. 452, l. 14-19).

« ... neque quicquam simplicius, ad omnes habitudinum differentias exponendas, inveniri posse ab humana industria » (*Ibid.*, l. 24-26).

« Caeterum, quia non plures quam duas dimensiones diversas, ex innumeris quae in phantasia nostra pingi possunt, uno et eodem, sive oculorum, sive mentis intuitu contemplandas esse diximus : operae pretium est omnes alias ita reti-

de commencer ; car je savais déjà que c'était par les plus simples et les plus aisées à connaître ; et considérant qu'entre tous ceux qui ont ci-devant recherché la vérité dans les sciences, il n'y a eu que les seuls Mathématiciens qui ont pu trouver quelques démonstrations, c'est-à-dire quelques raisons certaines et évidentes... » (VI, p. 17, l. 20-24).

« ... toutes ces sciences particulières qu'on nomme communément Mathématiques, et voyant qu'encore que leurs objets soient différents, elles ne laissent pas de s'accorder toutes, en ce qu'elles n'y considèrent autre chose que les divers rapports ou proportions qui s'y trouvent... »

« ... je pensai qu'il valait mieux que j'examinasse seulement ces proportions en général, et sans les supposer que dans les sujets qui serviraient à m'en rendre la connaissance plus aisée ; même aussi sans les y astreindre aucunement, afin de les pouvoir d'autant mieux appliquer après à tous les autres auxquels elles conviendraient. Puis ayant pris garde que, pour les connaître, j'aurais quelquefois besoin de les considérer chacune en particulier, et quelquefois seulement de les retenir, ou de les comprendre plusieurs ensemble, je pensai que, pour les considérer mieux en particulier, je les devais supposer en des lignes, à cause que je ne trouvais rien de plus simple, ni que je pusse plus distinctement représenter à mon imagination et à mes sens ; mais

nere, ut facile occurrant quoties usus exigit ; in quem finem memoria videtur a natura instituta. Sed quia haec saepe labilis est, et ne aliquam attentionis nostrae partem in eadem renovanda cogamur impendere, dum aliis cogitationibus incumbinus, aptissime scribendi usum ars adinvenit ; cujus ope freti, hic nihil prorsus memoriae committemus, sed liberam et totam praesentibus ideis phantasiam relinquentes, quaecumque erunt retinendae in charta pingemus ; idque per brevissimas notas ; ut postquam singula distincte inspexerimus juxta regulam nonam, possimus juxta undecimam omnia celerrimo cogitationis motu percurrere et quamplurima simul intueri » (*Reg. XVI*, t. X, p. 454, l. 16-p. 455, l. 7).

que pour les retenir, ou les comprendre plusieurs ensemble, il fallait que je les expliquasse par quelques chiffres, les plus courts qu'il serait possible... » (VI, p. 20, l. 4-21).

« ... sentiet omnino se nihil amplius ignorare ingenii defectu vel artis, neque quidquam prorsus ab alio homine sciri posse, cujus etiam non sit capax, modo tantum ad illud idem, ut par est, mentem applicet. Et quamvis multa saepe ipsi proponi possint, a quibus quaerendis per hanc regulam prohibebitur, quia tamen clare percipiet illa eadem omnem humani ingenii captum excedere, non se idcirco magis ignarum esse arbitrabitur ; sed hoc ipsum quod sciet, rem quaesitam a nemine sciri posse, si aequus est, curiositati suae sufficiet abinde » (*Reg. VIII*, t. X, p. 396, l. 15-25. Cf. p. 399, l. 22-p. 400, l. 11).

« ... mais il me sembla aussi, vers la fin, que je pouvais déterminer, en celles (les questions) même que j'ignorais, par quels moyens, et jusqu'où il était possible de les résoudre. En quoi je ne vous paraîtrai peut-être pas fort vain, si vous considérez que, n'y ayant qu'une vérité de chaque chose, quiconque la trouve en sait autant qu'on en peut savoir » (VI, p. 21, l. 1-9).

TABLE ANALYTIQUE DU COMMENTAIRE

R

Raison (la) et le bonheur, 225, 254, 258, 259 ; — égalité des raisons, 83, 89, 177-178. Voir : Lumière naturelle. Évidence. Idées. Méthode ; — raison et esprit, 86-87, 88-89. Rapports, 217.

Regulae ad directionem ingenii. — Leur date, 196.

Religion. — La vraie religion, 164 ; — et le doute, 235, 241 ; — la religion du roi, 236. Voir : Foi. Théologie.

Renaissance. — Son idéal pédagogique, 102 ; — sa méthode d'observation, 149,.169 ; — les sceptiques, 267, 268 ; — et Descartes, 276.

Rose-Croix, 265, 449.

S

Sagesse, 82-83, 93 à 95, 96, 97, 142, 230, 231, 248.

Science. — 1º Ses études et première idée de la science cartésienne, 101 à 103. — 2º C'est l'œuvre d'un seul, 158, 160, 179 ; — chercher la science en soi-même, 142 ; — distinguer *découvrir* et *apprendre*, 178. — 3º La réforme cartésienne, 94, 170, 370 ; — valeur pratique, 445 et suiv. — 4º Les sciences curieuses, 109-110, 115, 120, 140, 141 ; — les sciences occultes, 119.

Scolastique (critique de la) et la théorie de l'esprit, 89 ; — et la logique, 135. Voir : Syllogisme ; — et la physique, 159-160, 272-273, 377, 463 ; — et le concept, 356-357. Voir : Ame. Ame et corps. Appétits. Formes substantielles ; — diversité des opinions des scolastiques, 460 ; — Descartes relit leur philosophie en 1640 : 139.

Sens. — 1º Voir : Bon sens. — Les sens : définition, 367-368 ; — différents sens, 418-419 ; — valeur pratique, 368-369. Voir : Scolastique et le concept. Erreurs des sens. Doute méthodique.

Sens commun, 87, 112, 147, 419, 420 ; — et la physique, 474-475.

Sommeil, 366, 367, 417-418.

Souverain bien. Voir : Bonheur.

Stoïcisme. Voir : Morale.

Studium bonae mentis, 180.

Substance. — Ne comporte pas le plus ou le moins, 88 ; — définition, 302 à 304 ; — nature et mode, 305 ; — distinction des substances, 310-311.

Syllogisme, 183-184, 461.

T

Terre (son mouvement), 439 à 443, 473.

Transsubstantiation, 133.

Théologie, 96-97, 139, 228 ; — apprend à gagner le ciel, 117, 132 à 135.

V

Vérité. — Définition, 310-365 ; — vérités éternelles, 335, 372, 373.

Vertu. — Source de tous les biens, 261.

Vœux religieux, 239, 240, 241.

Volonté et intellect, 232-233. Voir : Jugement ; — nos pensées au pouvoir de la volonté, 247, 248 ; — amour du bien, 250, 259 ; — et les preuves de l'existence de Dieu, 332-333.

Voyages. — Leur utilité, 121-122 ; — ceux de Descartes, 143, 149, 150, 155, 266, 274.

Vraisemblable, 138, 147, 197, 215, 232, 234, 238, 245.

TABLE DES NOMS PROPRES

TABLE DES MATIÈRES

Joseph FLOCH, Maître-Imprimeur à Mayenne - 7-11-66 - n° 2689

BIBLIOTHÈQUE DES TEXTES PHILOSOPHIQUES

RENÉ DESCARTES

Editions classiques

CORRESPONDANCE AVEC ARNAULD ET MORUS.

Texte latin et traduction. Introduction et notes par G. RODIS-LEWIS, *Professeur à la Faculté des Lettres de Lyon.* In-16 jésus de 190 pages.

RÈGLES POUR LA DIRECTION DE L'ESPRIT.

Traduction et notes de J. SIRVEN. In-16 jésus de 160 pages.

REGULAE AD DIRECTIONEM INGENII.

Texte de l'édition ADAM et TANNERY. Notice par Henri GOUHIER, *Membre de l'Institut, Professeur à la Sorbonne.* In-16 jésus de 152 pages.

LETTRES A RÉGIUS ET REMARQUES SUR L'EXPLICATION DE L'ESPRIT HUMAIN.

Texte latin ; traduction, introduction et notes par G. RODIS-LEWIS. In-16 jésus de 216 pages.

MEDITATIONES DE PRIMA PHILOSOPHIA. MÉDITATIONS MÉTA-PHYSIQUES.

Texte latin et traduction du DUC DE LUYNES. Introduction et notes de G. RODIS-LEWIS. In-16 jésus de 192 pages.

LES PASSIONS DE L'AME.

Introduction et notes par G. RODIS-LEWIS. In-16 jésus de 240 pages.

LES PRINCIPES DE LA PHILOSOPHIE.

PREMIÈRE PARTIE.

Introduction et notes par G. DURANDIN. In-12 de 158 pages.